〈世界史〉の哲学　近代篇1　〈主体〉の誕生

大澤真幸

講談社

〈世界史〉の哲学　近代篇1　〈主体〉の誕生

装幀　帆足英里子

まえがき

本書は、「〈世界史〉の哲学」と題するシリーズの中の「近代篇」に属している。「〈世界史〉の哲学」は、〈世界史〉のダイナミズムを規定している論理の形式を、社会システム理論の観点から抽出するプロジェクトである。すでに、『古代篇』『中世篇』『東洋篇』『イスラーム篇』『近世篇』を世に送り出してきた。『近代篇』は、これらに続くものである。『近代篇』は二巻に分かれており、本書はその第一巻目にあたる。この巻には、「〈主体〉の誕生」という名を与えた。

「〈世界史〉の哲学」の中で「近代」と呼んでいる対象は、典型的には、一九世紀の西洋である。この期間を、他から区切って単一の歴史的領域とすることには十分な根拠がある。その根拠が厳密には何かということは、『近代篇』の全体を通じて示していることなので、ここで詳しく説明することはできない。

だが、この期間が、つまり「近代」が、それ以前から区別しうる特別な意味をもつことは、それほど細かい考察を経なくてもすぐに理解できることである。近代は、すでに「われわれの時代」だからだ。われわれの時代が始まり、その骨格ができあがったのが、近代である。

現在のわれわれの価値観はもとより、感受性すらも、主としてこの時代に作られ、ずっと維持されてきたものだ。たとえば、「自由」とか、「平等」とか、「人権」とかといった概念が、「普遍的」な妥当性をもつ政治的価値として見出されたのは、一九世紀である。地球の全人口が基本的にはいずれかの「国民」に分割されているというのは、今日の常識だが、その「国民」という共同体も、近代以前には存在しない。現在のわれわれの美的感性もこの頃に基礎をもつということは、われわれがとりたてて身構えることもなく自然に楽しむことができる音楽が、モーツァルトの活動期（一八世紀の終わり頃）に始まった音楽であることを思えば、すぐに納得できるだろう。モーツァルトの作品ならば、ごく普通に「現在の音楽」のひとつだが、それより前の音楽には、われわれの音楽とは何か異なったもの、われわれからいくぶんか断絶した古いものを感じてしまう。要するに、「近代」とは、「われわれの時代」の始まりを指す語である。『近代篇』の主な関心は、この時期に向けられている。

もっとも、本書の中には、今述べた期間から逸脱したところにある現象や出来事への言及もたくさんある。本シリーズのこれまでの巻でも、その巻が主たる対象として想定している時代や場所から外れた話題に多くの言葉を費やしてきた。それには理由がある。マルクスの言い回しを借りれば、人間の解剖こそがサルの解剖の鍵だからである。

常識的な考えでは、進化の初期の段階の単純な状態を理解することが、（サル）より進化した複雑な状態（人間）を理解するための基礎になる。しかしマルクスによれば、実際には逆である。「それ」がいったいどのような意味で重要なのかということは、十分に進化した後になってはじめて理解することができるからだ。たとえば大脳新皮質の圧倒的な機能は、人間の行動や性質を通じてはじめて明らかになる。だからこそ、人間とサルの共通祖先において大脳新皮質がどうであったかということも精査されるのだ。

同じように、近代に入ってからはじめてその意義が明白になったものに関して、起源を探ると、それはしばしば近代以前の段階に、たとえば近世や古代にある。近代の時点からの遡及的なまなざしだけがその重要性や意味を見出しうる、近世・古代等に始まる現象がいくつもあるのだ。そうした現象は、近代篇の中で論じられることになる。このような意味では、本書が想定している「近代的なもの」の範囲は、「一九世紀の西洋」という限定をはるかに超えて広い。

*

本書だけではなく別の巻をも含め「〈世界史〉の哲学」というプロジェクトが何を目指しているのかを、あらためて述べておこう。

まず、これは、歴史学者の仕事とは異なるものである。「〈世界史〉の哲学」は、歴史学の研究に依存してはじめて可能になるが、歴史学そのものに直接貢献するものではない。歴史学は、過去に何がどのような順序で起きたのかを、その細部に至るまで――それぞれの出来事や過程の個別性を際立たせるかたちで――記述する。それに対して、私が「〈世界史〉の哲学」と呼んでいる知は、ある種の理論的な説明である。したがって、ここで抽出しようとしていることは、出来事や過程に内在している不変的・普遍的な核だ。

だが、このように解説すると、歴史を大づかみにしたときに明らかになる趨勢や、あるいは歴史の中で繰り返し出現しているパターンを発見することが目指されている、と思われるかもしれない。たとえば、単線的であるにせよ、複線的であるにせよ、歴史の趨勢にはこのような法則性があるとか、あるいは細部の違いにかかわらず一般的な共通性に着目するとあちこちで同じ規則的パターンの過程が生じているとか、そうしたことを発見する作業を思い浮かべるかもしれない。しかし、これらの作業も「〈世界史〉の哲学」の目的とは関係がない。

では、「〈世界史〉の哲学」とはどこを目指す探究なのか。

まず、次のようなことを思い起こしてみよう。たとえば——何でもかまわないが——『ハムレット』。われわれは確かに、この悲劇を観ればいたく感動する。この作品は、一七世紀の初頭にシェイクスピアによって創られた。創作の直接の背景となっている当時のイングランドの文化も、また戯曲の舞台として設定されているデンマークの王室の状況も、今日のわれわれ、現在の日本人からはまったくなじみのないもので、われわれの現状の生活と共有しているものはわずかである。にもかかわらず、『ハムレット』はわれわれに訴えるものがある。ハムレットの苦悩や怒り、オフィーリアの嘆きや悲しみに、われわれは観劇しながら共鳴せざるをえない。

マルクスは、『経済学批判要綱』の序文の末尾に近いところで、古代ギリシアの芸術や叙事詩に言及しながら、同じ謎にふれている。どうして、紀元前八世紀の初期ギリシア社会を背景にして創られた叙事詩『イーリアス』が、一九世紀の西洋人にも芸術的な悦びを与えることができるのか、と。こうしたことは、もちろん、西洋史に属する事項に関してのみ生ずるわけではない。『三国志演義』は、現在のわれわれをも興奮させる。現代の日本社会の日常に平安時代の公家の生活様式と似ているものはほとんどないが、『源氏物語』を読むと、深くため息をつかざるをえない。文学的なものだけではない。先ほど、モーツァルトよりも前の音楽には「他者」を感じると述べたが、だからと言って、われわれがそうした音楽に、たとえば西洋中世の宗教音楽や非西洋の音楽に感動しないわけではない。そこに含まれる音の響きはときに、現在のわれわれをも魅了する。

ここには謎がある。どうして特定の歴史的コンテクストに深く埋め込まれたものに、「普遍的」とも見なしうる訴求力があるのか。この現象についてのありきたりの説明は、過去の作品に描かれていることと現在の状況には違いも多いが、大まかに見れば、同じ人間に関することとして共通する点もあるのだ、といったことに理由を求めようとする。さすがのマルクスも、この謎についての回答としては、こうした凡庸な説明の一類型を与えただけだ（ヨーロッパ史の初期にあたる古代ギリシアは、誰もがノスタルジックにあこがれる子ども時代と似ている、といった）。

だが、このごく普通の説明が、謎の深さに見合っていないことは明らかである。ためしに、『ハムレット』に描かれている状況とわれわれが現実に体験しうることとの共通点を一般命題として取り出してみるとよい。『イーリアス』に描かれていることと現在のわれわれのコンテクストの中でリアリティがあることとの間で共有されている部分だけを抽出してみるとよい。「母親の再婚相手に息子は複雑な思いをもつ」とか、「プライドを傷つけられた男の怒りは大きい」とか、といった命題が得られるだろう。しかし、こんな命題には、人を感動させるものは何一つ含まれてはいない。こうした命題からは、『ハムレット』や『イーリアス』が発していた魅力の最も重要な部分は、完全に脱落している。

ここから次のことがわかってくる。普通は、現代社会とはかけ離れた歴史的なコンテクストは、そうしたコンテクストに規定されているものをわれわれが理解したり、それらを享受したりする上での障害物だと思われている。しかし実際はそうではなく、まったく逆なのだ。われわれは、そうした固有の歴史的な条件にもかかわらず感動しているのではなく、まさにそうした歴史的な条件のゆえに感動していたのである。つまり、それぞれに特異な個別の歴史的条件に密着した普遍的魅力というものがある。

「〈世界史〉の哲学」の目標は、このような意味での普遍性を抉出《けっしゅつ》することにある。特異性と矛盾なく直結している——それどころか歴史的特異性と結びつかずにはありえない——普遍性。これを抽出することが探究の目標である。だから、見出そうとしていることは特殊性ではなく、普遍性であり、論理——歴史の中で不変であるほかない論理——である。

「〈世界史〉の哲学」はだから、さまざまな事象を歴史的に相対化することを目標とする研究とは異なっている。確かに、そうした研究の助けを必要としてもいる。なぜなら、ここで探究されている普遍性は、歴史性と不可分だからだ。だが、繰り返せば、「〈世界史〉の哲学」は、歴史的な相対化をゴールとする研究ではない。「〈世界史〉の哲学」は、普遍性が歴史的な特異性によって足を引っ張られることがなく、むしろそうした特異性と一体化してのみ現実のものとなるのはどうしてなのかを説明しようとするものである。

＊

『近代篇』そのものに立ち戻ろう。実際のところ、ここでは、謎の核心にある逆説は、つまり特異性に密着した普遍性という逆説は見えにくくなっている。近代は、先に述べたように、すでに「われわれの時代」だからである。述べてきたような意味での普遍性を見出すためにも、「われわれの時代」である近代もまた歴史化して捉えなくてはならない。

ところで、ここで〈われわれ〉は、探究の上で有利なポジションにいる、ということも銘記しておこう。〈われわれ〉と表記したことには、はっきりと限定した意味がある。〈われわれ〉は、現代の日本の文化的・社会的コンテクストの中で思考する者を指す。

先に、「近代」の典型は、一九世紀の西洋だと述べた。これがすでに「われわれの時代」だと言ったとき、その中に、当然、現代の日本社会も含まれる。実際、この日本で現在営まれている政治制度（たとえば議会制民主主義、国民主権）、経済活動（資本主義）、科学を中心とする学問のスタイル、芸術の様式の大半は、西洋に、とりわけ一九世紀の西洋に由来するものであり、主として明治時代以降、日本人はそれらを――「翻訳」を媒介にして――導入した。日本人であるところの〈われわれ〉もまた「近代」の内部にいる。このことを認めなければ嘘になる。〈われわれ〉は、西洋の「近代」に魅了され、自らのうちに積極的に受容しようとしてきた。同時に、「近代」であるがゆえに抱えた困難や限界は、〈われわれ〉にとっての困難・限界でもある。「近代」の限界に、〈われわれ〉もぶつかり、苦しんでもいる。

だが、同時に、〈われわれ〉は、一九世紀の西洋をもたらした文明の直系の末裔であるかのように自分自身を位置づけることもできない。明治以降、日本人は、たいへん積極的に西洋の概念や制度を模倣してきたが、しかし、それらを完全に内面化できたわけではない。現代の日本もまた、一九世紀の西洋を典型的なモデルとする時代に内属していることはまちがいないが、しかし、日本人はその中で、自分が異邦人であるとも感じている。

このことは、〈われわれ〉が西洋にそのデフォルトのモデルがあるような文化や社会を理解する上では、あるいはそうした文化や社会の中で育ってきた方法で思考する上で、不利な条件となる。もちろん、言語という障壁も大きい。より大きい障壁は、キリスト教である。近代的でまったく世俗的なものも含めて、西洋がその根幹にすえている概念の大半が、キリスト教との――ときには否定的な――関係を通じて形成されてきた。しかし日本社会は歴史的に、キリスト教や唯一神教とほとんど無縁だった。個人としては、優れたキリスト者もいたが、ひとつの社会として、キリスト教や唯一神教を取り込んだことはなかったのだ。日本（語）という文脈で思考してきた人、日本の研究者は多かれ少なかれ、西洋を理解する上で、あるいは西洋で確立された方法で真理を探究する上で、こうした事情を困難として自覚してきたはずだ。

だが、不利な条件は、そのまま有利な条件にも転じうる。〈われわれ〉は、「近代」という時代の内部にありつつ、なお異邦人性をも返上できない、と述べてきた。このことが、「近代」の、内側からの深い理解を困難ならしめる要因だということも事実なのだが、深く状況に内在している当事者が自らを最もよくわかっている、とは必ずしも言えないということもよく知られたもうひとつの事実であろう。他者や異邦人の視点を媒介にしなくては、見ることができないこともあるのだ。

こうした主張は牽強付会に思われるかもしれないが、そうではない。先に述べたことを振り返っておこう。「〈世界史〉の哲学」において探究の対象になっていることは、それぞれの文化や文明が還元不可能な特殊性をもっている、という事実ではない。いくつもの文化や文明が差異を超えて――むしろその差異そのものを強調するかたちで――互いに反響することを可能なものとしている独特の普遍性こそが、解明すべきことだった。そうであるとすれば、「われわれの時代」である「近代」に対して、なお違和感をもっているということは、「近代」を探究する上で、有利な条件にもなりうるはずだ。

*

本書『〈世界史〉の哲学　近代篇1〈主体〉の誕生』に実際に何が書いてあるのかを、ここで要約するつもりはない。本文を直接、読んでいただきたい。とはいえ、主題は非常に多岐にわたっているので、読者の利便のために、映画の予告篇のようなかたちで、書かれていることの一部を紹介しておこう。

本書では、資本主義なるものが、本格的な考察の対象となる。資本主義については、『近世篇』や『イスラーム篇』でも論じてきた。これらの巻では、資本主義は脇役的な話題だったが、本書では主役である。本書で特に重視されるのは、資本主義の宗教性である。ヴァルター・ベンヤミンやマックス・ヴェーバーが述べていたように、資本主義は宗教（キリスト教の極端な変形版）である。ただしそれは、自身の宗教性を否認する宗教、宗教のまったき反対物（冒瀆）の外観をもつ宗教、その熱心な「信者」でさえも信じているという自覚をもたない宗教だ。

資本主義という主題との関係で、「貨幣」が考察の対象となる。貨幣論は、あの「人間の解剖がサルの解剖の鍵」という原理が最も強く作用している箇所である。貨幣は、資本主義が発明したものではない。資本主義よりずっと前に、貨幣は出現している。そして、資本主義的近代よりも前から、貨幣は、社会の構造や状態を規定する重要な因子のひとつではあった。とはいえ、貨幣が、社会構造のもろもろの規定因子の中でも特権的な意義をもつようになるのは、たとえば権威のあり方とか支配の構造よりももっと重要な因子となるのは、資本主義が十分に成熟してからである。貨幣の本質やその起源があらためて問われる必然性は、資本主義化した社会からの遡及的なまなざしを前提にしたときはじめて明らかになる。

近代を定義する最も重要な条件は、個人の身体の上に、独特の形式をもった〈主体〉が構成されることにある。独特の形式とは、「先験的（超越論的）かつ経験的な二重態」という意味だ。このような意味での〈主体〉の理念的に純化された表現は、カントの哲学に見ることができる。〈主体〉がどのようにして生み出されたのか、ということについては、ミシェル・フーコーのよく知られた説がある。フーコーの説明では、しかし、あるタイプの権力が与件になっている。つまり特定のタイプの権力の出現自体は、説明されない独立変数のようなものになっている。本書でわれわれは、その権力は、（宗教としての）資本主義の相関項として生み出されたものだ、ということを示唆しておいた。

資本主義は、二つの対照的な言説を随伴させている。ひとつは近代科学の言説であり、もうひとつは小説という文学形式だ。科学の言説と資本主義との連動性については、直観するのはそれほど難しくはない。ただし、それは、科学が資本主義に固有の不断の技術革新に役立ったということ（だけ）を指しているのではない。科学へと人を駆り立てている衝動と資本主義を駆動している衝動には、強い並行性があり、両者は究極的には同じものに由来しているという趣旨である。資本主義において、資本は常に剰余価値を生み出していく。同様に、近代科学においては、「剰余知識（新発見）」が常に生み出されている。資本のように蓄積されていく（真理をめぐる）知識。このようにダイナミックに変動する真理の体系は、近代科学以前にはなかった。

もっと複雑で理解が難しいのは、小説という文学の形式もまた、資本主義と連動しつつ生まれてきた言説だということだ。厳密な意味での小説、形式的なリアリズムによって定義される小説は、近世の後半に生まれ、近代において開花した。小説が、近代に固有の〈主体〉や〈内面〉と関係している、ということは繰り返し言われてきたことだ。小説はしかし、より本質的には、資本主義と結びついている。ただし、小説が書籍として市場で売られ、大量の読者に送り届けられることで、出版者や印刷業者の資本主義的な欲望を満たした（いわゆる出版資本主義）という当たり前のことを言っているのではない。小説という文学様式も――近代科学と同様に――資本主義への衝動と同じものから生まれてきているのだ。ただし、この場合、「資本主義」なるものを正しく――つまりその（逆説的な）宗教性をも含む広い意味で――理解しておかなくてはならない。近代科学と小説は、資本主義を媒介にして考えると、正確に対照的な位置にあることがわかる。逆に言うと、これら二つの言説は、資本主義の二面性を照らし出しているとも言える。本書の最終章では、二つの言説の関係を、無限集合の理論を隠喩的に活用することで示してある。

＊

「〈世界史〉の哲学」のシリーズは、通史のようなものではないので、前に出た巻を前提にしないと後の巻が理解できない、というわけではない。各巻は基本的に独立している。この『近代篇1〈主体〉の誕生』もひとつの完結した書物として読んでいただくことができる。本文の中には、かなり細かくシリーズの関連箇所への参照の指示を入れてあるが、それらの箇所にわざわざ立ち戻らなくても理解できるように書いたつもりである。『近代篇』としては、本書に続いて『近代篇2　資本主義の父殺し』が出版される予定になっている。同じ『近代篇』なので、本書との繋がりは強いが、どちらも基本的には独立の一書である。

〈世界史〉の哲学　近代篇1　〈主体〉の誕生

目次

〈世界史〉の哲学　近代篇２　資本主義の父殺し

目　次

第1章　失敗した贋金作り

1　サルの解剖と人間の解剖――懸案の問いを呼び戻す

サルの解剖が人間の解剖の鍵になるのではなく、逆に、人間の解剖こそがサルの解剖の鍵になる。マルクスは『経済学批判要綱』でこう述べている。

普通は、次のように考えられている。人間の身体の構造やその内部の諸器官の機能は、いきなりその本質を理解するには、あまりに複雑すぎる。そこで、まずは、その身体の構造が人間の身体よりもはるかに単純な動物――たとえばサル――を解剖し、その身体の内的な構造や臓器の機能を調べる。そこからの類推によって、より複雑な人間の身体を理解することができるだろう。このとき、サル（などのより単純な動物）の解剖が、人間の解剖によって知ろうとしていたことを理解するための鍵となる。

だが、マルクスは逆に考えた。十全に進化した人間のケースから振り返ることで、より単純な動物の身体がなぜそのような構造をもっていたのか、それぞれの器官がいかなる機能をもっているのかを理解することができるのだ、と。たとえば、われわれは脳を特別な器官であると理解している。それは、人間という動物の脳がきわめて大きく複雑で、それがどれほど重要な役割を果たすかをわれわれが知っているからである。脳を有する動物の中で、その身体の構造が最も単純なのは、サナダ虫のような扁形動物だが、もし人間の脳について何も知らずにサナダ虫を解剖したとしたら、脳が進化において果たす決定的な役割に気づくことができるだろうか。できまい。扁形動物の、末梢神経から区別された中枢神経（神経節）をもつ「かご形神経系」に注目するとき、科学者は、人間の脳をフィルターにしてそれを観察している。人間の解剖こそが、サナダ虫の解剖の鍵である。[*1]

生物の進化を、マルクスが述べた、このような基準で評価することが妥当かどうかは、見解が分かれるだろうし、ここでその点を議論するつもりはない。[*2]ただ、マルクスが比喩に訴えて説明しようとしていた本来の現象について言えば、彼の主張はまちがいなく真実を言い当てている。この警句が目標としている本来の現象とは、もちろん、人間の歴史である。[*3]

実際、われわれのここまでの探究は、マルクスの警句の含意に適合したかたちで進められてきた。たとえば、『近世篇』で、「王の二つの身体」という政治神学がどのような論理を通じて成立してきたかについて考察した。「法人」という概念と結託しているこの政治神学の成立がいかに難産であり、大きな抵抗を排する必要があったかを説明した。と同時に、にもかかわらず、西洋においてのみ、このような観念が確立しえたのはどうしてなのかも考察した。ところで、「王の二つの身体」が成立するまでの過程の大半は、いわゆる中世に属している。つまり、『近世篇』の中に、中世についての記述がたくさん入っていたことになる。どうして、そのようなスタイルを採ったのか。国王二体論が真に完成するのが、近世の「絶対王政」においてだからである。この時点から振り返らなければ、中世の王権の中で起きていたことが何であったのかを、把握することはできない。つまり、「人間」（絶対王政）の解剖を媒介にしなくては、「サル」（中世の王権）の解剖はよくなしえなかったのだ。

ちなみに、近世の王権についての考察からは、次のことが確認できたはずだ。絶対王政は、決して、王が臣民の一人ひとりを直接に制御しうる強大な権力をもった体制ではない。絶対王政は、法人を媒介にした支配である。それ自身法人であるような王（の政治的身体）が、やはり法人であるような「中間団体」（モンテスキュー）を支配しているのだ。この中間団体の前史を辿れば、中世都市のギルドや兄弟団のような団体を見出すことになるだろう。[*4] 法人を媒介にした支配が、西洋の王権に基づくシステムの、中央集権性と多元性（分権性）の両方を保証している。いずれにせよ、問うべきことは、どうして西洋で、法人という概念が生まれたのか、である。法人は宗教に起源をもっている。しかし、キリスト教と同じ一神教でも、イスラーム教は法人的なものを敵視した。同種の抵抗はキリスト教の下でもあったはずだ。どうして、キリスト教圏で法人なるものが生まれ、普及したのだろうか。この問いには、すでに『近世篇』で回答を与えているので、ここでは再論すまい。

人間の解剖とサルの解剖の関係というマルクスのよく知られている格言をここで引いたのは、まさにこの格言の精神にそって、ここまであえて、最も重要な問いに答えずにきたからである。問いとしては銘記しておきながら、あえて回答してはこなかった主題、それは、資本主義の誕生である。資本主義なるものの生育の土壌としては、西洋キリスト教圏よりも、イスラーム教圏や中華文明の方がはるかに有利であったように見える。たとえば、『コーラン（クルアーン）』によれば、アッラーは、自分への信仰を投資に喩えており、ここにわれわれはイスラーム教の倫理と資本主義の精神との間の親和性を感知せざるをえない。が、しかし、実際には、本格的な資本主義が生まれたのは、西洋だった。どうしてなのか。

資本主義の定義をあらためて確認しておこう。私的所有が確立され、利潤の獲得を目指す個人や企業が市場に現れる、という条件だけでは、資本主義とは言えない。このような条件は、ありふれたものだ。資本主義を定義していることは、その内部のすべての主体が無限の資本蓄積を目指すほかない――そうでない場合には競争に敗れ退出するほかなくなる――ということである。資本蓄積はほとんど倫理的な義務になっている。*5

このような意味での資本主義が西洋で生まれたのは、どうしてなのか。西洋が、資本主義のグローバルな波及の源泉になったのはなぜなのか。この問いはすでに何度も提起してきた。『近世篇』の冒頭でも、あらためて問いをまさに問いとして確認もした。だが、回答を与えてはこなかった。なぜか。「サルの解剖」の鍵となる「人間の解剖」が、まだその段階では得られていなかったからである。ウォーラーステインやブローデルが「長い一六世紀」と呼んだおよそ二世紀間（一五世紀後半から一七世紀前半まで）は、われわれが「近世」と見なした期間の中に収まっている。彼らが、この期間を重視するのは、これが、一六世紀に成立した世界＝経済が、本格的な資本主義へと成長するための準備の過程になっているからだ。

だが、「長い一六世紀」がまさにそのような意義をもつものとして見えるためには、成熟した資本主義の側から、その期間に遡及的なまなざしを向けなくてはならない。そのような資本主義が、一九世紀には、つまり近代のヨーロッパには確実にある。こうして、われわれは、懸案の問いをあらためて呼び戻すことができる。

2　二つの贋金作り

まずは、一九世紀より前には、「サルの解剖」を読み解くための鍵となる「人間の解剖」が得られていない、ということを確認することから始めよう。

絶対王政期のヨーロッパの王家は、絶えざる戦争等によって出費が嵩み、ほぼ恒常的に財政難に苦しんでいた。そんなとき、王家が頼る最も安易な手段は、錬金術である。もちろん、錬金術師は一人残らずペテン師で、彼らが「富（金）」の創造に成功することはない。錬金術については、二つのことに留意しておかなくてはならない。第一に、錬金術やそれと結びついた占星術は、魔術的で、いかに前近代的なものに見えようとも、それらこそが、科学革命のための「可能性の条件」を用意したという事実は否定できない（『近世篇』第6章、第19章）。第二に、錬金術を、現代の科学者の実験のようなもの、つまり象牙の塔にこもってなされる孤独な作業のようなものとして思い描いてはならない。錬金術師の多くが国王と結託してその事業を推進したことにも暗示されているように、彼らの作業は、孤独とはまったく正反対の、広く大衆に公開される演劇的なパフォーマンスの形式をとっていた。

錬金術師の生涯には、説話論的な定型がある。ここに紹介する、「スペイン貴族ルッジエロ伯爵」と称する錬金術師が、一七〇一年五月末に、プロイセン王フリードリヒ一世の宮廷の苦しい財政を救うためにベルリンにやってきたときの様子は、錬金術師の登場場面としては典型的である。実は、「スペイン貴族」という身分や「ルッジエロ」という名前は嘘である。彼は、本名をピエトロビアンカといい、ナポリ近郊の貧乏な農家の出身の男で、金属細工師の徒弟をしているうちに、錬金術を習得したと思うようになったらしい。だが、ベルリンに現れたルッジエロ伯爵の一行は、こうした背景を、微塵も感じさせない。

彼らがベルリンに到着し、街を行進したときの状況を、種村季弘は、まるでその場にいたかのように活写している。[*6] それによると、先頭の馬車には、金銀の縫取りのまばゆいお仕着せを装った、露払いの従者がいて、車体の壁面には、グロテスクな怪物の絵模様が描かれていた。次の車台には、頑丈な檻が組み立てられていて、その中には、珍しい四足獣が寝そべり、極彩色の熱帯鳥が飛んでいた。次の車には、屈強な真っ黒な肌のモール人や、刺青を彫った赤銅色のインディアン（ネイティヴ・アメリカン）、小人。これらの車の周囲には、犬やサルや猫が飛び跳ねる。そして最後に伯爵夫妻のお出ましだ。

曲馬団めいた一行のうしろからはさていよいよ四頭立てのひときわ華麗な無蓋馬車が、威風堂々たる伯爵と、真珠宝石を満艦飾に着飾った伯爵夫人のご両人を乗せてしずしずと進んでくる。一行は物見高い群衆を尻目に、ドロテー通りに面した、かねて手配しておいたと思しい、一軒の宏壮な館の前庭へと吸い込まれるように消えてゆく。

エキゾチックさを過度に強調しているルッジエロの行列が示しているように、錬金術師たちはみな、異邦人として登場した。種村は、この点について、「異国風の衣裳は、（中略）いまここにないもの（中略）をいまとここに結びつける、イローニッシュな伝承形式から要請された不可欠の儀礼的行為にほかならなかった」[*7]と結論づけている。

われわれが注目しておきたいことは、次のことだ。ヨーロッパの近世の王権は、ミシェル・フーコーが述べていたように、公衆に対する王の身体の華々しく祝祭的な現前に依存するかたちで、権力の有効性を保っていた（『近世篇』第20章参照）。同じ時代の錬金術師の身体の、今ここに紹介したような演劇的な現前は、王の身体のそれとよく似ている。端的に言うならば、錬金術（師）なるものを成り立たせている社会的なメカニズムは、王の身体の存立を可能にしたメカニズムと同じものではないか。このように推測することが許されるだろう。

だが、錬金術は必ず失敗する。錬金術師の最期についても、パターンがある。錬金術師は死期を悟ると、たいてい、再生を期して自らの身体をバラバラにして、壜の中に封じ込め、復活の日を待つ。けれどもほとんどの錬金術師は、弟子の不注意が原因で復活に失敗し、寸断された肉片のまま廃棄されてしまう。種村が指摘しているように、死からの復活は、黄金変成の寓意であり、復活の失敗は、「金」作りの挫折を表現している。

あるいは、次のように言ってもよいだろう。錬金術師の身体とは、挫折した「王の政治的身体」だ、と。「威厳＝高位 Dignitas」としての王の政治的身体を表現する、最も一般的な比喩は不死鳥だった（『近世篇』第13章）。不死鳥は、五百年以上の時間を生きた後に、自分で自分の巣を燃やし、その炎の中でいったんは焼け死ぬ。しかし、その後、灰の中から新たな不死鳥として甦る。もしここで、焼けた不死鳥の灰がどこかに廃棄され、新たな不死鳥として復活することができなくなったとしたらどうだろうか。これこそ、寸断された身体のままにゴミとして処分され、転生できなかった錬金術師ではないか。別の見方をすれば、錬金術師の身体は、王の（政治的）身体の脆弱さ、危うさを暗示しているとも言える。ほんのわずかな偶然で、王の身体も錬金術師の身体と同じ運命を辿ったかもしれない。

＊

だが、ここでわれわれが真に主題化したいのは、錬金術のような、前啓蒙的で呪術的な方法ではない。種村がこれと対比させている、ルッジエロとほぼ同時代の、もっと合理的で近代的な方法による国庫の再建策こそ、ここでの考察の焦点である。その方法は、錬金術とは違い成功した……わけではない。成功しかけたのだが、結局は失敗した。その方法とは、ジョン・ロー・オブ・ローリストンが考案・実現した銀行機構である。

ジョン・ローは、スコットランド人である。一六七一年にエディンバラで生まれた。数学の天才で、二十歳になるとロンドンに出て、その数学の才能を賭博に活用した。容姿も端正で、会話やスポーツの能力にも長けていたので、たちまち上流社会の寵児になるが、女性をめぐって決闘し、相手を殺害してしまう。そのためブリテン島にはいられなくなり、ヨーロッパ大陸に逃げ去った。一六九四年に大陸に渡って、最初に彼が滞在したのは、オランダのアムステルダムだ。アムステルダムこそ、当時の世界＝経済の中心であり、オランダは、いわゆる覇権国だ。

ローには、財政と金融についての、ある「システム」のアイデアがあった。彼はそれを、ヨーロッパ各地の政治家や権力者に売り込もうとした。最初は、自分の母国のスコットランドの議会に提出したが、あっさり否決されてしまった。次に、イングランドの大蔵大臣に接近するが、あの殺害した決闘相手の遺族からの再告発が恐いので、ロンドンに長く滞在することはできない。

結局、ローは、大陸諸国の権力者を相手にするほかなくなる。ローのシステムに特に強い関心を示したのは、フランスであった。一八世紀初頭のフランスは、「太陽王」ルイ十四世の浪費のせいで、宮廷の財政はほぼ破綻しており、国内経済も不振で、街には失業者が溢れていたからである。賭博場でローと親しくなった、オルレアン公フィリップが、ローのやり方に関心を示した。が、残念なことに、ルイ十四世にローの計画は拒否されてしまう。

ところが、一七一五年の秋に、突然、ローに有利な状況が訪れる。ルイ十四世が死んだのだ。王位を継いだルイ十五世はそのときまだ五歳なので、オルレアン公が摂政の地位に就いた。ローは早速、あらためて自分のアイデアを提案し、オルレアン公は、フランス財政の再建のためにこれを採用した。ローがパリに入ったのは、ルッジエロ伯爵がベルリンに到着した時点から数えて十四年後ということになる。ルッジエロがプロイセンに異邦人として登場したのと同じように、ローもフランスにとっては外国人ではあったが、入国の仕方は、ルッジエロ伯爵とは正反対だった。彼は、自分の到来を、はでに演出したりはしない。種村季弘はこう記している。ローは「ごく目立たない、黒ずんだ市民の平服を着て、一七一五年、ルイ十四世没後まもないパリにいつのまにかひっそりと姿を現わした。名前も別段貴族を気取ってはいない」*8と。

ローが考案したシステムとはどんなものだったのか。一七一六年、彼はまず、勅令をとりつけて、「フランス総銀行」という名の私営の銀行をパリに設立する。この銀行は、銀行券(紙幣)を発行した。この銀行券は、ルイ十四世が発行した鋳造貨幣よりもずっと大きな信用を得て、力強く流通した。これによって、外国からフランスへと資金が流入するまでになった。どうして、フランス総銀行の銀行券は、鋳造貨幣よりも信用されたのか。表面的な理由は、鋳造貨幣は、財政事情の悪化にともなって悪貨へと改鋳されてきたが、銀行券に関しては、預金時の金銀の重量と品位を保った兌換を保証するとの宣言がなされていたからだ、ということになる。だが、これだけでは十分な説明にはならない。このような宣言が信用された理由がさらに問われるからだ。

ともあれ、フランス総銀行の銀行券が導入されたことで、フランスには、未曾有の好景気がやってきた。この好景気が、初期工業化の端緒にもなった。総銀行の銀行券は、地方銀行にも浸透し、ついに国庫までもが、総銀行の支店のようなものになっていった。

こうした成功を受けて、一七一八年に、全国庫管理を委託された「王立銀行」が設置され、フランス総銀行もその中に吸収されることになった。ローは、その総裁に任命された。個人の人生としては、ローは、フランスで異様な成功をおさめるわけだが、彼の「システム」としては、王立銀行こそが失敗への第一歩だったとも言われている。このとき、銀行券の発行が勅令によって決められることになり、預金時の金銀の重量と品位を保証していた銀行券の交換条件も大幅に緩められたりしたからである。いずれにせよ、王立銀行の設立後、フランスでの取引の主要な媒体は、金貨から銀行券に完全に移行した。

*

それにしても、フランス総銀行や王立銀行の銀行券への絶大な信用はどこから来たのか。いくら金銀との交換を保証すると宣言したところで、王室がたいした財力をもたないことはすでに周知のことだった。そもそも、王室が発行した鋳造貨幣が信用されていないのだから、その王室の支援を得て、ただの紙切れと金銀との交換を請け合うなどと約束したところで、それだけでは人々が信用するはずがない。

　ではどうしたのか。ローは、植民地にあるだろうと期待される莫大な富の存在を示唆することによって、銀行券への信用を引き出していたのだ。一七一八年、ローは、銀行券によって調達した資本金を投じて、「西方会社（別名、ミシシッピ・システム）」を設立した。北米の植民地――カナダとルイジアナ――の開発やそことの貿易を独占的に請け負う特許会社である。[*9] さらに、翌一七一九年に、ローは、特許期限が切れた東インド会社&シナ会社などと西方会社を合併して、「諸インド会社」を設立した。この新会社は、ミシシッピ流域の植民地経営の資金調達のためだと称して、新株券を発行した。これが、未曾有の投機熱を煽る結果となった。次々と株券が発行され、あらゆる階層の人々がこれを求め、場外証券取引所があったカンカンポア街に殺到したという。この年の末には、株価は額面の二十倍に膨れ上がり、決算のときには、額面に対して四十五パーセントの高配当が支払われたという。この成功によって、ローは、財政の担当者として考えられる最も高い地位に、つまり財務大臣に任命された。

　このように、不合理でいかがわしい錬金術によっては国庫の破綻は決して解決できないが、合理的な金融システムを活用すれば、困難は乗り越えられる。……という具合に結論を導くことができるようには事態は展開しなかった。銀行券の価値の担保となっている、植民地の富は、よく考えてみれば、（未だ）存在してはいない。その富は、未来において現れるだろうと予期されているだけである。とすれば、それは、錬金術師が創出するだろうと期待されていた金と、その存在の仕方は変わらない。実際、誰も、会社が植民地で富を生産している現場を見てはいない。投資家も、そして会社の経営者であるオルレアン公もローも、一度も生産現場に行ってはいない。

「未来にありうるかもしれない」という様相は、簡単に、「今はない」という様相に転換する。

錬金術師への信頼は、やがて懐疑へと反転する。同じように、未来の富への不確実な予期は、急速に信憑性を失い、たちどころに収縮してしまった。要するに、バブルがはじけたのだ。植民地経営についてのちょっとした悪い噂がきっかけになったという。一七二〇年三月には、パニックがやってきた。数ヵ月前には株券を欲して押し寄せてきた人々が、今度は逆に、株券を売ろうと殺到してきた。この年の十二月には、王立銀行の銀行券も諸インド会社の株券も、文字通りの紙屑となっていた。

人々の非難と怒りは、外国からやってきた財務大臣ジョン・ローに集中的に向けられた。彼は、あわれにも、密かにフランスから逃げ出すしかなかった。その後も、ローは再起をねらってヨーロッパを旅行したとのことだが、それはついにかなわなかった。一七二九年、ローはヴェネチアで客死した。享年五十八。

彼の墓には、ラテン語で「代数学の法則でフランスを零落に追いやった」と刻まれている。だが、ここで立ち止まって考えてみよう。今日の観点から評価したとき、ローのシステムは、それほどひどいものなのか。はっきり言おう。現在であれば、このシステムはまったく問題なく機能する。株価に変動があっても、無に帰することはないだろう。現在、われわれが頼っている金融システムは、ローのシステムよりもはるかに不確実性が高い。それでも、貨幣は問題なく流通するのだ。どうしてなのか。

この事実こそ、われわれがすでに十分に成熟した資本主義の中にいるということを示しているのだ。一八世紀の初頭のフランスでは、資本主義的な心性は、完全には広く深く浸透していなかった。ローのシステムが機能するかどうかを、資本主義が成熟しているかどうかの指標として活用することができる。では問おう。フランスでは、いつから、ローのシステムが持続的に機能できたのだろうか。ローがどの段階に出現していれば、惨めな敗者にならずにすんだのか。答え。フランス革命の後。フランス革命を経たすぐ後に、つまり一世紀弱の後に彼がパリにやってきていたら、彼の方法は見事に成功していたに違いない。

3　国王ルイと皇帝ナポレオン

どうしてそんなにはっきりと断定できるのか。その根拠はどこにあるのか。この問いには、次のような質問を媒介にして、回答を与えることができる。ブルボン王朝の王たちとナポレオンとは何が根本的に違うのか。ルイ十六世とナポレオンとでは何がどう違うのか。

フランス革命の中で、ルイ十六世はギロチンで処刑された。一七九三年一月二十一日のことである。この革命は、王殺しを敢行し、共和政を実現したのだ。その後も錯綜した経緯をたどるわけだが、その部分はここでは省略して結論だけを見るならば、革命の終盤に、ナポレオンが登場し、皇帝となる。ナポレオン・ボナパルトの戴冠式は、一八〇四年十二月二日に挙行された。

さて、そうすると、フランス革命は王を排除したが、結局、王といくらも変わらないものを取り戻していることになるのではないか。いろいろあったが、最後に振り出しにもどっただけではないか。途中を省略してみれば、フランス革命は、王の交替に過ぎないのではないか。実際、そのような見方は当時からあった。革命終盤に現れた英雄ナポレオンを讃美していたベートーヴェンが、ナポレオンが皇帝に就任したとの報に接して激怒し、「第3シンフォニー」のナポレオンへの献辞を記した頁を引き裂いたことはよく知られている。

実際、今日の観点から振り返ると、皇帝としてのナポレオンは、「革命」が指向していたことに対する反動であったと言わざるをえない。ヘーゲル風に言うならば、ナポレオン皇帝は、「歴史の理性」が最終的に目指していたこととは逆を向いている。なぜそう判断できるのか。われわれは、フランス革命（とその後のナポレオンの登場）を、マルクスがこの過程の笑劇的な反復と見なした出来事、つまり二月革命と第二帝政（ナポレオンの甥であるナポレオン三世の治世）と一緒にして、全体として評価しなくてはならない。一八四八年の二月革命とその後のナポレオン三世の登場は、まさしくフランス革命の反復である。だが、一八七〇年にナポレオン三世が退位した後には、「王のようなもの」は、フランス社会から完全に消滅する。だから、フランス革命からの長い歴史過程は、やはり、王の排除を最終的には求めていたのである。後から振り返ることで、われわれはこのことを知ることができる。

したがって、ナポレオンが皇帝になったことは、反革命である。が、しかし、革命がその無意識の欲望を成就するためには、このような反動が必要だったのである。そうである以上、ルイ十六世とナポレオンとでは、やはり本質的な違いがあるはずだ。この「反動」自体が、最終的な目的地へと向かう上でどうしても経由しなければならない場所だったのだから。だが、両者のどこに最も重要な違いがあるのか。

この点を説明することが、「ジョン・ローのシステムは、フランス革命の直後に導入されていたならばうまく機能していただろう」という予想を間接的に証明することにもなる。どういうことか。順を追って説明しよう。

＊

もう一度、ジョン・ローにたち戻ろう。彼は、自分のシステムを為政者たちに売り込む前に、一冊の本を書いている。一七〇五年に出版された『貨幣と商業』である。[*10] この書は、「貨幣が大いに不足している国家の困難の解決に向けていくつかの提案がある」という文から始まる。つまり、彼が実践したシステムの理論篇がこの書物である。岩井克人による読解が、われわれの考察にとって示唆するところが大きい。[*11] それをもとに説明しよう。

貨幣はどうして貨幣として成り立つのか。貨幣はなぜ一般的な交換手段たりうるのか。この点については、古来二つの説がある。貨幣商品説と貨幣法制説である。前者は、広範囲の人々の欲望の対象となった特別な商品が貨幣になった、とする説である。後者は、権力者の命令や国家の法律によって貨幣として指定された対象が貨幣になる、とする説だ。

ローの『貨幣と商業』は、この代表的な二つの説を両方とも退けている。貨幣としての銀の価値は、商品としての銀の価値には還元できない、と。あるいは、貨幣としての価値は、王の命令や国家の法律がもたらす想像的な価値ではない、と。それでは、ロー自身は、貨幣が成り立つ理由をどのように説明しているのだろうか。

ローの説は、岩井が導入した語を用いるならば、「貨幣の自己循環論法」と要約することができる。岩井自身の考えとも合致するこの説は、「貨幣が貨幣としての価値を持つのは、人々がそれを貨幣として使用するからだ」とする論理である。人々が貨幣としてそれを使い、受け取っているという事実の外に、貨幣を貨幣たらしめている根拠はない。法とか、物としての有用性とかが、貨幣の根拠になっているわけではないのだ。

この説は、自覚的なトートロジー、自覚的な循環論法である。普通の学説は、循環論法に陥ることがないように注意する（それでもしばしば、循環論法になってしまう）。しかし、この説は、あえて、循環論法を採用する。貨幣の実態はまさにこれである、と。しかし、この開き直りのような論法で、貨幣の貨幣としての存立を説明したことになるのか、疑問をもつ者もいるだろう。だが、ここは、貨幣の自己循環論法が学説として妥当かを検討する場所ではない。ここで確認すべきことはただひとつ、ローが一八世紀のフランスで実験したことは、まさにこの、貨幣の自己循環論法の文字通りの実現だった、ということだ。銀行券を貨幣にするためには、それを人々に貨幣として受け取らせ、使わせてしまうしかない。貨幣を基礎づける根拠は、究極的には、何もなくてもよい（植民地に実際に富はなかった）。

この方法が結局破綻したのは、法的な裏付けが足りなかったからでもなければ、銀行券に商品となりうる有用性がなかったからでもない。ただ、少なくともあの段階では、人々は、根拠についての幻想を求めていた。貨幣の価値を保証する何かがある、という幻想を、である。自己循環論法を律儀に適用したローは、この幻想を与え、維持することに失敗したのだ。

＊

さて、今度は、マルクスが『資本論』で貨幣について論じている部分に目を向けよう。ここでわれわれが参照するのは、有名な注である。ここでマルクスは、貨幣のあり方を比喩によって提示しようとしている。われわれが、この比喩に着眼するのは、これによって、「貨幣」という現象と「王」という現象の間に橋を架けることができるからだ。マルクスはこう述べている。

およそこのような反省規定というものは奇妙なものである。たとえば、この人が王であるのは、ただ、他の人々が彼にたいして臣下としてふるまうからでしかない。ところが、彼らは、反対に、彼が王だから自分たちは臣下なのだと思うのである。*12

王に比せられているのが貨幣（マルクスの用語では等価形態）であり、臣下に対応しているのが一般の商品（相対的価値形態）だ。ここでわれわれはまず、マルクスが、貨幣について何を洞察していたかではなく、彼が、王の支配ということについて、どのように考えていたかを読み取ることにしよう。この断片は、二つのことを含意している。第一に、王の支配者としての資格は、王と臣下との間の承認の循環を通じて構成されている、ということ。臣下は、もちろん、王に承認されることを求めている。だが、同時に、王がそのような立場にいられるのは、臣下がまさに彼を王として承認しているからなのだ。王と臣下の間に、互いに互いを承認しあう循環が形成されている。第二に、この承認の循環は、当事者の目に対して隠蔽されている限りで、つまり当事者には意識されていない限りで、首尾よく機能することができる。臣下は、王が偉いのは、王という身体が本来的に高貴だったり崇高だったりするからであると思っている。彼らは、自分が王の身体のうちにそのような価値を認めるからこそ、王が偉そうに見えるのだとは、思ってはいない。もし臣下がそのことに気づいたら、王の身体の崇高性や超越性は雲散霧消してしまうだろう。

マルクスはこのような認識のもとに、この注を書いている。だが、すぐに気づくはずだ。この第二の条件を積極的に否定することでこそ正当化されるような支配の様式がある、ということに、である。民主主義における政治的指導者の場合がそうである。民主主義的な指導者の場合も、承認の循環という第一の条件が成り立っている点では、王の場合と変わらない。しかし、民主主義の指導者は、この承認の循環を隠そうとはしない。彼または彼女は、「私は本来的に指導者なのだから、あなたがたは従わなくてはならない」などと国民に命令することはない。指導者の主張することは、これとはまったく逆である。彼（女）は、「私が指導者であるのは、ひとえに、あなたがたが私を支持し、承認しているからである」と国民に訴えるだろう。「あなたがたの承認がなければ、私は何ものでもない」と。このように、今や、承認の循環を誇示することこそが、支配の正当性を確立することになる。

支配者と従属者の間の承認の循環を隠蔽することで正当化される支配と逆に顕示することで正当化される支配とがある。これこそが、ルイ十六世とナポレオンとの違いを説明する。絶対王政期の王たちは、前者の支配のタイプに属している。彼らには、そして彼らの臣下にはよりいっそう、承認の循環は見えてはいない。誰も、王の政治的身体は、臣下たちの従属（承認）の産物である、などと意識することはない。

ナポレオンの場合は違う。彼は、一八〇二年に終身統領に就いたときも、その翌々年に皇帝として戴冠したときにも、人民投票を実施している。もちろん、圧倒的な多数で彼は支持された。今日のわれわれから見れば、この人民投票は、きわめて制限されたもので、十分に民主的なものではない、という印象をもつだろう。人民投票は空疎で形式的なものだったとも言える。だが、それでもあえて人民投票を実施していることが重要だ。結果がわかりきっていたとしても、人民投票によって、国民の支持（承認）がはっきりと明示されることが、ナポレオンの支配の正当性を強化するという認識が、ナポレオンにも、また反対者を含む周囲のすべての人々にもあった。たとえば、ナポレオンが終身統領になることを欲していたときには、元老院は、ほんとうはこれに反対で、統領の任期の延長を提案していたのだが、ナポレオンに人民投票の結果を突きつけられたことで、抵抗ができなくなっている。

承認の循環は、はっきりと自覚され、それがあることの証拠を公示することでこそ、政治指導者の支配は正当化される。この認識は、革命の前にはなかった。しかし、革命の終盤には、それが自明のことになっていたのである。「王」と「皇帝」という名称の違いが、この落差を象徴している。もちろん、ナポレオンとフランス人は、こんな論理を自覚して、「皇帝」という称号を採用したわけではなく、ただ、「王」を超えた偉大さを示そうとしただけであろう。しかし、「王」という称号が回避されたとき、何かが根本的に変わってしまった、という感覚があったに違いない。その変わった何かが何であるかを、われわれは今、概念的に把握したのである。トルストイの『戦争と平和』で、主人公のピエールはこう言っている。「ブルボン家の連中は革命から逃げて、人民を無政府状態においたのです。ただナポレオンだけが革命を理解し、革命にうちかちました」。皇帝ナポレオンが反動に見えたとしても、その反動も含めて、革命の精神が彼に体現されている、という趣旨をここに読み取ることができる。

さて、問題は、ジョン・ローの「システム」であった。以上のことはローの手法とどう関係しているというのか。ローが関わったのは主として経済現象ではないか。それに対して、フランス革命は主に政治についての革命だ。だが、ここまでの説明からすでに明らかであろう。自覚された（支配者と従属者の間の）承認の循環は、あの「貨幣の自己循環論法」とまったく同じ論理形式をとっている、と。貨幣の自己循環論法とは、貨幣と商品の間の――互いに意識された――承認の循環にほかならない。

商品が買われるということは、その商品が貨幣によって承認されたことを意味している。これは当たり前のことだ。だが、このとき、商品の売り手は、それ自体としては何の有用性ももたない、貨幣を受け取る。これこそ、商品の方が貨幣をまさに貨幣として承認する所作になっているのだ。「売り―買い」は、全体として、承認の循環を形成しているのだ。

つまり、政治的に実現していることを、経済の領域に転用するならば、そのままローの「システム」になっているのだ。一八世紀の初期に、ローはフランスで挫折した。しかし、彼が革命の後に同じことを試みていたならば、きっと成功していただろう。このように推測することには、十分な根拠がある。

4　特権的な革命

ここまでの考察は、次のことをも示唆している。フランス革命とは何であったのか、フランス革命が何を実現したことになるのかを解明することが、同時に、資本主義の可能条件が何であるのかについても手がかりを与えるだろう、と。二つは同じ問題ではない。しかし、両主題の間には、何らかのつながりがある。

この点を自覚した上で、フランス革命を見直してみると、人は気づくことになろう。フランス革命は、西洋で起きた数ある革命の中でも特別な革命であった、と。確かに、フランス革命よりも百年以上前にイギリス革命（清教徒革命・名誉革命）があり、われわれも、『近世篇』でその重要性に注目もした。また、フランス革命の勃発に先立って、アメリカの独立革命が完了しており、フランス革命の指導者たちはここから多大な影響を受けている。だが、イギリス革命は、イギリスの革命でしかない。独立革命は、アメリカとイギリスの問題である。つまり、これらは、理念の上でいかに重要で普遍的なことを含んでいようと、さしあたっては、ローカルでドメスティックなこととして経験されたのである。

それに対して、フランス革命は、フランスの革命ではない。先に、ナポレオンの皇帝への就任に、ウィーンにいたベートーヴェンが憤激したという、有名なエピソードを引用した。だが、考えてみると、これは奇妙な話である。ベートーヴェンは、フランス人ではなく、ただの部外者ではないか。お前に怒る権利があるのか、と言いたくなる。逆に、ここからわれわれは次のように推測すべきである。フランス革命は、それを外から観察していた者をも巻き込んでいたのだ、と。彼らは、観察することを媒介にして、フランス革命を当事者として体験しているかのような気分になっていたのである。フランス革命の観察者は、ただの傍観者ではない。

だから、フランス革命は、世界性をもっている。いやそれは言い過ぎかもしれない。が、少なくとも、フランス革命は、全ヨーロッパ的な革命ではある。ヨーロッパ中の人々が、少なくともヨーロッパ中の知識人が、それを観察することを媒介にして参加していたからだ。この「ヨーロッパ」の中には、ヨーロッパ列強によって植民地化されていた地域も、とりわけフランスの植民地も含まれる。[*13]

このように、フランス革命は、数ある出来事の一つということを超えた意義を担っている。それは、単一の出来事でありながら、（西洋の）近代化ということを全体として集約するような現象でもあったのだ。だが、このような意義を考慮したとき、フランス革命には、人をひどく戸惑わせる性質がある。その性質は、ごく初歩的な知識があれば誰もが気づく明白なことなのだが、表立って指摘されることは少ない。

1　私は、チンパンジーの認知能力の研究で世界的に知られている松沢哲郎が語っていることを思い出す。松沢は、大学生の頃、「人間の心理」に興味をもち、研究者を志す。人間の心理を知るには、人間の脳を研究することが最もよいと若き日の松沢は考えるが、もちろん、実験したり、解剖したりすることができる「人間の脳」は入手できないし、当時は、脳の活動を観測する装置もなかった。心理学の大学院に進学した松沢は、当時の研究室の指導方針に従い、二年半にわたって、数え切れないほどの数のネズミを解剖し、その脳を徹底的に研究した。その結果、彼が悟ったことは、（本人の言葉をそのまま引用すると）「ネズミの脳を研究すると、ネズミの脳のこと〔だけ……引用者〕がよくわかる」というトートロジカルな真理である。失望した松沢は、その後、進化の系統の上で、人間に最も近い現存種であるチンパンジーを研究の対象に選ぶことになる。松沢哲郎『想像するちから――チンパンジーが教えてくれた人間の心』岩波書店、二〇一一年、一二一頁。

2　たとえば、直立二足歩行する人間の手足の機能の方から、動物の四肢の機能を類推すれば、それは、科学的にはナンセンスな目的論的説明に陥りかねない。が、人間の解剖からサルの解剖へと向かう遡行的な視線も、ある条件さえ満たせば、真理の方へと差し向けられているかもしれない。進化論の中で、そのような視線を何とか救出しようとする努力は、一流の（ただし一部の）進化生物学者によってもなされている。生物学の論文としてはまことに風変わりなタイトルをもつ、スティーヴン・ジェイ・グールドの論文「サン・マルコ寺院のスパンドレルとパングロス主義パラダイム」（一九七八年）は、まさにそのような試みである。この論文の意義については、以下を参照されたい。吉川浩満『理不尽な進化——遺伝子と運のあいだ』朝日出版社、二〇一四年。大澤真幸「社会性の起原」『本』二〇一四年一月より連載中。

3 言い換えれば、前注であげたグールド（等）の議論は、進化論に歴史を見ようとする試みである。だが、歴史とは何であろうか。それは諸事実の間の因果関係の記述やその因果関係を支配する法則の発見とは、つまり普通の進化論を支えている知のスタイルとは、どう違うのか。

4 これらの団体については、『中世篇』第6章で論じた。

5 イマニュエル・ウォーラーステイン『入門・世界システム分析』山下範久訳、二〇〇六年（原著二〇〇四年）、藤原書店。『近世篇』第1章、第2章。

6 種村季弘「贋金の作り方——あるいは演劇の一分野としての経済学」大江健三郎・中村雄二郎・山口昌男編集代表『叢書　文化の現在8』岩波書店、一九八一年、一三二頁以下。

7 同書、一四五頁。

8 同書、一四七頁。

9 「ルイジアナ」という名は、ルイ十四世に由来する。植民地の魅惑と王の身体との間のかすかなつながりがこの名前に暗示されている。

10 John Law, *Money and Trade Considered: With a Proposal for Supplying the Nation with Money*, Edinburgh, 1705; Reprint by Augustus M. Kelly, 1966.

11 岩井克人『経済学の宇宙』日本経済新聞出版社、二〇一五年、四二六—四三七頁。ジョン・ローの生涯についても、われわれは、前掲の種村季弘の論文と合わせて、岩井のこの本を参考にした。ジョン・ローについては、他に次のような研究書がある。吉田啓一『ジョン・ローの研究』泉文堂、一九六八年。中川辰洋『ジョン・ローの虚像と実像』日本経済評論社、二〇一一年。

12　この注は、『資本論』の第一巻・第一篇・第一章の、いわゆる価値形態論の中にある。第一の価値形態（単純な価値形態）は、相対的価値形態と等価形態によって成り立つというのがマルクスの考えだが、後者の項を説明する中に、この注が入る。本文に引用したのは岡崎次郎訳（大月書店、国民文庫版）。

13　フランス革命に連動して、ハイチ革命が起きたことを思えばよい。この二つの革命の関係については以下を参照。大澤真幸『ナショナリズムの由来』講談社、二〇〇七年、第二部・第Ⅱ章・第2節。

第2章　カトリックの政治革命／プロテスタントの精神革命

1　二つの「フィガロ」

アレクシ・ド・トクヴィルは、名著の誉れ高い『アメリカのデモクラシー』で、こう書いている。「アメリカは、世界中で最も頻繁に結社（association）が引っ張り出される国であり、人々はこの強力な行動手段をきわめて多様な目的のために応用している」[*1]。『アメリカのデモクラシー』は、アメリカ社会の観察を媒介にしてデモクラシーの理想を――言い換えれば平等社会の理想を――描こうとした書物である。[*2] トクヴィルは、アメリカ社会を完璧なデモクラシーと同一視しているわけではない。が、彼が、デモクラシーの理想をアメリカ性の延長線上に見ていることは確かである。「アメリカにあってアメリカ以上のもの」「アメリカはアメリカによって超えられる」等の表現も用いられている。それゆえ、この書物は優れたアメリカ社会論でもあるのだが、トクヴィルは、常に、対照項を念頭においてアメリカ社会の特徴を浮かび上がらせている。対照項とは、もちろん、トクヴィルが所属していたフランス社会、一九世紀前半のフランス社会である。

この「〈世界史〉の哲学」でも、アメリカ社会をいずれ考察の俎上に載せる。が、われわれの目下の関心の中心は、トクヴィルが暗黙のうちに参照しているフランス社会の方にある。トクヴィルは、一八〇五年に生まれた。この時代に、つまりフランス革命が終結してから四半世紀の間に、ヨーロッパに生まれた知識人は、特に注目すべきである。前章の結末で述べたように、フランス革命は、フランスという一国の革命ではなく、全ヨーロッパ的な出来事だ。この点を最初に明確に指摘したのはおそらくカントだろう。彼は、『諸学部の争い』の中で、フランス革命に関しては、パリの街路で起きている流血の惨事よりも、革命を共感的なまなざしで観察しているヨーロッパ中の人々に引き起こした熱狂の方が重要だ、と書いている。*3 この事実を踏まえた上で、革命後の四半世紀の世代が興味深い。彼らは、親の世代がフランス革命の同時代人になる。したがって、彼ら自身は、フランス革命に遅れて来た世代である。この遅れの感覚が、彼らの知的活動に、陰に陽に影響を与えている。たとえば、トクヴィルよりは若いが、マルクスもこの世代に属している（一八一八年生）。カフカのメシアのように、彼らは肝心なときに、一日遅れで到着したのである。

フランス革命は、この時代に、つまり革命後四半世紀間にあたる一九世紀の序盤に、ポジティヴにもネガティヴにも痕跡を残している。このことを実感するには、「フィガロ」が登場する二つの有名なオペラを比較してみるとよい。スラヴォイ・ジジェクが、そのように提案している。*4 二つのオペラは、一連の物語の中の二つの部分である。この時代に属しているのは、ロッシーニの「セビリアの理髪師」である（一八一六年初演）。これは、貴族の遺産と結婚をめぐるドタバタ喜劇（オペラ・ブッファ）だ。これには、まったく政治的な含みが認められない。が、実は、そのことこそが異常であると見なくてはならない。*5 というのも、もうひとつの「フィガロ」は――二つのフィガロの原作にあたるボーマルシェの戯曲とともに――明白な政治的なメッセージを担っているからだ。もうひとつのオペラ、モーツァルトの「フィガロの結婚」（一七八六年初演）は、その三年後に始まるフランス革命を予感させる解放的モメントを孕んでいる（オペラとしてはこちらの方が先に作られているが、フィガロの物語としては、「結婚」は「理髪師」の後日談にあたる）。たとえば伯爵が、夫人や使用人たちの策略によって己の不実を暴かれ、彼らに赦しを請うことになる最も有名なシーンを思うとよい。これは封建制の身分的秩序への揶揄であり、批判である。

フランス革命を挟む、二つの「フィガロ」の著しい違いは何を意味しているのか。ロッシーニのオペラの方は、無意識のうちに、フランス革命をなかったことにしよう、その記憶を抑圧しようとしているのである。モーツァルトのオペラは、フランス革命が始まる前の作品なのに、現在のわれわれにフランス革命を連想させる。逆に、ロッシーニのオペラは、フランス革命をすでに終えた後の作品なのに、そんなことがあったことを忘れさせようとしている。実際、ナポレオンがワーテルローで敗れてから七月革命までの期間、つまり一八一五年から一八三〇年までのヨーロッパは反動の時代である。「セビリアの理髪師」はこの時代の精神と共振しているのである。

すると次のような順序を得ることができる。フランス革命からしばらく（およそ四半世紀）、革命の記憶を抑圧しようとする時代があった。トクヴィルやマルクスのように、まさにその時代に生まれ、青春までを生きた世代は、革命に間に合わなかったことに、そして時代が革命の刻印を消そうとしたことに、（無意識のうちに）後ろめたさを感じたのではあるまいか。彼らは、成人してからの知的活動や政治的実践によって、それを克服し、取り返そうとしたのだ。およそこのように時代の流れを描くことができるのではないか。*6

2　結社の繁栄と弾圧

さて、少し回り道を通ったが、われわれがここで論じておきたいのは、トクヴィルだ。彼は、一八三一年から三二年にかけて、九ヵ月にわたってアメリカを視察した。友人のボーモンとともに、である。このときの衝撃をもとに書かれたのが『アメリカのデモクラシー』である。冒頭に引いた言葉が入っている第一巻が出版されたのは、一八三五年。トクヴィルは、アメリカの結社に驚いている。その数の多さに圧倒され、アメリカ人が臨機応変にどんなときにでもそれを活用することに感心しているのだ。トクヴィルがアメリカの結社に驚愕したのは、フランスには、そのような結社は稀だったからである。フランスでは、アメリカとは違い、柔軟に、多様な目的のために結社が形成されてはいなかった。このことをトクヴィルの言明は逆に示している。だから、彼は、アメリカの結社の多様性や自由度を、羨望の思いをこめて、紹介しているのである。

だが、われわれはここで、いささか奇異なことに気づく。普通は、このような憧れのまなざしを向けるのは、相手の方が進んでいる、と思っているからだ。自分たちが果たそうとしながら成功していないことを、相手はすでになしとげている、と。つまり、称賛の対象となっている他者に、自分たちの夢の現実化した姿を見ているのだ。『アメリカのデモクラシー』も、全体的な論調は、まさにそうした枠組みに当てはまる。率直に言えば、トクヴィルは、フランスが革命まで起こしながら完遂できていないことを、アメリカは、革命を経ることなくおおむね実現している、と見ているのである。その意味で、トクヴィルの視点には、アメリカは、フランス革命がもたらさねばならなかった——しかしできなかった——社会的な状態と（完全ではないとしてもおおむね）一致するものと見えていることになる。アメリカがほぼ実現しながら、フランスが革命を経ても獲得できなかったこととは何か。「諸条件の平等」である。[*7] フランスには未だにアリストクラシーが残っているが、アメリカはすでにデモクラシーの社会である、というわけだ。だが、しかし、「結社」に関しては、このような構図は成り立たない。

トクヴィルが、アメリカの結社を高く評価していたことは間違いない。第一巻の五年後（一八四〇年）に出版された、『アメリカのデモクラシー』第二巻では、トクヴィルの、結社への評価や賛意はますます大きくなっている。それならば、フランス革命は、結社的なものが広く普及し、活用されるような社会を目指していたのか。そのような社会を目指しながら、フランス革命は挫折したのか。そうではない。まったく逆なのだ。むしろ、フランス革命は、結社的なものを、さまざまな団体を形成する自由を抑制しようとしていた。革命の最中にあたる一七九一年に成立したル・シャプリエ法は、結社の自由を厳しく制限するものだった。この法によって、ギルドのような同業団体をはじめとする都市のさまざまな団体が禁止され、あるいは労働者の団結権が否定された。要するに、フランス革命は、国家と個人の中間にある集団を一般的に敵視したのである。ここに、ルソーの思想の影響を見るのが、通説である。ルソーは、社会的紐帯を個人と社会の両極に分解した上で、両者の統合を説いている（と解釈された）からである。いずれにせよ、フランス革命が、積極的に結社的なものを排除しようとしていたことを思えば、トクヴィルがアメリカの結社に羨望のまなざしを向けるのは、筋違いではないだろうか。確かに、大革命の前と比べても、フランスでは、アメリカほどには結社はなかっただろう。しかし、フランスは、革命を通じて、結社的なものをわざわざ減らしたのだ。それならば、結社の数や質に関して、アメリカを羨ましがる必要はあるまい。

それとも、トクヴィルは、フランス革命の遂行者たちとは異なる意見をもっていて、結社や中間集団に好意的だったのか。ル・シャプリエ法は悪法で、結社の創出をむしろ後押しすべきだった、と彼は考えていたのか。そうではないらしい。彼は、この点について、フランス革命の中心的な担い手と同意見だったに違いない。フランス革命のときには彼はまだ生まれてもいないのに、どうしてそんなふうに結論することができるのか。一八四八年の二月革命のときの、トクヴィルの言動からそのことがわかるのだ。二月革命の後、トクヴィルは憲法制定委員に選ばれ、それ以降も議員であり続けた。失業対策のために設立された国立作業場が、たった四ヵ月で廃止されると発表されるや、労働者たちが暴動を起こした（六月蜂起）。当時、「秩序党」の一員だったトクヴィルは、この暴動に対して、「自由を救出するための唯一の手段は自由の抑圧だ」などと主張し、新聞の自由を制限したり、クラブを禁止したり、戒厳状態を正規化したりする法案を、仲間とともに提案している。要するに、トクヴィルは、フランス革命の推進者たちと同じことを二月革命でなそうとしたのだ。

トクヴィル自身も、結社を制限しようとした。これは、アメリカの結社を称賛した態度とは矛盾するのではないか。実際、アメリカの政治理論家シェルドン・ウォーリンは、この点を厳しく指摘している。ウォーリンは、基本的には、トクヴィルに非常に好意的な専門家である。それだけにかえって、彼は、二月革命のときのトクヴィルの判断は間違っていた、と批判するのだ。[*8]

3　西洋の中の「近代／前近代」

ここで、トクヴィルの思想そのものに深入りするつもりはない。ただ、注目しておきたいことは、フランスとアメリカの間で生じている視差である。たとえば、結社を臨機応変に活用することを可能にする社会的なメカニズムは、フランスの側からも、アメリカの側からも、近代性の条件の一つとして見えている。しかし、そのようなメカニズムは、フランス側では直接に実現することはできない。むしろ、フランス社会では、類似のメカニズムはまずは徹底して否定される必要があると見なされる。どうしてこのような違いが出るのか。

マックス・ヴェーバーが論じていることがヒントになる。トクヴィルの旅行のおよそ七十年後に、ヴェーバーもアメリカを旅行した。ヴェーバーが渡米したのは、二〇世紀の初頭、一九〇四年のことである。それは、あの名高い論文『プロテスタンティズムの倫理と資本主義の精神』の執筆の最中だった。厳密に言えば、この論文の前半を書き終えた後、そして後半を発表する前に、ヴェーバーはアメリカの各地を訪問した。このときの経験は、論文の後半に反映していると思われる。また彼は、この旅行のことを、「プロテスタンティズムの教派と資本主義の精神」というエッセイにも書いている。*9 まず、われわれが驚くことは、トクヴィルと正確に同じことに、アメリカ社会のまったく同じ側面に、ヴェーバーも強く印象づけられている、ということだ。すなわち、ヴェーバーも、アメリカ人の結社活動がきわめて旺盛であることに、驚嘆しているのである。トクヴィルが述べたことが、彼の偏見や恣意的な感想ではなかったということが、これでわかる。

その上で、ヴェーバーの最も重要な洞察は、アメリカの結社はプロテスタントの教派《ゼクテ》を原型としている、という点にある。ヴェーバーはまず、それぞれの個人について、キリスト教のどの教派に属しているのかということが、彼または彼女の社会的信用に影響を与えた、と指摘している。さらに、アメリカでは、宗教に関係しないさまざまな結社、つまりクラブや何らかの目的をもった団体は、すべてプロテスタントの教派の世俗化された形態ではないか。ヴェーバーはここまで示唆している。

「教派《ゼクテ》」には、ヴェーバーは「教会《キルヒェ》」を対置している。「教会／教派」の二分法は、「アンシュタルト／フェライン」という集団類型の特権的で至高の実例である。アンシュタルトは、一定の属性（たとえば出生や居住地）を備えた者を強制的・自動的に加入させる集団である。フェラインは、任意加入の団体、つまり意図的な協定によって結成された団体だ。カトリックは、教会（アンシュタルト）の構成をとっている。プロテスタントは、教派（フェライン）と親和性が高い。どうして、プロテスタントは教派を好むのか、なぜプロテスタントの教派は、他に類を見ない堅い結束を生み出したのか、こうした問題について考察するのは時期尚早である。ただ、次のことについて注意を喚起しておこう。教会は、『近世篇』で「王の政治的身体」の由来を説明する文脈で論じたように、キリストの身体（神秘体）である。教派は、その否定だ。ただ、否定とは、関係を絶つこと、関係を無化することではない。むしろ、否定は、もうひとつの関係の様式である。

ヴェーバーの議論を媒介にしたことで、主題の焦点が定まってきた。問題は、「カトリック／

プロテスタント」という区別に関係していたのだ。前章の最後に、フランス革命には、どこか腑に落ちない性質がある、それは誰もが気づいている、と述べておいた。フランス革命について不可解なことは、フランスがカトリックの国だということである。

＊

カルチュラル・スタディーズやポスト・コロニアリズムの言説が普及して以来、ひとつの「近代（性）」や単一の「近代化」があるわけではなく、多数の近代（性）、いくつもの近代化のルートが、たとえば西洋的近代化、日本的近代化、中国的近代化、仏教的近代化等々がある、と主張するのが流行だし、それが、政治的公正性《ポリティカル・コレクトネス》にかなっているとされる。そうした議論には一定の真実が含まれてはいるが、しかし、「いくつもの近代」と言うときに、それらをすべて「同じ近代」のヴァリエーションだと見なすことを可能にしている近代性の典型は、それでもなお西洋をモデルにして与えられている。西洋で実現されたことと同じようなことを、他の文明もなし遂げたのだ、と。この点を認めた上で、西洋の中にも近代性について明確な濃淡がある。要するに、西洋それ自体の中に、「近代的／前近代的」の区別がさらに組み込まれているのである。この境界線は、率直に言えば、プロテスタントとカトリックの境界線である。

たとえば、歴史学者のピエール・ショーニュは、まことに率直に、次のように言い切っている。

一九八〇年の地図と一五六〇年の地図を広げてみよう。それはほとんどぴたりと重ね合わせることができる。起きたことは起きなかったことには決してならない。一五二〇年から一五五〇年までのあいだにあらゆることが起きた。ひとたび確定された改革勢力と対抗改革勢力の境界はそこから先ではもう揺らぐことはない。一六世紀半ばの地図と二〇世紀半ばの地図は九五％の割合で重なるのだ。では、所得の多い順に、また研究・開発投資額の多い順に、これらの国や地方を並べてみよう。いまでは古典となったウォルト・ロストウの分類にしたがってテイクオフと持続的成長が始まった国を日付の順に並べてみよう。八〇％以上の割合で上位を占めるのは、プロテスタントが多数派で、文化的にもプロテスタンティズムが優位な国々であり、さらにその先頭に立つのはカルヴァン主義の伝統に拠って立つ国々だ。*10

引用文の冒頭の言葉からもわかるように、ショーニュがこう書いているのは、一九八〇年代の初頭である。現在のEUはまだ存在せず、また冷戦も終結してはいないが、ここで述べていることは、今でも完全に成り立つ。つまり、二〇二〇年の地図は、一五六〇年の地図と、ショーニュが述べているような意味で――「ほとんどぴたりと重ね合わせることができる」。

このように西洋の西洋性、西洋の近代性をほぼ独占的に担ったのは、プロテスタンティズムの方である。たとえば、資本主義の世界システムにおいて、これまで覇権国になったのはすべて、プロテスタント系の国だった。オランダ、イギリス、アメリカと。

だが、このような図式に収まらない大きな例外がフランス、とりわけフランス革命である。フランス革命が近代への転換の最も重要なメルクマールのひとつであることは、疑いようがない。しかも、繰り返し強調してきたように、フランス革命は、全ヨーロッパ的に体験された。つまり、ヨーロッパ中の知識人が、それを注視しつつ我がことのように共感し、興奮したのである。

フランス革命は、これほど西洋的な近代性ということに深く結びついた現象ではあるが、プロテスタントではなくカトリックが圧倒的に優勢な国で起きたのだ。どうしてであろうか。ここでは、プロテスタンティズムと近代性との結びつきが崩れてしまっている。

フランス革命は、カトリックに抗するかたちで生起し、進行した。カトリック教会こそ、革命の最大の敵である。フランス革命は王権を打倒し、共和政を実現した、と言われる。しかし、王と王権は、カトリック教会に比べれば、革命にとって大きな敵ではなかった。革命の最中に、王が、つまりルイ十六世が殺される。だが、革命がはじめから王殺しを目指していたわけではない。最初に蜂起した者たちは、やがて王を殺すことになるとは思っていなかったはずだ。ルイ十六世の処遇を決定する裁判でも、半数近くが死刑に反対だった。それに対して、カトリック教会は、最初から最後まで、革命の主要な闘争目標であり続けた。

フランス革命と、他のいわゆる市民革命とを比べたとき、キリスト教の役割が正確に逆になっていることに、誰もがすぐに気づくはずだ。イギリス革命（ピューリタン革命と名誉革命）やアメリカの独立革命においては、キリスト教は革命の味方である。キリスト教こそが、人々を革命に駆り立てたと言ってよい。しかし、フランス革命では、今述べたように、キリスト教は最大の反革命勢力である。同じキリスト教でも、前者と後者では種類が違う。イギリスやアメリカで革命を推進したのは、プロテスタンティズム、しかも純粋でラディカルなプロテスタンティズムである。フランス革命において、革命の攻撃対象になったのは、カトリックだ。

いずれにせよ、近代性を集約するような出来事が、カトリックが圧倒的に優位であるような国で生ずるのは、きわめて例外的だと言わなくてはならない。フランス革命以降、フランスはずっと、近代化の前衛を走ってきた。確かに一度もはっきりと覇権国の地位を占めたことはないが、しかし、フランスは、ほぼ常に、覇権国に次ぐ繁栄を享受している国たちのグループの一員であり続けたのだ。

国と個人の中間を占めるような団体、結社のような団体を、フランス革命は制限し、排除しようとしてきた、と述べてきた。これらの団体は、もちろん、教会の一部ではない。しかし、それらは、「聖人」を精神的な支柱にするなど、しばしばカトリック的な性格を濃厚に帯びていることは確かである。フランス革命にとって、中間集団への弾圧は、広い意味でのカトリックとの闘争の一部でもあった。それに対して、アメリカで繁栄した結社は、プロテスタントの教派の世俗版である。

4　二つの革命

カトリックのフランスで起きた革命については、紋切り型のように言われてきたことがある。まずは、それを見ておこう。

革命は、一七八九年七月に始まった。複雑な経緯を経て、一七九三年六月には、最もラディカルな共和主義者であるジャコバン派が、穏健派のジロンド派を国民公会から追放し、独裁的な権力を握る。ジャコバン派のリーダーはロベスピエールである。ジャコバン派の独裁とともに、いわゆる恐怖政治の段階に入る。恐怖政治とは、要するに粛清の嵐である。ほとんど恣意的に革命の敵が発見されては、死刑にされていく。誰もが、自分がいつギロチンに送られるのか、びくびくしなくてはならないような状況になった。以前に述べたように、一七九三年から翌年の夏までの間に、一万四千件以上の死刑が宣告された（『近世篇』第20章）。恐怖政治は、やがて、滑稽と言ってもよいような転回を遂げる。敵を見つけては死刑を命令していた当の人物たち、つまりロベスピエールを含むジャコバン派の指導者たちまでが、望ましからざる敵としてギロチンで処刑されるまでになったのだ。最も安全な場所にいるかのように見えていた者にさえも、国民公会で死刑が宣告された、ということになる。一七九四年七月、ロベスピエールやサン＝ジュストなど、ジャコバン派の指導者たちが処刑された。いわゆる「テルミドールの反動」である。革命は、ついに自分自身を敵と見なし、処罰しようとした、と言ってもよい。

フランス革命に対して好意的な人でも、恐怖政治を肯定することは躊躇する。そこには次のような問いが伏在している。恐怖政治抜きの革命は可能なのか。一七八九年はあるが、一七九三年はないような革命は、ありうるのか。

こうした疑問を背景にもつ、フランス革命とカトリックの関係について、紋切り型の説明がある。フランス革命が暴力的な政治革命になったのは、フランスが、歴史の適切なタイミングで宗教改革を経ていなかったからだ、というのである。十分に徹底した宗教改革を経験していれば、革命がもたらした社会的現実を受け入れる精神的な素地が準備されていたはずだ、と。革命が強迫的な暴力へと転じたのは、宗教改革が用意してくれたにちがいない精神的な実体が、フランスにはなかったからだ、というわけである。これは、広く分けもたれている標準的な理解であり、たとえば、本章でわれわれが考察の俎上に載せたトクヴィルにも、同じような問題意識がある。アメリカを見れば、あんなひどい暴力的な革命を経なくても、しかるべきもの（デモクラシー）

を得ることができたのではないか、と。[*11]

だが、この標準的な見解の妥当性を検証する素材として、アメリカは適切ではない。ヨーロッパの伝統的な共同体との結びつきを保証していた根を絶つことが、すでに、一種の「暴力」になってしまっているからだ。アメリカに渡ったピューリタンたちは、暴力を経ずに革命的な成果だけを得たのではなく、彼らの新大陸への移住自体がすでに暴力だったのである。検証のための素材は、フランスのもっとすぐ近くにある。ドイツである。ドイツこそ、宗教改革の故郷、宗教改革がそこから発生した場所である。ドイツとフランスとを比較してみれば、広く信じられている見解が成り立つかどうかを知ることができる。

ドイツとの対比が含意する結論は、はっきりしている。標準的な説は成り立たない。ドイツでは、宗教改革の成果が広く深く浸透していたから、暴力を含まない穏やかな革命が実現しただろうか。そうはならなかった。ドイツでは革命自体がなかったのだ。いや、そこまで言ったら、言い過ぎかもしれない。少なくとも、ドイツがフランス革命に匹敵する政治的な改革を実現するのは、ずっと後のことである。たとえば、小さな領邦に分裂していたドイツが、中央集権的な近代国家として統一されるのは、一九世紀も後半に入ってからである。「ドイツでは宗教改革が根付いていたから、革命が速やかに進行した」とはとうてい言えない状況だ。

＊

だが、ドイツは後進国で、当面革命とは無縁だった、と事態を記述したとすると、ここからは、明らかに、別の真実が溢れおちる。確かに、ドイツには、現実的で政治的な革命はなかった

（あるいは著しく遅れた）。しかし、別の観点から捉えれば、ドイツにもそれに匹敵した革命が、しかもフランス革命とほぼ同時期に――いやフランス革命にわずかに先立って――あったからだ。それは、精神的革命とも呼ぶべきものである。われわれは、本章の最初の節で、モーツァルトのオペラを一瞥した。それは、フランス革命に先立つ作品なのに、革命的なメッセージをすでに宿している、と。モーツァルトという現象が、フランスの政治的革命に匹敵する、ドイツの精神的革命の一部だったからだ。そして、ドイツの精神的革命の精華は、他でもない、カントを中心におくドイツ観念論の哲学である。

カントがフランス革命にいかに興奮したかということは、すでに繰り返し述べてきたことだ。フランス革命は、カントの晩年の出来事である。カントよりも半世紀近く若いヘーゲルは、まさに青春の時期にフランス革命を体験し、やはり強い衝撃を受けている。ナポレオンが、軍隊を率いてイエナに到着したとき、ヘーゲルがこれを「馬上の世界精神」と呼んだのは、有名な話であろう。ドイツ観念論とフランス革命は、同時代的に連動した出来事である。

カントやヘーゲルの哲学は、キリスト教の哲学化であると解釈することができる。もっと端的に言えば、それは、プロテスタンティズムの哲学的産物である。このことは、しかし、彼らの哲学が神学のようにキリスト教に従属している、ということではない。キリスト教から合理的な成分を抽出し、信仰に依存することなく、理性によってキリスト教の中核的な教義に等しいことを基礎づけること、これがドイツ観念論である。だから、彼らの説は、信仰をもたなくても、また聖書の記述を参照しなくても納得することができる。しかし、結論的には、厳格なキリスト教の教えと同じことが、つまり宗教改革が説こうとしていたことが、彼らの哲学を通じて得られるようになっている。たとえば、カントの定言命法は、キリストが説いた隣人愛（分け隔てがない普遍的な愛）の哲学版だ。このように、ドイツ観念論は、プロテスタンティズム以上のプロテスタンティズムである。この極限のプロテスタンティズムとカトリックの国の政治革命とが、同時代的に――必ずしも意図することなく――共鳴しあっているように見えるのだ。もう少し、哲学の内容に即して説明しよう。

5　近代の内的複数性

よく知られているように、ジャック・ラカンは、サドに、カントの哲学の――とりわけその道徳哲学の――真実を見た。*12 マルキ・ド・サドは、フランス革命の端緒とされているバスティーユ監獄襲撃の出来事の直前まで、同監獄に幽閉されており、彼の監獄からの叫び――「ここで囚人たちが殺されている！」という叫び――が革命のきっかけの一つになったという風聞があるくらい、フランス革命と結びつきが深い人物である。

この延長線上で、フランス革命を、カントの哲学の真実として読むことができるのではないか。厳密には、カントの倫理学は、フランス革命に先立って完成している。しかし、それはまったく抽象的な性格のものであった。その倫理学が、究極的にはどのような結果を生みうるのか、現実に対してどのような含意をもちうるのか、ということは、フランス革命を通じてはじめて確認することができる。つまり、カントの哲学は、フランス革命を通じて遡及的に読んで、はじめて真に理解可能なものになるのだ。ドイツ観念論の研究家、レベッカ・コメイは、実際、このよ

う に論じている。彼女は、さらに、次のようにさえ言っている。カントの道徳哲学は、自らが時系列的には先取りしていた革命を、継承しているのだ、と。つまり、カントの道徳哲学は、自分より後にきたものを継承していることになる、というわけだ。[*13] フランス革命というフィルターを通じて、カントが読解可能になるからだ。

フランス革命のどこに、カントの倫理学の真実が現れているのか。それこそ、あの恐怖政治である。恐怖政治は、カントの定言命法の実践的帰結ではないか。定言命法は、絶対無条件の命令、どんな私的な欲望や利害にも妥協しない無条件の命令である。カントの考えでは、最高善は定言命法のかたちでのみ表現される。だが、その律儀な実現は、あの恐怖政治のようなものになるのではあるまいか。もちろん、厳密には、恐怖政治の中で発揮された暴力が、完全に私的な欲望の類から自由だとは言えまい。それは、嫉妬や復讐心や利害や恐怖にも強く規定されていただろう。しかし、その暴力には、こうした感情や欲望には回収できない過剰さがある。それは、革命の大義がもたらす過剰さであり、カントの定言命法が目指している厳格性に通じている。

フランス革命は、ギルドに代表されるような前近代的な団体、中間集団的な共同体を解体し、一掃しようとした、と述べた。これもまた、カントの定言命法の律儀な実現として解釈することができる。どのような意味において、か。定言命法のもう一つの表現は、他者を、(私の)手段として(だけ)ではなく、目的として(それ自体で価値あるものとして)、つまり自由として扱え、というものだ。先にも述べたように、これこそが、カント風の隣人愛の表現になっている。というのも、このとき、私は、どんな他者に対しても無差別に、「目的(自由)」として接することになるからだ。ところで、もし、人が、前近代的で有機的な共同体の道徳に即して行動したとすればどうなるだろうか。それは、必然的にカントの定言命法を破ることになる。なぜならば、人は個人的な親疎、個人的な友愛、個人的な欲望に沿って、他者を選別することになるからだ。カントの倫理学が要請している、隣人愛的な定言命法に従うならば、自分が運命的に所属している共同体の紐帯を、いったんは完全に否定してしまわなくてはならない。

この意味で、前近代的な結社、中間団体の排除も、またカントの倫理学の具体化と見なすことができる。念のために述べておけば、これは、必ずしも、フランス革命の担い手たちが、カントを研究して、このような方針をとったということではない。ただ、彼らがなしたことが、結果として、カントの哲学の、見ようによってはかなりグロテスクな現実化という形態をとったということである。

同じことは、ヘーゲルとの関係でも認めることができる。たとえば、ヘーゲルの『精神現象学』のことを考えてみよう。この書物は、精神の成長の過程、ドイツ語で言うところのBildung（教育・教化）の過程を、哲学的・寓話的に表現したものだ。[*14] この成長の一つずつのステップには、基本的なパターンがある。主体は、まずそれまで獲得していた何か実質的なものを失う。その喪失の代償として、別の何かを獲得し、主体はより高次のレベルに上っていく。このようなことが繰り返されていく。各ステップの上昇は、必ず喪失が伴っている。言い換えれば、主体は、そのたびに、それまでの自己を否定しなくてはならない。したがって、主体は、否定するためのものを獲得している、ということにもなる。この論理を純化し、徹底させたらどうなるか。喪失と獲得との間のバランスが壊れ、主体は、ついに純粋な否定性にのみさらされることになるのではあるまいか。

つまりこういうことだ。コメイがヘーゲルについて論じていることを翻案しながら、説明しよう。[*15] 主体は、ある段階において、「私はXである」というアイデンティティを獲得する。が、次のステップにおいては、そのアイデンティティは否定される。とすれば、私とは「私であるところのもの（X）」ではない、ということだ。私に与えられるどんな具体的な規定性も否定される。すると、結局、私とは、否定性そのもの、もう少し繊細に言えば、私であるところのものに対する否定的な関わりこそが私だ、ということになるだろう。[*16]

これを観念の遊戯であることを超えて、現実の中にそのまま引き写したらどうなるだろうか。それこそが、革命的な恐怖政治（テロ）ではあるまいか。革命の中で、「私」は、文字通りの過激な否定にさらされている。命をうばわれるまでの否定である。その否定の代償として、「私」は何も積極的なものを獲得することはできない。この否定の遂行者、この否定性そのものを代行しているのが、革命政府である。

＊

一方には、カトリックの国の——したがって近代性の表現としてはきわめて変則的な——政治革命がある。そこには、おぞましい暴力をともなった恐怖政治が含まれている。他方には、プロテスタンティズムの哲学化とも呼ぶべき、精神の革命がある。その哲学は高尚で洗練されてはいるが、それを実質的に支える社会的な実体によって裏打ちされてはいない。両者の関係をどのように捉えればよいのか。

二つを、あれかこれか、と選ぶべき異なる二つの道と解釈すれば、われわれは不可解な現象を見るだけだ。両者を全体として一個の現象として把握すべきなのではないか。ここでもう一度、ドイツ観念論が、とりわけヘーゲルが、助け舟を出してくれる。

『精神現象学』に、「精神は骨である」という命題がある。*17 われわれもかつて一度、この命題を参照したことがあるが（『東洋篇』第28章）、この命題は、最も価値あるもの（精神）と卑俗な物質（骨）との間の同一性――「思弁的同一性」と呼ぶ――を意味している。ヘーゲルは、当時の骨相学のコンテクストの中でこの命題を提示しているが、今日であれば、「精神は脳（という灰色の物質）である」ということになる。この命題の力点は、精神といえどもただの骨（物質）に過ぎない、というあからさまな経験主義にあるわけではない。逆である。最も下劣なもの、ゴミのようなものが、最も高貴なものに、精神的なものに転ずる、ということにこそ、重点が置かれている。ヘーゲルは、男根の喩えで説明している。男根は、排泄器であると同時に生殖器でもある。排泄器と見れば、それは、人間の最も穢れた部分に関係しているが、生殖器として捉えれば、それは、「子」や「愛」といった、人間の生の中で最も崇高な契機につながっている。「生殖器（精神）は排泄器（骨）である」というわけだ。

これが、目下の主題とどう関係しているというのか。ヘーゲルの命題の最も重要な含意は、いきなり直接に「精神（生殖器）」の契機を獲得することはできない、ということである。そこに至るためには、「骨（排泄器）」を経由しなくてはならない。同じことは、近代性ということにも言える。直接、精神と哲学の深甚な革命を獲得することはできない。そうしようとすれば、空疎で現実的な裏付けのない観念の遊戯を得るだけだ。ドイツ観念論はまさにそれである。そこに至るためには、おぞましいこと、下品なこと、暴力的なこと、どう見ても誤りにしか見えない試みを経由しなくてはならない。フランス革命の恐怖政治が、これである。「精神は骨である」という命題において、未だに骨の水準にとどまっていたのが、フランス革命であるとするならば、直接、精神のレベルを捉えようとして挫折したのが、ドイツ観念論である。

骨のレベルと精神のレベルの両方を合して、はじめて、近代性が導かれる。言い換えれば、近代性には、内部に深い対立が孕まれているのだ。ポストモダンの歴史学や社会学は、複数の近代がある、という。その通り。近代には複数性が随伴している。しかし、それは、ヨーロッパ式、日本式、インド式、ラテンアメリカ式等々のたくさんの近代がある、ということではない。近代は、内的に複数性を孕んでおり、内側に深い対立を宿しているのだ。フランス革命とドイツ観念論の対比は、この近代性が蔵している複数性（二重性）を切り離して可視化してくれたのだ。両者の間の対立を、内的なものとして説明しうる理論を獲得したとき、はじめて、近代を真に理解したことになるだろう。

1　Alexis de Tocqueville, *De la démocratie en Amérique* (*Œuvres d'Alexis de Tocqueville, II*), Bibliothèque de la Pléiade, Gallimard, 1992, I, p.212.

2　「平等」を鍵概念としてトクヴィルの諸著作を読み解いた研究として、次がたいへん啓発的。宇野重規『トクヴィル　平等と不平等の理論家』講談社選書メチエ、二〇〇七年。

3　Immanuel Kant, *Der Streit der Fakultäten*, 1798. カントはこう主張している。「この革命は、自分自身はそれに巻き込まれているわけではないすべての観衆の心臓と欲望の中に、ほとんど熱狂に接するばかりの共感を引き起こした」と。

4　Slavoj Žižek, *Event: A Philosophical Journey Through a Concept*, Penguin Books, 2014.

5　コナン・ドイルの『白銀号事件』の中に、「事件のあった晩は犬も吠えず、変わったことは何もなかった」という発言に対して、シャーロック・ホームズが、「まさにそこが不審なのだ」と応ずる有名な場面がある。ホームズと正確に同じことを、「セビリアの理髪師」に関して、われわれも言いたい。このオペラに、政治思想的に意味のあることは何もないとされる。しかし、そのことこそがふしぎで、その点に政治思想的な意味があるのだ、と。

6　これに、さらに付け加えておこう。日本の敗戦に関しても、同じことが言えるのではないか、と。つまり、敗戦に対して遅れをとったと感じている世代にも、似たようなことが起きたのではないか。それは、親の世代が戦争と敗戦を同時代的に体験しているが、自分自身は戦後に生まれた世代である。具体的には、いわゆる「団塊の世代」を先頭に含む、敗戦後の四半世紀（一九七〇年くらいまで）の間に生まれた世代ということになる。彼らは自分が敗戦したわけではないし、また戦争の遂行に直接的な責任もないが、なお、敗戦ということの意味を重く受け取らざるをえなくなる。ちょうどマルクスやトクヴィルが、自分が関与したわけではないフランス革命の意味を汲み取ろうとしたように。

7　宇野重規、前掲書。

8　Sheldon S. Wolin, *Tocqueville Between Two Worlds: The Making of a Political and Theoretical Life*, Princeton University Press, 2001.

9　マックス・ヴェーバー「プロテスタンティズムの教派と資本主義の精神」中村貞二訳、『宗教・社会論集』河出書房新社、一九八八年。

10　Pierre Chaunu, *Église, culture et société. Essais sur Réforme et Contre-Réforme (1517-1620)*, SEDES, 1981, p.46.

11　以下も参照。アレクシス・ド・トクヴィル『旧体制と大革命』小山勉訳、ちくま学芸文庫、一九九八年（原著一八五六年）。

12　Jacques Lacan, "Kant avec Sade," *Écrits*, Seuil, 1966.

13　Rebecca Comay, "Dead Right: Hegel and the Terror," *South Atlantic Quarterly* 103:2/3 (Spring/Summer),

2004, p.393.

14　以下、ヘーゲルの『精神現象学』の理解については、以下の著作を参照している。Fredric Jameson, *The Hegel Variations: On the Phenomenology of spirit*, Verso, 2010.

15　Rebecca Comay, *Mourning Sickness: Hegel and the French Revolution*, Stanford, 2011.

16　フレドリック・ジェイムソンによれば、『精神現象学』の「自己意識」の項にある、有名な「主人と奴隷の弁証法」は、ここで論じた「否定性」との関係で解釈することができる。主人の否定性（死の恐怖を引き受ける）は、実際には、ポジティヴなものを何も生み出さないので、結局、彼の生は、感覚的な満足に従属している（奴隷がもたらす生産物を消費するだけ）。それに対して、奴隷の否定性（欲望の即時の満足を断念し労働する）は、ポジティヴなものを生み出す。つまり、奴隷こそが「理念（計画や意図）」を現実のものにする。そのために、主人と奴隷の立場は逆転してしまう（Jameson, op.cit.）。

17　以下、この命題を用いたフランス革命の位置づけについては、次の議論（の解釈）に基づいている。S.Žižek, “A Plea for a Return to Différance (with a Minor Pro Domo Sua)”, *Critical Inquiry* Volume 32 Issue 2, Winter 2006.

第3章　貨幣論への迂回

1　世界史の趨勢

この章で、われわれは、「近代」という主題を離れ、少しばかり回り道を通る。なぜその回り道が必要なのかは、以下の説明から理解されるだろう。

さて、人類の歴史には、何らかの法則があるとして、これまでに多くの学者が、世界史の運動を貫いている趨勢や発展段階を抽出し、定式化してきた。マックス・ヴェーバーは、その趨勢を「合理化」と見なした。マルクスは、「資本制生産に先行する諸形態」で、「原始的・氏族的生産様式→アジア的生産様式→古典古代的奴隷制→ゲルマン的封建制→資本制生産様式」と移行する段階論を提起した。ほかにも数え切れないほどの多くの説が出されてきた。そして、それらに対しては、さらに何倍もの多くの批判が加えられてきた。趨勢を指示する概念があまりに多義的に過ぎるとか、どの社会も同じような単線的な段階を歩むものではないとか。今、われわれは、ここで、歴史の方向性を示すそうした諸説の妥当性を検討するつもりはない。それは、この「〈世界史〉の哲学」の試みの全体を通じてなされるべきものだからだ。

だが、人類史（ホモ・サピエンスの歴史）に関して、めんどうな考察を加えなくても、少なくともひとつは、一目瞭然の否定し難い趨勢がある。十年や百年を単位にして捉えた場合には見えにくいが、千年を単位にしたときには、誰が見ても明らかな、ひとつの傾向性が、人類史にはあるのだ。それは何か。小さく分散した多数の社会が、大きな社会へと統合されていく傾向である。最初は、相互に交流がない——あるいはきわめて交流の密度が低い——小さく単純な社会が分散して存在している。数千年の長期で見れば、それらは統合され、したがって社会が拡大し、同時に複雑化していく傾向がある。これは、人類史を大づかみに捉えたときに現れる、粗雑な一般論である。

時間の単位をもう一桁下げれば、そのような傾向は見られない。また微視的に社会を捉えれば、こうした傾向は明らかではない。たとえば、われわれは、すでに、中華文明に関しては、主に中原に拠点をおく単一の帝国が歴史のデフォルトの設定になっていて、インド文明では、逆に、細かく分かれ、離合集散する王国の集合がデフォルトの設定だと述べた（『東洋篇』）。世紀単位で見たとき、インド文明の歴史に、——ときにマウリヤ朝やムガール帝国のようなものが現れるとはいえ——、統合へと一方的に向かう傾向性が認められるわけではない。また、中国においても、一旦形成された統一帝国が永続するわけではなく、帝国が一挙に崩壊し、何世紀もの間、地方的な軍閥や王国の間で戦争状態が継続することもある。さらに、西ヨーロッパに目を向けても、西ローマ帝国が消滅した後、一度も、そこは、真に政治的に統一されたことはない。西ヨーロッパの諸国は、今日でも、全体として一つの国家のようなものに近づこうとして、統合への必死の努力を継続しているが、たいへん苦戦している。このように、世紀単位で歴史を見たときには、社会は、分裂したり統合されたりしているだけである。また、地域ごと、文明ごとに特徴があって、それらを一貫する明白な傾向性があるわけではない。
しかし、——本シリーズではほとんどしてこなかったことだが——数千年を大雑把に捉えるならば、社会が統合され、拡大していく傾向は明らかだ。たとえば、数千年を数分で見られるような早送りの動画で地球の歴史を見たとすれば、この傾向をはっきりと確認できるはずだ。あまりにも当たり前過ぎて、これまで学者たちがめったに指摘しないこの事実に、注意を喚起し、その重要な意義を指摘したのは、軍事史やヨーロッパ中世史を専門としている歴史学者のユヴァル・ノア・ハラリである。[*1]

たとえば、紀元前一万年頃、地球上に、相互に孤立した社会がいくつあっただろうか。何千（あるいは何万）もあったと推定されている。しかし、紀元前二〇〇〇年には、社会の数は、何百という水準に、多く見積もっても二千～三千に減っていた。一五世紀の半ば、つまり大航海時代が始まる直前ではどうなっているか。相互に孤立している社会の数は激減している。もちろん、新大陸や、あるいは孤島には独立したかなり大規模な社会がいくつかあったが、アジアとヨーロッパとアフリカの大半は、政治的にも、経済的にも、文化的にもつながりをもっており、したがってアフロ・ユーラシア大陸の全体は、きわめて緩やかな意味においてではあるが、単一の社会へと向かっていると言ってよい状況になった。大航海時代を含むその後の三百年間で、アフロ・ユーラシア大陸の社会は、南北アメリカやオーストラリアなどの他の世界に孤立していた社会をすべて呑み込んだことは、周知の通りである。

この社会の拡大・統合の過程は、基本的には不可逆であった。単一の政治権力の作用圏になっているかどうかという厳しい基準で見た場合には、統合と分裂は絶えず繰り返されてきたと認定しなくてはならない。しかし、何であれコミュニケーションの連鎖があるかどうかということを基準にした場合には、社会の統合の過程はもとに戻らない。いったん、何らかの意味での、たとえば経済的取引とか、文化的つながりとか、知識の移動とかといったコミュニケーションの回路が開かれれば、その後は、それらが完全に断絶することは、ほとんどなかった。こうして、今日では、地球全体が、あるいは人類全体が単一の社会システムの中にいる、と見なすべき段階に到達している。人類は、同一の地政学的制度を共有している（地球は、相互に承認しあった主権国家の集合であると見なされている）。同一の法制度上の前提がおおむね受け入れられている（人権とか国際法）。真理をめぐる制度も完全に同一である（どこでも同じ自然科学に基づいて真偽が確定される）。そして何より、地球全体が同じ経済制度の下にある（資本主義）。

＊

このような統合をもたらした要因は何か。最も重要な要因は、帝国――もう少し慎重に言い換えれば帝国という社会システムをもたらしたメカニズム――である。帝国と見なしうる資格的条件は、異なる文化的なアイデンティティをもつ、いくつもの共同体を包摂し、支配していることにある。[*2] 帝国が形成される機制については、われわれはすでに、『東洋篇』や『イスラーム篇』で説明した。とりわけ、前者において、中華帝国を典型例としながら――安定的な帝国が実現しなかったインド文明と対比しながら――この点を詳述した。

帝国には、一般に、宗教が、いわゆる世界宗教が随伴している。世界宗教が、法や、あるいは皇帝が発する命令の妥当性を担保している、と了解されていたのである。中国においては、それは、儒家や法家の思想であった。イスラーム系の帝国においては、もちろん、イスラーム教なる唯一神教であった。

カール・ヤスパースに、「軸の時代」という着眼がある。中国で、諸子百家が登場して、儒教等が生まれ、インドでは、ウパニシャッド哲学や仏教、ジャイナ教が成立し、イランでは、ザラシュストラ(ゾロアスター)が——一神教の先駆となるような——二元論の宗教を唱え、パレスチナでは、イザヤやエレミヤなどの預言者がユダヤ教を成熟させ、そしてギリシアでは叙事詩のホメーロスや三大哲学者(ソクラテス、プラトン、アリストテレス)が現れた。これらが、ほぼ同時代のことだというのだ。紀元前五〇〇年頃を中心とした時期、あるいは紀元前八〇〇年から紀元前二〇〇年くらいまでの幅のある期間が、それにあたる。このような思想の多産期を、世界史・文明史にとって重要な転換点となった軸の時代にあたる、とヤスパースは見なす。[*3] 見田宗介は、ヤスパースのこの論を請け、軸の時代をさらに、イエス・キリストが現れ、新約聖書が成立した時期まで延長してもよいのではないか、と提案している。[*4]

さて、するとすぐにわかるだろう。軸の時代とは、帝国を可能にした宗教や思想が生まれた時代なのだ、と。それらの宗教や思想は、帝国を正統化するために生まれたわけではないし、また帝国とは独立に普及しもする。しかし、帝国は、これらの宗教や思想(のいずれかひとつ)を必要とした。さもなければ、帝国の支配を正統化することができなかったからである。

2 異様な寛容

人類の社会の拡大・統合への傾向を推進した、最も目立った社会的装置が、帝国というシステムだと述べた。実は、もう一つ、きわめて重要な要因がある。貨幣だ。世界宗教は、今述べたように、しばしば帝国に取り込まれ、活用された。貨幣はどうだろうか。貨幣と帝国の間にはどのような関係があるのか。帝国はしばしば貨幣を発行したが、しかし、帝国が貨幣を可能にしたわけでもないし、また貨幣が帝国を可能にしたわけでもない。ただ、貨幣を可能にしたメカニズムと帝国の権力を可能なものにしたメカニズムとの間には、つまりふたつの論理の間には、類比が成り立つ。両者の論理の形式は相似的だ。「高次の第三者の審級」としての皇帝が析出されるまでの論理的な諸段階が、『資本論』の価値形態論の各ステップと対応づけられたのは、そのためである（『東洋篇』第24章）。

論理の形式の相似性は、しかし、ふたつの実体が同じであることを意味してはいない。帝国と貨幣は同じ社会的機制のふたつの側面というわけではなく、はっきりと異なった実体である。そして、貨幣には、帝国や世界宗教にはない、ひとつの顕著な性質がある。それは何か、説明しよう。

帝国と世界宗教は、人間の諸社会の統合と拡大の促進要因である、と述べた。しかし、帝国や世界宗教のこうした機能は、相対的なものである。つまり、それらは、社会を拡大するが、同時に限定もするのだ。帝国の特徴は、境界が変更可能なことだ。それは、外へと拡張しうる。しかし、それでも、帝国は、その度に、内部と外部とを分割する。帝国はその外部に、包摂されていない、異民族や他者を残すのである。たとえば、中華帝国は、皇帝を中心におく、何重もの同心円の秩序として自らを思い描いており、最も外部の円の外には、皇帝に服属しない夷狄がいることになっていた（『東洋篇』第22章）。帝国は、このように自らを閉じるものであり、外部からはっきりと区分された内部として自分自身を規定する。世界宗教も同じである。理念の上では、世界宗教の信者は、人類そのものと合致しうる。しかし、実際には、世界宗教は、信者の共同体を、常に厳格に異教徒から区別する。言い換えれば、どの世界宗教も、教義の普遍的な真理性を唱えてはいるが、人類の集合の中には、いくらでも、それを拒絶する者がいる。*5

貨幣はどうか。原理的には同じである。貨幣が信用されず、その受け取りが拒否される場合もある。皇帝の命令が拒否されることがあるのと同様に。神が信頼されなくなる場合もあるのと同様に。が、しかし、貨幣の波及力は、帝国や世界宗教をはるかに凌駕している。貨幣は、帝国や宗教を軽々と超える普遍的な包摂性を宿しているのだ。ある貨幣が通用する圏域は、帝国の領域や世界宗教の信者の広がりを圧倒的に超えている。いくつもの歴史的事実が、このことを証明している。

日本の歴史を振り返るだけでも、そのことは明らかだ。日本列島は、一度も、中華帝国の一部になったことはないが、平安時代末期から江戸時代が始まるまで、列島内部では、中国の硬貨が使われていた。宋銭や永楽通宝の貨幣圏は、中華帝国よりも広かったことになる。これは、日本に特有な現象ではない。たとえば、ローマ帝国の硬貨は、国境の外部でも通用し、人々は積極的にこれを受け取った。一世紀のインドは、デナリウス（ローマの銀貨）が通用した、国境外の地域のひとつである。インドの人々は、ローマの軍事力に威嚇されて、デナリウスの使用を強いられていたわけではない。直近のローマの軍団でさえ、インドから何千キロメートルも離れたところに駐屯していたのだから。明らかに、インド人は、ローマの硬貨を積極的に受け入れたのだ。その証拠に、インド各地の王たちは、自らの硬貨を鋳造するときでさえも、わざわざローマ皇帝の肖像を入れ、デナリウスそのものを正確に模倣した。[*6]「デナリウス」は、そのため、ついには、硬貨を意味する一般名にまでなってしまった。アラブの多くの国々では、通貨が「ディナール」と呼ばれているが、この名称は「デナリウス」に由来する。このように、貨幣は、帝国よりも、(社会的に)普遍化する力が強い。

世界宗教との対比においても、貨幣は勝っていた。一三世紀に、イベリア半島や北アフリカで、イスラーム教徒とキリスト教徒が宗教戦争を繰り広げていた頃のことである。キリスト教徒は、次第に優勢になって、支配の範囲を敵地へと進めていく中で、モスクを破壊し、代わりに教会を建設したりした。さらに、彼らは、この地で、十字架が刻印された金貨や銀貨を発行した。と、ここまでは当然、予想されることなのだが、勝者になったキリスト教徒は、もうひとつ硬貨を発行した。その四角い硬貨には、何と、アラビア語の文字で「アッラーの他に神はなし。ムハンマドはアッラーの使徒なり」という宣言が刻まれていた。この硬貨を、イスラーム教徒だけではなく、カトリックの司教を含むキリスト教徒が、何のためらいもなく使用した。まるで、キリスト教徒は、貨幣を用いた商品交換のレベルでだけ、イスラーム教に寛容になっているかのようだ。[*7]

「寛容」だったのは、キリスト教徒の方だけではない。イスラーム教徒も同じである。北アフリカのイスラーム教徒の貿易商人たちは、フィレンツェやヴェネチアやナポリの金貨・銀貨を取引に使用した。イスラーム教徒の支配者たちは、一方で、キリスト教徒への聖戦を呼びかけつつ、他方では、税として納められた硬貨に、キリストや聖母が刻印されていたからといって、これを拒否することはなく、逆に喜んで受け取った。[*8] 要するに、キリスト教徒とイスラーム教徒は互いにいがみ合い、戦争までしているのに、貨幣に関しては認め合っているようにすら見えるのだ。

したがって、整理すると次のようになる。帝国も世界宗教も、そして貨幣も、社会を拡大していく作用と限定していく作用と、ふたつの相反する働きをもつ。だがこれらの中で、貨幣は、ずばぬけて大きな、拡大へのポテンシャルをもっている。貨幣は、人類がこれまで発明してきた装置の中で、最も寛容だ。つまり、貨幣を使用しているとき、人は、最も寛容になるのだ。貨幣は、人間の社会の普遍化への傾向性を解き放つかのようだ。どうしてだろうか。どうして、貨幣だけが、これほど寛容なのか。

*

われわれは、今、貨幣について問いを立てている。近代というコンテクストから独立させて、貨幣を一般的に主題化している。資本主義がいかにして可能だったのかを探究する上で、どうしても必要な準備作業になるからだ。第1章で、われわれは、一八世紀前半の二つの贋金作りを対比した。プロイセン王フリードリヒ一世のところにやってきたルッジエロの贋金作りは、中世以来の古典的な錬金術であり、それが失敗することは必然で、既定のパターンである。興味深いのは、フランスのルイ十五世のもとに招かれたジョン・ローの贋金作りだ。彼は一瞬成功しかかるのだが、結局、フランスを派手な金融破綻へと追い込んだ。このため、フランス王室は財政面での信頼を失い、資金調達が難しくなった。高い金利を支払わなくては、融資を受けられなくなったのだ。[*9]だが、今日であったならば、つまり成熟した資本主義の下であれば、ジョン・ローの方法は十分に機能し、それによって政府は貨幣を得ることができたはずだ。何が成否を分けたのだろうか。どうして、一八世紀の前半には機能しなかったことが、現在ならば――それどころか一九世紀でもすでに――うまくいくのだろうか。こうした問題に解答を与えるためには、貨幣一般について理解しておく必要がある。われわれが回り道をとっているのは、このためである。

とりあえず、ポイントとなる歴史的事実を確認しておこう。[*10]貨幣とは、交換の普遍的な媒介である。貨幣をもたない社会は、いくらでもあった。かなりの規模の社会でも、しばしば、貴金属の貨幣や硬貨をもたない。たとえば、一五一九年にコルテスがメキシコに侵入したとき、アステカの人々は、スペイン人が、柔らかすぎて道具や武器の材料にもならない黄色い金属に並々ならぬ関心を示すことに驚いたという。アステカの社会で、貨幣的な機能を担った物は、カカオ豆と布だった。どうして「金《きん》」に執着するのかとアステカの人々に問われたとき、コルテスは、自分たちは金でしか治せない心臓の病にかかっているからだ、と説明したという。[*11]

貨幣は、さまざまな場所で、互いに影響関係なく独立に生み出された。人々に交換への欲望さえあれば、原始的な貨幣の創出は、それほど難しいことではなかったのではあるまいか。というのも、監獄や強制収容所でも、囚人たちは、自発的に貨幣を作り出すからだ。そのような状況で貨幣としてしばしば使われたのは、タバコである。アウシュヴィッツの中でさえも、囚人たちの間でタバコが貨幣的に使用される、一種の「市場」が生まれたらしい。[*12]

今日、知られている貨幣の中で最古のものは、紀元前三〇〇〇年頃のシュメール人の貨幣だという。大麦が貨幣として使用されていた。いささか興味深い事実は、最古の書記体系が生まれたのとまったく同じ時、同じ所で、最初の貨幣が現れたということである。最古の書記は、人間の音声、つまり話し言葉を写すものではない。それは、納税された品物と、それらの量や日付などを記す、記号と数字であり、言わば文字以前の文字である。*13 経済活動が盛んになり、貨幣を必要とした同じ状況の中で、行政活動も複雑化し、書記体系を要請したのだ。

貨幣としての大麦は、普通の大麦と違っていたわけではない。それは、要するに、大麦そのものである。特定量の大麦が、貨幣の単位にもなっていた。「シラ」という単位が最も一般的で、現在の一リットルにほぼ相当する。一シラ入りの容器が大量生産された。当時の記録によると、労働者（男）の月給の二十倍から、場合によっては百倍近くの月給が、現場監督には支払われている。ということは、現場監督は、とうてい食べきれないほどの大麦をもらっていたわけだ。彼は、残りの大麦でかなりの買い物ができただろう。

それから、五世紀ほど経って、つまり紀元前三千年紀の半ばになって、銀の貨幣が出現した。「シェケル」と呼ばれた。シェケルは、まだ硬貨ではない。シェケルは重さであり、銀八・三三グラムに相当した。旧約聖書によると、ヨセフは、兄弟たちによって、銀二十シェケルでイシュマエル人に売られた。それは、銀の硬貨二十枚が支払われた、ということではない。実際に二十個の塊になっていたのかもしれないが、売買において双方が関心をもっていたことは、銀の重量がおよそ百六十六グラムだった、ということである。

貨幣の歴史において決定的な飛躍は、硬貨の登場によって画される。最初の硬貨は、紀元前六四〇年頃に造られた。この硬貨を発行したのは、アナトリア（小アジア）の西部のリュディアの王アリュアッテスである。硬貨が現れたのは、ギリシア人たちが、植民都市を建設しつつあった場所であり、時代である。

硬貨は、一定の重さをもつ貴金属であり、識別記号が刻印されていた。この識別記号こそ、硬貨を硬貨たらしめている条件である。その記号は、二つのことを宣言することで、保証していた。第一に、その硬貨の中にどれだけの重量の金や銀が含まれているか、ということ。第二に、その硬貨が誰によって発行され、その内実を保証している権威が誰に所属しているのか、ということ。最初の硬貨の場合は、もちろん、その権威はリュディアの王に属していた。やがて硬貨が貨幣の主流になる。硬貨の初期の圧倒的に活発な使用者は、ギリシア人である。後に、貨幣は、硬貨という形式からも離脱するわけだが、とりあえず、初期の貨幣の歴史として確認すべきことは、このくらいで十分だろう。

3　貨幣存立の機制と欲望の脱中心性

貨幣はいかにして可能か。ここまで指摘したわずかな事実だけからでも、貨幣の成り立ちについての代表的な二つの説が間違っていることがわかる（第1章の第3節も参照）。第一に、貨幣を貨幣にしている要素は、共同体や国家の法や政治権力である、とする説がある（貨幣法制説）。硬貨には、権力者の象徴や肖像が刻印されているので、この説がまさに妥当しているように見えるかもしれない。しかし、この説は、貨幣の神秘を十分に説明できていない。貨幣のふしぎなところは、帝国の政治権力や法や世界宗教の効力がまったく尽きてしまっている外部でも、ときに貨幣だけは通用している、という点にある。貨幣が、法や国家権力の裏打ちを必要としているのなら、このような現象は生じるはずがない。

第二に、広範囲の人々の欲望の対象となっている商品が、貨幣に転化するという説がある(貨幣商品説)。最初の貨幣が「大麦」であることが、この説を支持しているように見える。最も一般的な食物である大麦は、誰にとっても欲望の対象となりうる事物だからだ。しかし、この説も、貨幣の貨幣たる所以の核心を逸している。貨幣の奇妙なところは、成熟すればするほど商品としての有用性から離れていくことにある。たとえば、大麦貨幣は銀のシェケルに取って代わられるのだった。保存や運搬に、大麦よりも銀の方が有利だったからだと推測されるが、考えてみれば、銀それ自体には、何の価値もない。金や銀には、まったく有用性がないからだ。鉄ならば、必要なときに剣にするとか、鋤にするとか、といったかたちで役に立つが、金や銀は柔らか過ぎて、有用な道具のための素材にはなりえない。金や銀が貨幣になったのは、商品として広範囲の欲望の対象になったからではなく、逆に、商品としては誰の欲望の対象にもなりえなかったからだ、と考えねばなるまい。金や銀は装身具として役立つからだと主張する者もいるかもしれないが、他の何かではなく金・銀が装身具になったのは、貨幣の場合と同様に、それらが訳のわからない理由によって逆説的に価値をもったことの結果であり、それ自体、説明されるべき現象である。

このように貨幣商品説、つまり価値があるモノが貨幣になったとする説が誤りであることは明らかである。岩井克人が述べていることだが、そもそも、もしそのモノがそれ自体として価値があるならば、人は、そのモノを、別のモノ（商品）を手に入れるために他者に引き渡すはずはない。つまり、その人は、そのモノを自分で使用したり、消費したりしただろう。そのモノが貨幣となるのは、そのモノの貨幣としての価値が、そのモノのそれ自体としての価値を上回っているからである。貨幣商品説の説明の中には還元できない過剰分こそ、あるモノを貨幣としているのだ。岩井克人は、「貨幣の貨幣としての価値＞貨幣のモノとしての価値」という不等式は、貨幣の基本定理だと述べている。*14

＊

では、いかにして貨幣はまさに貨幣として存立しうるのか。ニクラス・ルーマンは、貨幣を導入するということは、行為が直面している状況を「支払い／非支払い」という二元的な値によってコード化することだ、と述べている。*15 要するに、貨幣を所有することで、行為者は、支払うか支払わないかという二者択一の形式で単純化された自由を獲得するのだ。だが、この自由が実効性をもつためには、ある決定的な条件が満たされていなくてはならない。行為者A_0が、他者A_1の所有する商品C_1を獲得しようと、貨幣mを支払おうとしたとき（p_0）、他者A_1がその貨幣を受け取らなくてはならない。

言い換えれば、貨幣mを可能なものにしているのは、他者A_1がそれを受け取ることが確実だと、行為者A_0によって予期されているからである。だが、他者A_1は、A_0の支払いp_0を受け入れるだろうか。その保証はない。なぜならば、貨幣mとなる物は、先に述べたように、それ自体としては価値がないからだ。つまり、貨幣mは、本来は、A_0にとっても、A_1にとっても、直接には、欲望の対象にはなりえない。ここが貨幣mを媒介にした商品交換と物々交換の決定的に異なるところである。物々交換は、欲望の二重の一致を前提にして成立する。物々交換では、私は、他者がまさに欲しているものを与えることで、他者から私が欲しているものを得る。しかし、貨幣mによる商品交換ではそうではない。私A_0が支払いに使う貨幣mは、直接的には、受取手A_1にとって、欲望の対象ではない。私A_0が買い取る商品C_1は、私が欲しているものなのに、である。

それならば、どうして、他者A_1は、A_0が提示する貨幣mを受け取るのか。他者A_1は、他者A_1にとっての他者A_2が、つまりA_1が将来何かをそこから買うことになる他者A_2が、それ（m）を受け取るだろう、支払いp_1が成立するだろう、という予期をもっているからだ。ということは、他者A_1の他者A_2にとって、貨幣mが欲望の対象になっているということなのか。そうではない。A_1と同じことがA_2にも成り立つ。貨幣mとなる物には、それ自体としての有用性や価値はなく、A_2にとっても、直接の欲望の対象にはなっていない。A_2が貨幣mの支払いp_1を受け入れるのは、さらなる他者A_3がその貨幣mを受け入れ、支払いp_2が成立するはずだ、という予期をもっているからだ。

⋮
p_{-1} ↓
A_0
p_0 ↓
A_1
p_1 ↓
A_2
p_2 ↓
A_3
p_3 ↓
⋮

貨幣の流れ

こうして、未来へとどこまでも続く、無限の他者の系列を得る。貨幣mを存立させている条件は、任意の他者A_nが、後続の、将来の他者A_{n+1}が、貨幣mを受け入れるべく待っている、と期待することができる、ということである。言い換えれば、支払いp_0を可能なものにしているのは、将来の支払いp_1が確実に成立するはずだ、という予期が成り立つからだ。

　ここで、決定的に重要なポイントは、どこかに、貨幣mを直接の欲望の対象としている他者A_mが具体的に存在している、ということが、このメカニズムが働く条件ではない、ということだ。もし、そのような条件が必要ならば、このメカニズムは全体として破綻する。なぜならば、繰り返し述べてきたように、貨幣mそれ自体には価値がなく、それを直接的に、理由なく欲望する他者など、どこにも存在しないからだ。他者A_mが、貨幣の受け取りを拒否することが確実であれば、A_{m-1}も貨幣を受け取らない。A_{m-1}が受け取らないことが確実ならば、A_{m-2}も受け取らない。A_mの未来の拒絶は、遡及的に貨幣の流れ全体へと作用し、結局、最初の支払いp_0が成立しない。かくして、貨幣mはまったく流通せず、失効することになる。[*16]

　それゆえ、繰り返し確認すれば、貨幣mが成り立つのは、市場における任意の者が、その貨幣mを受け入れる後続の他者が存在している、ということに確信をもっているからである。[*17]だが、どのようにして、そのような確信を与えることができるのか。どうしたら、そのような他者の存在を保証することができるのか。それは、原理的には不可能なことである。最初の貨幣、原始的な貨幣が、貨幣商品説を一見支持しているかのように、「大麦」や「米」など広範囲の人々の欲望に応ずる物であるのは、このためである。その社会の中で暮らすどんな人にも必要な大麦とか米とかであれば、それを欲しがる他者が見つかるに違いない、という安心感を与えることができるからである。

　だが、貨幣を成り立たせるメカニズムの核心は、任意の者が、「それ（貨幣）を欲しているのは私ではない、他者である」と言えるということにある。つまり、欲望の脱中心性とでも呼ぶべき構造が、貨幣の存立を支えている。ということは、誰もが、それに関して、自分の直接の欲望の対象ではない、という立場をとることができることが望ましい。貨幣となるべき物が、次第に直接の有用性から離れるのは、つまりマルクス経済学の語彙を使えば「使用価値」から離れた物（金や銀）になるのは、このためである。

もちろん、今や誰もが貨幣を欲望している。私も貨幣が欲しい。しかし、私が貨幣を欲するのは、他者が貨幣を欲しているからである――と誰もがそのように主張する。私も他者も貨幣を欲しているのだが、あくまで、論理的な先行条件になっているのは、他者の欲望の方である。他者の欲望に媒介されて、二次的に私の（貨幣への）欲望が発生するのだ。もちろん、原理的に言うならば、任意の欲望が他者の欲望に媒介されているということにはなるが、欲望のこうした脱中心性、他者を経由した被媒介性の痕跡を明確に留め、それを積極的に活用するところに、貨幣の特徴がある。

＊

このように、貨幣mを使用しているとき、われわれは、それを受け入れることになる無限の――未来へと続く――他者たちの系列の存在を想定していることになる。その系列の中のどの個別の他者も、直接には、貨幣mを欲望してはいない。しかし、言ってみれば、無限の他者の系列それ自体――これをA_∞と表記しよう――が、貨幣mを欲望しているのである。A_∞は、市場における貨幣の妥当性を保証している「第三者の審級」だ。

詳しく復習するつもりはないが、第三者の審級を生成する仕組みの中心にあるのは、身体の求心化作用と遠心化作用であった。求心化作用とは、「見る」「欲する」等々の任意の志向作用（心の働き）をこの身体、この私へと帰属させる働きであり、遠心化作用とは、その帰属先を、他者（他所）へと移転させる働きである。求心化作用と遠心化作用とは、完全に表裏一体になっていて、両者は連動する。この概念を用いれば、われわれはこう言うことができる。貨幣とは、（二つの作用のうちの）遠心化作用を強化し、延長する働きをもつ、と。私に帰属すべき欲望が、（時間的に）無限に遠い他者へと投射されることになるからだ。

どうして、貨幣において極端な寛容性が発揮されるのか、という先に提起した疑問に答えられるところまで来た。帝国や世界宗教にもない普遍的な包摂性が貨幣を通じて実現されるのはどうしてなのか。それは、貨幣においては、﹅﹅自己の欲望や信仰よりも、﹅﹅他者の欲望や信仰が優越するからである。貨幣を用いているときには、他者が欲していることを、私（たち）も欲する。他者が信じていることを、私（たち）も信ずる。基準は、あくまで、他者の欲望や信仰の方にある。しかし、帝国や世界宗教は逆である。帝国へと他者を編入することは、他者に、「われわれ」が正しいと信ずる法や命令を受け入れさせることである。世界宗教の共同体に他者を包摂するということは、他者が、私（たち）の信仰を受け入れたということを意味している。貨幣は、帝国や世界宗教が乗り越えることができない文化の溝をやすやすと越えていく。その秘密はここにある。

4 「瀆神」について、再び

本章の最後に、この考察を活用して、応用問題をひとつ解いておこう。『イスラーム篇』の第10章で、われわれは、ジョルジョ・アガンベンに導かれながら、古代ローマの法学者が「神聖を汚す《プロファナーレ》」と呼んでいた操作に言及した。[*18] 瀆神《プロファナーレ》は、ただ、神や神聖な事物を蔑ろにすることではない。むしろ、それ自体、宗教的で神聖な行為である。まず、「神にささげる」という操作がある。それは、人間の法の領域にあった事物を、神々の領域に移行させることである。この操作の逆操作が、「瀆神」であった。つまり、神々の領域に属していたものを、人間の自由な使用が可能な領域へと返すことが、瀆神である。ここで重要なことは、瀆神にとって、その操作の対象となる事物は、「神々の領域に入っていた」ということが前提になる、という点である。

何らかの事物を、誰か別の人に売るためには、その事物に対して、瀆神の操作を施す必要があった。つまり、事物を売って、貨幣を得るためには、その事物に関して、「神々の領域にあったものを人間の領域に取り戻した」という擬制が必要だったのだ。どうしてだろうか。

市場における商品交換の対象とすることは、その事物を、貨幣の量によって評価することである。言い換えれば、その事物への欲望自体を、貨幣への欲望の変種として解釈することを意味している。いったん貨幣に媒介された商品交換の世界に投げ込まれれば、どんな事物も、貨幣への欲望に汚染されることを免れない。ということは、その事物の価値を、先に述べたような意味での第三者の審級（神）A_∞の観点で、評価することを含意している。

瀆神とは次のことを意味しているのではあるまいか。事物を、いったん人間の欲望や関心の領域から引き離し、神々（第三者の審級A∞）のまなざしのもとにおき、神々（A∞）の欲望や関心の対象として措定する。その上で、その事物をもう一度、人間の世界へと取り戻すのだ。そのような媒介を経たものだけが、市場で取り引きすることが許されたのである。だから、古代ローマ法における「瀆神」という現象は、ここで貨幣について論じてきたことを傍証している。

もし瀆神の操作を経ずに取り引きしたらどうなるのか。この点は、すでに『イスラーム篇』で論じてある。その取引は、贈与交換の圏域にとどまり、純粋な商品交換としては実現されない。つまり、交換当事者の間に、負い目の感覚をベースにした恒常的な権力関係が生じてしまうのだ。「支払い」を終えても、その関係はいつまでも持続する。支払いによって、関係を完全に清算するためには、事物を、いったんは、神々A∞へと委ねておく必要があったのである。

1　ユヴァル・ノア・ハラリ『サピエンス全史――文明の構造と人類の幸福』上・下、柴田裕之訳、河出書房新社、二〇一六年（原著二〇一五年）、第9章。
2　いくつの異なる文化的共同体を包摂すれば帝国になるのか。厳格に決めることには意味がないが、二～三では帝国ではなく、まだ王国の段階だが、二十も三十も包摂する必要はない。
3　カール・ヤスパース『歴史の起原と目標（カール・ヤスパース選集Ⅸ）』重田英世訳、理想社、一九六四年（原著一九四九年）。
4　見田宗介「軸の時代Ⅰ／軸の時代Ⅱ――森をめぐる思考の冒険」『現代思想』二〇一六年一月臨時増刊号。見田宗介・大澤真幸対談「連山継走――われわれはどこから来てどこへ行くのか」『大澤真幸 THINKING「O」』一四号、二〇一七年。ヤスパースの言う「軸の時代」を、「軸の時代Ⅰ」と見なし、現在、「軸の時代Ⅱ」を迎えつつある、というのが見田の論点である。

5　ある世界宗教の信者は別の世界宗教を拒否するのだから、複数の世界宗教が並存し、成り立っている以上は、これは必然である。

6　ハラリ、前掲書、上二二八頁。

7　同書、上二一六頁。Andrew M. Watson, “Back to Gold — and Silver”, *Economic History Review* 20:1 (1967), pp.11-12.

8　ハラリ、前掲書、上二一六頁。Watson, op.cit. pp.17-18.

9　仕方がないので、フランス王は高金利で借金することになる。そのため負債が大きくなる。それを返済するために、フランス王は、再び高金利で借金をした。……このような悪循環によって、一七八〇年には、王室の年間予算の半分は、借金の利息の支払いに充てなくてはならなくなっていた。破産を避けるためには増税しかない、と王は（すでにルイ十六世に替わっている）判断した。一七八九年に、一世紀半も開かれていなかった三部会が招集されたのは、増税を諮るためであった。この三部会からフランス革命が始まる。このように経緯を辿ると、ローの失敗は、フランス革命の一因になっていたことがわかる。ところで、少しばかり歴史の細部に注意を向けたとき、われわれは次のことにも気づく。この頃、つまりフランスの借金が膨らんでいた頃、フランスはイギリスと、オランダが去った後の覇権の座を争っていた。イギリスと戦うために、フランスはお金が必要だったのだ。フランスの放漫な財政への疑念が高まる中で、イギリスの方は堅調で、低金利で金を借りることもできた。その結果、人口の点でも、軍隊の経験の点でも圧倒的に勝っていて、当初は誰もが優勢だと信じていたフランスは、イギリスに敗れ、オランダの後の覇権は、イギリスに移った。フランスとイギリスの差はどこから来たのか。ここに、われわれはまた、カトリック（フランス）とプロテスタント（イギリス）を分かつ線を見ないわけにはいかない。

10　貨幣の歴史については、以下の諸文献に基づいている。Glyn Davies, *A History of Money: From Ancient Times to the Present Day*, Cardiff: University of Wales Press, 1994. ニーアル・ファーガソン『マネーの進化史』仙名紀

訳、早川書房、二〇〇九年（原著二〇〇八年）。ハラリ、前掲書、上第10章。

11　この嘘は、意図せざるかたちで真実の一面をついている。貨幣への過剰な欲望は、病と言えば病だからだ。心臓病ではないにせよ。

12　ただし、アウシュヴィッツで、「タバコ」貨幣を使うことができたのは、一部の特権的な囚人だけだった。

13　つまり、その書記によって、詩歌や物語を書き留めることはできなかった。

14　丸山俊一ほか『岩井克人「欲望の貨幣論」を語る』東洋経済新報社、二〇二〇年、三四頁。

15　ニクラス・ルーマン『社会の経済』春日淳一訳、文眞堂、一九九一年（原著一九八八年）。

16　以上に述べたような貨幣の成立メカニズムについては、岩井克人が『貨幣論』（一九九三年、筑摩書房）で詳しく論じている。結局、貨幣が貨幣であるのはまさにそれが貨幣だからだ、というトートロジーが得られることになる。岩井克人は、これを「貨幣の自己循環論法」と呼んでいる。

17　貨幣の存立機制についてより詳しくは、次を参照。大澤真幸「経済の自生的（反）秩序」『社会システムの生成』弘文堂、二〇一五年、第Ⅱ部・第１章。

18　ジョルジョ・アガンベン『瀆神』上村忠男・堤康徳訳、月曜社、二〇〇五年（原著二〇〇五年）。

第4章　貨幣の抽象化作用

1　負債論との対比

貨幣についての原理的な考察をもう少し続けなくてはならない。破格の人類学者デヴィッド・グレーバーは、「貨幣とは交換を促進するために選ばれた特別な商品であって、自分自身以外の他の商品の価値を表示するヴェールのようなものだ」とする説を斥け、貨幣は一種の負債である、とする説を支持している。[*1] 前章で、われわれもまた貨幣商品説を拒否し、貨幣の存立の機制についてのひとつのアイデアを提示した。われわれの説と、貨幣の貨幣たる所以の中核に「負債」を見る説との間には、互換性がある。このことをまずは確認しておこう。

貨幣が成立するための条件は、任意の者A_nが、それによる支払いを受け取る後続の他者A_{n+1}が存在していると期待することができること、これであった。[*2] このとき流通する貨幣を、借用証書のようなものと解釈すれば、貨幣が負債だとする説になる。次のように考えればよい。パウロA_0が、ペテロA_1から上着を贈られたとしよう。パウロA_0は、ペテロA_1の好意を受け取りっぱなしにはせず、お返しとして、いずれ等しい価値のものを贈るだろう、と約束する。そこで、パウロA_0はペテロA_1に対して、借用証書dを渡す。しばらく後に、パウロA_0が、何かよいもの、たとえばお茶をペテロA_1に贈って、借用証書ｄを取り戻して（そして廃棄して）しまえば、これは、贈与交換であって、貨幣を用いた商品交換にはならない。だが、もしペテロA_1が、自分が借りがある誰か別の者に、たとえばヤコブA_2に、この同じ借用証書ｄを渡したとしよう。その借用証書ｄが、さらにヨハネA_3、アンデレA_4……と次々と手渡され、負債の決済に使われたとする。このとき、借用証書ｄは、すでに貨幣である。

ここで、すぐに疑問が出てくるだろう。パウロA_0が渡した借用証書ｄは、そんなに順調に流通するだろうか？　ペテロA_1は、パウロA_0のことをよく知っているので、信用するかもしれない。だが、ヤコブA_2以降の他者たちは、パウロA_0のことを直接には知らないので信用できない、と借用証書ｄの受け取りを拒否するかもしれない。しかし、たとえば、もしA_0がパウロではなく、ローマ皇帝クラウディウスであったならば、問題は解決する。つまり、――「たとえば」ということだが――借用証書ｄの発行者が、王や国家であった場合には、このシステムがうまく機能する確率が、高まるだろう。A_0が、王や国家だと首尾よく貨幣＝借用証書ｄが循環するのに、パウロであれば心もとないのは、借用証書の発生源となるA_0が、とてつもない富豪であると人々に信じられなくてはならないからだ。

だが、ここには、逆説がある。一方で、今述べたように、A_0が王だと貨幣の成立可能性が高まるのは、王ならば負債を返済できるはずだ、との予期が人々の間で成り立ちやすいからだ。しかし、他方で、借用証書ｄが貨幣として機能するためには、王が負債を返済してはならない。王の負債が負債のままにとどまる、まさにその限りで、借用証書ｄは貨幣なのだ。この場合、貨幣を流通させるということは、王の負債を流布させることである。したがって、王は、負債を返済しないでいられる、ということにおいて、自らに、負債の返済能力があることを示し続けなくてはならない。返済していないという現実が、返済の可能性を担保しているのだ。

すると疑問は先送りされているだけだということに気づく。決して返済されない負債の借用証書dが、どうして、次々と受け取られるのだろうか？　その受け取りの確率を高める効果的な方法は、王がその配下の人々に納税を強いること、そして税をまさにその借用証書dによって支払うことを受け入れることである。そうすると、dは、通貨として循環しやすくなる。*3 これはまことに奇妙な事態である。国家は、自分自身に負債があることを示す証書を、そのまま税として回収し、国庫に納めていることになるからだ。

*

いずれにせよ、この説明には、まだひとつ弱点が残る。今、国家が税を要求すれば、そのことによって、通貨dが使われる市場が創設されるだろう、と述べた。だが、税は、どのようにして正当化されたのか？　つまり、国家は、どのような権利で税を要求したのか？　なぜ人々は税を納めることを受け入れるのか？　このことについての一般に普及している説明は、人が政府に税を納めるのは、その対価として、政府から——軍事的保護を中心とした——サーヴィスが与えられるからだ、というものだ。つまり、税とサーヴィス（あるいは安全）との間の交換がなされている、という説明である。この説明は、ある種の原初的な社会契約が取り結ばれている、という想定を含意している。しかしながら、もちろん、そんな社会契約はなかった。仮にあったという想定を受け入れたとしても、はるかに昔の祖先が結んだ約束に現在の者が拘束されなくてはならない理由が、あらためて説明されなくてはならない。「サーヴィスと税の間の交換」は、税の存在の理由ではなく、むしろ、現に「税」が成立していることの言い換えでしかない。

税の存在理由についての代替的な理論としては、「原初的負債論」なる解釈が提起されている。ミシェル・アグリエッタやアンドレ・オルレアンといった、フランスのいわゆるレギュラシオン学派に近い経済学者たちが、ルネ・ジラールの理論等をも摂取しつつ展開している仮説である。*4 原初的負債論によれば、人間は宇宙に対して本源的な負債の感覚をもっている。それは、たとえば神々への負債のようなかたちで表象されるが、もちろん、人が自らが属している全体としての「社会」に対して負っていると感じている負債の、転移された姿である。人が王たちや政府によって徴収されている税とは、この同じ負債である、とするのが原初的負債論の主張である。人はもともと宇宙（神々）に対して負債があるという本源的な感覚があるため、宇宙や神々を代理する王・政府の税の徴収に素直に従ってしまう、というわけだ。納税は、原初的な負債への返済（の一部）である。

原初的負債論の根拠となっている事実は、主に、古代インドのヴェーダのようなテキストに記された神話や儀式である。原初的負債論の解釈は、われわれが『東洋篇』で提起したインドのカースト体制についての理解とよく整合する。カーストのヒエラルキーは、隠喩的な食物連鎖である。下位のカーストは上位のカーストに自らを提供し、食べられる立場にある。食物連鎖の最上位には、人間を食べる神々がいる。カーストの頂点には、物理的暴力において最も勝るクシャトリヤ（戦士階級）ではなく、バラモン（祭司階級）がいるのはそのためである。バラモンは、供犠の専門家である。彼らは、人間の代替物となる動物を神々に与えることで、神々を騙し、宥めているのである。人間の中で最も強いクシャトリヤよりも神々が強いが、バラモンが神との関係を巧みにとりもってくれるために、クシャトリヤ（をはじめとする人間）は神々に食べられずにすんでいる。ということは、繰り返せば、人間は、本来は、神々に食べられるべき立場にあると認識されているのである。この認識は、人が、自分たちが存在しているということ、そのことにおいて、神々に負債があるとの原初的な感覚を有していることを示している。神々の食卓に自分自身を供することで、負債を返済しているのだ。

このように原初的負債論は、古代インド社会の解釈としては妥当だ。しかし、貨幣の存立を説明する一般理論としてはどうだろうか？　グレーバーは、物々交換から貨幣が生まれるとする経済学の教科書の神話よりは真実に近いと見なしながらも、原初的負債論を最終的には否定する。当然であろう。税が正当なものとして受け入れられる原因を、人間が宇宙（に投射された社会の全体性）に対してもつ原初的な負債感にあるとした場合には、その原初的負債がどこから出てくるのかが今度は問われるだけだからだ。問いはもう一段階遡及して、繰り返されている。

そもそも、負債としての貨幣がどうして次々と受け入れられ、流通するのか、という本来の問いとの関係で言えば、税の正当性の由来を説く原初的負債論は正鵠を射ているとは言えない。古代世界においては、自由市民（つまり奴隷ではない市民）が税を支払うことは、普通ではなかった。それでも、貨幣は流通したのだ。最初の貨幣が現れた、古代メソポタミアにしてから、自由市民は税など取られてはいない。ペルシア帝国でも、大王への貢納が義務付けられたのは、征服された地域の住民だけであり、ペルシア人にはその義務がなかった。ローマも同様で、ローマ市民は長期にわたって税など払ってはいない。さらに、前章で（貨幣法制説への批判として）述べたことを再確認しておけば、貨幣は、国家や帝国の権力・法の効力が及ばないところでも、機能する。「借用証書d」を発行しているのが、王や皇帝だったら、それは流通しやすくはなるかもしれないが、貨幣の実効性のすべてを法や権力に帰することはできない。

それゆえ、（負債としての）貨幣が次々と後続の他者によって受け取られたのはなぜなのか、ということは謎である。この問いは、前章の考察においてすでに示唆しておいたことである。ここでは謎をとりあえず謎として銘記しておくに留めよう。[*5]

＊

ともあれ、ここではっきりさせておきたいことは、グレーバーが「負債論」の観点から定式化した貨幣の成立のメカニズムは、われわれが前章で論じた、貨幣の存立の機制と正確に対応しており、両者は相互に言い換えが可能だということ、この点である。ただ、グレーバーの説は、実は、ここまで解説してきたこと（借用証書のようなものが流通していくという説明）には尽きない、もう一段階の複雑さがある。この部分も含めて、負債論は、われわれの議論との間に並行性をもつ。

グレーバーは、経済を、人間経済／商業経済に分けている。商業経済は、狭義の経済、市場経済のことである。人間経済は、贈与交換が支配的であるような経済である。人間経済にも、貨幣以前的な貨幣、原始貨幣がある。それは未だ十分な貨幣とは言えない。なぜなら、原始貨幣は、何かの売り買いに一般的に使われるわけではないからだ。原始貨幣は、人々の間に関係を形成したり、そうした関係を維持し、修復したりするのに使用される。それゆえ、原始貨幣を、グレーバーは「社会的通貨」と言い換えている。クラ交易に使われるネックレスやブレスレット、あるいはサモアのファーラヴェラヴェで用いられるマットなども、社会的通貨の一種であろう（『東洋篇』参照）。グレーバーの関心は、人間経済がどのようにして商業経済へと転換するか、にある。

グレーバーが導き出した結論だけを紹介しておこう。先に、貨幣は借用証書のようなものである、と述べた。しかし、実は、社会的通貨が示していることは、これとは正反対のことである。たとえば、（いくつかの民族では）社会的通貨は、結婚における婚資として使われる。商業経済（市場経済）の観点でこれを見ると、まるで、女と婚資は等価であって、婚資によって女を買っているかのように見える。が、このような解釈は間違っていることは、すべての文化人類学者が認めていることである。では、社会的通貨（婚資）は何なのか。社会的通貨が示していることは、――グレーバーによれば――その人間（女）はかけがえがなく、他の何物とも等価と見なしえないこと、このことなのだ。その人間の喪失を何かによって補償することは不可能だということを示す象徴として、社会的通貨がある、というわけだ。それゆえ、結婚によって女を得た者は、決して返済できない絶対的な負債を担わされたことになる。社会的通貨は、絶対的な負債があるということをマークしているのである。[*6]

人間経済から商業経済へと移行するためには、「他の何とも等価ではありえない、かけがえのないもの」が、「別の何かの特定の量と等価になりうるもの」へと転換されなくてはならない。この転換、この飛躍はどのようにして実現されるのか。グレーバーによれば、それは、個々の人間という生命を、それが埋め込まれている社会的文脈から引き剝がし、抽象化することによって実現する。それぞれの人間がかけがえのない誰かになっているのは、それぞれの社会的文脈の中において、だからである。社会的文脈からの引き剝がしによって、この人間の生命は——あるいはその生命の一定時間の労働は——百枚の布地に等しい、といった評価が可能になる。では、この引き剝がしを成し遂げるものは何か。それは、暴力、比喩ではない文字通りの暴力しかない。

以上がグレーバーの考えである。この説明は妥当であろうか？　それは、どの程度、成り立つだろうか？　この課題は、単にひとつの仮説の検証ということを超えた意義がある。二つの代表的な交換様式、つまり贈与交換と商品交換との間にどのような論理的な関係があるのか、を解明することにつながるからだ。とはいえ、この課題に答えることは、別の機会に譲らざるをえない。

とりあえず、ここでは、次のことだけ指摘しておこう。述べてきたように、グレーバーは、「人間経済」から「商業経済」への飛躍の契機を、むき出しの暴力に見た。前章でわれわれがあらためて検討した、（ローマ法でいうところの）「瀆神」は、この「暴力」と機能的に等価な働きをしている。瀆神は、供犠の逆操作であった。供犠は、原初的負債論の文脈で見るならば、神々に対する負債への（不可能な）返済である。このベクトルを反転させ、神々の領域からの（不可能な）奪還こそが、瀆神にあたる。瀆神もまた、「暴力」と同様に、人間経済の中に埋め込まれていた「物」を、社会的文脈から解放されて流通する商品へと転換する。

グレーバーの負債論とわれわれの理論との間の対応と整合性を確認してきた。今後の考察の中で、グレーバーの説を、われわれの議論と矛盾することなく活用するためである。

2　古代ギリシアの近代性

原始貨幣（社会的通貨）は、貨幣になる前の貨幣、貨幣以前的な貨幣である、と述べた。では逆に、貨幣らしい貨幣、貨幣として十分に成熟した貨幣とは何であろうか。それは、硬貨《コイン》にほかなるまい。あるいは、こう言ってもよい。硬貨とは、対自的な貨幣である、と。硬貨より前の貨幣は、同じ貨幣でも即自的な貨幣である。どのような意味で？

前章で述べたように、貨幣の貨幣としての価値は、それを具現している物としての価値とは独立している。貨幣としての価値は、他者がそれを受け取る――それを物として使用するためではなくただ後続の他者へと支払うためにのみ受け取る――という事実から派生するからである。つまり、貨幣の貨幣としての価値は、それの物としての価値に対する余剰であり、物としての価値に対して「それ以上のもの」として現れることになる。だが、このことは、硬貨以前の貨幣においては、曖昧で、十分に自覚されることはない。たとえば、大麦が貨幣として使用されているとき、貨幣としての価値と大麦としての有用性が渾然一体となってしまう。大麦による支払いを受け取るとき、人はそれを貨幣として受け取っているのか、大麦が食物としてよいから受け取っているのか、判然としない。取り引きする当事者自身が、そんな区別にこだわっていないからだ。地金が貨幣として使われているときも、事情は変わらない。

だが、硬貨が登場したところで、断絶が入る。硬貨には、そこに含まれているはずの金（または銀）の重量が刻まれている。が、その硬貨に含まれている金の重量と刻印されている数字とは、実際には、必ずしも合致しない（たいてい、数字は、実際の重量よりも大きい）。このとき、硬貨は、実際の重量によってではなく、刻印された数量の価値として扱われる。したがって、貨幣の貨幣としての価値が、物としての価値から自覚的に分離されることになる。つまり、貨幣の貨幣性が、硬貨において初めて対自化される。

歴史上最初に硬貨を導入したのは、古代ギリシアである。いや、厳密に言えば、前章で述べたように、紀元前七世紀の半ば頃、リュディアで、最初の硬貨が発明された。しかし、小額の硬貨が最初に使用されたのはまちがいなくギリシア社会のようだ。その上、リュディアの硬貨は、主として、ギリシア人への支払いに使われていた可能性が高い。古代の——紀元前六世紀の——ギリシアは、「歴史上最も早く全面的に『貨幣化』された社会」であった、と専門家が断定するくらい、硬貨が普及し定着した。最も早い時期の硬貨は、傭兵への支払いに使われたのではないか、と推定されている。

硬貨の効果、とりわけそれが人間の精神に与える効果について、古代ギリシアを参照点として考察しておこう。われわれはすでに『古代篇』でギリシアを主題化したが、ここでは、貨幣（硬貨）との関係で、ポイントだけ再論しておこう。それは、古代ギリシアに対して誰もが感じてきた、ひとつの謎に答えることでもある。謎とは次のことだ。

近代の西洋文明は、古代ギリシアを、キリスト教と並ぶ、精神の故郷と見ている。それは、現在の西洋が、キリストの誕生よりも五百年以上も遠くまで遡ったギリシア文化に、「自分自身」を感じるからである。当然のことながら、一般には、そのくらい遠く隔たった古代の文化や文明は、現代のわれわれの目からは大きく異なる「他者」に見えるものだ。たとえば、古代の中国やインドやメソポタミアの文献から読み取ることができる彼らの哲学には、われわれは、何かきわめて異質なものを、たいそう疎遠なものを、つまり強い他者性を感じないわけにはいかない。だが、ギリシア哲学はこれらとは違う。もちろん、ギリシア哲学も、現在のわれわれから見れば間違った信念や受け入れがたい認識をたくさん含んでいる。しかし、それでも、そこには、われわれも前提にしているのと同じ合理性が貫かれているのを感じるだろう。少なくとも西洋の人々は、そう感じている。実のところ、この感覚は、現代の日本人にさえも共有されている。もちろん、それは明治以降の西洋化の帰結だが、現代の日本人にとって、たとえばギリシア演劇の感性は、それよりもずっと新しい能の感性よりもはるかに「自分自身」に近い。

このように考えると、古代ギリシアの文化には、突出した「近代性／現代性」がある。どうしてなのか？　その原因は、ギリシア社会が、圧倒的に早くから、硬貨の使用によって貨幣化したことにある。このように説明している学者がいる。古典学者リチャード・シーフォードである。もしその主張通りだとすると驚きではないか。シーフォードの説を、少しだけ修正し、敷衍しながら紹介しよう。[*7]

＊

古代ギリシアの硬貨は、エレクトラム（琥珀金）――金と銀の天然の合金――を素材としていた。だが、当初は、金と銀とを分離する技術はなかったので、硬貨一枚ごとに金銀比率が異なっていた。しかし、「1ドラクマ」と刻印されている硬貨は、すべて等しく1ドラクマの価値として通用した。つまり、具体的な物としてのエレクトラム片の水準からは区別された抽象的な水準に、貨幣としての価値が認められていたことになる。今しがた述べたような意味において、これは、対自化された貨幣になっている。

このような硬貨の前史、硬貨の起源はどこにあるのか。シーフォードによれば、硬貨の源泉には、ギリシアのポリスでことあるごとに執り行われていた、大型動物を捧げる祭儀がある。祭儀では、動物の肉が焼かれ、一部が神々（と祭司）に供するために取り分けられたあと、残りの部分は、祭儀参加者全員に等分に与えられた。その肉の分配に与ることは、その参加者が、ポリスの平等な市民の一人であることの証となった。この祭儀の起源は古く、ホメロスの叙事詩の中にもそれについての記述を認めることができる。

この祭儀で、焼かれ等分にされた肉は、鉄の串に刺された。この串が、貨幣として使われた。つまり、これこそ、硬貨の前史、硬貨の直接の親である。串は、耐久性があるとか、ほぼ標準化されているとか、といった貨幣として使用するのに都合のよい性質があった。が、そのこと以上に決定的に重要だったことは、串は、生け贄にされた動物そのものの代理物と見なされたという事実である。すぐに腐ってしまう肉は貨幣としては使えないので、代わりに、その肉を刺した串を利用したのである。串を動物の肉として見る。その「動物の肉」の部分が、硬貨における貨幣価値に置き換えられることになる。

シーフォードが述べているように、ギリシアの硬貨の源泉には、このような供犠を伴う祭があったとしよう。そうだとすると、われわれの観点からは、二つのことが興味深い。第一に、市民たちが肉を共食する儀式は、キリストの最後の晩餐を連想させる。最後の晩餐でも、使徒たちは、肉を（肉に見立てられたパンを）共食する。もっとも、最後の晩餐の肉は、キリスト自身の身体（の代理物）であり、その意味では、この食事は一種のカニバリズムである（『中世篇』第8章）。それに対して、古代ギリシアの祭儀では、食されるのは動物の肉である。

第二に、このこと、つまり初期の貨幣が供犠で用いられた串であったということは、商品や貨幣は、供犠の逆操作であるところの瀆神によってもたらされたとする説明を、そのまま裏書きしている。串が、捧げものであるべき肉の代理物であったとすれば、それは、文字通り、神々の領域から取り戻されていることになるからだ。

3　哲学・民主制・演劇

さて、われわれの関心の中心は、硬貨の起源ではなく、それがもたらした結果の方にある。硬貨が普及し、広く使われるようになったまさにちょうどそのとき、つまり紀元前六世紀のギリシアのポリスで、哲学が誕生し、民主主義が成立し、そして演劇が生まれた。それらはすべて、現在のわれわれがとりたてて「古典」として身構えずに接しても通用するほどの、近代性を備えていた。これらが、たまたま硬貨と同時代的であっただけではなく、内的に硬貨と結びついている。これがシーフォードの主張である。

これらの中で最も重要なものは、哲学である。哲学と見なしうる知は、まさに最も早く貨幣化が全面化した場所、つまり紀元前六世紀のイオニア地方で生まれた。アリストテレス以来、イオニア学派として一括される自然哲学者を、哲学の起源と見るのが通例で、今日の哲学史の研究者もこれを完全に踏襲している。イオニア学派に数えられる哲学者は、タレスに始まり、アナクシマンドロス、アナクシメネス等である。彼らは、世界の諸事物のすべてを「それ」に還元できるような、始原的な実体が何であるかを探究した。それは、タレスにとっては「水」であり、アナクシマンドロスにとっては「無限定なもの《アペイロン》」であり、そしてアナクシメネスにとっては「空気《プネウマ》」であった。

このような知と、それ以前からあった、そしてどこにでもある「神話」とはどう違うのだろうか。熊野純彦は、こう言っている。「世界のはじまりを問うことは、それ自体としては神話的な問いでありうる。大地は、大河は、大海は、星々と天空はいったい、いつどのように生じたのか。鳥獣が、人間がどのように生成したのか」。このような「神話的宇宙論の伝統とタレスのあいだの隔たりを、極端に大きく見つもることはできない」。しかし、「そうであるとしても、タレスの『水』という一語とともに、なにかが開始されていることはまちがいない」[*8]。

たとえばギリシア神話を紐解けば、宇宙は全体として、神々の王であるゼウスによって支配された王国である。すぐにわかるように、これは、人間の社会の関係性をそのまま、宇宙全体に隠喩的に拡張しているだけだ。しかし、タレスが「水」と言ったときには、違う。水が始原的な要素であると言っても、すべての物が実際に水のように見えているわけではない。物質としての見え姿としては多様な物のすべてを貫いている抽象的で非人称的な原理として「水」があるのだ。

シーフォードによれば、世界のこのような捉え方は、実際には多様で、含有物も重さも一定しない硬貨を、貨幣価値においては同一であると見なす態度が確立したことによって、もたらされたものである。われわれは、シーフォードのこのような解説をさらに、前に進める必要がある。物としては雑多な硬貨が、抽象的な貨幣価値と同一視されている、というだけではない。よりインパクトがあるのは、市場に登場してくるすべての物（商品）が、その抽象的な貨幣価値と同一視されることである。まず、硬貨において、硬貨そのものの具体的な物質性から切り離された抽象的な水準に貨幣価値が設定される。その抽象的な貨幣価値に、市場に登場する任意の物が関係づけられるのだ。この抽象的な貨幣価値と同じような存在論的身分をもつ実体を、宇宙そのものの中に見つけ出すこと。それが、自然哲学者たちの課題だった。

ここで起きていることは、グレーバーが言う、人間経済から商業経済への転化と関連していることがわかるだろう。どんな経済も、この二種類が混合している。おそらく、硬貨が普及し、定着したとき、商業経済の人間経済に対する優位が十全なものになるのだ。実際、（硬貨以前の）「肉の串」は、社会的通貨としての側面を濃厚に残している。それは、ポリスの市民権の象徴だったからである。

硬貨の導入に随伴する知の変化がこのようなものだったとすると、その完成形は、イオニア学派よりもさらに二世紀ほど後の哲学に認めることができる。その哲学とは、他でもない。プラトンのイデア論だ。イデアとは、人間の経験において多様なものとして現れる具体的な事物を貫いている、抽象的な本質のようなものだ。市場で取り引きしながら、多様な商品を、抽象的な貨幣価値において同一であると見なしているとき、人々は、イデア論的に世界を見ているのである。

＊

政治制度も、硬貨の普及と深く連動している。アテネの民主制の発展にとって決定的とされている年は、紀元前五〇八／五〇七年である。このとき、五百人評議会（十個の部族[*9]からそれぞれ五十人ずつ抽選で選ばれた、任期一年の評議員で構成されている執行機関）と陶片追放の制度が導入された。これは、ギリシアで最初の硬貨が造られてからしばらく（半世紀弱）後のことである。硬貨は、無意識のうちに、民主制の基盤となるようなエートスを養うことになる。貨幣は、唯一の極めて浸透性の高い交換手段によって人々を結びつけるので、人々を完全に平等化するからだ。貨幣は、個人を、親族関係からも、互酬的な依存関係からも、パトロン的な保護関係からも解放することになる。こうした共同体の紐帯から解放された個人であることが、平等な民主制の前提であることは言うまでもない。シーフォードは、マルクスも引用しているフランスの格言「貨幣は主人を持たない L'argent n'a pas de maître」を引用している。

アテネの悲劇は、歴史上最初の洗練された戯曲である。紀元前六世紀の後半、アテネの祭儀（ディオニュシア祭）のプログラムに正式に加えられたらしい。シーフォードは、おそらく、新しい民主制の影響だっただろう、と推測している（今しがた見た、改革とほぼ同時期である）。ギリシア悲劇の素材になっている神話自体は、貨幣（硬貨）の導入よりもはるかに前からあったものである。アイスキュロスやソフォクレス、エウリピデスは、それを、洗練された悲劇に変えた。なぜ、この時期、すぐれた悲劇が次々と創られたのか。

悲劇が焦点を合わせているのは、個人の孤立である。神々からも、また親族関係からも切り離された個人が悲劇に見舞われる。そのような個人は、以前の文学にはなかった。同じギリシアであっても、ホメロスの文学には、神々や親族から切り離された個人は登場しない。孤立した個人は貨幣がもたらしたとシーフォードは論ずる。貨幣を持っていれば、原理的には、他の社会関係が必要なくなるからだ。血縁関係に頼る必要もなければ、互酬的な依存関係や報恩の関係に依存する必要もない。貨幣は、個人の孤立化を推進する触媒である。こうした社会変動に規定されて、悲劇が時代精神を反映する。

ここまではシーフォードが述べていることだが、さらに付け加えておこう。個人が悲劇の中に巻き込まれるのは、今述べたように、具体的な社会関係から解放されているのに、なお、個人が、「運命」という不可視の抽象的な原理の支配からは逃れられないからである。オイディプス王の悲劇を思えばよい。古代ギリシアの悲劇の作者には、またその鑑賞者には、人間が親族やら部族やらの絆から自由になっても、なお何か抽象的なものに支配されている、という感覚があったのだ。その抽象的なものに実在感を与えているものは、硬貨によって措定されている貨幣価値であろう。

このことを念頭に置くと、シーフォードが注目を促している、悲劇的な個人の極端化した形象としての「僭主turannos」の意義を理解しやすくなる。貨幣は、一旦は人を平等にする。だが、同時に、貨幣によって、無限に権力を蓄積することも可能になる。その結果、生まれるのが、共同体の規範や掟をないがしろにした権力者としての僭主である。僭主には、お決まりのパターンがある。彼は、自分の血縁者を殺し、聖なるものを侵し、そして権力の手段としての貨幣に深い関心を寄せる。そして最後に破滅に至る。シーフォードは、「英雄」という語と「僭主」という語を対比している。ホメロスの叙事詩は、「英雄」のことを描いている。その「英雄」という語は、アテネの悲劇ではほとんど登場しない。代わりに頻度が増すのが、「僭主」である。英雄は、貨幣経済の外部にいる形象である。それに対して、僭主は、貨幣経済に全面的に規定された形象だ。

4　客観的な抽象化

シーフォードの著作を参照しながら、貨幣、とりわけ対自化された貨幣としての硬貨の社会的効果について見てきた。そこで起きたことを一つの概念に要約するならば、「抽象化」ということになるだろう。一般には、抽象化は、主観的な操作であると考えられている。「実際には具体的に多様なことを抽象化して捉える」などといった具合である。だが、古代ギリシアを参照点とした以上の考察が示していることは、主観的な抽象化が生じるためには、言わば、客観的な抽象化とでも呼ぶべきことが、つまり客観的な事態そのものに即した抽象化が生じていなければならない、ということだ。

世界を、見えない「始原的要素」とか、「イデア」とかといった抽象的なもので捉える哲学が、一方にはある。こちらにだけ注目していると、それは、精神の主観的なドラマの産物にしか見えない。このような主観的な世界把握が説得力をもつには、客観的な社会過程そのものにおいて、言わば行為事実的に、抽象化の作用が進んでいなくてはならない。その作用が、この場合には、貨幣（硬貨）を用いた取引にあたる。交易において、人は、何か抽象的なことについて意識するわけではない。しかし、彼らの行為は、物の具体的な多様性を超える抽象的な次元（貨幣で測られる価値）の水準が実在的であることを前提にしてしか意味をもちえない。この意味で、社会過程が客観的に抽象化の操作を遂行しているのである。

古代ギリシアについての、以上のごく簡単な観察が、あらためて、われわれが『古代篇』で論じたことを確認する助けになる。西洋という文明は、大きく摑めば、二つの文化的な系譜が合流したことによって成立したとされる。二つの文化的な系譜とは、ヘブライズム（ユダヤ－キリスト教）とヘレニズム（古代ギリシアに淵源する古典古代の文化）である。ここまでは常識だが、問題は、この二つがどうして整合的に接合して、一つの文明を実現しているのか、にある。ヘブライズムのどことヘレニズムのどこが、まるでジグソーパズルの隣り合ったピース同士のように組み合っているのか。その鍵になるのが、まさに「抽象化」である。

　われわれは『古代篇』（第6章）で、キリストの殺害という出来事には、二つの相反するベクトルの力が作用している、と論じた。一方には、第三者の審級（神）を抽象化するベクトルが効いている。他方では、その同じ実体（第三者の審級）を具象化し、経験的な現象の中に解消しようとするベクトルが働いてもいる。ヘレニズムと結びつき、相乗的に作用するのは、もちろん、前者の契機である。古代ギリシアに由来する要素が、キリスト教における前者の契機を先鋭化させるのに有効だったのだ。これは、しかし、『古代篇』ですでに確保しておいた論点である。

*

「抽象化」をめぐる以上の考察には、哲学的な余禄のようなものがあるので、ついでに論じておこう。哲学的な余禄とは、悟性と理性との違いを示すことができる、ということだ。カントやヘーゲルなどのドイツ観念論者は、悟性（Verstand, understanding）と理性（Vernunft, reason）とを区別する。両者はどう違うのか。たとえば感性と理性であれば、違いは明らかであるように思える。しかし、悟性と理性はどう違うのか。

普通は、理性は、悟性よりも何やら高尚な能力であると見なされている。理性には、悟性にはできない何かがある、と。それは何であろうか。結論から言えば、そんなものは何もない。理性は悟性に何も付け加えはしないのだ。少なくともヘーゲルにおいては、そうである。とすれば、理性と悟性は同じものになってしまうではないか。ある意味では、まさにその通りである。しかし、別の意味では、両者には絶大な違いがある。謎めいた言い方になっているが、今回の考察を応用すれば、この違いがどこにあるのかを示すことができる。

悟性とは、否定の力である。多様な事物の連続性の上に大きな分割線を入れて――つまり範疇化して――、対象を認識すること、これが悟性である。このとき、客観的な実在の具体的な多様性は見失われることになる。悟性が有意味だと見なす差異だけが注目され、他のことは無視されるからだ。このように要約すると、悟性がもつ「否定の力」とは、抽象化の作用であることがわかるだろう。実在の具体的な多様性の中から、「本質」とされることだけを抽出し、事物たちを分割するのだから。

だから、悟性には弱点があると見なされている。事物の具体的な多様性をそのまま捉えることができない、と。そこで、理性は、そのような豊かな多様性をも捉える高次の能力である……とされることがあるが、違う。単純に、現実の具体的な多様性を取り戻そうとすれば、それは、単なる悟性の拒否、悟性から感覚の散乱への退行にしかならない。

では理性とは何か。実在の多様性を否定し、裏切るものと見なされていた抽象化が、むしろ、客観的な事物そのものにおいて生じているということ、このことを自覚したとき、悟性は理性になる。われわれは、本章で古代ギリシアの社会を例にとって、抽象化は、主観的な内面のドラマではなく、客観的な事態において生じている、と述べた。抽象化が帰属している場所を、主観から客観へと移すことができたとき、悟性でしかなかったものが、理性になるのだ。だから、認識の内容としては、悟性と理性には違いはない。ただ、実際の客観的な事態との関係で悟性の弱点とされていたことが、すでに客観そのものに備わっていることに自覚的になれば、それは理性である。

5　滑稽な欲望

本章の最後に、もう一度、古代ギリシアに回帰しよう。アテネのディオニュシア祭の公式プログラムに「喜劇」が入るのは、悲劇よりも少し後である。シーフォードによれば、喜劇もまた、古代ギリシアのポリスに、当時としては突出して貨幣経済が浸透したという事実と関係している。貨幣は、欲望に新しい形式を与える。それは、古代アテネの人々にとっては、まったく新奇で、滑稽に見えたのだ。どこが新しいのか。

アリストファネスの『福の神』――紀元前三八八年のこの喜劇はシーフォードの考えでは今日まで生き延びている最古の経済学のテクストである――に、次のような趣旨の対話がある。十分なセックスとか、十分なパンとか、十分な音楽とか、十分なデザートとか、十分な名誉とか、十分なケーキとかをもつことはできる。しかし、貨幣だけは違う。十三タレントを得れば、十六タレントが欲しくなる。十六タレントを得れば、少なくとも四十タレントがなければ人生は耐え難いと思えてくる。……つまり、他の欲望は有限だが、貨幣への欲望だけは無限になってしまうのだ。

ところで、資本蓄積の無限性は、資本主義の定義的な要件だった。貨幣としての貨幣、対自的な貨幣が成立したとき、このような衝動に向かう最初の種が撒かれたらしい。今日のわれわれはこのような欲望にとりたてて奇妙なものを感じないが、古代ギリシア人にとっては、それは、きわめて不自然で、笑いの対象だったのである。

＊

もっとも、古代ギリシアの貨幣化された社会は、資本主義にまっすぐにつながっているわけではない。間には何か大きなひねりが入っている。そのことを示唆するために、ギリシアの演劇の話題に関連づけて、近代の演劇を対置してみよう。アリストファネスの『福の神』のおよそ二千年後の演劇、シェイクスピアの『ハムレット』の一幕二場である。ハムレットのところに、親友のホレーシオが帰ってくる。ホレーシオが、ハムレットの父（前王）の葬儀を拝観しようと思って来たのだ、と言うと、ハムレットはこう答える。ふざけないでくれ、君はわが母の婚礼を拝観しようと思って来たのだろう、と。そこで、ホレーシオは、わざとらしく、今初めて気づいたかのように、そう言えば二つの儀式はほとんど間をおかずにありましたね、などと言う。それに対するハムレットの台詞が重要だ。

倹約、倹約だよ、ホレーシオ、そのために、
葬式用のパイが冷たくなって婚礼の食卓を飾ったのだ。[*10]

ここで問題にされているのは、浪費や強欲ではなく倹約である。この「倹約 thrift」という語には、近代社会に固有の性質でありながら、しかも凡庸なマルクス主義の経済分析においては無視されている何かを思い出させるものがある、とジャック・ラカンは述べている。[*11] 古代ギリシアの倫理からすると、つまりアリストテレスの観点からは、適度な倹約は、極端な浪費と極端な吝嗇の間にある美徳である。だが、ハムレットが告発しているのは、悪徳になった倹約だ。それは何なのか。有限性のうちに収めようという倹約への執着（このケースでは食べ物の使い回し）が、実は、無限への欲望という過剰性に裏打ちされているという逆説。これが悪徳としての倹約である。欲望の無限性は、有限性の単純な否定ではない。それは、有限性への極端な執着、その過剰な肯定に媒介されているのである。

1　デヴィッド・グレーバー『負債論──貨幣と暴力の5000年』酒井隆史監訳、以文社、二〇一六年（原著二〇一一年）。厳密には、グレーバーの説は、「商品である」という側面と「負債（信用）である」という側面の二重性が、貨幣の本性だというものである。しかし、彼の力点は、明らかに後者の側面にある。
2　岩井克人『貨幣論』筑摩書房、一九九三年。大澤真幸「経済の自生的（反）秩序」『社会システムの生成』弘文堂、二〇一五年。
3　次のように問い直してみればよい。もし「それ」が納税のときに使えないのだとしたら、人は、そんなものを貨幣として認め、受け取るだろうか、と。
4　ミシェル・アグリエッタ、アンドレ・オルレアン『貨幣の暴力──金融危機のレギュラシオン・アプローチ』井上泰夫・斉藤日出治訳、法政大学出版局、一九九一年（原著一九八二年）。同『貨幣主権論』坂口明義監訳、藤原書店、二〇一二年（原著一九九八年）。なお、原初的負債論は、近年では、アメリカやイギリスのネオ・ケインジアンたちも受け入れつつある。たとえば、次のように。Randall Wray ed., *Credit and State Theories of Money: The Contributions of A. Mitchell Innes*, Cheltenham: Edward Elgar, 2004. Geoffrey Ingham, *The Nature of Money*, Cambridge: Polity Press, 2004.

5　もっとも、本シリーズの探究は、すでにこの問いに間接的には答えている、と言っておきたい。贈与交換から、「高次化された第三者の審級」を中心におく再分配のシステムが生成してくる機序についての説明が、それにあたる（『東洋篇』）。

6　グレーバーのこのような説明は、原初的負債論を連想させるものがある。原初的負債論は、人間は、自分たちに生命を与えたものに、絶対に返済しきれない負債を負っていることを認めている、と説く。原初的負債論とグレーバーの議論の違いは、何（誰）に対する負債なのか、という点である。原初的負債論では、「宇宙」や「社会」といった、想像のうちに捉えられる全体性に対して、人は絶対の負債を感じる。グレーバーの説では、人は、二者関係の中で直接に対峙する具体的な他者に対して負債を感じる。

7　Richard Seaford, *Money and the Early Greek Mind: Homer, Philosophy, Tragedy*, Cambridge: Cambridge University Press, 2004. Richard Seaford, "The Greek invention of money," Heiner Ganssmann ed. *New Approaches to Monetary Theory: Interdisciplinary perspectives*, London and New York: Routledge, 2011, Chapter 3. シーフォードについて、私は、岩井克人氏に教えられた。岩井氏自身、自著の以下の部分でかなりていねいにシーフォードを紹介している。岩井克人『経済学の宇宙』日本経済新聞出版社、二〇一五年、四一七—四二四頁。

8　熊野純彦『西洋哲学史——古代から中世へ』岩波新書、二〇〇六年、五—六頁。

9　この部族は血縁的な集団ではなく、「デモス」と呼ばれる地縁的な行政単位をまとめたものである。

10　小田島雄志訳。

11　Jacques Lacan, "Desire and the Interpretation of Desire in *Hamlet*," Shoshana Felman ed. *Literature and Psychoanalysis; The Question of Reading: Otherwise*, Baltimore and London: The Johns Hopkins University Press, 1982, p.40.

第5章　資本主義の猥褻な精神

1　コルテス、フッガー、フランクリン

資本主義を定義する条件は、資本の無限の蓄積であった。それは、個人の心理のレベルで捉えれば、過剰な欲望、尽きることのない貪欲として現れることになる。デヴィッド・グレーバーは、資本主義的な衝動の初期の現れとして、一六世紀に新大陸に渡って先住民の帝国を滅ぼしたスペインの征服者、とりわけその代表的な人物としてのエルナン・コルテスの一行について、こう述べている。[*1]彼らが示しているのは、ただの貪欲ではない、神話的な規模にまで引き上げられた貪欲だ、と。彼らの欲望は底なしで、飽くことがない。テノチティトランやクスコを征服して、想像を絶するような莫大な富を獲得したあとでさえも、彼らは侵略をやめず、すぐに再結集して、さらなる財宝を求めて再出発している。グレーバーは、モラリストたちは、時代を超えて、この種の貪欲を非難してきた、と述べたあと、次のように付け加えている。だが、歴史を眺めわたせば、――西洋が資本主義化するまでは――この征服者たちのように振る舞う者はほとんどいなかった、と。[*2]

すると、問うべきは、この衝動、歴史上稀なる衝動は、どこから来るのか、である。この点を

明確に見てとるためには、しかし、コルテスのような、揺籃期の――いやほとんど胎児段階の――資本主義に属している者に注目するのは適切ではない。より成熟した資本主義に、あるいは成長期の資本主義に対応する事例に注目した方がよい。この点で助けになるのは、やはり、マックス・ヴェーバーである。

『プロテスタンティズムの倫理と資本主義の精神』の冒頭で、ヴェーバーは、「資本主義の精神」の何たるかを示すために、ヤーコプ・フッガーとベンジャミン・フランクリンを比べている。[*3] フッガーは、一六世紀ドイツの大商人である。フッガー家の初代ハンスは、農村からアウクスブルクに出てきて、職工となり、ヴェネチアとの取引で成功した。ヤーコプは、ハンスの孫で、銀鉱山を取得し、銀取引や金融で巨万の富を築いた。これに対して、ベンジャミン・フランクリンは、一八世紀の人で、アメリカの建国の功労者として知られている。彼は、成功した印刷業者だが、むしろ、政治家や外交官としての功績で記憶されており、さらに、学者――たとえば雷の本性が電気であることを実証した気象学者――としても知られてきた。フッガーとフランクリンを比べたとき、たいていの人は、前者の方が「資本主義の精神」を濃厚にもっている、と判定するだろう。しかし、ヴェーバーの判断は違う。ヴェーバーは、フランクリンの態度と行動に、資本主義の精神の典型を見ている。

特にヴェーバーは、フランクリンの三つの教えを、資本主義の精神を示すものとして紹介している。第一に、「時は金なり」。第二に、「金は金を生む」。第三に、「信用は金なり」。金が無限に続く時間と同一視され（第一の教訓）、その金を合理的に使用すれば、さらなる金が生み出されると教える（第二の教訓）。つまり富の無限の増殖への衝動が、倫理的な命令として規定されているのである。その倫理性をよく表現しているのが、第三の教訓である。この第三の教えは、他人との取引において正直であれ、誠実であれ、というごく普通のことを言っているように見えるかもしれないが、そのことによる信用が、金（利益）に結びつくことが規範的に望ましいこととされている点が重要である。言い換えれば、正直であることによって高められた信用によって富をさらに獲得しないことは、倫理的に悪いことなのである。

フッガーとフランクリンの間の（論理的な）関係をどのように考えるべきなのか。ヤーコプ・フッガーは、先に隠退していた同業者から、「あなたはもう十分に儲けたのだし、他の人々にも儲けさせてやるべきだ」として、隠退を勧められたとき、この忠告を「無気力だ」として斥け、「私はまったく違った考えで、できるあいだは儲けようと思う」と答えるような人物だった。とすると、冒頭に紹介したコルテスの欲望、コルテスの野心は、フッガーに近いということになる。

普通は、ヴェーバーの説明は、資本主義の精神の事例としてフッガーを拒否し、フランクリンを肯定するものだと解釈されている。しかし、そのように見なすと、ヴェーバーの理論の射程を不当に狭いものにしてしまう。コルテスもフッガーも、カトリックの信者である。それに対して、フランクリンは、プロテスタンティズム（ピューリタニズム）の伝統の中にいる。ヴェーバーは、プロテスタントの国でしか、資本主義は発達しない、と言っているのか。そうではなかろう。プロテスタントは、カトリックあってのプロテスタントである。カトリックが、抵抗・克服の対象として前提にされていなければ、プロテスタンティズムは無意味なものになってしまう。

ここで、第2章で述べたことがヒントになる。そこで、われわれは、フランス革命（カトリックを闘争目標としている）とドイツ観念論（プロテスタンティズムの延長線上に登場）との関係について考えた。後者は、前者の意味の哲学的な表現になっている（別の角度から見れば、前者は、後者の、行動のレベルでの真実を映す鏡になっている）。これに類する関係を、フッガーとフランクリンの間にも認めることができるのではないか。

つまり、次のように考えるべきであろう。フッガーにおいては、未熟で即自的な状態にあるものが、フランクリンにおいては、論理的な極限にまで突き詰められ、対自化されているのだ、と。即自的な状態にとどまっているという意味では、フッガーは、まだ資本主義の精神ではない。しかし、フッガーやコルテスの無意識のうちにわきあがる衝動が何であるか、何であったかは、フランクリンが示す「資本主義の精神」の方から遡及的に照らし出すことによって明らかになる。

2　レストランで／二月革命で

以上の点を確認した上で、ヴェーバーが述べたことがいかに革新的であったかをあぶり出すために、精神分析学的な解釈の対象となるかんたんな事例を、一種の寓話として活用してみよう。一見、目下のわれわれの主題とはまったく関係がないように見える事例である。それは、ラカン派の精神分析学者ダリアン・リーダーが取り上げているものだ。*4

ある男が、デートの相手と一緒にレストランにやって来た。彼は、ウェイターに、「二人分の席《テーブル》をお願いします」と依頼すべきところで、過って、「二人分の寝室《ベッドルーム》をお願いします」と言ってしまった。この言い間違いに対する、俗流フロイト的説明は、次のようなものであろう。——この男は、ほんとうは、食事後に、相手を寝室に誘い込んで性交しようという計略をもっているのだ。それを隠蔽するために、つまりいきなりホテルに誘ったら拒絶されてしまうので、彼は、相手をまずは食事に誘い、レストランに連れてきた。だが、彼は、ほんとうは、その相手と一緒に食事をしたいわけではない。この場面で、彼の気持ちは、いわば急いてしまって、隠していたほんとうの欲望の方に飛んで行ってしまったのである。つまり、もともと、「席《テーブル》」（への欲望）は偽装であり、その下に、「寝室《ベッドルーム》」（への欲望）を隠しておいたつもりなのに、一瞬の焦りから生じた過誤によって、後者を垣間見せてしまった、というわけだ。

これが、「フロイト」に結び付けられている標準的な説明である。多分、レストランにデート相手を連れていった男自身も、自分のほんとうのねらいは、食事の後の性交にある、と自覚していたはずだ。俗流フロイト説は、ちょっとした言い間違いを手がかりにして、この男の嘘を見破った、ということになる。

が、しかし、ラカン派の精神分析学者は、このようには考えない。その解釈には、もうひとつのひねりが入っているのだ。そもそも、反省してみれば、本人の嘘——定義上、本人も意識していること——を暴いたとしても（俗流フロイト的説明）、それは、無意識の欲望や欲動を解明したことにはならない。では、ラカン派はこの現象をどう分析するのか。実は、「ほんとうは寝室での性交の欲望を隠しもっていた」と——他者に対してのみならず自分自身に対して——思わせることこそ、無意識の戦略、無意識の防衛反応だったのである。つまり、「隠しもたれている性的幻想（寝室でのセックス）」というシナリオ自体が、真の欲動を隠蔽する幕《スクリーン》として機能しているのだ。では、その幕が隠している真の欲動とは何か？　はじめから、最もあからさまに示されていることこそ、その欲動が向けられている対象である。「食卓《テーブル》」だ。われわれはどうしても、表面にはっきりと現れていることの向こう側に真実が隠されている、と思ってしまう。このケースであれば、男がデート相手をレストランに誘うと、ほんとうの欲望がねらっていることは別のところにあるはずだ、と想定したくなる（だから、男の言い間違いの瞬間に、この想定の図式にすっかりあてはめ、「それみろ、馬脚を露わした」と見なすことになる）。だから、逆に、最も完全に隠されていることは、最初から現れていることである。

では、男は、実際にテーブルを望んでいた、つまり食事をしたかったということなのか。食欲こそが隠されていた真実なのか。もちろん、そうではない。そもそも「一緒に食事をしたい」という欲望を隠す必要などあろうか。ラカン派の分析に従うならば、テーブルにおいて満たされる、通常の性交よりももっと本源的な性的な欲動、それが隠されていたのだ。それは、口唇欲動である。性愛の発達過程についてのフロイトの説はよく知られている。リビドー（性欲）の対象は、子どもの成長とともに次のように遷移していく。「口唇→肛門→男根→（潜伏）→性器」。性交は、この発達の最終段階、性器期のリビドーの対象である。男の一連の行動において隠されていたのは、しかし、より原初的で基礎的な欲動、つまり口唇欲動だった。これがラカン派の解釈だ。

＊

このメカニズムのポイントは、隠蔽が二重化しているところにある。つまり、「ある欲望を隠していること」という態度自体が、真の欲動を隠蔽しているのだ。これと同じメカニズムは、集合的にも働く。マルクスによる、フランス二月革命（一八四八年）の分析を、そうした例のひとつとして解釈することができる。[*5]

革命の後、主導権を握った秩序党は、表向きは共和政を支持していた。しかし、彼らは、密かに王政復古を望み、その可能性を信じていた（つもりでいた）。彼らは、ことあるごとに、共和政的な儀式を嘲ったりして、自分のほんとうの気持ちはどこにあるのか、を示しつづけた。要するに、共和政を含意する儀式を、そのまま実行しはするのだが、「なーんちゃって」風の冷笑的な態度を付加することで、「われわれは、ほんとうはこんなものを信じてはいないのだ」ということを示し続けた。この現象に対する凡庸な解釈は、だから、「あいつらは共和政支持のふりをしているが、実は隠れ王政復古派だ」というものだ。この凡庸な解釈が、先の俗流フロイト的な解釈に対応している。

だが、マルクスの慧眼は、このような凡庸な解釈を超えていく。マルクスは、秩序党の者たちがそこから距離をとっているつもりになっている行為の外形的形式、つまり（嘲りながらも結局は行動で示している）共和政にこそ無意識の真実があることを見抜いているのだ。つまり、「共和政の支持と見せかけているが、密かに王政を欲している」という構図はまちがっている。まさにこの構図がスクリーンになって隠されていることは、秩序党の――自分自身でさえも気づいていない――共和政への執着である。彼らは、すでに、無意識のうちに共和政を受け入れ、それを支持しているのだ。むしろ自分はひそかに王政を支持しているのだと信じることで、また、王政がいずれ復活することを信じていると思いこむことで、秩序党のメンバーは、かえって安心して、共和政のための法を整備し、また実行することができた、つまり彼ら自身が自覚していない歴史的使命を果たすことになった、とマルクスは分析する。彼らは、自分で自分の無意識の欲望を直視することができなかったのである。マルクスは、秩序党のメンバーが、わざとらしく、口がすべったというそぶりで王政派風の言い間違いをすることに——たとえば「共和国」とか「フランス」とかと言うべきところを昔風に「王国」と言ってしまったりすることに——喜びを覚えていた、と述べている。

ダリアン・リーダーが紹介したレストランの男の事例と二月革命との関係は明らかだろう。王政支持者風の言い間違いが、「二人分の寝室を」という過ちに対応している。「寝室でのセックス」という幻想は、「王政復古」の願望に相当する。そして、「口唇欲動」に当たるのが、「共和政」への執着である。それは、終始あからさまに現れているのに、最も効果的に隠されている。

3　資本主義の精神

さて、このことが、われわれの探究とどのような関係があるのか？　マルクスに依拠しつつ、フランスの二月革命のときに起きたことが、レストランにデートにやってきた男の言い間違いについての精神分析的解釈と正確に対応している、ということを示した。二月革命前後の議会周辺の出来事は、しかし、せいぜい数年間のことだ。ところで、「資本主義の精神」についても、同じような対応を認めることができるのである。「資本主義の精神」の成立過程は、二月革命のような特定の出来事をめぐるものではない。二百年以上のタイムスパンに及ぶ、大規模な集合現象である。これもまた、「レストランの男」を寓話的な範型として解釈することができるのである。常識的な理解にそって言えば、資本主義の精神は、富への欲望、貨幣への欲望である。とはいえ、そのような物質的で下品な欲望、どのような大義ももたないむき出しの私的な欲望は、普通は、隠されている。もっと高尚な目的があるかのように偽装されるのだ。「もっと高尚な目的」とは何か。宗教的な目的である。たとえば、キリスト教的な隣人愛の実践として、社会に貢献すること。あるいは、まだ信仰を知らない者たちに、キリストの教えを伝道し、彼らの魂を救済へと導くこと。たとえば、飽くことなく投資し続ける資本家は、自分は単に金儲けをして私利私欲を満たしているのではない、これは、隣人愛を説くキリストの教えにかなったことなのだ、と言ったりする。あるいは、新大陸に渡った征服者たちは、この地での宣教こそが本当の目的である、と主張してみせる。

このような態度は、もちろん欺瞞である。隠された嘘は、しかし、しばしば露呈する。たとえば、隣人愛を標榜している工場所有者が、労働者に長時間の仕事を強いた上に、ほとんど賃金を支払わなかったとすればどうだろうか。あるいは、先住民の魂の救済を主張していた航海者が、先住民を大量に殺戮した上に、なお富を求めて侵略を続けているとしたらどうであろうか。こうした欺瞞は、非難されるべきだし、実際、繰り返し非難されてきた。西洋の植民地主義者への批判の大半は、実際、この種の非難である。

だが、すぐにわかるはずだ。このような非難は、まだ、あの、俗流フロイト風の分析と同じ水準にある。「あなたは、一流レストランでこの人に食事をごちそうしたいと礼儀に則ったことを語っているが、食事後のセックスこそがあなたのほんとうのねらいだとわかっている」と。これと同じように、宗教的な高貴な使命（レストランのテーブルでの上品な食事）の仮面を剥がせば、その下には、富への下劣な欲望（寝室でのセックス）が隠されている。

しかし、ここでラカン派の教えが活用できる。それによると、このような解釈自体が、つまり欺瞞を暴露しているかのようなこうした批判自体が、もう一枚の幕《スクリーン》となっていて、真実を隠蔽している。隠蔽されていることは、逆に、最初からあからさまに現れていることであった。ダリアン・リーダーの分析の対象となったあの男の場合には、それは、「テーブルへの欲求」である。では、この資本主義のケースでは何なのか。征服者や投資家などが、はっきりと表に掲げていた宗教的な大義がそれである。宗教的な大義の向こう側に何かが隠されている、と思ってはならない。そう思わせることこそが、無意識が仕掛けた罠だったのである。

だが、ここでもう少しだけ注意が必要だ。あの男の場合には、テーブルへの執着は、食欲そのものではなく、性化された衝動、つまり口唇欲動だった。同じことは、資本主義の精神についても言える。それは、宗教的な崇拝そのものではあるが、しかし、それ自体が、貨幣・富への欲望という形式を帯びている。ヴェーバーが、ベンジャミン・フランクリンに注目している理由は、まさにこの点にある。フランクリンのあの三つの命題は、金儲けへの欲求をいささかも隠しておらず、恥じてもいない。フランクリンが語っていることが異様な印象を与えるのは、金の増殖を追求することが、宗教的な礼拝に対して言われるような厳格な倫理性を帯びた義務として提示されているからである。

間違ってはならないことがある。この現象は、偶像崇拝とは似て非なるものだということ、これである。フランクリンの行動を、「金《かね》」という偶像（偽の神）への崇拝と見なしてはならない。ここで、「金」は、ほんものの神として機能している。偶像崇拝では、偶像への神の降格が問題になっている。しかし、ここでわれわれが見ているのは、神への富の昇格である。

＊

ついでに付け加えておけば、ヘーゲルが『精神現象学』で提示している「富は自己である」という命題の意味も、ここで述べてきたことを基礎にして解釈することができるだろう。[*6] ヘーゲルは――とりわけ『精神現象学』では――いくつもの謎めいた命題を残しているが、これもまたそのひとつである。詳述していると長い脇道を歩むことになるので、結論的なことだけを簡潔に述べておく。ここでヘーゲルが「自己」と呼んでいるのは、言語に不可避的に伴う自己疎外の構造である。つまり、話者の誠意とは別に、語ることが構造的に強いる欺瞞の問題だ。語った内容と、語るという行動そのものが示していることとの間には、不可避的にギャップが生じてしまう。ヘーゲルは、それを、高貴な人へのへつらいの言語を例にして説明しているが、ヘーゲルは、とりわけ下心のある邪悪なおべっかを倫理的に問題にしているわけではない。そうではなく、発話はおよそ、へつらいの構造をもっている、ということだ。君主へのへつらいの行為と、臣下が内面にいだく――言語化されている――確信（君主をどのくらい尊敬しているのかということへの自己了解）との間には、乖離が生じてしまう。

われわれの考察に引きつけた場合にはどうなるのか。人は、自分がほんとうは物質的な富への欲望にまみれている、と自覚している。しかし、その自覚と、彼が富に対して示す実際の執着の行動との間にはギャップがある。後者は（無意識の宗教性を帯びているがゆえに）前者に対して過剰なのだ。このギャップは、資本という富において止揚され、統合される。これが、「富が自己である」ということの趣旨である。

もう一度、ヤーコプ・フッガーとベンジャミン・フランクリンの間の差異と連続性という主題に帰っておこう。ヴェーバーがフッガーを、「資本主義の精神」以前だと見なした理由は、ここまでのわれわれの論脈と対応づければ、次のようになるだろう。フッガーは、未だに、俗流フロイト的な解釈で済ますことができる水準から、大きく離脱してはいないからだ、と。彼が、隠退の勧めを、「儲けられるだけ儲けたい」と言って拒否したとき、「宗教的な敬虔さ（レストランでの食事）と侵犯的な富の追求（寝室でのセックス）」という二元性を前提にしている。彼は、わざと、偽悪的に後者を表明し、快楽を覚えているのである。とはいえ、否定的な項（富）を肯定的な項（敬虔さ）によって抑制することなく、公然と追求できるのは、俗流フロイト的な解釈がベースになっている二元対立に回収できない部分でもある。要するに、フッガーはコルテスとともに、移行的な水準に——俗流フロイト的解釈で十分なレベルとラカン派的な洗練を必要とするレベルとの間に——いる。それゆえ、彼らの精神がどこに向かっていたのか、ということは、フランクリンの方から振り返ることで確認することができる、ということにもなる。

ともあれ、ここまでの考察から導くことができる結論は、こうなる。富への過剰な欲望、神話的な規模にまで引き上げられている貪欲さは、どこから来るのか。それは、「通常の物質的な富への欲望」に対する「宗教的な超越性への崇拝」の過剰さに対応している。後者が前者の外観をもって表現されているのだ。

4　シンドバッドの大いなる充足

もっとも、以上は、「資本主義の精神」なるものの内的な構造を解明しただけだ。われわれの探究の真の目標は、このようなものが、いかなるメカニズムを媒介にして生成してきたのかにある。まだ、説明すべき対象を見誤らないように確定しただけである。これ自体は、まだ説明そのものではない。

ここまでに繰り返し強調してきた謎をもう一度確認しておこう。どうして資本主義は、組織だった本格的な産業資本主義は、西洋で生まれたのだろうか？　これが深刻な疑問になるのは、中世の段階に着目すれば、西洋において資本主義への離陸が最初に果たされるとはとうてい思えないからだ。言い換えれば、西洋以外の社会や文明の中にこそ、資本主義を生み出し、また先導しそうな場所がたくさんあるのだ。西洋は、そうしたことが最も起こりそうもないところだった、と言っても過言ではない。中でも、資本主義の誕生の直前にまでたどり着いていたはずではないか、と思いたくなる文明は、イスラーム教圏である。このことは、『イスラーム篇』で強調しておいたことだが、あらためて、ここでも確認しておこう。

中世のヨーロッパは、地球全体で見たとき、明らかに貧しく、経済的な後進地帯だった。厳密に数値化することは困難（というか不可能）なことだが、とりあえず大雑把な目安となる、専門家の推定を紹介しておこう。一三世紀初期のフランスおよびイギリスと、それよりもだいぶ前、九世紀半ばのアッバース朝との比較である。フランス（一二二一年頃）の推定の人口は、八百五十万人、イングランド（一二〇三年頃）の人口は二百五十万人で、アッバース朝の人口は、二千六百万人である。これら人口から、国家はどのくらいの税収を得ていたのか。一人当たりで（銀の重量を単位にして）換算したとき、アッバース朝は、フランスのおよそ二十倍、イングランドのおよそ十倍の税収があった、と推定されている。概算によるものとはいえ、いかにイスラーム教圏の方が西洋よりも豊かであったかがわかる。[*7]

イスラーム文明が経済的に繁栄した一因、しかも有力な一因は、商業の威信が高く、商人が尊敬されていた、ということがある。ムハンマドももともと商人であり、コーランは、商人の道徳とよくマッチしていた、ということは、『イスラーム篇』でていねいに論じたことである。イスラーム教圏では、商人は、深く尊敬される、模範的な人間類型である。商人は、戦士のように遠方に及ぶ冒険を企てる名誉ある人間だとされてきた。その上、商人は戦士よりもすぐれている点が少なくともひとつある。戦士は人を傷つけるが、商人は誰にも危害を加えず、それどころか、皆を幸福にする。

イスラーム教圏での商人崇拝が生み出した、虚構の文化英雄のひとりが、『千夜一夜物語』のシンドバッドである。彼は富裕な商人の息子として生まれたが、若い頃に放蕩し、いったん破産してしまう。その後、遠い異国への商人的な冒険を経験した結果、ついに巨万の富を手に入れた……ということになっている。西洋のキリスト教世界が——プロテスタントであろうが、それ以前のカトリックの段階であろうが——、このように商人を「かっこいい」と見なし、英雄視したことがあったか、考えてみるとよい。西洋の中世には、たとえば騎士をロマンチックに賛美し、英雄的に描いた物語や伝説はたくさんある。しかし、シンドバッドのような商人を主人公にした物語など、中世の西洋には、ひとつもない。つまり、イスラーム世界とはまったく違い、西洋では、戦士は英雄と見なされたが、商人がロールモデルや英雄となったことは一度もなかったのである。*8

*

このように見ると、イスラーム教圏で資本主義が誕生し、成長しなかったことが、ほんとうにふしぎなことだと思えてくる。が、目を凝らして眺めれば、シンドバッドは、「資本主義の精神」を体現していた西洋の人物たちとは、ある一点において、まったく異なっていることがわかる。シンドバッドは大金持ちになって、すでに隠遁している(という想定である)。彼は大きな庭園をもつ大邸宅で、余生を暮らしているのだ。周囲に、美しい踊り子たちをはべらせている。そして、彼は、自分の冒険譚を、誇張し、歪曲し、そしてかなりの嘘を加味して語っているのである。

何が違っているのか。この充足である。ここには、富の無限の蓄積への意志が欠けている。フランクリンとはまったく違う。フッガーやコルテスとも違う。もう十分に稼いだのだから隠退したらどうかという勧めを、敢然と拒否したフッガーの態度を思い起こそう。巨万の富を得たあとも、なお富を求めて侵略し続けたコルテスの貪欲さと比べてみよう。

ここで、シンドバッドのようなイスラーム商人とベンジャミン・フランクリンを対比してみよう。イスラーム法は商人の道徳や公正性の感覚ともよく適合し、商人としての活動自体が宗教的にも是認される、と述べてきた。フランクリンに関しては、ヴェーバーの洞察にラカン派的な精神分析を適用しながら、宗教的な情熱や崇拝が、富の追求という外観をとる、と論じた。両者の違いはどこにあるのか。後者（フランクリン）においては、富への態度が、否定性に媒介されている。これが肝心な点である。

キリスト教のコンテクストでは、商売によって富を蓄積することは、禁止されてはいないが、とりたてて推奨されてもいない。少なくとも、この地上の生活の中で富を蓄積することに没頭し、それに執着することは、悪いことの範疇に入る。金持ちが天国に入ることの困難についての、キリストの言葉を思い起こそう。つまり、富・金の蓄積は、もともと否定的に評価されていることだった。それが、もう一度否定されて——つまりは否定の否定を介して——、望ましい欲望の対象として取り戻されたときに出現するのが、フランクリンに代表される「資本主義の精神」である。

範型として活用してきた、レストランの男のケースに対応させれば、どうなるのか。彼は、テーブルで食欲を満たそうとしているわけではない。彼の無意識が充足させようとしている口唇欲動は、寝室での性交と同様に、いやそれ以上に、猥褻なことである。この禁忌の対象となっていたことが、もう一段の否定を媒介にして、レストランのテーブルという公共の場に取り戻されているのだ。これを可能にしているのが、あの二重の隠蔽である。「寝室での情事を密かに望んでいる」という幻想の設定に枠づけられて誰もがこの状況を解釈するため、普通のセックスよりももっと重い猥褻性がある口唇欲動が見えなくなっているのだ。寝室についての幻想が、防衛反応になっているというのは、それが、このような効果をもつからである。

さて、イスラーム商人の方にもどろう。その態度は、このような否定性によって媒介されてはいない。商人としての活動は、あっけらかんと、最初から肯定されている。否定の否定を通じて、肯定的な態度を樹立する必要が、ここにはないのだ。おそらく、「資本主義の精神」になりうるかどうか、ということを決める鍵は、ここにある。

5　資本主義、博打と出会う

本章の考察の最後に、デヴィッド・グレーバーの導きにしたがって、もう一度、コルテスのエピソードを振り返っておこう。[*9] コルテスはアステカの財宝を狙っていた。コルテスの軍隊は、アステカの首都に向かった。アステカの皇帝モンテスーマは、コルテスたちを宮殿に迎え入れたらしい。モンテスーマはどうしてそんなことをしたのか。皇帝は、彼らがどんな人間なのか理解する必要があったからだ、と説明されている。コルテスらスペイン人の軍勢は、数百名と、アステカの軍隊に比べたらずっと小規模だったに違いないが、巧みな陰謀によって、皇帝を人質にとり、その後、強制的に追放した。

このようにコルテスたちは――ピサロのインカ帝国への攻略と同じように――少ない手勢で帝国に勝利したわけだが、ここで興味が惹かれることは、モンテスーマは、自分の宮殿で捕虜になっている間、コルテスとトトロックという、アステカのゲームに興じていた、というエピソードである。彼らは、金《きん》を賭けて、このゲームを繰り返した。当然、予想の通り、コルテスは、いかさまをうち、ゲームに勝ち続けた。モンテスーマの部下は、皇帝に進言したらしいが、彼はそれを一笑に付し、受け付けなかったという。大きくあからさまないかさまを仕掛けられても、モンテスーマは気にかけなかったと、コルテスの補佐官は証言している。モンテスーマは、どうしてこんな愚かなゲームを続けたのか。

はっきりしたことは、もちろん、わからない。グレーバーは、歴史学者のインガ・クレンディネンの説を、賛意をこめながら紹介している。アステカのゲームには、独特の特徴があったというのだ。思いがけない、きわめて稀な幸運によって、一挙に勝利を獲得する余地が常にあったらしい。王は、これを狙っていたのだ。彼は、最後に一挙に大逆転する機会に期待したのではないか。

しかし、そんな奇跡のようなことは、ゲームを何度繰り返しても起きなかった。神々が王に微笑みかけることはなく、言わば、宇宙は、敗戦を重ねるごとに徐々に破壊されていった。

さて、ここで、宇宙そのものをいったん破滅させ、再生させるような大博打（モンテスーマ）と萌芽的な段階の資本主義（コルテス）とが出会っている。このエピソードに、学ぶべきことがあるか。このエピソードは、われわれの主題、資本主義について、意味あることを教えているか。確かに、ここには教訓が「ある」と、グレーバーは断言する。来るべき資本主義についての暗示が、このエピソードには孕まれているのだ。次章は、この点から論ずることにしよう。

1　コルテスは、メキシコの征服者である。彼は、一五二一年にアステカ帝国を滅ぼした。征服者としては、コルテスと並んで、フランシスコ・ピサロがよく知られている。ピサロは、一五三三年にインカ帝国を滅ぼした。

ピサロについては、われわれは、『東洋篇』（第1章・第2章）で論じた。
2　グレーバー『負債論』四六七頁。
3　マックス・ヴェーバー『プロテスタンティズムの倫理と資本主義の精神』大塚久雄訳、岩波文庫、一九八九年。
4　Darian Leader, *Why Do Women Write More Letters Than They Post?*, London: Faber and Faber, 1996.
5　カール・マルクス『フランスにおける階級闘争』中原稔生訳、国民文庫、一九六〇年。以下、マルクスの二月革命の分析についてのラカン派的な解釈については、以下の文献による。Slavoj Žižek, "Multiculturalism, or, the Cultural Logic of Multinational Capitalism," *New Left Review* I/225, September-October, 1997.
6　ヘーゲル『精神現象学』長谷川宏訳、作品社、一九九八年。
7　James MacDonald, *A Free Nation Deep in Debt: The Financial Roots of Democracy*, Princeton: Princeton University Press, 2006.　ちなみに、アッバース朝と同時期（九世紀半ば）の唐は、人口およそ五千万人で、一人当たりの税収は、アッバース朝とほぼ同じ（アッバース朝の方が少しだけ大きい）である。また同時期のビザンツ帝国の（一人当たりの）税収は、アッバース朝の三分の一だが、それでも、中世のフランスやイングランドよりはずっと大きい。一世紀・二世紀のローマの（一人当たりの）税収は、このビザンツ帝国とほぼ同じレベルなので、中世西洋の王国よりもだいぶ大きい。
8　このように歴史を振り返ると、現代社会で起きていることはまことに皮肉なことだ。今日の西洋には、イスラーム教徒は、資本主義にテロを仕掛けてくる邪悪な戦士である、という（誤った）イメージが流布している。しかし、もともと、戦士（だけ）を称揚していたのは、西洋のキリスト教圏だった。イスラーム世界では、平和に貢献する商人は、戦士よりも尊敬されていたのだ。
9　グレーバー、前掲書、五二四―五二七頁。

第6章　黙示録的ゲーム

1 「終わり」に取り憑かれて

前章より、資本主義の本質をなす態度は何か、について考察している。われわれは何を説明すればよいのか、その像を明確にしておくためである。

前章の最後に、われわれはアステカを滅ぼしたコルテスについてのあるエピソードにたどり着いた。コルテスが、人質にとったアステカの皇帝モンテスーマと、トトロックというゲームを楽しんでいた、というエピソードである。コルテスはいかさまで勝ち続け、モンテスーマは多額の金《きん》を巻き上げられた。どんなゲームだったのか。クレンディネンは、アステカのある球技を紹介している。[*1] このゲームは、基本的には、特別な衣装で着飾った二つのチームの間で、ボールを前後に強打しあいながら、少しずつ点を稼ぎ合うものだ。だが、なぜか、競技場の高くに小さな石の輪が設置されてある。何のためにそんなものがあるのか、観察者は疑問に感じざるをえない。実は、輪を通してボールを送ることに成功すると、それまでの経緯がすべてキャンセルされて、ゲームの勝者が決定するルールになっているのだ。勝者側は、賭けられた品物を全取りすることになり、見物人の外套まで略奪する権利を得るのだという。とはいえ、輪の設置場所はあまりに高く、その直径もボールのそれと大差がないので、実際には、その輪にボールを通過させることはほとんど不可能である。つまり、輪は設置されていて、一発逆転のチャンスを形式的には与えているが、事実上は、ほとんど無視されてゲームは進行するのである。コルテスとモンテスーマが興じていたゲームも、似たようなルールがあったと思われる。クレンディネンは、モンテスーマは奇跡的な幸運による逆転を狙っていたのではないか、と推定している。

このエピソードを紹介しているグレーバーは、ここには、資本主義が何かということについての学ぶべきものがある、と述べている。注目すべきことは、モンテスーマの方ではなくコルテスの方にある。コルテスはすでにモンテスーマを捕らえているのだから、こんなゲームで相手から何かを奪う必要はない。しかし、彼は、このゲームに魅了されてしまった。ゲームのどこにコルテスは惹かれたのか。今述べたように、ゲームには、すべてを終わらせ、逆転させるような設定が用意されていた。ゲームが想定している世界の終わりを含意するような設定が、である。コルテスを惹きつけたのは、おそらく、この黙示録的な構成である。グレーバーの言葉をそのまま引用しよう。

　ここからなにか学ぶものがあるとすれば（中略）博打と黙示録《アポカリプス》のあいだには、とても深く、とても根底的な関係があるということである。資本主義とは、賭博師を、前代未聞の方法で、その作用の本質をなす一部として、聖堂に祭り上げるシステムである。しかしそれと同時に資本主義は、みずからの永続性を思考することが独特の仕方で不可能なのだ。*2

もうすこしていねいに説明する必要がある。基本的なポイントは次のこと、つまり資本主義が自らの終わりとその否定（＝永続性）に対して、両義的な態度をとっている、ということにある。一方で、資本主義は終わってはならない。資本主義の支持者たちは、資本主義を永続するものとして提示しなくてはならない、と感じている。資本主義の永続性が不可欠なのは、負債、とりわけ国債との関係においてである。「負債は返済されなくてはならない」、これが資本主義を規定する最も重要な規範的命令だ。では、負債はどのようにして返済されるのかと言えば、結局、さらなる負債によってである。ここから、資本主義が成り立つためには、最終的な決済のときが訪れてはならない、という結論が導かれる。このことは、貨幣自体がすでに一種の負債であること（第4章第1節）、そして貨幣が常に「後続の受け取り手」となる他者が存在しているということへの予期が成り立つ限りで存立できるということ（第3章第3節）、この二つの論点からも証明されよう。貨幣という一種の借用証書が、いつまでも決済されずに循環しなくてはならない、というわけだ。このように、資本主義は永続しなくてはならない。この感覚は、今日のわれわれももっていて、資本主義が終わるはずがない、と思っている。

だが、他方で、奇妙なことに、資本主義ほど自らの終わりということに取り憑かれているシステムもないのだ。資本主義は、その内部にいる者が絶えずその終わりについて語り、ときに終わりを本気で信ずるようになるシステムでもある。まずは、次のことを言っておかなくてはならない。資本主義の究極の終わりが、今しがた述べたように、負債の全面的な決済のときであるとすれば、個々の借金の返済は、それ自体、小さな終わりである。借りたものを返さなくてはならないとするならば、資本主義は無数の終わりを孕み、その中で生きる者はたえず終わりに追われていなくてはならず、終わりを無視する者は資本主義から排除される。

資本主義は、終わってはならないのに、終わりに対して敏感にならざるをえず、実際、絶えず――小さく――終わっていかなくてはならない。第1章で、一八世紀前半のフランスでジョン・ローが構築した「システム」の（一時的な成功と）崩壊について論じた。この「システム」が挫折したのは、資本主義を構成するこの二つの感覚、つまり永続への感覚と終わりへの感覚のバランスをとることができなかったからだ、と解釈することができるだろう。最初、人々は、「それ」が永続すると思いすぎた。債務の取り立てがいつまでも来ないような気分になったのである。しかし、途中から、人々は、突然、今度は、終わりが迫っていると感じるようになった。「もうすぐ終わる」と思い始めたのだ。この不安が、予言の自己成就のメカニズムで、予想よりいっそう早く「システム」を終わらせた。

資本主義が小さな終わり、相対的な終わりを内部にたくさんもち、それらに対して人々を過敏にする、というだけではない。もっと重要で興味深いことは、資本主義に内在している人々は、資本主義そのものの全体としての終わり、何らかの意味でのトータルな破局が迫っているという不安に取り憑かれてきたのだ。今しがた述べたように、資本主義は、その永続性を仮定しない限りは機能しない。それが終わるかもしれない、と人々が思い始めると、ジョン・ローの「システム」と同様に破綻するほかない。それにもかかわらず、実際には、資本主義が生まれ、成長し、成熟してからずっと、人々は同時に、その総体としての終わり、その全体的な破局への不安な予期に取り憑かれてもきたように見える。終わり方や終わる原因については、さまざまな想像がなされてきた。とにかく、資本主義は、自身の破局についてのさまざまな幻想を刺激し、生み出してきたようにすら見える。

二〇世紀の初頭、第一次大戦までの時期に、左翼の理論家の多くが、資本主義の限界が迫っているという予想をもっていたこと、ふたつの大戦の間の時期に、ヨーロッパでは黙示録的な含みのある書物が——オズヴァルド・シュペングラーの大著『西洋の没落』（一九一八—一九二二年）やカール・クラウスの戯曲「人類最期の日々」（一九二二年）、ハイデガーの哲学書『存在と時間』（一九二七年）等が——書かれ、広く読まれたこと、これらのことは比較的よく知られているのでここでは詳述はしない。

これらの時期については、しかし、世界大戦に隣接していた期間でもあり、人々の間に危機感がつのっていたからではないか、と思いたくなるだろう。しかし、資本主義が比較的堅調に展開しているときでさえも、終わりへの人々の強迫はあった。たとえば、ヴィクトリア朝期のイギリス、つまり資本主義の繁栄の中心にあった一九世紀のイギリス。この頃、人々に取り付いた流行の懸念は、「衰退 degeneration」の危険であった。「衰退」とは、進化の反対、つまり類としての人間の心身がだんだん衰え、滅亡してしまうことである。

ヴィクトリア朝の頃の資本家は、資本主義が永続するとは思っておらず、労働者や大衆の蜂起によって、自分が木から吊るされてしまうかもしれないと、戦々恐々としながら操業を続けていた。イギリスではなく、シカゴに関係することだが、グレーバーは興味ぶかい事実を報告している。あるとき、彼は、友人に車で、多数の邸宅が並ぶ美しい旧道に連れて行ってもらった。それらの邸宅は、一八七〇年代に建設されたものだという。彼の友人の説明によると、当時のシカゴの裕福な産業資本家たちは、大規模な革命が迫っていると確信しており、最寄りの軍事基地に続く道路沿いに引っ越してきたのだそうだ。その結果が、この邸宅群だ。十分な学問的知識がないので、無用な不安を抱いていたわけではない。資本主義を主題とした同時代の偉大な理論家たちは、つまりマルクスはもとより、ヴェーバー、シュンペーター、あるいはフォン・ミーゼスといった理論家たちは、政治的な立場は異なっていたがそろって、資本主義はあと一世代か二世代くらいで終わるだろうと感じていたのである。[*3]

同じことは、現在のわれわれについても言える。つい先ほど述べたことに矛盾するようだが——というか実際にわれわれは矛盾した感情をもっているのだが——、われわれの間に、資本主義の終局が迫っているのではないかという予感・不安のようなものが広く共有されているではないか。その終局についてのイメージはさまざまではある。核戦争かもしれない。核関連施設の大規模な事故に端を発する大惨事かもしれない。あるいは、先進国の中心で頻発するテロや新しいタイプの戦争かもしれない。人口の規模が、地球生態系によって維持できるスケールを超えてしまうかもしれない。あるいは、逆に、(日本を含む)一部の先進国の人口が少なくなり過ぎ、社会の生産力や福祉の水準を維持できなくなったことを原因とする混乱が、破局への引き金になるかもしれない。経済的な格差が拡大し、奴隷的な貧者が多数派になることが革命や破局へと社会を導くかもしれない。そして、もっともありそうな破局は、地球温暖化にともなう生態系の破壊である。加うるに、未知の病原体が引き起こすパンデミックもまた、破局への序章となりうるだろう。[*4]

整理すれば、一種のアンチノミーがある。一方で、資本主義は永続することを前提にして機能しており、資本主義の支持者たちは、実際、そうした前提で行動する。しかし、他方で、資本主義は常に、トータルな終わりへの想像力を刺激し、扇動しているようにも見える。実のところ、バブルがときどき弾けるのは、後者の要因があるからだ。もし、資本主義の永続が絶対に確実ならば、バブルはいつまでも膨らみ続けるだろう。終わりへの切迫の感覚が、資本主義（に自分が内在しているという認識）にあるということの端的な証拠は、社会主義国家の指導者たちはどこでも、権力を掌握すると、自分の支配体制が絶対に崩壊しないかのように振る舞い始める、という事実に認めることができる。実際には、社会主義体制の方が、歴史の徒花のような短期間の現象で、資本主義の方が、永続せんばかりの勢いで生きながらえている。理性の狡智とは、まさにこのことではあるまいか。

2　最も人気のあるスポーツ

さて、以上に見てきたように、グレーバーは、資本主義の誕生期、いや資本主義がほとんど生まれる前の時期に活動した人物についてのエピソード、その人物が黙示録的な設定をふくむゲームにはまり込んでしまったというエピソードを機縁にした推論を通じて、資本主義を構成する、「終わり」への両義的な態度を抽出した。それならば、われわれはもっと適切な例を知っている。資本主義の時代の「終わり」への感受性を摘出するのに、もっとよい例がある。それは、特異な個人に関係した事実ではなく、きわめて大規模な大衆現象であり、そして、資本主義の成熟期に属している。グレーバーが注目した、コルテスを惹きつけたゲームは、本来は――資本主義の文化の産物ではなく――アステカの文化の産物だ。われわれは、資本主義のコンテクストに深くはまっているゲームに注目してみよう。それは、「サッカー」である。意外と思われるだろうが、この後に述べるように、サッカーというスポーツは、「終わり」ということへの独特の感受性をベースにして成り立っている。サッカーという素材を媒介にすることで、われわれはさらに繊細に、資本主義に固有な「終わり」への感覚の構成を見てとることができるのだ。

今、「資本主義」とか、「終わり」への感受性とかといった、ここまでのわれわれの関心についてはとりあえずカッコに入れて、サッカーというゲームをそれ自体として純粋に観察したとき、このスポーツをめぐっては、二つの――相互に関連する――スポーツ社会学的な謎があることに気づく。第一に、その人気である。今日、世界中で行われているスポーツの種目数は、それこそ数えきれないほどだが、最も人気があるスポーツが何であるかははっきりしている。ファンの数、あるいはファンを熱狂させる程度で測った、最も人気のあるスポーツ、それはまちがいなくサッカーである。観客動員数や興行収入を調べれば、このことは直ちに明らかになるだろう。もっとわかりやすく実感するには、四年に一度の割合で開催されている、サッカーのワールドカップのことを思い起こすとよい。この頻度はオリンピックと同じだが、サッカーのワールドカップは、オリンピックに優に匹敵するだけの、いやオリンピックを上回るほどの盛り上がりを見せる。ということは、大雑把に言えば、サッカーの人気は、（オリンピックの競技種目に入るほどに代表的な）他のすべてのスポーツの人気の合計にほぼ等しいか、それ以上だということになろう。サッカー以外のスポーツのワールドカップや世界選手権では、もちろんそんな大規模な盛り上がりはない。なにゆえ、サッカーが、サッカーだけが、これほど人気があり、多くの人を魅了するのか？　サッカーに、近・現代人の態度にきわめて適合的な何かがあると考えるほかあるまい。それは何であろうか？

このような問いを立てると、われわれは直ちに、第二のもう一つの謎の方に導かれることになる。これほどまでに人気のあるスポーツを、つまりサッカーを、アメリカ人がそれほど好まない[*5]のは、なぜなのか？　アメリカ人が、サッカーにさして強い関心を示さないのは、なぜなのか？アメリカは、スポーツ大国で、ほとんどすべての種目で、世界最高の水準にある。競技者の能力が高いだけではなく、ファンの層もきわめて厚い。アメリカ社会では、優秀なアスリートであることの威信《プレスティージュ》は、日本人には想像できないほど高い。ところが、そのアメリカ人が、世界中の人々の視線を最も広く、最も強烈に集めるスポーツ、サッカーにだけは、それほどの興味をもってはいない。これは、たいへんふしぎなことである。

さらに言えば、サッカーと類縁の——言わばサッカーと系譜的なつながりのある——別のスポーツがいくつかあり、それらのスポーツに関して言えば、アメリカ人はこれらを熱狂的に愛している。サッカーと類縁のスポーツとは、もちろん、バスケットボールであり、アメリカン・フットボールである。これらは、ベースボールと並んで、アメリカ人に最も愛されているスポーツである。だから、こう考えなくてはなるまい。他国でサッカーが占めている場所を、アメリカでは、バスケットボールやアメフトが占めており、アメリカ人はサッカーの代わりに、それらに熱中しているのだ、と。それにしても疑問である。アメリカ人はどうして、サッカーではなく、代わりにバスケットボールやアメフトに夢中になるのか？　いかなる違いが関係しているのか？こうした問いを念頭に置きながら、考察を進めていこう。

サッカーは、いつ、誰によって考案されたのか。これを厳密に特定することはできない。サッカーは、多くの人々の長期にわたる経験の蓄積を通じて自然発生してきたからだ。ルールが自覚され、成文化されるようになったのは、一九世紀のイギリスのパブリック・スクールにおいてであった。まずはパブリック・スクール内での競技の、ついでパブリック・スクール間の対抗戦の必要性から、サッカーのルールは標準化されていったらしい。

一八～一九世紀にあっては、イギリスは資本主義の圧倒的な先進国であり、そして覇権国であった。この資本主義の中心的な担い手、つまりイギリスのブルジョワジーの繁栄と拡大につれて、これら富裕層の子弟がパブリック・スクールに入学するようになる。サッカーを現在のようなものに整えたのは、これらブルジョワジーの子弟である。彼らが長じて、イギリスの資本主義を牽引することになる。ちなみに、ハリー・ポッターのシリーズでは、ホグワーツ魔法魔術学校（魔法使いの子弟のパブリック・スクール）の生徒たちは、「クィディッチ」というボール・ゲームに興ずることになっている。クィディッチこそは、箒に乗った魔法使いのためのサッカーである。主人公のハリー・ポッターは、クィディッチの名手である。

＊

サッカーは、球技の中では、かなり単純な部類に属する。外から観察しているだけでも、だいたいのルールがわかってしまう。そんなサッカーにあって、ひとつだけ、難解なルールがある。オフサイドのルールだ。オフサイドの反則を目にしても、サッカーについての知識が乏しい者には、最初、何が禁止されていたのかを理解することは難しい。また、オフサイドの反則の説明を受けた後でも、たいていの人は、そのどこがいけないのか、なぜこんなルールがあるのか、理解に苦しむだろう。

サッカーでオフサイドとされる反則は、次のようなプレイである。攻撃において、守備側のプレイヤーの背後で、味方からパスされるボールを待っていること、このようなプレイが禁じられているのである。オフサイドのルールを有するのはサッカーだけではない。ラグビーやホッケーにも——競技ごとに厳密な定義は少しずつ異なるが——オフサイドのルールがある。

このようにオフサイドのルールがあるスポーツを列挙すると、一つのことに気づく。アメリカには、サッカーを代理する、類似のスポーツがある、と述べた。それらのスポーツ、つまりバスケットボールやアメフトには、オフサイドのルールがないのだ。つまり、類似のスポーツ群の中に、オフサイドのルールをもつ種目とそんなルールをもたない種目があり、オフサイドのルールをもつ種目は、すべてヨーロッパ——というかイギリス——で生まれており、アメリカで生まれた種目には、オフサイドのルールがない。[*6] 今しがた提起したふたつの疑問を解く鍵は、このルールにあるかもしれない。そのような見通しを得ることができよう。実際、バスケットボールに関しては、次のような話が伝えられてきた。バスケットボールは、もともとフットボール選手だった、ジェイムズ・ネイスミスという人物が、「冬季に室内でも行うことができるボール・ゲームを作って欲しい」という要請を受けて考案したものだが、彼は、オフサイド・ルールを採用しないことを決めた瞬間に、「これだ!」と叫びを上げたという。

それにしても、オフサイドの反則とは、奇妙なルールである。このルールを支える基本的なアイデアは、攻撃側のプレイヤーがボールより前でプレイすることを禁止すること、あるいは少なくとも制限することにある。だが、サッカーを始め、ラグビー、ホッケー等は、ボールを前方のゴールまで運び入れることをこそ目的とし、競い合っているのではないか。と、すれば、オフサイド・ルールは、これらのボール・ゲームの精神にまったく反しているように見える。オフサイド・ルールの下では、パスは、原則的には、目的（ゴール）とは反対方向になされなくてはいけない、ということになるからだ。サッカーで――そしてラグビーやホッケーでも――、オフサイドが反則とされたのは、なぜなのだろうか？

3　奇妙なルール――最後の審判の否定の否定

オフサイドの反則の歴史的な由来を問うていくと、その理由がわかってくる。このルールの起原や歴史については、スポーツ社会学の名著、中村敏雄の『オフサイドはなぜ反則か』が詳しく論じている。われわれは、これを参考にすることができる。[*7]

先に述べたように、サッカーのルールは、一九世紀のパブリック・スクールの中で自然発生してきた。オフサイド・ルールは、いつ頃、成立したのだろうか。このルールが初めてルールブックの中に書き込まれたのは、一八四五年のラグビー校でのことだという。しかし、残された記録から判断すると、それよりもはるかに前から、オフサイドを望ましくない振る舞いだとする感覚が支配的であった。なぜ、オフサイドは望ましくなかったのか。

「オフサイド」とは、「サイド」を離れる（オフ）ことである。「サイド」とは、敵と味方とに分かれた、それぞれの側、つまりチームのことだ。初期のフットボールでは、常に、ボールの周りに荒々しい密集ができた。オフサイドは、こうした密集の外で、ボールが出てくるのを待っている状態である。そうした行為は、「男らしさ」を評価する規範の下では、臆病なものとして、否定的な意味を与えられたのである。だが、これだけでは、まだ説明不足だ。なぜ、前方へと離れることだけが、禁止されたのか。この点を解明するためには、サッカーを、サッカー以前にまで遡行させなくてはならない。

イギリスのパブリック・スクールでフットボールが行われたのは、イギリス各地から集まってくる生徒たちが、たいてい、それに類するゲームを最初から知っていたからである。そのゲームのやり方は、出身地によって異なっていた。だからこそパブリック・スクールで標準化されなくてはならなかった。だが、そのもとになるゲームは、以前からあったのだ。

サッカーの起源は、後に「マス（大集団）・フットボール」「モッブ（暴徒）・フットボール」「ストリート・フットボール」等と呼ばれることになるゲームである。それらは、前近代的共同体の祭の一種だった。そこでは、村や町の全域が競技場として使用された。当然、その「競技場」は、今日のピッチよりもはるかに大きい。女性、子ども、老人を除く、共同体の全メンバーが、これに参加した。したがって、千人規模の大集団で行ったということになる。二つの「チーム」の人数を均等にしたわけではない。「ゴール」としては、村や町の両端にあるランドマーク的なもの――市門や水車小屋等――を利用した。

オフサイドに関連する、マス・フットボールの最も重要な特徴、それは、「一点先取」で終わった、ということである。どちらかのチームが、ボールを、ゴールにまで運び入れた途端に、ゲームは終わったのだ。ところで、ゲームは祭そのものだから、得点は祭の終結をも意味していた。と、すれば、どうであろうか。祭の快楽を長く保持するためには、得点は遅いほどよいはずだ。実際、マス・フットボールは、何日間も続けられたのである。ボールを前に運ぶことを阻害し、制限するオフサイド・ルールは、この精神を継承したのだ。それは、得点までの過程をできるだけ引き延ばすためのルールなのだ。

実のところ、イギリスの王は、何度も、マス・フットボールに対する禁止令を発している。マス・フットボールを行う集団は、しばしば、暴徒と化したからである。あるいは、王や封建領主の命令や支配に対する抗議の表現として、マス・フットボールが執り行われることもあったからである。こうした事実が、当時のフットボールの祝祭的な非日常性を物語っているだろう。*8

*

ここでわれわれは、本来の考察の線に帰ることができる。というのも、以上の考証からわれわれは、次のような洞察を得ることができるからである。サッカーがこうした来歴を有するのだとすれば、サッカーの快楽の中心にあるものは、「終わり」への高揚感であるはずだ、と。終わり＝ゴール（得点）の瞬間の爆発的な興奮こそは、サッカーの醍醐味である。これを十分に満喫するためには、過程を引き延ばし、鬱屈感を強化しておく必要がある。オフサイドの反則とは、そのためにこそある。われわれが、ゴールの瞬間に得ている歓喜や失望は、待ちに待った終わりが到来したときの感覚なのである。このように、サッカーは、終末論的に構成されている、と言ってもよい。そのように考えた場合、得点こそ、「最後の審判」にあたる。

だが、他方で、伝統的なマス・フットボールから近代的なフットボールへと転化したことには、本質的な変化も含まれていた。得点が、本来、「終わり」だったのだとすれば、かつての

「一点先取」のゲームから近代的な「点取りゲーム」への転換は、ゲームの中で、終わりが反復され、複数化することを意味している。言い換えれば、近代的なフットボールには、「終わり」の後が、つまり「事後の視点」が、組み込まれることになるのだ。

ここで、われわれは、あらためて自覚することになろう。終わりの複数性、すなわち終わりを反復的に先送りして複数化することは、資本主義の根幹的な特徴でもある、と。資本主義を定義する条件は、資本の無限蓄積であった。資本が無限に蓄積されるのは、最終的な充足が拒否され続けているからである。この場合、「終わり」に対応するのは、投資が回収されることである。資本主義を資本主義たらしめているのは、投資の回収（終わり）が、その度に、新たな投資（始まり）でもあり、決して、完全な終結には至らない、ということである。

サッカーというスポーツは、資本主義のこうした構成とよく適合している。サッカーの圧倒的な人気は、われわれの社会が、このスポーツが生み出された一九世紀以降の社会が全体として、言わばその体質からして、資本主義化したことの現れであると解釈することができる。資本主義なるものが社会の芯部にまで浸透したとき、人は、サッカーなるものへの執着から離れられなくなるのである。

以上の考察は、近代社会における「時間」の構成について興味深い暗示を含んでいる。それは、すこぶる重要なことなので、後により厳密に論ずる必要があるが、この段階でも先取り的に、そして仮説的に提起しうることだけを記しておこう。『近世篇』（第11章・第12章）で、われわれは、「王の二つの身体」の存立を可能ならしめた要素としての時間について、「永続性」を基礎づける時間の観念について論じた。キリスト教の終末論を前提にしている中世にあっては、時間は、本質的に有限であり、短くはかないものだった。最後の審判は迫っているからである。時間に内在する「永続」の観念を確立するためには、この最後の審判に規定された時間を乗り越えなくてはならなかった。もちろん、「最後の審判」という設定を公然と否定することはできない。だが、中世の末期から近世にかけて、哲学的・神学的な思索の中で、そして政治的な必要に応じて、「永続」としての時間の観念が確立されるにあたっては、「最後の審判」の意味は、相対的に小さいものにされ、この設定は、言わば後景に退けられることになった。簡単に言えば、最後の審判までの時間を引き延ばせば、「永続性」に類する時間を得ることができたのである。

だが、今、サッカーをフィルターのように使いながら見てきた資本主義の時間は、このような、近世の「永続」の観念とは違っている。それは、最後の審判の意味を小さく見積もることから得られる時間ではないからだ。まったく逆に、「最後の審判」を組み込む構造を積極的に活用することで、終わらない時間、永続的な時間が得られているのである。したがって、こう言うことができる。弁証法的な「否定の否定」を通じて、最後の審判が回帰してきているのだ、と。本来の形態における最後の審判は、時間を必然的に有限なものにする。時間に永続性という含意を与えるためには、最後の審判は、いったんは――相対的な意味においてに過ぎないが――否定されなくてはならなかった。この否定をもう一段階否定して、最後の審判が取り戻されたとき、それは、今度は、時間を無限化するのに活用されるのである。

＊

だが、最後の審判の否定の否定は、つまり最後の審判の複数化は、最後の審判の（再）肯定であるというよりも、むしろ、真に徹底した否定である、とも言えよう。しかし、ここでもう一度、サッカーを見直すならば、サッカーは、そのような極限には行っていない。というか、究極的には、「最後の審判」の構成に規定されているということが、サッカーというゲームの基本的な性格のうちに残存しているのである。どこに？

サッカーのゲームの前・後半の総時間九〇分への強い執着に、である。試合を何らかのルールによって終わらせなくてはならないのだから、そして「一点先取」で終わりとする原則を放棄したのだから、試合時間を決めておくのは当たり前ではないか、と思うかもしれない。だが、サッカーの「九〇分間」への拘りには、特異なところがある。サッカーでは、ボールやプレイヤーがどんな状態にあろうと、容赦なく時間が進行していくのだ。ボールがタッチラインを割って、大きく外に出ていようと、ケガをしたプレイヤーの手当てがなされていようと、時間は進行し、やがて「九〇分」がやって来てしまう。

サッカーの時間は、プレイヤーにはどうにも操作できない客観的なものである。いや、こう言ったほうがよいだろう。その時間は、神に属しており、人間であるプレイヤーの操作や干渉は及びえないのだ、と。サッカーでは、「九〇分」という客観的な時間と、プレイヤーや観客が感ずる主観的な時間とのギャップが、ドラマを産む。勝っているチームのプレイヤーやサポーターは、「速く！　速く！」と思うが、どういうわけか時計が全然進まないように感じる。そして残りのわずかな時間の中で何かが起きる……。逆に、負けているチームは、「もう少し待ってくれ！」と叫びたくなるが、時計はずいぶんと速く進んでいき、そして、非情にも九〇分がやってきてしまう……。

結局、サッカーは、ほんものの「終わり」への鋭敏な愛着を捨てることができない。試合終了のホイッスルが鳴らされたときこそ、最後の――つまりほんものの――最後の審判の日にあたる。ついでに付け加えておけば、たいていの試合には、「アディショナルタイム」と呼ばれる数分間のおまけの時間がある。「三分」とか「五分」とかの、付加的な時間が与えられ、試合が継続するのである。なぜ三分なのか、なぜ五分なのか、それに相当するロスタイムがあったことになってはいるが、何をどう計算するとその時間になるのか、根拠は示されない。審判の気分の問題であろう。そして、その恣意的に付け加えられた数分によって、勝負の行方が変わってしまうことさえある。つまり、最後の審判の「判決」が逆転してしまうのだ。このロスタイムほど、神の気まぐれな――という言い方が冒瀆的だとすれば「不可解な」――恩寵というものの性格を反映しているものはほかにあるまい。

このように、サッカーは、最後の審判を複数化して否定しているようでも、なお、究極的には最後の審判に規定されており、最後の審判への忠実さを維持している。この事実を、資本主義の方に差し戻したら、何がわかるのか。サッカーのこの事実に対する、資本主義の側の対応物は何であろうか。それこそ、資本主義に取り憑き、資本主義が順調に行っているように見えるときにも払拭することができない、資本主義自体の「終わり」への想像力ではなかろうか。サッカーを楽しむものは、「終わってしまう」という不安や「終わらないでくれ」という満たされない願望をもち続ける。同じことは、資本主義にも言えるのではないか。終わってしまうかもしれないという不安は消えない。終わらないで欲しいと思いながらそれを続けるほかない。

4　サッカーからの転回

いずれにせよ、サッカーを成り立たせている基本的な仕組みには、矛盾がある。それは、終わりを反復することであり、この点において、サッカーは資本主義に似ていると述べてきた。だが、もう一度繰り返せば、複数化した終わりは、もはや真の終わりではない。この矛盾がもたらす帰結を追いかけると、アメリカ人がサッカーに熱狂しないのはなぜか、別の類似の競技に執着するのはなぜか、という疑問が解けることになる。

「終わり」（ゴール、投資の回収）をたくさん反復することが目的であるということになれば、やがて、できるだけ速く「終わり」に到達しようとする欲望が出てくることだろう。過程を無に近づけ、反復のテンポを速めようとする欲望が生ずることになるのだ。その結果、終わり＝目的への先走りが生ずることになる。そうした欲望に規定されて生み出されたのがバスケットボールやアメリカン・フットボールではないか。それらのスポーツに見られる、オフサイド・ルールを無視した攻撃、つまり大きく前方へと走らせた味方へのロングパスほど、「終わりへの先走り」という表現に適した振る舞いは、ほかにはあるまい。

とりわけ興味深いのは、アメフトである。そこには、オフサイド・ルールへの敬意が、なお隠されているからである。このスポーツには、サッカーやラグビーの意味でのオフサイド・ルールが存在しないと述べたが、仔細に観察してみると、ボールがインプレイに移される直前には、厳密にオフサイド・ルールが遵守されていることがわかる。アメフトでは、それぞれのプレイが始まるとき、オフェンス側の全プレイヤーは、ボールが置かれている位置（スクリメージ・ライン）より後ろにいなくてはならない。「攻撃側はボールより後ろでプレイすべきである」というオフサイド・ルールの精神が、律儀に守られている状態から始まるのである。

が、オフェンスラインの後ろにいるクォーターバックの合図によってプレイが始まった瞬間に、ボールは、オフェンスラインの中央にいるプレイヤーからクォーターバックへとスナップバックされる（つまりオフェンスラインの前にあったボールが、後方のクォーターバックの方に送られる）。その結果、多くの攻撃側メンバーが前方に取り残される形になり、オフサイドを犯すことになる。ここには、人間が前方に走ったのではなく、ボールの方が後方に移動したのだから、オフサイドの形態が実現しても仕方がない、とする発想がないだろうか。つまり、アメフトは、オフサイド・ルールを尊重するふりをしながら、ボールに責任を転嫁して、このルールをないがしろにしているのである。ここには、オフサイド・ルールへの慇懃無礼とも見なすべき態度がある。オフサイドのルールは、徹底して遵守されることで、かえって否定されたのだ。

ボールを受け取ったクォーターバックは、ランプレイか、パスプレイか、どちらかを選択して、味方の敵陣への攻撃をコントロールする。アメフトの華は、パスプレイである。クォーターバックから敵陣深くに入っているレシーバーへの長いパスが通った瞬間に、プレイヤーも観客も興奮する。だが、この種の前方へのパスこそは、もともと、オフサイド・ルールが禁止または制限しようとしてきたものである。

さて、終わりを反復する速度を上げていくと、論理的には、「終わりの無限の蔓延」とでも呼ぶべき状態が出現することになる。ここで、「終わりの無限の蔓延」と呼んでいるのは、全過程が終わりの絶え間ない反復以外の何ものでもなくなること、したがって過程の内に無数の終わりが組み込まれるに至ることである。このとき、「終わり」ということ自身が、完全に終わることになる。すべての瞬間が「終わり」ならば、もはや、どの瞬間も「終わり」ではないからである。

このことの、スポーツのゲーム上での現れは、得点の増加だ。もともと、サッカーは、得点があまり入らないスポーツである。一つのチームが3点も取れば、サッカーの観点からは大量点である。典型的なサッカーのゲームのスコアは、「1－0」だと信じられている。もし、「11－10」のようなスコアで決着したとしたら、仮に追いつ追われつの大接戦だとしても、サッカーのファンは、つまらない試合だったと考えるだろう。サッカーは、まだ「一点先取」で終わるという伝統を、つまり得点こそが本来の終結だという伝統を引き継いでいるからである。だが、アメフトやバスケットボールは違う。終わりがゲームの全過程の中に蔓延し、得点がどんどん増加する。とりわけ、バスケットボールにおいてはそうである。見ている者も、そしてプレイしている者も、得点の多さをこそ楽しんでいるのである。最後の審判が、毎分やってくるようなものである。

＊

前節で、サッカーでは、何があっても時間が進行し、九〇分（＋α）で容赦なくゲームが終わるところに、なお、ほんものの最後の審判への強い忠誠心が残っている、と述べた。この点に関しても、アメフトやバスケットボールは、サッカーからははっきりと転換している。アメフトもバスケットボールも、もちろん、試合時間は決められている。たとえば、アメフトの試合は、一五分ずつのクォーター制で構成されているので、試合時間は六〇分ということになる。しかし、さまざまな理由によって、時計が止まる。言い換えれば、プレイヤーは、工夫によって、時計を止めることができる。アメフトであれば、タイムアウトを取ったり、ボール・キャリアがフィールドの外に出ればよいのだ。時計を操作することは、試合の勝敗を決めるきわめて重要な要素である。

こんなふうに言いたくなる。サッカーでは、九〇分の容赦なさが、人間に対する神の超越性の表現になっていた。それに対して、アメフトやバスケでは、とりわけアメフトでは、人間は、時計を操作することで、神と交渉しているのである。サッカーの時間は、人間にとって完全に客観的である。アメフトやバスケは、その時間を、なんとか主体化しようとしている。そして、神と巧みに交渉した者が、勝利者になる。

＊

サッカーは、資本主義の精神のひとつの表現である、と述べた。アメリカにおいて、サッカーが（半ば）捨てられ、代わりに、その質的な転換形態ともいうべき、アメフトやバスケが驚異的な人気を得ている。この事実が含意していることは、資本主義そのものにも、何か根本的な転回が生じている、ということである。資本主義がどのように変容するのか？　このことを考えるのはまだずっと後のことである。その前に、原型となる資本主義がいかにして生成したのかを、解明しなくてはならない。

アメリカン・フットボールは、「走る」ことを別にすれば、ほとんど手によってプレイしているのに、なお「フットボール」という名前を維持している。「ハンドボール」ではなく、「フットボール」と自称しているのだ。これは奇妙と言えば奇妙なことである。[*9] そこに、アメフトが、なお、サッカーと同じところに原点があることへの、無意識の執着が現れているようにも思える。アメフトは、起源とのつながりを抹消できず、その名前によって、自身の原点の痕跡を留めているのである。[*10] ここから、次のような暗示を受け取ることもできるだろう。「転回された資本主義」(アメフト)もまた、なお「原型となる資本主義」(サッカー)の範疇の中にある、と。前者の本性を捉えるには、後者についての深く正確な理解が必要になる。

1 Inga Clendinnen, *Aztecs: An Interpretation*, Cambridge: Cambridge University Press, 1991, p.144.
2 デヴィッド・グレーバー『負債論』五二七頁。
3 同書、五三〇頁。
4 ありそうな破局のさまざまなパターンについては、以下の著作を参照。澤野雅樹『絶滅の地球誌』講談社選書メチエ、二〇一六年。
5 わざわざ言うまでもないことだが、ここでの「アメリカ」は、アメリカ合衆国を指す。
6 アメフトには「オフサイド」という名前のルールはあるが、それは、サッカーのオフサイドとはまったく別系統のルールである。アメフトには、サッカー的な意味でのオフサイドのルールはない。もっとも、後で述べるように、アメフトは、奇妙なやり方で、無意識のうちにオフサイドのルールを遵守してもいるのだが。
7 中村敏雄『〔増補〕オフサイドはなぜ反則か』平凡社ライブラリー、二〇〇一年。
8 祝祭的なフットボールにおいて、人は、愚者(fool)のように振る舞う。ところで、'fool'(愚者)と'ball'という語の間には、語源的な繋がりがあるらしい。オックスフォード大辞典は、'ball'が古代チュートン語であるとする推定が正しいとすれば、それは、ラテン語の'foll-is'と同種だと記す。「フォル・イス」とは、「息を吹き込むこと」という意味である。「ボール」は、息を吹き込んで、膨らませるものだったから、この語と関連しているのだろう。この「フォリス」という語は、俗語で、「頭の中が空っぽの人物」つまり「愚者fool」をも意味したという。

9　アメフトでも、もちろん、ときにキックが活用される。キックのための専門家もいる。このキッカーについては、サッカーにおけるキーパーと似たようなことが起きる。サッカーでは、ゴールキーパーだけが、ピッチ内で手を使うことができる。キーパーは、不可欠なポジションだが、しかし、サッカーが好きな少年が、最初から、キーパーに憧れてサッカーをやるようになることはあまりない。キーパーは大事だが、地味で、報われることが少ない役割だと思われている。同じようなことが、アメフトでは、キッカーに言える。キッカーは、足の専門家で、大事な役割を果たすが、キッカーに憧れてアメフトを始める少年は、ごく稀であろう。

10　考えてみれば、サッカーというスポーツの方が倒錯的で、言わば非人間的なのである。直立二足歩行する動物である人間にとって、脚は移動のための器官で、手は渡すための器官である。しかし、サッカーは、手で（ボールを）渡すことを禁じ、脚によって渡せと言う。他者に貴重品（ボール）を与えることをあえて難しくすること、これが手の使用の禁止の要諦である。だが、これは、ヒトとしての自然の完全な否定だ。アメフトやバスケは、それを再人間化しているのである。

第7章　〈金銀／紙幣〉としての貨幣

1　価格革命

資本主義の初期の段階、マルクス主義の用語を使えば「資本の本源的蓄積」の段階に対応する時期に、ヨーロッパでは「価格革命」とも呼ぶべき物価の大変動が起きている。[*1] たとえば、一五〇〇年から一六五〇年の間に、イングランドでは、実質賃金が四〇％にまで下がっている。つまり一世紀半の間に賃金が事実上半分未満になっているのだ。その直接の原因は、激しいインフレーションである。同じ時期、イングランドの価格上昇率は五〇〇％である。賃金は、これよりはるかにゆっくりしか上昇せず、そのために、実質賃金が大幅に低下したというわけだ。同じことが、ヨーロッパの至るところで起きた。

実は、それに先立つ二世紀弱の期間は、逆に、西ヨーロッパの普通の農民や都市労働者にとっては、まことによい時代だった。このときには、賃金が劇的に上昇したのだ。その原因は、疫病である。一三四七年から数年間にわたって、ペストが猛威を振るい、ヨーロッパの労働力の三分の一が失われた。労働力の圧倒的な不足が、賃金上昇の原因である。最初のうちは、政府は、賃金の上昇を制限する法を制定したり、自由農民を土地に縛り付けようとしたりしたため、労働力不足の影響は現れなかったが、やがて民衆の強烈な抵抗に遭った。イングランドの「ワット・タイラーの乱」（一三八一年）は、一連の民衆蜂起の中で最も有名な例であるというに過ぎない。すべての叛乱は、王や領主によって鎮圧されたが、彼らも民衆に譲歩せざるをえなかった。その結果のひとつが賃金の上昇である。中世に祝祭日が異常に増え（一年の三分の一から半分）、政府が日数の制限をせざるをえなくなるほどだったのも、そうした譲歩のもうひとつの結果である。

農民や都市労働者にとっては過酷な「価格革命」は、この後にやってきた。一六～一七世紀に異常なインフレがあったわけだが、何が原因だったのか。これについては、その当時から言われていた説明、「主権」概念の基礎づけでよく知られているジャン・ボダンが一五六八年に唱えた説が、通説として流通してきた。「新大陸」を獲得した後、ヨーロッパに大量に金銀が流入してきたせいだ、と。この説は、一見、正しいという印象を与える。実際、この期間、いくつもの鉱山が発見され、金銀の供給量が増えたことは確かである。とりわけ、一五二〇年から一六四〇年の間に、メキシコとペルーで採掘された大量の金銀が、スペイン船によって大西洋を渡った。こうした事実があるので、ボダンの説を鵜呑みにしそうになる。

しかし、この説では、ヨーロッパの価格革命が説明できないことは、今日の研究では明らかになっている。金銀のほとんどが、ヨーロッパをただ通過しただけで、その地に長く留まってはいなかったからだ。金銀はどこに行ったのか。インドや中国、とりわけ後者である。確かに、一五四〇年頃までは、ヨーロッパで銀の供給過剰があったようだ。しかし、その後は、銀の大半は中国に輸出された。一六世紀後半までには、新大陸の銀の九〇％を中国が吸収するまでに至っていた。さらに、一七世紀初頭にはその比率は、九七％になっている。

したがって、新大陸からの大量の金銀がヨーロッパに未曾有のインフレをもたらした、という説明は成り立たない。それにしても、どうして中国はかくも大量の銀を必要としたのだろうか。中国が輸入した銀はこの時期に人類の社会に新たにもたらされたものだし、もともと中国に大量の銀があったわけでもないので、この時期の銀の需要は、中国にとっても突然のこと、初めてのことだ。つまり、中国文明に言わば体質的に銀を必要とする傾向が備わっていたわけではない。どうして、中国で、突如として大きな銀の需要が生じたのか。これは、歴史学的には興味深い問題だが、目下の『近代篇』にとっては主筋から外れる疑問である。しかし、すぐ後で説明するヨーロッパの特殊性を理解する上で助けにもなるので、基本的なことだけは述べておこう。

もともと中国は、いや中国はとりわけ、金や銀を必要とはしていなかった。なぜならば、中国の貨幣は紙幣だったからである。中国が銀の一大輸入国になったのは、中国が紙幣の使用を放棄し、通貨を銀地金に切り替えたからだ。では、なぜ中国は通貨を紙幣から銀地金に替えたのか。貨幣の歴史についての「常識」からすると、この切り替えは逆行に見える。どうして、こうしたことが起きたのか。

ここでは詳細を省いて、異民族（モンゴル人）による帝国・元を経て漢民族の帝国・明へと復帰したことの結果だったとだけ述べておこう。モンゴル人が通貨を替えたわけではない。彼らは、中華帝国の伝統である紙幣制度をそのまま維持し、中国以外の他の地域にこの制度を導入しようとさえした。しかし、モンゴル人の王朝は、漢民族であることを誇りとする農民指導者によって率いられた王朝に取って代わられた。あいだに「外国人」とのつながりが強い王朝が入ったことが、独特の効果を及ぼし、明の時代に、紙幣から銀地金へと通貨が置き換わったのである。*2

さて、すると最初の疑問は丸ごと残っている。どうして、ヨーロッパでは、一六〜一七世紀に、実質賃金の大幅な低下をもたらすような極端なインフレーションが生じたのか。

2 金銀への回帰

二つの契機が絡まりあって原因となっている。第一に、一五世紀の半ば頃から――つまり近世に入る頃から――、ヨーロッパの貨幣が金銀へと回帰し始めたこと。[*3] 貨幣についての常識にとらわれている人は、こうした表現を奇異なものと感ずるだろう。貨幣とは、始めから金銀ではないか、なぜ「回帰」と言われるのか、と。だが、貨幣は金銀を原型としていて、そうした貴金属の内在的な価値に支えられているという常識が生まれたのは、まさにこの時代、近世なのである。

考えてみれば、貨幣と金銀とが本源的に結びついているという思い込みが自然化してしまったのは、いかにも奇妙なことである。西洋の知識人が、中世の後期においてほとんど神のように崇め絶対化した哲学者、アリストテレスからして、貨幣が本来的に貴金属であるなどと主張しておらず、むしろこれをはっきりと否定している。アリストテレスは、貨幣がギリシア語で「Nomisma《ノミスマ》」と呼ばれていることに注目した。もちろん、この語は「ノモス（規範、人為）」に由来する。アリストテレスの考えでは、貨幣は、「約定」「申し合わせ」によって発生したものであり、貴金属とは何の関係もない。[*4] あるいは、当時が大航海の時代へと連なる時期だったことを思ってもよい。ヨーロッパの探検家たちは、行く先々で貴金属を素材としない貨幣を――たとえば貝殻やビーズやマットや塩の通貨を――見て、そのことを報告していたはずだ。したがって、当時のヨーロッパの思想家や政治家は、自分たちの知的な伝統を無視し、また同時代の証言を顧慮することなく、貨幣が金銀であるということに固執していたことになる。

もし貴金属が貨幣のすべてであるということになると、ヨーロッパの中世や近世初期の民衆の間には、ほとんど貨幣は流通していなかった、と結論しなくてはならなくなる。だが、ここで貨幣の中核には負債があるとする、デヴィッド・グレーバーの説を思い起こすとよい。そうした観点から、近世初期（一六～一七世紀）の庶民の共同体を見直せば、そこには、貴金属とは異なったタイプの貨幣が使われていたことがわかる。それらは、負債を返すことを約束する象徴、つまり一種の信用貨幣である。[*5] たとえば、ちょっとした都市の貧民街では、商店主や職人は自分独自の代用貨幣《トークン・マネー》を、つまり鉛や木や皮などでできた貨幣を発行していた。それら代用貨幣は、その発行者に対して「貸し」があることを表示していることになる。ローカルなパン屋や仕立屋などでは、売り手と買い手が互いによく見知った間柄であれば、代用貨幣を使う必要すらなく、いわゆる「ツケ」で売買がなされていた。普通の村では、いわゆる「現金」を使うのは、行きずりの旅人か、あるいは孤立したならず者だけだったという。結局、共同体においては、誰もが誰かに対して債権者でありかつ債務者なのである。自分が誰にたいしてどれくらい債務があり、誰にたいしてどのくらい債権をもつかは、共同体のメンバーは皆、自覚し、記憶していた。それぞれの人の「所得」は、誰か別の人からの返済（支払い）の約束という形式を取っていたことになる。共同体は、半年とか一年とかの期間をおいて定期的に「清算」の会を催し、債務／債権を帳消しにしあっていた。それでも残ってしまう差額を決済するとき、やっと硬貨や財が用いられた。[*6]

しかし、やがて、このようなローカルな信用貨幣のシステムは崩壊することになる。どのようにして？ まず、もともと納税は金属でなくてはならなかった。今見たように、小規模な共同体の日常の取引には、ヴァーチャルな信用貨幣のようなもの、つまり割符や約束手形に類するものが使われていたが、それを税として納めることはできなかった。そこで住民たちは、「宮廷賄い金」や「十分の一税」を納めるときだけ硬貨を使うことを求められたのだが、日常的には使っていないので、たいてい十分な量の硬貨をもってはいない。そういうときには、彼らは、身の回りにある金属の物、たとえば食器などを引き渡したらしい。

このように、近世の初期の段階から、ヨーロッパの経済は、貨幣的に二重の状態にあった。その上で、地金を制御できる立場にある人々、つまり王や政府や銀行家や大商人は、この二重状態を解消し、一元的な貨幣経済を実現しようとし、実際にそれに成功した。つまり、金銀こそが真の貨幣であると宣言し、それを法的に、ときに暴力的に強制したのである。こうして、ローカルな小共同体の上で定着していた、信用貨幣のシステムは蝕まれ、解体していくこととなった。

この過程は、「資本の本源的蓄積」の一部として重視されてきた、いわゆる「共有地の囲い込み」と同時進行した。囲い込みの結果として土地から切り離され、放浪者になった者たちは検挙され、植民地で働かされたり、軍隊に徴兵されたり、あるいは工場で働かされたりした。

このように、近世を通じて、ローカルな信用貨幣は駆逐され、貨幣は金銀へと統合された。当時の学者が止まらぬインフレーションの原因を、大陸から流入する銀にあると見なした背景は、ここにある。しかし、通貨が金銀になったという事実から直接には、異常なインフレーションを説明することはできない。それが冒頭に述べたことであった。この時代に発掘された金銀はヨーロッパに長く留まることなく、主として中国へと流出していたのだ、と。インフレーションの直接の原因になったのは、通貨が貴金属化したことを前提にして生じた別のことである。それこそが、考慮すべき第二の契機である。それについて次に説明しよう。

＊

ここまで述べたように、ヨーロッパにおける貨幣の歴史――中世から近世の全体を貫く歴史――は、基本的には、「将来の（貨幣による）返済の約束」が貨幣として流通している状態、つまりヴァーチャルな信用貨幣が機能している状態から、それ自体に内在的な価値があると信じられている実体（貴金属）が貨幣として流通する状態への移行として描くことができる。だが、近代へと向かう貨幣の歴史は、このような一方向に尽きるわけではない。逆に、信用貨幣が回帰してくる局面もあるのだ。高次化して、であるが。近世から近代への貨幣の歴史のハイライトはむしろこちらの線にこそある、と言っても過言ではない。

このようなもう一つの線が存在していたということは、たとえば近代的な銀行業務のことを思えば、すぐに理解できるだろう。かつて銀行家は、自分が所有している分だけを貸し出していた。しかし、近代の銀行家は、自分の手元にある「現金準備」以上の「帳簿上の信用」を流通させることで、実質的には貨幣を創造することができる。これがやがて民間銀行券へと発展していく。銀行の信用創造によって流通している貨幣は、それ自体が貴金属ではないというだけではなく、貴金属に対応してさえいないヴァーチャルな信用貨幣の一種である。中世やルネサンス期でも――特にイタリアでは――これと同じことを試みた者もいるが、預金者がパニックを起こし取り付け騒動に発展する危険が非常に大きく、しかも、預金者に返却できない銀行家には、当局は厳罰を科した。一三六〇年に、フランチェスケ・カステーリョという名の銀行家が返却不能に陥ったために、自分の銀行の前で斬首された、という例が記録されているという。[*7]

近代の銀行家とこのように処罰された中世の銀行家では、何か違ったことをしているのだろうか。前者の正当な業務と後者の詐欺とで何が違うのか。やっていること自体は、ほとんど変わらない。違うのはその行為の社会的コンテクストである。そのために前者は取り付け騒動に遭うことは稀であり、後者は逆に取り付け騒動を回避することが困難だった。社会的コンテクストの何が違って、こうした差異がもたらされるのだろうか。とりあえず疑問だけ銘記して、先に進もう。

新しいタイプの――いわば高次の――信用貨幣がどのように発生し、普及し、定着していったのか。その過程をごく簡単に追ってみよう。[*8] 起源にまで遡れば、一部の中世の都市国家――金融業者が実質的に統制していた中世の都市国家――に至り着く。そこにわれわれが見出すのは、今日的な語彙を使えば、「地方債の発行」のようなものだ。一二世紀に、ヴェネチア政府は、軍事上の理由から急遽資金が必要になったとき、納税者である市民に対して、強制的な融資を課した。要するに、市民は、政府が発行する債券を買わなくてはならなかった。その債券に対して、政府は年率五％の利子を約束した。ヴェネチア政府は約束を律儀に守り、きちんと利払いはなされた。ただし、この債券には満期日が定められておらず、債券の市場価格は、そのときどきの政治や戦況によって変動した。この手法は、やがて、ヨーロッパの他の地域や都市にも拡がった。たとえば、オランダ連合州は、一六世紀後半から一七世紀中盤にかけての、ハプスブルク家に対する長期の独立戦争において、その資金の大部分を、ヴェネチア政府と同じ手法で、つまり市民に融資を強制することで――債券の購入を義務付けることで――調達した。しかし、これらの債券——政府の負債——は、まだ貨幣ではない。それが支払いに使えたわけではないからだ。

飛躍は、この負債が、つまり政府の「支払いの約束」が、そのまま通貨になったときに生ずる。一六世紀までには、ヨーロッパのいくつかの政府の債券が、ほんものの信用貨幣として支払いに使われるようになったのだ。「ラント（フランスの利付国債）」や「フーロス（スペインの年金型債券）」などがヨーロッパ全土で流通した。具体的には、たとえば次のようにして貨幣が発行された。新大陸から、地金を積んだ船が来るとしよう。そのような船が旧大陸で最初に入港するのは、セヴィリアである。その後の実際の取引では、地金はほとんど使われない。船にあった地金の大部分は、セヴィリアの港にある、ジェノヴァの銀行家の倉庫に保管される。この地金はやがて東方に送られるだろう。しかし、この地金は、単に運ばれるだけではなく、重要な役割を果たす。地金は、信用創造における「準備金」のような役割を果たすのだ。まず、地金の評価価値に相当する額が、神聖ローマ皇帝（スペイン王）に融資される。皇帝はこれを戦費に充てるだろう。この融資と引き換えに、スペイン政府からは、その所有者に利子付きの年金の受給資格を授与する証書が、発行される。銀行の信用創造の要領で発行されたこの証書が、貨幣として機能した。この方法で、銀行家は、自分が所有している金銀の実質価値をはるかに超える貨幣を創造することができたのである。*9

ヨーロッパにおけるこの新しい信用貨幣の歴史の大団円は、一七世紀の終わり（一六九四年）に訪れる。イングランド銀行——世界初の中央銀行——の創設だ。それは、次のような経緯の帰結であった。ロンドンとエディンバラの有力商人四十人——彼らのほとんどがその前から王への債権者だった——が、イングランド王ウィリアム三世の対仏戦争を援助するために、一二〇万ポンドを融資した（またしても戦争である。ここまでの記述からすぐに理解できるように、近世の新たな信用貨幣の誕生は、ほとんど常に、戦争をきっかけとしている。戦争は、貨幣へのとりわけ大きな需要を生み出すからだ）。王へのこの融資に際して、四十人の商人たちは、見返りとして、王に、銀行券発行を独占する株式会社の結成を許可するように要求し、実際に受け入れられた。その株式会社こそがイングランド銀行である。そこは、小規模な銀行の間でやりとりされた負債の手形交換所でもあり、「銀行の銀行」、つまり中央銀行の役割を担った。

　イングランド銀行が発行する銀行券は、もはや、直接には、「公債証書《ボンド》」の形態をとってはいない。この銀行券が、ヨーロッパ初の国家紙幣へと発展した。それまでの、「国債」や「年金型債券」は、王が、あるいは（王の）政府が発行した。それに対して、紙幣は、イングランド銀行が発行している。だが、その由来を視野に入れれば、銀行券は、結局、王がイングランド銀行に負っている額面の約束手形にほかなるまい。つまり、銀行券（紙幣）もまた、王の戦債に根拠があり、結局は、王の負債である。

　さて、本章の冒頭に提起した疑問は、近世の価格革命の原因は何か、であった。今や解答を得た。価格革命の原因は、信用形態をとった貨幣の増殖にある。この時代、ヨーロッパの貨幣は金銀の形態へと回帰した。しかし、ヨーロッパでは、金銀それ自体は、大きなインフレを引き起こすほど大量に流通しはしなかった。大量に出回ったのは、さまざまな信用貨幣である。それが、ヨーロッパの貨幣の総量を引き上げ、急激なインフレを引き起こしたのである。増殖した貨幣がすべての階級に均等に行き渡らなかった原因も、以上のことから説明できる。この時期の変化は、高次の信用形態を操作することができる者たち、つまり王や貴族や大商人や銀行家といった、最初からの富裕層にとって有利である。そのため、インフレは、富める者をますます富ませ、労働者の実質賃金を低下させることになった。富裕層以外の者の状況が改善されたのは、ようやく、紙幣が、さらに小額面の通貨が広く利用可能になってからのことである。

3 東の紙幣／西の紙幣

こうして、われわれはひとつの疑問を解決したわけだが、ほんとうの問い、真に考えなくてはならない主題は、実は、その先にある。価格革命についての問いは、真の問いをおびき出すための撒き餌であった。真に考えるべき問いとは何か。

われわれは近世の貨幣の歴史が、二つの契機、二つのダイナミズムによって成り立っているのを見た。第一に、仮想通貨によって媒介された共同体の信用経済から抜け出し、通貨が金銀へと回帰していこうとする傾向。第二に、逆に、通貨が、金銀の直接の支えから離れ、さまざまな信用形態——その最先端には紙幣がある——として流通していこうとする傾向。真の問いとは、反対方向のベクトルに支配されたこれら二つの契機の間の関係である。両者はどうして共存できるのか？　両者の間にはどのような関係があるのか？

これが問うに値する真正な主題であるということを直観するには、第1節で、あえて探究の本筋から離れて概観した中国のことを思うとよい。中国では、ヨーロッパよりもずっと前から紙幣が通貨として制度化され、使用されていた。ヨーロッパで、貨幣が貴金属へと回帰し始めたのとおおむね同じ頃、中国でも、銀地金が通貨となった。ユーラシア大陸の東と西の両方で、ほぼ同時に、貨幣の金属化が生じているわけだが、中国の方がはるかに大量の銀を必要とした。なぜかと言えば、中国では、銀地金が通貨として公認されるということが、紙幣の使用の停止を意味していたからだ。ヨーロッパでは、金銀の貨幣と同時に、紙幣を含む信用貨幣が使用されており、実際の貨幣の主流はむしろ後者だった。すると誰もがすぐに疑問に感じるだろう。どうして、中国では、紙幣と銀地金とが排他的だったのに、ヨーロッパでは、両者は共存できたのだろうか？

中国と近世ヨーロッパでは、貨幣を存立させるメカニズムに、何か根本的な違いがあるのだ。だとすれば、中国の紙幣とヨーロッパの紙幣に関して、どちらがどれだけ早いなどと言うことにさして価値はない。両者は先／後を比べるのに意味があるような「同じもの」ではないかもしれないからだ。

＊

もちろん、ヨーロッパの近世において、同時代的に共存する、いくつもの信用手段や紙幣と、貨幣の実体とされている金銀との間の関係が、当事者たちにどのように了解されていたか、ということについては簡単に説明することができる。貨幣の信用諸形態に関しても、「貨幣は金銀がそれ自体としてもつ内在的な価値に根拠をもつ」という前提は変わらず維持されている。まさにその前提に立ち返ることで、信用手段を通じて発行された証書や象徴が貨幣になりえているのである。信用貨幣は、一種の債券だが、その債券によって何が返却されるのかと言えば、それは金銀にほかならない。とするならば、金銀に内在的な価値があるからこそ、紙幣を含む多様な信用貨幣が妥当なものとして受け入れられていたのである。

このように、当事者の了解を再構成することは難しくない。しかし、このことを踏まえても、なお謎は執拗に残る。どのような謎が残るかということは、銀行による貨幣の信用創造のことを考えると見えてくる。先に述べたように、中世においては、信用創造は実質的には不可能だった。現金準備以上の金額を融資するような銀行を、人々は信頼できなかったからである。しかし、近世の銀行は、難なく信用創造をなしうる。それは、預金者たちが、銀行の手元に現金が「(未だ)ない」ということにとりたてて大きな不安を抱かないからだ。

この事実に着目すると、問いの核心を説明しやすくなる。信用貨幣を流通させるということは、貨幣の否定的な自己言及を貨幣化することである。つまり、「貨幣が(未だ)ない」ということを象徴する媒体を貨幣とすることだ。それに対して、貨幣を金銀に基礎づけるということは、それ自体で内在的な価値をもつ実体(金銀)の「現前《プレゼンス》」に依拠することで、貨幣を貨幣たらしめるということを意味している。したがって、近世の貨幣の歴史を構成している二つの契機は、それぞれ互いに背反関係にある心性に支えられているように見えるのだ。一方には、価値ある物の未在に平然と耐える心性がある。他方には、価値ある物の現前を性急に求める心性がある。両者はどのようにして共存し、また協働できるのか?

こうした考察を踏まえることで、中国が早くから制度化していた紙幣と、ヨーロッパが近世の末期にようやく実現した紙幣とでは、何が違っているのかを説明することが可能になる。紙幣であろうと、あるいは地金であろうと、中国において正当な貨幣を成立せしめる要因は共通している。それは、皇帝の承認、あるいは命令である。皇帝がそれを承認したという事実が、あるいは皇帝がそれの使用を命令したという事実が、その物に特別な価値を孕ませるのだ。もちろん、皇帝の承認や命令にそのような力が宿るのは、皇帝の存在がさらに「天」の意思にかなっている（と人民によって想定されている）からである。天が、その皇帝の存在を欲している。すると、紙幣は――皇帝の承認・命令を媒介にして――それ自体で価値ある物として現前していることになる。ヨーロッパの信用貨幣（としての紙幣）とは違って、それは何かの「未在」を指示してはいない。中国では、正式な通貨として、紙幣と銀地金とが共存できなかった理由も、述べてきたことを考慮すれば、納得がいく。要するに、皇帝は何を欲しているのか、どちらが通貨であることを求めているのか、が問題になっているのだ。それが「紙幣」であるならば、銀地金はとりたてて価値がなく、他の諸々の物たちの中のひとつに過ぎない。逆に、それが「銀地金」であるならば、紙幣の貨幣としての使用は退けられなくてはならない。

中国の紙幣と近世ヨーロッパの紙幣の違いについて、次のように言うこともできる。中国においては、紙幣は――あるいは何であれ通貨として認められた物は――、言わば、皇帝から人民への贈り物である。言い換えれば、人々は皇帝に対して負債がある、ということになる。ヨーロッパの紙幣については、貸借関係の方向が逆になる。イングランド銀行の創立の経緯について述べたことを、もう一度、思い返してほしい。この場合は、紙幣は、王に対する債権の証明書のようなものであり、王の方に負債があるのだ。

4　非人格的信用貨幣

繰り返そう。資本主義の初期段階のヨーロッパの貨幣史を構成する二つの事実、つまり貨幣が金銀へと回帰しているという事実とさまざまな信用貨幣が流通したという事実、この二つは二律背反の関係にありながら、互いにからみ合い、一緒になって機能している。なぜそのようなことが可能だったのか？

疑問の輪郭をはっきりとさせておきたいので、問題を別の角度から捉え直しておこう。デヴィッド・グレーバーが述べているように、貨幣が、原理的には、循環する「負債」のようなものだとするならば、信用貨幣は、貨幣の本来性を直接に具現している、ということになるだろう。だが、一般には、信用貨幣には、明確な限界がある。それは一種の「債券」のようなものなのだが、それが受け入れられるのは、人が、その「債券」が含意している負債は確実に返済されるはずだ、という予期をもつ場合に限られる。いかなるときに、人はそのような予期をもつことができるのか。負債は返されないかもしれない、という不確実性への不安は、どのようなときに克服されるのか。結局、それは、人が、負債を有する者を具体的に知り、彼または彼女に対して人格的な信頼をもつことができるときではないか。そうであるとすれば、信用貨幣は、広範に流通することはできない。人々が互いを全人格的に知ることができるような、小規模な共同体の中を、それは循環するに留まる。実際、われわれは、第2節で、信用貨幣のそうした事例を見たのであった。中世や近世初期の村や町の民衆的な信用経済の例を、である。

だが、近世・近代の新しい信用貨幣は、原初的な信用貨幣がもっているこうした限界を完全に克服している。まず、それは信用貨幣でありながら、抽象的・非人格的である。それらを使うとき、とりわけ紙幣を使うとき、人は、負債の担い手について強く意識することがない。それらが実のところ負債の変形した姿であるということすら意識しないときもある。それでも、人は、その貨幣を受け取り、支払いに使うのである。そのため、この信用貨幣は、局地的な共同体の範囲をはるかに超えて広範に流通する。先に、新しい信用貨幣について、「高次の」と形容したのは、この貨幣が、原初的な信用貨幣にとっては必然であった限界を乗り越えているからである。

だが、なぜこんなことが可能なのか。信用貨幣の、宿命的とも思える条件が、どうして乗り越えられたのか。仮説的なことを述べておこう。それは、貨幣が、いったん金銀に還元されたことの効果ではないか、と。まず、原初の局地的な信用貨幣を駆逐し、貴金属の——そして単一の——貨幣のうちに統合する。その上で、もう一度、(別のタイプの)信用貨幣を復活させる。この信用貨幣は、原初の信用貨幣の否定の否定の産物である。非人格的であり、それゆえにきわめて大規模な社会空間を循環する信用貨幣は、こうして実現するのではなかろうか。

それならば、金銀とは何か。貨幣としての金銀とは。ヨーロッパの歴史的なコンテクストに限るならば——そして近似的な意味では——、それは王の政治的身体の相関物だと言ってよいのではないか。『近世篇』で詳しく論じたように、西洋の王権が中世から近世にかけて少しずつ形成してきた政治神学によれば、王は、通常の人間と同じ自然的な身体だけではなく、衰えることなく永続する政治的身体を有する。この政治的身体の客観的な相関物——言い換えれば政治的身体の外化——が、貨幣としての金銀、富の純粋な具現としての金銀ではないか。近世のヨーロッパの宮廷が、しばしば錬金術師を抱えていたという事実が、このような解釈にとっては傍証となろう。錬金術師は、王のもとで、その政治的身体の本質を物質の上に具体化する作業に従事していたのである。

近世末期にヨーロッパに成立した貨幣は、二律背反的な関係にある二つの契機の総合の上で成り立っていた。一方では、金銀としての現前を条件として成り立つ貨幣がある。他方には、富の未在を積極的に許容することで流通する貨幣がある。この二契機は本来的には互いに矛盾するものなのだが、きわめて危ういバランスをとって両立し、連動している。

*

このバランスがいかに精妙で困難なものだったのかを示す実例が、第1章で紹介した、ジョン・ローのシステムである。彼が創ろうとしたものは、イングランド銀行のフランス版である。イングランド銀行は成功したが、ローのフランス王立銀行は破綻した。当初、ローの試みは、成功するかに見えた。人々が、逆説的にも、「富の未在」ということに(未来の)富への夢を投影したからだ。つまり、「今は(まだ)ない富」を直接には指し示している銀行券が、「やがてありうる富」をこそ含意していると解釈されたのだ。このことは、フランス王立銀行が発行する銀行券が、有効な信用貨幣として受け取られた、ということを示している。しかし、夢見られている富、将来において返済されると期待されている富は、あまりにも大きすぎた。そのため、投影される富の大きさがある閾値を超えたとき突然、人々は目を覚まし、現前する富への執着を取り戻した。人々の欲望は、未在と現前の両極の間を大きく揺れたのである。その結果が、システムの破局であった。

ジョン・ローが信用貨幣の力を過信したために失敗したのだとすれば、逆に、金銀の価値を尊重しすぎたがために失敗した人もいる。ジョン・ロック、あの自由主義の政治哲学者のロックである。一六九〇年代に、イングランドでは、銀の価格が高騰し、新硬貨の価値がその硬貨に含まれる銀の実質よりも小さくなった。その結果、縁を削られた粗悪な銀硬貨しか流通しなくなり、それさえも量が絶対的に不足していた。どう対処すべきか大激論になり、純粋な信用貨幣への移行を唱える者もいれば、硬貨を回収し、その重量を減らすべきだとする者（大蔵省の案）もいたが、当時造幣局長官――アイザック・ニュートンである――の顧問を務めていたロックのアイデアが論争に勝利した。それは、通貨を回収し、それがもともともっていた価値で再鋳造する、というものだ。つまり、粗悪な硬貨をもとに戻すだけだ。ロックは、金銀には、すべての人が認めるほかない価値があり、それを政府が恣意的に切り替えることはできない、と考えたのだ。[*10] ロックの政策の結果は、しかし、悲惨だった。硬貨はほとんど流通しなくなり、価格も賃金も崩壊し、特に貧困層を苦しめた。ロックは、約定などの人間の営みから独立した、金銀の客観的な価値に固執しすぎたのだ。

資本主義が健康であるためには、貨幣の二面性――金銀としての側面と信用貨幣としての側面――は両方とも維持されていなければならなかったのだ。この二面性には、前章で資本主義の特徴として指摘したこと、つまり絶対に終わってはならないのに終わりということに強迫的に取り憑かれてもいるという両義性が、反響している。信用貨幣が、たとえば紙幣が流通するのは、そこに含意されている負債が清算され尽くすことがないからだ。つまり、終わり（最終的な決済のとき）はいつまでもやってこない。が、同時に、信用貨幣にとっては、終わりがある――いつかは返済される――という想定も必要だ。さもなければ、人はそれを受け取らない。終わりを迎えたときには、信用貨幣は金銀の姿に置き換えられて回収される（ことになっている）。このように、貨幣の二面性は、終わること（金銀）と終わらないこと（信用貨幣）をめぐる資本主義的な戯れに対応している。現在では、われわれは、貨幣が金銀とのつながりを一切断っても機能することを知っているが、そのような状態に到達するためにも、貨幣は一度は金銀に回帰し、その上で、信用貨幣の形式でそこから離脱する必要があったのである。

1　デヴィッド・グレーバー『負債論』四五八頁。

2　もう少しだけ詳しく事情を説明しておこう。モンゴル人は外国人商人とさかんに交易したが、そのことが中国人には嫌悪や軽蔑の対象だった。モンゴル王朝の下での商人の活動への反発から、明王朝は、自給自足的な農村共同体を過剰に理想化し、商業や貨幣経済を冷遇した。たとえば、労働と現物によって納税する方式——それは人民をそれぞれ特定の職種に束縛することをも含んでいた——を維持し、また蓄財に有利な商業活動の多くを違法化した。そのため、税を納められず、負債をかかえた農民の多くが、先祖伝来の土地から離れて、非正規・非合法の仕事に従事することとなった。その中には、地下資源の探索を生業とする山師という仕事もあり、いくつか見つかった銀鉱山のおかげで、公式の紙幣と並んで、未鋳貨の銀地金がインフォーマルな経済の中で貨幣として使われるようになった。政府は、このインフォーマルな経済の拡大に気づき、これを取り締まろうとしたが、その段階ではすでに手遅れで、銀地金の貨幣はあまりにも広く浸透してしまっていた（一四三〇年代～一四四〇年代に政府は、鉱山を違法として閉鎖しようとしたが、鉱山労働者と土地を追われた農民の蜂起を引き起こす結果となり、挫折した）。そこで、政府は政策をまったく逆転し、紙幣の発行の方を止めて、銀地金を公認の通貨としたのだ（Richard von Glahn, *Fountain of Fortune: Money and Monetary Policy in China, 1000-1700*, Berkeley and Los Angeles: University of California Press, 1996）。要するに、明王朝の商業活動への抑制はあまりに厳しく、当時の中国が必要としていた水準をはるかに下回る規模の商取引しか正式に認められなかった。その必要の水準と公認されていた水準の間の大きなギャップが、銀地金によるインフォーマルな経済によって埋められ、最終的には政府はそれを公認せざるをえなくなったのである。

3　この条件を決定的なものと見なしているのは、われわれがすでに何度も参照してきたデヴィッド・グレーバーである（前掲書、第11章参照）。

4　アリストテレス『ニコマコス倫理学』『政治学』。

5　以下を参照。Craig Muldrew, "'Hard Food for Midas': Cash and its Social Value in Early Modern England," *Past and Present* 170:78-120, 2001. Deborah M. Valenze, *The Social Life of Money in the England Past*, Cambridge: Cambridge University Press, 2006. グレーバー、前掲書、四八二―四八三頁。

6　インドの伝統的な分業システム、つまり世襲の職業集団（ジャーティ）の間の相互の接触や通婚を厳しく制限するカースト制度は、ここに見たようなタイプの債務／債権が、量的に蓄積され過ぎたり、質的に複雑化したりするのを抑止するためのメカニズムとして解釈することができる。この点については、『東洋篇』第12章を参照。

7　Peter Spufford, *Money and Its Use in Medieval Europe*, Cambridge: Cambridge University Press, 1988, p.258.

8　グレーバー、前掲書、四九九―五〇一頁。

9　Dennis Flynn, "A New Perspective on the Spanish Price Revolution: The Monetary Approach to the Balance of Payments." *Explorations in Economic History* 15:388-406, 1978.

10　ロックの考えでは、物差しの目盛りを変えることで人の身長を伸ばすことができないのと同じように、硬貨のラベルを変えても銀の小片の価値を大きくすることはできない（グレーバー、前掲書、五〇二頁。ロック「貨幣の価値の引上げに関する再考察」『利子・貨幣論』（初期イギリス経済学古典選集4）、田中正司・竹本洋訳、東京大学出版会、一九七八年）。

第8章　商品の救済／人間の救済

1　商品の救済

われわれは、第4章において、ハムレットの台詞を引用し、そこで告発されている「倹約」が、資本主義的な無限への欲望に裏打ちされている、と示唆しておいた。要するに、ハムレットが批判した倹約は、守銭奴の倫理を表現しているのだ。マルクスは、守銭奴こそ「資本」の原型であるとした（『イスラーム篇』第10章）。守銭奴とは、中庸と極端の逆説的な一致である。つまり、守銭奴は、節度を保てというアリストテレス的な中庸の倫理に、カントの定言命法のレベルに達する極端さで執着する人間類型である。

シェイクスピアの作品から資本（主義）に関する教訓を引き出そうとする試みは、実際、マルクス自身によってもなされている。たとえば、若き日のマルクスは、『アテネのタイモン』に言及しながら、貨幣について考察している。この戯曲の主人公、アテネの貴族のタイモンは、守銭奴とは正反対の性格の人物で、気前よく浪費し、借金をかかえている友人を援助したりする。が、気がついてみると自分自身がすでに多額の負債で破産しており、かつて自分が助けた友人の貴族たちに金銭的な援助を求めるが、応じてくれる者は誰一人いない。友人たちの忘恩に失望して、森の洞窟に引きこもったタイモンは、最後に、人類を呪う言葉を残して死んでいく。要するに、守銭奴の対極にあるような人物が、社会から排除されてしまうのだ。この戯曲を引用しつつ、マルクスは、「貨幣は目に見える神である」と書く。そして、フォイエルバッハの論法を応用して、貨幣は、人間の類的本質の疎外の産物だとする。[*1]『資本論』で、マルクスは、この認識をさらに深めている。神としての貨幣という主題を、「物神《フェティッシュ》」としての商品にまで遡って捉え直しているのだ。[*2] 次の文章は、よく知られており、しばしば引用されてきた。

> 商品は、一見、自明な平凡なものに見える。〔だが〕商品の分析は、商品とは非常にへんてこなもので形而上学的な小理屈や神学的な小言でいっぱいなものだということを示す。商品が使用価値であるかぎりでは、…〔中略〕…商品には少しも神秘的なところはない。…〔中略〕…ところが、机が商品として現れるやいなや、それは一つの感覚的であると同時に超感覚的であるものになってしまうのである。[*3]

マルクスは、結局、貨幣物神の謎は、商品物神の謎が人目に見えるようになり、かつ人目をくらますようになったものでしかない、と結論するに至る。[*4] 要するに、商品は宗教現象の一部であり、言わば神学をも包括した論理の中でしかその謎は解くことができない、ということになる。ここは、以前に紹介したアガンベンの議論を、もう一度想起すべき場所であろう（第3章第4節参照）。アガンベンは、古代ローマ法にある「瀆神」の操作に注目したのであった。瀆神は、「神に捧げる」の逆関数であって、神の領域にあるものを人間の領域に取り戻すことを意味していた。物を商品にするためには、瀆神の操作が必要だった。言い換えれば、いったんは神の領域を通過したものが、商品になった[*5]。商品は、形而上学的で神学的だというマルクスの直観に見あった事実であろう。

では、商品の物神性、商品が固有に宗教的な価値を帯びているという事実は、どの場面で現れ、効いてくるのか。商品の交換過程は、「Ware（商品）-Geld（貨幣）-Ware（商品）」という形態変換である。マルクスは、この変換の前半こそ、勝負のときと見ている。「W-G、商品の第一変態または売り。商品体から金体への商品価値の飛び移りは、私が別のところ〔『経済学批判』〕で言ったように、商品の命がけの飛躍 Salto mortale である。この飛躍に失敗すれば、商品にとっては痛くはないが、商品所持者にとってはたしかに痛い」[*6]。柄谷行人は、この「命がけの飛躍」を引き、キルケゴールが信仰について述べていることと関連づけた。要するに、この変換、この飛躍に成功しなければ、商品と商品所持者は、「死に至る病（絶望）」に落ちるほかない[*7]。つまり、商品が売れるということ、W-Gという変態に成功するということは、商品の視点に立てば、宗教的な意味での救済に匹敵する。商品が何であっても、同じことが成り立つ。たとえば、商品が「労働力」であっても、である。

この点に着眼することで、われわれはマックス・ヴェーバーの資本主義論に再び合流することができる。ヴェーバーは、資本主義、近代的な資本主義の成立に対して、宗教改革の（意図せざる）貢献に注目したのであった。宗教改革は、何よりもまず、神による救済の意味とその厳格化にかかわる改革だった。

2　贖宥状と信仰義認

一般の理解に従って、宗教改革の端緒をルターに求めることにしよう。念のために述べておけば、ルター自身は、宗教改革なるものを始めようとか、プロテスタントとかルター派とか呼ばれることになる新たな宗派を樹立しようなどという意図は毛頭もってはいなかった。彼自身は、あくまで、カトリック内部での改革を目指していたのだ。さらに付け加えておけば、ルター以前にも、ルターと同じようなことを主張し、訴えた者はいた。ボヘミアのヤン・フスやイングランドのジョン・ウィクリフがよく知られている。*8

しかし、このような留保を付けられたからといって、ルターがなしたことを小さく見積もってはならない。ルターの行為は、間違いなく、命がけのことであった。実際、ルターは、バチカン（ローマ教皇）から破門の宣告を受け、神聖ローマ皇帝（カール五世）からは異端の判決を下された。ということは、ルターは——フスのように死刑にはならなかったとはいえ——法による保護を一切失ったということである（つまりルターを殺害しても法的には罪を問われない）。

さらに付け加えれば、ルター自身が自分で成し遂げたと解釈していたことよりもずっと大きなことが、ルターの行動によって実現された。たとえば、ヘーゲルは、宗教改革こそは近代の「もっとも重要な革命」であるとしている。ルターの行動は、ヘーゲルが称揚する「自由の精神の原理」に裏打ちされており、世界の「新しい、最終的な旗印」であった、と。それとの対比で、ヘーゲルは、『エンチクロペディ』で、「宗教改革なき革命」、すなわち、腐敗した人倫の体系を、宗教を変えることなく改変したことを、「近代の愚行」と批判している。「宗教改革なき革命」とは、ヘーゲルが同時代的に目撃した革命、つまりフランス革命のことである。彼は、当初、フランス革命を熱狂的に支持していたのに、革命がテロの様相を呈するのを見て、立場を変え、そのフランス革命の失敗の原因を、宗教改革の欠如に求めていたのだ。この宗教改革なき政治革命（フランス革命）と政治革命なき宗教改革（プロテスタンティズム）の関係については、われわれは、両者を、近代に孕まれた内的な複数性として統一的に把握すべきだと——まさにヘーゲル自身の論理を活用して——論じておいた（第2章）。が、この点は今はおくとして、ここで強調しておきたいことは、ヘーゲルには、宗教改革が近代を到来させた決定的な出来事と見えていた、という点である。それくらい、ルターが端緒を開いた一連の出来事は大きかったのだ。

さて、今からおよそ五百年前、つまり一五一七年十月三十一日に、修道士マルティン・ルターが、カトリック教会を批判する「九十五ヵ条の提題」を、ヴィッテンベルク城の教会の扉に張り出した……と言われてはいるが、ほんとうに提題が張り出されたという証拠はなく、専門家はむしろ懐疑的なようだ。*9 いずれにせよ、ルターがこの日付で、マクデブルク大司教でありかつマインツ大司教でもあったアルブレヒト・フォン・ブランデンブルクに宛てた書簡があり、その中に、九十五ヵ条の提題が同封されていたこと、少し前にマインツのヨハネス・グーテンベルクがもたらした印刷機のおかげで、印刷された提題が、瞬く間にヨーロッパ中に伝えられたこと、これらのことは確実である。

ルターは、提題で、カトリック教会の贖宥状を批判した。これはよく知られていることだろう。贖宥状は、罪の赦しと救済に関連した技術である。宗教改革が、真の救済とは何かをめぐるものだったと先ほど述べたが、まずは端緒に、救済という主題が置かれているのだ。贖宥状がどんなものだったのか、ここで説明しておこう。

人間が先天的に原罪を負っている、というのは、キリスト教の基本設定である。原罪は、人間をさらなる過ちへと誘惑する要因にもなる。もちろん、この状態では、天国に入ることはできない（つまり救済されない）。が、洗礼を受ければ、とりあえずは安心だ。洗礼によって、それまでの罪が赦されることになっているからだ。そうだとすれば、洗礼の儀式は、死の直前になされることが望ましいはずで、実際、古代にはそうだった。しかし、中世では、洗礼は、戸籍の登録のようなものになり、生まれた直後に行われるようになった。人はいつ死ぬかわからないし、また生まれてからすぐに死亡する幼児もたくさんいたことを思えば、これはこれで合理性がある。しかし、このやり方は、重大な問題を残す。洗礼を受けた後に犯した過ちはどうするのか。生きている限り、人は罪を犯すだろう。その洗礼後の罪が赦されなければ、天国には入れない。

この問題に対処し、信者たちに安心を与えるための技術が、「悔い改めのサクラメント」である。悔い改めのサクラメントは、痛悔（罪を自覚し、悔い改めようと思う）、告白（司祭を前にして罪を告白し、司祭に、「私はあなたの（その）罪を赦す」と宣言してもらう）、償いの三つの要素から成り立っていた。三つ目の「償い」とは、罪に対する代価である。徹夜の祈りとか断食とかの罰を、司祭が神に代わって信者に科し、この罰を受けることで、罪を償ったとされた。

悔い改めのサクラメントを経ていれば、天国に行けるのだが、これで完全に安心というわけにはいかない。悔い改めのサクラメントの後に罪を犯し、次のサクラメントを済ます前に死んでしまったら、たいへんなことになるからだ。そこで、頻繁に――ほぼ毎日――サクラメントを行おうとする者も出てきた。さらに、「赦し」の貯蓄のようなこともできたらしい。まだ犯していない罪について告白し——ということは嘘の告白をして——、あらかじめ償いをしておくのだ。そうしておけば、実際に罪を犯したときに、貯めておいた償いで赦しを得ることができる、というわけだ。

だが、こんなことを許していたら教会の方が対応できない。悔い改めのサクラメントが際限なく増加してしまうからだ。そこで、教会側は、悔い改めは一年に一度くらいでちょうどよいと教えたりするが、そんなことでは、問題は解決しない。信者の不安に応えていないからだ。そこで編み出されたのが贖宥状である。

罪の償いは代理人による実行が可能だ、という考えが前提にある。もともと、罪と償いは、損害と弁済、つまり（負の）互酬的関係としてイメージされている。罪を犯すことは、神に損害を与えることで、償いは、その弁済だというわけだ。その上で、多くの伝統社会では、弁済に関しては、同害報復の論理が通用していた。同害報復とは——以前に説明したことがあるが——、部族Aのメンバーaが別の部族Bのメンバーbに損害を与えたとき、部族A内の別のメンバーa′が弁済することができる、という考えである。たとえば、aがbを殺してしまったとき、aは死によってその罪を贖うべきところだが、代わりにa′が死んでもよかった。このやり方を、キリスト教を受け入れたゲルマン人も知っていた。このシンプルな応用として、信者の誰かの罪を司祭や修道士のような聖職者が代理に弁済すること、つまり信者それぞれに罰として科されたことを聖職者が代わりに実行することができる、という結論が導かれるだろう。贖宥状とは、自分の罪への償いの課題を聖職者が代行してくれたということを証明する文書である。これを買っておけば、誰かが自分の知らないところで、自分の代わりに償いを済ませてくれるから、天国に入るときに困らない、というわけだ。この文書をパスポートとして提示すればよいからだ。

信者は、贖宥状を教会から買った。贖宥状はそれほど高価ではなかったが、しかし、贖宥状の販売が、教会に莫大な利益をもたらすことは明らかだ。ローマ教会以外の誰も贖宥状を発行できない以上、完全な独占市場のようなものであり、教会は、ほとんどコストがかからない物に対して、どのような値段を付けることも可能だったからだ。そして、ヨーロッパ中の信者がこれを欲しがったからだ。

贖宥状は信者にとっても都合がよい。お金によって、天国へ行く確証と安心を得ることができたからだ。見方を変えれば、贖宥状への支払いは、神への――実際は教会への――賄賂のようなものだ。ルターは、これに反対した。贖宥状の購入によって悔い改めが完了すると考えるのは間違っている、と。主イエス・キリストが「悔い改めよ」と命じたとき、主は、信者たちの生涯のすべてが悔い改めであることを願ったはずだ、というのだ。金ではなく、生涯間断なく続く、心からの悔い改めが必要だ、というのがルターの主張である。

ルターの言い分は、現代のわれわれから見るときわめてリーズナブルに思える。ルターの考えの詳細に立ち入る前に、もう少しだけ、贖宥状について見ておこう。贖宥状の購入とは、どのように行われたのか。ルターと同時代を生きた、マイスタージンガー（親方詩人）のハンス・ザックスの詩「ヴィッテンベルクの鶯」に次のようなくだりがあるという。


そこにお歴々がやってきたのである／ローマ主義者[10]とドイツでは呼ばれているあの人々が／

巨大な贖宥状の箱をもって／旗が巻きつけられた赤い十字架とともに／そして女に、男にこう叫んだのだ／投資すべきです／いや、あなたたちの助けと義援金によって／煉獄から魂を救い出してやるのです／グルデン金貨がこの箱の中でちゃりんと音をたてれば／たちまち魂は天国に

贖宥状についてかなりていねいに説明したのには、実は意図がある。贖宥状の売買は、「資本主義」を連想させる行為だった、ということを示すためだ。売る側の教会が、市場を完全に独占してボロ儲けしている大企業のようだ、というのは先に述べた通りだが、ここで注目しておきたいことは、買う信者の側の行動も、資本主義的だということだ。贖宥状を買うことは、信用取引に応ずるようなものである。引用した詩は、実際、これを投資に喩えている。

だが、カトリックではなくプロテスタントが資本主義への離陸を促したという事実が意味していることは、このように宗教に直接関わる行動が露骨に資本主義的である間は、資本主義は本格的には始まらなかった、ということである。ルターの行動によって端緒を開かれた宗教改革は、贖宥状に示された救済のアイデアからどんどん遠ざかっていく。つまり、プロテスタントの場合には、直接に宗教にかかわる領域からは、こんな露骨に資本主義を彷彿させる取引のような行動は消えていく。すると、奇妙なことに、「抑圧されたものの回帰」を連想させる様式で、宗教から離れた領域で、つまり経済的な行動において、比喩ではなく文字通りの資本主義的な行動が出現してきたのだ。救済の領域から排除したものが、経済の領域に現れ出ているのである。[*11] どうしてそうなるのだろうか。

＊

贖宥状への批判から始めて、ルターは、結局、その生涯を通じてどのようなことを主張したのか。贖宥状批判がすでに暗に含意しているように、それまで、正統的な教義の無謬の源泉とされていた教皇も公会議も、過ちを犯す可能性がある。とすれば、こうした誤りを判定する根拠、正しさの根拠をどこに見ればよいのか。「聖書のみ」、これがルターの回答である。

しかも、ルターは、誰もが聖書を読み、解釈してもよい、と主張した。この点は、『近世篇』(たとえば第６章)でも強調したことだが、カトリックの下では、一般の人が聖書を自由に読むことは禁止されていた(ラテン語ができないから、読めなかった)。聖書を読んで、解釈するのが司祭の仕事であり、最終的に、正しい解釈を決定する権限は、教皇に独占されていたのだ。それに対して、ルターは、誰もが、司祭と同じように、聖書を読み、解釈できる、と主張した。つまり、「万人祭司(全信徒の祭司性)」。彼は、こう言っている。霊的な観点からは、「すべての人は……真の司祭であり、司教であり、また教皇」である、と。[*12]

聖書は、さまざまに解釈できる。そのことによって、プロテスタンティズムでは、次のような逆説が生ずる。教義の正しさを判定するための権威の源泉を(聖書のみとして)厳密に単一化したことで、かえって、解釈が多様化してしまったのだ。カトリックでは、解釈は、教皇の恣意にまかされていたがために、教義は単一化されていた。プロテスタンティズムでは、逆のことが生じた。カトリックが一枚岩なのに、プロテスタント側は、単一の宗派があるわけではなく、「ルター派」「カルヴァン派」「再洗礼派」等々のほとんど無数と言いたくなるほど多くの宗派の集合になるのは、そのためである。

さて、ルターの説の中で最も重要なのが、救済に関係する部分である。救いとは、義とされることである。義とされた人物、つまり義人とは、道徳的に正しい人という意味ではない。義というのは、神との関係の正しさを指している。神との関係が壊れている状態が、罪であり、罪を負う人は天国には行けない。どうやったら、義人になれるのか。献金しても、告白しても、償いの行為をしても、義人になることができるわけではない。人を義とすることができるのは、神のみである。神は自らを信ずる者に義を与える。ということは、人間の側は、自分が義とされているかどうかということを確信することは絶対にできない、ということになる。悔い改めのサクラメントや贖宥状の購入によって安心できたカトリックとは対照的だ。

だが、このような考えが妥当性をもつためには、本来は義ではない人間に、つまり義をもたない人間に、神が義を与えることができる、という保証が必要である。それこそが、人間の罪とキリストの義との間の互酬的交換というアイデアである。ルターが聖書から読み取ったのは、罪のないイエスが人間の罪を引き取り、代わりに人間に義を与えたということ、ここにイエスの死の意味があるということ、これである。本来は罪のある人間に義を与えること、そのような人間を義と認めること、これが「義認」と呼ばれる。ルターは、まことに端的に、「キリストの義と人間の罪が交換される」と表現している。結局、人間が義とされるためには、自己言及的に、まさにこの事実を、人間が神によって義とされたという事実を信ずる信仰による、ということになる。これが、ルターの「信仰義認」である。

しかし、このどこに資本主義に結びつく要素があるというのか。義認の概念に含意されている

「交換」が、市場交換を連想させなくもないが、贖宥状に比べると、資本主義から離れている。というより、キリストの義と人間の罪が交換されることで、かえって、人間の側の負債は大きくなっているはずであり、市場で公正とされる決済はなされていない。資本主義との乖離は、カトリックの場合よりも大きくなっているように見える。

3 不可解なり、予定説

ルターの主張を見てきた。いずれにせよ、ヴェーバーが資本主義の精神との結びつきに関して重視したのは、ルター派よりも、その後に出てきた改革派（カルヴァン派）の方である。ヴェーバーがとりわけ決定的であると見なしたのは、カルヴァン派と結びつけられている予定説である。予定説は、信仰義認の考えの徹底化、カトリックの救済のアイデアから信仰義認を隔てる距離をさらに延長したときに得られる説だと解釈することができる。

予定説は、救済されているのか呪われているのか、つまり天国に行くのか地獄に行くのかは、あらかじめ神によって決められていて（予定されていて）、何者もそれを変えることはできない、という説である。救済と滅びの両方が予定されているので、二重予定説と言われる場合もある。この説によれば、最終的な合否判定、つまり世界の終わりの日にある最後の審判において、合格とされ、天国への入場を認められるのか、不合格とされ、地獄へとまわされるのかは、すでに決まっているのだ。人間はそれを変更することはできない。

予定説には、もうひとつ重要な条件がある。「救済か呪いか」（合否）はすでに決まっているのに、人間は、最後の日まで、決してそれを知ることができない。ルターも、自分が義とされているかどうかの確証に人は到達できない、ということを強調したが、予定説もこの点では同じである。人間は、あれこれ考えたり、悩んだりはするだろう。自分が救われているのか、神に義とされているのか、それともダメなのか、と。しかし、確実な予測はできない。なぜならば、神は人間とは圧倒的に隔絶されているのであって、人間の卑小な想像力や類推は、とうていそれには及ばないからだ。人間の観点から善いことが、神にとっても善いかどうかはわからない。人間の観点と神の観点とは似てはいないからだ。

ヴェーバーは、予定説と資本主義の精神とのつながりを論じたわけだが、敬虔な改革派の信者は、これをあまり好ましく思わないようだ。[*13] 理由はいくつかある。予定説は、資本主義の発展を意図して唱えられたわけではない、ということがまずはあるだろう。資本主義は――仮に予定説と因果関係があったとしても――純粋に意図せざる結果である。実際のところ、資本主義は、予定説にとっては、意図しない限りでのみ到達しえた結果（のひとつ）なのだ。[*14] いずれにせよ、「資本主義」なるものをそれほどよいとは思っていない改革派信者にとっては、予定説と資本主義とが何か関係があるかのように言われるのはおもしろくないのだろう。

もうひとつ、改革派がヴェーバーのテーゼに対して抗議する際にしばしば指摘されることは、予定説がカルヴァンの創見ではない、ということだ。予定説のルーツはカルヴァンにあるわけではない。カルヴァンが登場するより前からあった説である。予定説の起源は、一四世紀のアウグスティヌス・ルネサンスにあるようだ。[*15] この事実は、アウグスティヌスの説がすでに予定説にかなり近かったということをも意味している。こうしたことを思うと、カルヴァンが「主犯」であるかのような説明は不当だ、というわけだ。

しかし、われわれの目的は、教義の歴史、キリスト教思想の歴史ではない。その社会的影響である。予定説が誰によって最初に唱えられようが、これを社会的に広く波及させたのは、改革派である。改革派が登場して、過去の教説の中から特に予定説を重視しなければ、今日、予定説がこれほど広く社会的に認知されることもなく、またそれが広範な影響を留めることもなかったはずだ。予定説はカルヴァンだけが唱えたわけではない、という説明は、ヴェーバーの説にはあまり関係がない。

＊

さて、改革派の予定説と資本主義との結びつきについてのヴェーバーのテーゼは、一方では、きわめて直接的な説得力をもち、他方では、同じくらい直接的な疑問を誘発しもする。まず、説得力の方から解説しよう。ヴェーバーの説が魅力的なのは、社会科学の専門家でなくても知っている――少なくとも欧米の人々ならばたいてい気づいている――事実とよく合致するということである。資本主義の「優等生」ともいうべき先進国は、たいてい、プロテスタンティズムの伝統が優位の国である。中でも、カルヴァン派との親和性が高い国々が、優勢である。どうしてそうなるのかはともかくとして、多くの人は、この事実に気づいている。第2章第3節で引用した、歴史家ピエール・ショーニュの文章を思い起こしてほしい。彼は、一九八〇年代の初頭に、こう書いている。二〇世紀の後半の地図と一六世紀半ばの地図（ただしヨーロッパ）を比べると、その一致の割合の高さに驚く、と。所得の多い順に、あるいは研究・開発投資の多い順に国や地方を並べると、上位はプロテスタントが多数派だった地域、中でもカルヴァン主義の影響が強かった地域になる、とショーニュは指摘していた。ショーニュがこう論じてからおよそ四十年経った現在でも、この指摘はおおむね妥当する。このように、プロテスタンティズム（特にカルヴァン派）と資本主義との間の親和的な関係は、ヴェーバーが論文を発表する前から知られていたことである。ヴェーバーの説は、この意味では、きわめて説得的である。

しかし、この説には根本的な間違いがある、と思いたくなる理由もある。まずは、――説得力の原因としてあげたことをそのまま否定しているように思われるかもしれないが――そうは言っても、資本主義は、カルヴァン派やプロテスタンティズムの伝統がない地域にも波及し、それなりに成功している、ということがある。カトリック系のキリスト教が広く深く定着していた地域や国でも、資本主義はそこそこ成功している。それどころか、キリスト教との縁がきわめて希薄な地域でも、資本主義という点では繁栄している社会や地域もある。日本社会はその最たる例である。すると、プロテスタンティズムや予定説と資本主義との間に何か強い関係があるとする説は、とても疑わしいのではないか、と思いたくなる。

予定説と資本主義との関係に疑義が生ずるもう一つの理由、もっと大きな理由は、両者をつなぐ論理の道がありそうもない、という点にある。ヴェーバーはまさに論理の筋道を説明しようとはしているのだが、はっきり言えば、よくわからない。そして、冷静に考え直してみれば、予定説のような教義が、人々の行動に積極的な影響を与えるとはとうてい思えない。人々の行動を特定の方向に導くような思想や理念は、「このようにすればよいことがある」「このようにすれば幸福になる」「このようにすれば救済の確率が高まる」という趣旨のことを訴えなくてはならないのではあるまいか。つまり、ある特定の行動が、行為者にとって快楽や幸福につながりうる、ということを納得させなくてはならない。すでに救済されるか破滅なのかは予定されていて、あなたが何をしても変更することはできない、という教えが、人の行動に積極的に作用することなどありえようか。誰かが、予定説を信じているとしよう。このことは、彼の行動に何の影響も与えないか、あるいは、影響があるとすれば、消極的・否定的なものではないか。つまり、予定説は、ある特定の行動を積極的に選択させるようには作用せず、せいぜい、ある行動への意欲を減退させるというような方向で作用するだけではないか。

　たとえば、カトリックの聖職者は、償いの行為によって、あるいは贖宥状の購入によって、天国に行くことができる、と説くので、信者たちは、がんばって償ったり、なけなしのグルデン金貨を使って贖宥状を獲得したりするのだ。キリスト教でなくても同じだ。たとえば、仏教では、善業が善果を導き、最終的には解脱の確率を高めるとされるので、人々は、善業を積み、悪業を避けようと努力するのである。だが予定説にはそのような効果がありそうもない。もしあなたが教師だったら、試しに学生たちに宣言してみるとよい。「今年のこの授業は予定説でいく。あらかじめ教えるわけにはいかないが、君たち一人ひとりの合否はすでに決まっており、何をやっても変えられない」と。こんな宣言をしたら、学生たちは絶対に勉強はしない。あなたの授業に出席する者はほとんどいなくなるだろう。学生たちに学習への意欲をもたせたければ、教師は、講義をよく聞き、与えられた課題をがんばってこなせば、つまり努力すれば、合格する確率が高まる、と学生たちに伝えねばなるまい。

　要するに、予定説は、資本主義はおろか、どのような積極的な社会的影響をもたらしそうもない説である。予定説は、どんな行動も、行為者の最終的な幸福（救済）と不幸（呪い）に何の影響ももたらすことはない、と声高に主張していることになるからだ。これが資本主義などという、近代社会にとっての最も基本的な枠組みの形成に関与した、などということがありうるのだろうか。

4　神概念の論理的極限

後者の問題（論理の筋の問題）は、鍵の中の鍵だが、複雑なので、章をあらためて論ずるほかない。ヴェーバーの説明を大胆に再構成しなければ、納得のいく説明にはならないだろう。本章ではとりあえず、前者の問題（カルヴァン主義の伝統が弱い地域や社会にも資本主義は成長したではないかという問題）についてだけ、考察する上での正しい前提を説明しておこう。

ミスリーディングなのは、「カルヴァン派の予定説」という捉え方である。それは、予定説を唱えた神学者か聖職者がカルヴァンよりも前にいたとか、予定説を支持しているのはカルヴァン派だけではない、という趣旨ではない。にもかかわらず、予定説という教義を、ひとつの——あるいはせいぜいいくつかの——宗派に所属する独特の説のように考えるべきではないのだ。そもそも、資本主義のようなグローバルな現象を説明する決定的な要因として、「カルヴァン派」という条件は、あまりにも特定され過ぎている。確かに、改革派（カルヴァン派）は、プロテスタントのきわめて有力な宗派ではある。が、プロテスタントのいくつもある宗派の一つでしかなく、キリスト教の全体をすら代表できてはいない。資本主義という大きな現象の説明要因として、カルヴァン派はあまりに特殊である。そうだとすれば、われわれは、予定説をどう捉えるのが適切なのか。

次のようなケースと比較してみよう。ある一定の地域に、何らかの習慣、たとえば豚肉を決して食べないといった習慣が定着していたとしよう。調べてみると、その地域でかつて普及していた宗教の法に、豚肉を食すことを禁ずる規定があったとする。われわれは、当然、そうした宗教法の影響が今日まで残存している、と結論するだろう。

ここでもし、そのような宗教の伝統がない地域でも、豚肉食が忌避されている、ということが見出されたとしよう。この場合、われわれは、後者の地域に関しては、別の原因があったと考えるか、さもなければ、二つの地域の両方に共通する、宗教以外の原因を見つけるか、どちらかにしなくてはならない。いずれにしても、「豚肉食のタブー」に対する、その宗教法の影響は相対化される。その宗教の教義や法は、豚肉食の制限をもたらした唯一の原因ではない、等と。

予定説についてはどうなのか。この豚肉食を禁止した特定の宗教の法的規定と同じように考えるべきなのか。違う。予定説は、ある特定の宗派の特殊な教義として位置付けるべきではない。では、どう考えるべきか。それは、ある理念の論理的極限と見るべきである。どんな理念の？一神教における神の超越性の、である。

考えてみれば、宗教改革とは、神の超越性の論理を純粋化し、洗練させていく運動である。カトリックを含む、いやキリスト教を含む唯一神教にとって、神は、人間や被造物を絶対的に超越した存在であることは自明の前提である。神は無限で、全知にして全能である。しかし、この神の絶対的な超越性という前提は、教義や行動の中で、必ずしも厳密には実現されない。そうした問題が、カトリックの救済の教えの中には露骨に現れている。償いの行動や贖宥状の購入によって、天国への入場が確実になったとすると、結局、人間の行いが神の意思——その人を救うのか呪うのかという決定——を規定していることになる。このとき、神の人間に対する超越性は相対化されてしまう。人間と神のどちらが超越的なレベルにいて、どちらが内在的なレベルにあるのかが決定できなくなるのだ。

神の超越性のこのような相対化をルターは拒否した。彼は、神の超越性をまさに超越性として純化しようとしたのだ。ある人を義とするかどうかは、もっぱら神が決める。人間が自分で自分を義とすることは不可能だ。こうした神と被造物との間の超越性／内在性に関する、論理の混乱は回避されたかに見える。が、ルターにはまだ微妙に不徹底な部分が残っている。「信仰によってその人を義とする」という形式で、神の決定に、義とすべきか否かについての神の決定に、人間が最終的なレベルでは介入が可能であるかのように考えているからである。つまり、人間の信仰が神の決定を動かしているかのように想定されているからである。

神の超越性を真に純粋化すれば、いかなる論理の混乱も避けてこれを純化するならば、予定説が自然と導かれる。神は人間の行動や心情から一切の影響を受けずに、自ら決定する。人間の行動に神の意思が動かされることはない。また、神は超越的であり、それゆえ全知なのだから、はじめから（最終的な救済について）決めておくのは当然である。見通していなかった予想外のことが起きて、最終的な結論を変更しなくてはならなくなる、などということは神にはありえないからだ。神が予定しなかったことを人間がなしうると想定することは、神の全知、神の超越性を相対化することであろう。

このように、予定説は、一神教的な神という概念が潜在的に孕んでいる論理的な極限である。その意味では、神の概念を有する者、神を信ずる者は、すべて潜在的にはこの極限を指向している、と見なさなくてはならない。実際に公然とこれを唱えるかどうかは別として、予定説は、一神教のすべての立場がそれをめぐって位置づけられるような焦点である。神の超越性は、一神教の絶対の前提だからだ。予定説を特定の宗派の特殊な教義と見なしてはならないのは、このためである。予定説は、超越的な神の概念の中核に一般的に含まれている。

しかし、同時に、予定説を明示的に公言できる者は少ない。なぜなのか。そこまで行ってしまえば、人間にとって神は（ほとんど）無関連《イレリバント》なものになってしまうように思われるからだ。そのような神には、何のありがたみもないように思える。人間の行いによって、人間の幸福や救済の可能性を高めてくれる神でないとしたら、そんな神をわざわざ信じる者がいるだろうか。だが、実際に、そのような神を信じる者はいたのだ。そして繰り返せば、神の概念は、すべて、このような方向へと、つまり予定説という極限へと潜在的には差し向けられているのである。とすれば、予定説の効果は、カルヴァン派に固有の主題ではない。

1　カール・マルクス『経済学・哲学草稿』城塚登・田中吉六訳、岩波文庫。

2　柄谷行人は、貨幣＝神という見方から商品物神を中心とする議論への転換を、非連続的な飛躍と見なしている（「精神としての資本」『現代思想』四五巻11号、二〇一七年）。この飛躍は、マルクスの論理の中心が、「疎外論」から「物象化論」へと転換したことに対応していると言えるだろう（たとえば、次を参照。廣松渉『マルクス主義の地平』勁草書房、一九六九年。ほか)。

3　マルクス『資本論1』岡崎次郎訳、大月文庫、一二三頁。

4　『資本論』第一部・第一篇・第二章「交換過程」の結語。

5　フィリップ・ジェイムズ・ハミルトン・グリァスンの『沈黙交易——異文化接触の原初的メカニズム序説』(中村勝訳、ハーベスト社、一九九七年(原著一九〇三年))に記された事実を視野に含めると、この認識を、ローマ法という特定の文脈から解き放って、一般化することができる。原初的な市場交換は、沈黙交易の形態をとる(交易当事者が直接に交渉したり、言葉を交わしたりせずに行われる交易で、双方が、特定の場所に、相手に与える物を置き、それぞれが相手からの物を吟味し、両者が満足したところで交易が成立したとされる)。グリァスンが、各地の沈黙交易を比較したところによると、交易はしばしば、神聖であることを通じて、双方にとって中立的な場所で執り行われた。つまり、そこで、物は、やはり聖別されることを媒介にして商品化するのである。戦国時代までの日本で、「虹」が立った場所に市が開設されたのも、同じ論理に基づく(『イスラーム篇』第10章)。

6　『資本論1』岡崎訳、一九一頁。

7　柄谷行人『トランスクリティーク』批評空間、二〇〇一年。

8　フスについては、『近世篇』第4章・第5章参照。

9　ロバート・スクリブナー『ドイツ宗教改革』森田安一訳、岩波書店、二〇〇九年(原著二〇〇三年)。

10　ローマ主義者は、ローマ教皇(カトリック)に忠実な人のこと。

11　先に、ルターは、九十五ヵ条の提題を、マクデブルクの大司教とマインツの大司教を兼務していたアルブレヒト・フォン・ブランデンブルクに宛てて送った、と述べた。ブランデンブルク選帝侯ヨアヒム一世の弟にあたる、アルブレヒトという男はもともと聖職者だったわけではない。彼は、金儲けと出世のために、大司教の座に就いたのである。ほんとうは、一人の人物が二つの大司教を兼務することは、禁止されていた。特に、マインツ大司教は、神聖ローマ皇帝を選ぶ権利をもつ選帝侯の一つで、重要なポストだった。その上、彼が大司教になったときには、一般に大司教に適齢とされている三十歳に達していなかった。つまり、アルブレヒトは、言わば大企業の内規に反するかたちで、異例の大出世を遂げていたのだ。なぜそんなことができたかと言えば、人事権を握る「会社」の役員たちに、つまりバチカン（ローマ教皇庁）に多額の賄賂を贈ったからである。この賄賂のための資金を調達したのが、アウクスブルクの金融業者ヤーコプ・フッガーである。だから、アルブレヒトはフッガー家に多額の借金があった。その借金の返済のために、アルブレヒトは、バチカンから神聖ローマ帝国内での贖宥状販売の独占権を獲得した。ルターが、この人物に九十五ヵ条の提題を送りつけたのは、こうした背景があったからだ。そして、アルブレヒトに金を貸した人物、ヤーコプ・フッガーこそ、マックス・ヴェーバーが『プロテスタンティズムの倫理と資本主義の精神』の冒頭でベンジャミン・フランクリンと対照させた人物、つまりいかにも資本主義的に見えるかもしれないが、「資本主義の精神」を十分に体現しているとは言えないとされた人物に他ならない（第5章参照）。確たる証拠はないが、信憑性のある説によれば、アルブレヒトに「贖宥状販売の独占権を得たらどうか」と教唆したのも、ヤーコプ・フッガーである。

12　『キリスト教界の改善について――ドイツのキリスト者貴族に宛てて』より。この文書に、さらに『教会のバビロン捕囚について　マルティン・ルター序曲』『キリスト者の自由について』の二文書を加えて、宗教改革三大文書と呼ばれている。三つとも一五二〇年に書かれた。

13　稲垣久和・大澤真幸『キリスト教と近代の迷宮』春秋社、二〇一八年。

14　意図せざる副産物としてのみ獲得できることはたくさんある。以下を参照。Jon Elster, *Sour Grapes: Studies in the Subversion of Rationality*, Cambridge University Press, 1983.

15　Alister E. McGrath, "*John Calvin and Late Mediaeval Thought*," Archiv für Reformationsgeschichte-Archive for Reformation History, 1986.

第9章　召命と階級

1　召命としての職業

前章で、われわれは一神教の神概念のうちに孕まれている潜在的な指向性を論理的に純化すると、それは、結局、予定説（の神）に至る、と述べた。したがって、予定説は、終末論的な構成をもった一神教のすべての宗派が、それをめぐって展開している基準点のようなものである。実際に予定説を公然と唱える宗派、予定説をそのまま額面通り信じる信者は、そんなに多くはない。それは、一神教の中でも少数派にならざるをえない。予定説はあまりに過酷で、容赦がないので、喜んで信じたくなるような端的な魅力に欠けているからだ。しかし、一神教を信じている者は、意識のレベルでは予定説を拒否しているつもりでも、潜在的には予定説の方を向いており、予定説を目指していると解釈しなくてはならない。その意味で、予定説を、プロテスタントの改革派などの一部の宗派の専有物であるかのように解するのは適切ではない。

マックス・ヴェーバーが、資本主義の精神との親和性を見出したのは、この予定説に関して、である。前章で述べたように、予定説は、しかし、資本主義の一原因になるどころか、およそ、人間の行動に積極的な影響を一切与えそうもない教義である。予定説は、信じたければ信じてもよいがそれだからどうなんだ、と言いたくなる教義だ。つまり、それは、人間の精神の体系の中で、他の項目と噛み合わない事項、遊んでいる歯車ではないか。

実際、「神」などという前提を抜きにして、一見、予定説に似た、運命の決定論を信じている人はたくさんいるだろうが、つまり、自分の人生はビッグバンを端緒にもつ宇宙規模の決定論的な因果関係の展開の一部であると思っている人は少なからずいるだろうが、そういう人がとりたてて特別な倫理的性向や生活態度をもっているわけではない。予定説によれば、人間は神の決定に影響を与えることができず、かつ神の判断を知ることもできないのだから、予定説の信者とこの運命決定論の支持者では、実質的には同じ内容のことを信じているように見える。確かに、予定説の信者の場合には、結末に救済または呪いがあるとの想定がある点でただの運命決定論者と異なるが、どちらにせよ、自分のこの世での行動はこの結果に何の影響も与えないのだから、この想定は、人生そのものに何らかの効果をもたらすはずがない（ように思える）。運命決定論者の行動に、とりたててはっきりとした傾向性がないのだとすれば、予定説でも同じはずだ。

ところが、ヴェーバーの考えでは、予定説が絶大な効果を発揮し、資本主義の精神の発生と普及に促進的に機能する。いったいどのような論理が効いているのか。実のところ、ヴェーバーの説明は明快とは言い難い。われわれとしては、ヴェーバーの議論を再構成し、その歯切れの悪い部分を修正し、明晰化するつもりである。

が、その前に、いやそのためにこそ、済ませておかなければならないことが一つある。ヴェーバーは、ルター派がもたらした「Beruf《ベルーフ》」の概念の刷新に注目している。予定説についてのヴェーバーの議論は、このことが前提になっている。だから、われわれとしては、まず、この点についてのヴェーバーの議論を概観しておこう。さらに、この概念には、ヴェーバーが積極的に論じたこと以上の広がりがあること、その広がりは、資本主義という社会システムの理解に資するところがきわめて大きいということ、これらのことを示しておこう。

＊

さて、パウロは「コリント人への第一の手紙」でこう書いている。

> 主がおのおのに分け与えた分に応じ、神がおのおのを召されたときの状態のままに歩みなさい。これはすべての教会でわたしが命じていることです。（七章一七節）

ここで、「召された klētós《クレートス》」は、動詞 kaléō《カレオー》〔召喚する〕に由来する。マックス・ヴェーバーは、「資本主義の精神」と「プロテスタンティズムのエートス」との関係を見る際にまずは、ルター訳――として普及した――聖書で、これらの語の系列に属する「klēsis《クレーシス》〔召命〕」にドイツ語の「Beruf《ベルーフ》」が充てられたことに注目した。ここで、「資本主義の精神」は、ヴェーバーがもともと定義した強い意味である。つまり、それは、功利主義的・快楽主義的な動機（ヤーコプ・フッガー）とは独立に、利益を倫理的に追求しようとする心性（ベンジャミン・フランクリン）である。もっとも、われわれは、「資本主義の精神」を、ヴェーバーがこの語に込めたような意味を中核におきながら、それを、もっと緩やかに、たとえば、周辺部には、フッガーやコルテスのような態度をも含めるようなかたちで理解してもかまわない、という趣旨のことを述べておいた

（第5章）。いずれにせよ、繰り返せば、資本主義の精神のその中核部分の成立を説明するには、「ベルーフ」という概念のもつ広がりや、その社会的な普及に注目しなくてはならない、というのがヴェーバーの洞見である。「ルター訳」として知られ、普及した聖書によって定着した翻訳に現れているように、ルター派の興隆とともに、「召命」を意味するこの語が、近代的な「職業」という意味も獲得するようになった。ここが、ヴェーバーの着眼点である。*1

以前、ヴェーバーに従って、資本主義の精神を規定するに際して、フランクリンの三つの教えを引用した。たとえば、その第一の教え「時は金なり」に最もよく現れているように、資本主義のもとで主体は、まるで自分に永続的に負債があるかのような感覚になっており、その負債によって駆り立てられている。その負債には、倫理的・宗教的な重みが与えられている。要するに、負債は罪である。職業が神からの召命として意味づけられたということは、資本主義的な主体のこのような日常的な罪責感を、少なくとも部分的には説明するだろう。負債は、神からの呼びかけに応じきれていないことの表現になるからだ。

「ベルーフ」という概念には、救済論的な意味も含まれている。このことは、今しがた引用したパウロの言葉の中からも容易に読み取ることができる。たとえば、ここにある「すべての教会ekklēsíais」という語。これもまた、「klēsis」と同族のことばである。教会という信仰共同体は、パウロにとっては、救済へと差し向けられた者たちの共同体である。もし職業が「召命」であるならば、われわれの労働の全体が教会的・宗教的な意味を、つまり救済に関わる意味を帯びることになる。召命に応じることは、少なくとも、必要条件である。さらに言えば、それは十分条件かもしれない。召命に正しく応答することによって、神によって義とされることになっているかもしれないからだ。

ルター派の登場とともに、「クレーシス（召命）」という宗教的な意味と「ベルーフ（職業）」という近代的な意味が短絡した。この短絡は、ルターの中核的な主張のひとつ、「万人祭司（全信徒の祭司性）」の指向性のひとつの現れと解することができるだろう。万人祭司とは、誰もが聖書を祭司のように読み、かつ解釈してもよい、という考えである。ここで、聖書の解釈権を独占している聖職者とそれに従うだけの俗人という区別が撤廃されている。ここで目指されていることは、宗教的な価値に関してポジティヴに有徴《マーク》化されている人々――つまりは聖性の濃度が高いとされている人々――を、社会的に普遍化することである。要するに、誰もが聖職者だ、という状態が目指されているのである。これと同じ普遍化を、人間の活動領域に適用したらどうなるのか。俗人の世俗的な労働がすでに神の召命への応答としての意味を帯びることになるだろう。

以下は、ルター派に限らず、宗教改革全般の意義についてヴェーバーが論じた部分である。

> すでにセバスティアン・フランクは宗教改革の意義を明らかにしようとして、いまやすべてのキリスト者は生涯を通じて修道士とならねばならなくなった、としているが、これはこうした宗教意識の性質の説明としてまことに核心を衝いたものだ。世俗的日常生活から禁欲が流れ出てしまわないように堰堤《えんてい》が設けられ、かつては修道士の最良の代表者であったあの熱情的に厳粛かつ内面的な人々が、いまや世俗的職業生活の内部で、禁欲の理想を追求しなければならなくなったのだ。*2

ここでセバスティアン・フランクに言及しつつ強調されていることは、宗教改革を通じて、世俗的な生活、労働をその中心においた世俗の生活が、すでに、修道士の活動と同じような聖なる仕事であり、召命に応じたものとして意味づけられている、という点である。しかし、ヴェーバーによれば、パウロの本来のテクストには、現世的な職業についていかなる肯定的な評価もほんとうは含まれてはいなかった。

パウロの言葉にたち戻っておこう。「コリント人への第一の手紙」で、先に引用した一節に続けて、パウロは次のような趣旨のことを書いている。もしあなたが割礼を受けている者として召されているのであれば、割礼の跡を消してはならず、もしあなたが割礼を受けていずに召されているのであれば、割礼を受けようとしてはならない。もしあなたが召されたときに奴隷であれば、自由の身になろうとしてはならず、もしあなたが自由な身分の者として召されたのであれば、奴隷になってはならない。

この部分を引いたあとに、ヴェーバーが述べていることが、いささか興味深い。この部分で、（パウロの）「クレーシス」という言葉が、今日の「職業」を意味してはいないことが確実だ、と断定するに先立って、ヴェーバーは次のような解釈を示す。この「クレーシス」は、ラテン語のstatus（スタトゥス）、あるいはドイツ語のStand（シュタント）に相当する、と。「Stand」とは、「身分」――「奴隷の身分」とか「既婚の身分」とかという用法における身分である、とヴェーバーはわざわざ念入りに解説している。この指摘は、（本章の）後で述べる論点のための伏線になる。「ルター訳」の「ベルーフ」は、パウロの「クレーシス」のある側面の否定となっているわけだが、「クレーシス」のどの側面が、どの意味素が否定されているのか、がここではっきりと特定されているのは、「身分」という含意である。

ともあれ、もう一度要点を繰り返しておこう。「ルター訳」として普及した聖書において、「クレーシス（召命）」は「ベルーフ（職業）」という語に対応させられていた。ここには、パウロ自身が考えていなかったかたちで、宗教（召命）と世俗（職業）とが架橋されており、ヴェーバーはこの事実に注目した。念のために述べておけば、ここから単純に、「ルター訳聖書の影響で……」云々と理解するのはあまりに幼稚である。このような訳語が説得的なものとなるような社会的条件が、一六世紀以降整いつつあった、と事態を理解しなくてはならない。

2　召命の廃棄としての召命

ヴェーバーの解説ということであれば、以上で十分なのだが、後の考察のことも勘案し、ルター派以降普及した「ベルーフ」の源泉である、「クレーシス」概念を、もう少し繊細に見ておきたい。ヴェーバーが特に注目したのは、「クレーシス」概念のある一面である。クレーシスには別の側面もあり、それもまた、近代において、変形をともないながら継承されている。目下の直接の課題にとっては遠回りになるが、ヴェーバーを少し離れてパウロの議論の奇妙な深淵を覗いておこう。そうすると、われわれは、ヴェーバーの着眼とマルクスの着眼の意外なつながりを発見することにもなる。

前節で紹介した、パウロの「召命」についての教説は、非常に保守的なものに感じられたはずだ。奴隷は奴隷の身分のままにいなさい、誰もが主が召されたときと同じ身分にとどまりなさい、と説いているのだから。これは、普通は、終末論的無関心の態度を示すものだと見なされており、ヴェーバーもそうした解釈に同意している。終末論的無関心とは、どうせ神の再臨の日(終末の日)は迫っているのだから、おのおの神に召命されたままの状態にとどまりそれを待つのがよい、という態度である。明日は終わりだとわかっているときに、あえて新しいことを始める人はいない。

ところが、パウロは、こうした解釈にはとうてい収められないことも語っているのだ。いや、収められないどころか、終末論的無関心とは正反対のことをパウロは述べているのである。しかも、ここまで紹介してきた、保守的な説教のすぐ後に、である。その上――終末はまだ先のことだと思い直して言っていたのであればまだ理解できたかもしれないのだが――、終末が迫っていて残りの時間はわずかである、ということに明示的に言及しつつ、パウロは、終末論に固有な消極性を真っ向から否定するようなことを述べている。このまことに不可解なパウロの要求は、そのまま引用した方がよい。

兄弟たちよ、わたしはこう言いたい。定められた時は迫っています。今からの残りの時は、妻のある者は妻のない者のように、泣く者は泣かない者のように、喜ぶ者は喜ばないように、物を買う者は物を買わない者のように、世の事にかかわっている者は、かかわりのない者のようにすべきです。この世の有様は過ぎ去るからです。あなた方が思い煩わないことを、わたしは望んでいる。(コリント人への第一の手紙　七章二九節―三二節)

ここでのパウロの言によれば、クレーシス（召命）の最終的な意味は、「Xではない者のように」振る舞うことである。ところで、そのように行動するように命じられているのは、まさに「X」として召命されている者である。とするならば、ここでパウロが述べていることは、まったく純粋な矛盾ではないか。召命とは、召命の廃棄に等しい、と述べていることになるからだ。

このように見てくると、パウロが、まことに複雑で尋常ならざることを、「クレーシス」という概念に託して述べていることがわかる。一方で、彼は、奴隷は奴隷に留まりなさい、要するに「おのおの自分がその中で召命された同じ召命の中に」（コリント人への第一の手紙　七章二〇節）留まりなさい、と述べている。一般に、「召命」について強調されるのは、こちらの面である。しかし、他方で、彼は、「Xでない者のように」あれとも説いているのだ。つまり、一切の与えられた具体的な召命を棄却することこそがまさに召命である、ともパウロは述べているのだ。

この両面を整合的に関係づけるような解釈は可能だろうか。次のように考えるほかあるまい。パウロが同語反復的に述べていること、つまり「召命されたことのうちにあって召命されてあること」は、そのまま、何らかの意味において、召命からの離脱へ、召命の廃棄へとつながっているのだ、と。あるいは、パウロが言う「神の召命」には、背反する二つのベクトルが働いている、と言ってもよいかもしれない。同じ身分に留まるベクトルと、自らに与えられた身分の廃棄を通じて変化しようとするベクトルの二つが、である。パウロによれば、神の召命に応えるということは、私が今の私（の社会的身分）に留まることでありつつ、他方で、私が今の私ではなくなることでもある。

このわけのわからなさを緩和させるために、ジャック・ラカンが「狂気」について述べているある警句《アフォリズム》をここに導入してみよう。ラカンはこう言っている。もし自分を王だと思っている乞食が狂人であるならば、自分を王だと思っている王も狂人である、と。乞食が、「俺は王だ」と言っていれば、妄想にとりつかれている、ということになるが、王が、「朕は王である」と言っているならば、それは正常なのではないか。ラカンの言っていることはどういうことなのか。王が「王である」ということに対して自覚的にかかわることは、王が王でない者として（も）振る舞いうることを、つまり王が王としての自分自身に対して距離をとりうることを含意している。もしそうでなければ、その王は狂人である、とラカンは述べているのである。王が王としての同一性《アイデンティティ》に全面的にのめり込み、まったくそこから離れられなくなることは、むしろ狂気である、と。

このラカンの警句の含意を、この「召命」の状況にあてはめれば、次のような結論を導き出すことができるのではないか。もし、その人が狂気に陥っていなければ、召命されたことにまさに召命として自覚的にかかわることが、その召命されてある状態からの離脱の契機を含んでいるはずだ。王として召命されている者が王でない者としても振る舞いうるように、である。このように解釈すれば、パウロが言わんとしていたことに近づけるのではないか。

3　階級（クラッセ）の神学的意味

パウロが述べたことについての考察はこのくらいにして、近代と資本主義の方へともう一度、視線を戻すことにしよう。第１節で見たように、ヴェーバーは、資本主義への動因（のひとつ）

として「職業」への態度に着眼した。プロテスタンティズムによって固有の色合いを帯びた「職業《ベルーフ》」への態度である。マルクスに、ヴェーバーが見出した「職業」に対応する概念を見出すとすれば、それは、階級、階級的分業になるだろう。

ところで、フランス語に由来する「Klasse《クラッセ》〔階級〕」という語を使用したのは、しばしば言われているように、マルクスの独創である。マルクス以前には、このような用法はなかったのだ。ヘーゲルは、マルクスだったら「Klasse」の語を充てる対象を、伝統的な語彙「Stand《シュタント》〔身分〕」で指示している。なぜマルクスは、「Stand」を捨てて、「Klasse」という当時としては耳慣れない語を用いたのだろうか。

この疑問に対しては、ヴェーバーが述べていることが、意図せざるかたちで、間接的なヒントを与えてくれる。ヴェーバーは、「クレーシス（召命）」という語が、少なくともここ〔『プロテスタンティズムの倫理と資本主義の精神』〕で論じられているもの〔職業〕と似たような意味をもつ唯一のギリシア語のテクストは、ハリカルナッソスのディオニュシオスの一節である、と述べている。*3 ハリカルナッソスのディオニュシオスは、帝政ローマ初期の著述家で、『ローマ古代史』（ローマ建国から第一次ポエニ戦争まで）等の著作で知られた歴史家である。ディオニュシオスは何を言っていたのか。市民の集合の中で兵士として召喚された部分を、ラテン語でclassis《クラッシス》と呼ぶ。つまりclassisは、都市や帝国の防衛の使命を帯びた者たちとして、都市ないし帝国から呼び求められた者たちである。もちろん、この語が、やがて、フランス語のclasse《クラース》になる。ディオニュシオスは、後に「classe」（フランス語）になる「classis」（ラテン語）の語源についてのある説を前提として書いているのだ。その説、おそらく当時は広く流通していたその説によれば、ラテン語の classis は、まさにわれわれが今ここで主題としている語、つまり、ギリシア語の klēsis《クレーシス》 に由来する。つまり、この説明が正しいとすれば、

klēsis（召命）→ classis → classe → Klasse（階級）

という系譜があったことになる。

この説が妥当なものだったとすれば、ヴェーバーが注目した「職業」とマルクスの理論構成の中心にある「階級」とは、同じギリシア語の単語（klēsis）に由来するということになる。もしこれが学問的に裏付けられることだとすれば、まことに興味深いのだが、残念ながら、この語源学的な推測は、今日の言語学の知見からすると支持しがたいもののようだ。しかし、それでも、ディオニュシオスが自明視していた説を、われわれの考察を推進させるための起爆剤のようなものとして活用することはできる。というのも、マルクスの Klasse という概念には――彼が Stand をあえて拒否して選んだこの概念の中には――、語源が正確には何であれ、klēsis の含みが響いているからである。このように提案しているのは、つまりディオニュシオスが前提にしていた説にはマルクスの概念の独自性に光をあてるきっかけとして利用価値があると提案しているのは、ジョルジョ・アガンベンである。[*4] アガンベンの誘いにあえて乗って、議論を前に進めてみよう。

マルクスによれば、ブルジョワジーはクラッセ（階級）であって、シュタント（身分）ではない。それは、むしろ、シュタントの解体をこそ表現している。このように述べるとき、マルクスはほんとうのところ何を言おうとしているのだろうか。たとえば、貴族（身分）は永遠に貴族の

ままであり、平民は平民のままである。つまり身分は個人の不可分の属性になる。階級はまったく逆である。個人の社会的所属を階級として把握することは、その個人と彼の社会的な姿としての階級との間には、本質的なつながりがないということを、むしろ両者の間には分裂があるということを暗示している。貴族が貴族であることは必然である。それに対して、ブルジョワがブルジョワジーに属していることは偶有的でしかない。彼はたまたま運よく（？）、ブルジョワジーの一員であるに過ぎない。

このことを、「クレーシス」の概念と関係づけるならば、次のように言うことができる。前節で、クレーシスは、二つのベクトルによって構成されている、と述べた。一方に、召命された状態の中に留まろうとするベクトルがあり、他方に、召命を廃棄して変化しようとするベクトルがある。前者のベクトルしかなければ、それは身分である。後者のベクトルが入ってくると、つまり召命された状態からの離脱の可能性が導入されると、それは階級になる。

ブルジョワジーにおいては、二つのベクトルがせめぎあっている。両者の均衡が、ブルジョワジーだ。言い換えれば、ブルジョワジーにおいては、「身分」という根が残っている。ブルジョワジーをこのように定義できるのだとすれば、論理的には、後者のベクトルだけで、つまり召命を廃棄しようとするベクトルだけで成り立つ階級がありうる。つまり、（Xが）「Xでない者のように」変化しようとする指向性だけで定義できる階級が、である。それこそプロレタリアートであろう。

プロレタリアートに関して、マルクスは、『ヘーゲル法哲学批判』の中でこう述べている。それは、「市民社会のどんな階級でもないような市民社会の一階級」である、と。あるいは、それは、「あらゆるシュタントの解消でもあるような一シュタント」である、と。マルクスの考えでは、プロレタリアはただ自分自身を廃絶することによってのみ自分を解放することができるのだ、と。あらゆる社会的身分を解体し、階級のない社会へと移行したとき、プロレタリアートは解放される。ブルジョワジーが、身分の否定によって定義される階級であるとすれば、プロレタリアートは、階級自体を否定する階級である。

マルクスが、階級なき社会への――資本主義を超えた社会への――革命の担い手はプロレタリアートであると認めたとき、われわれは、ここに、パウロ的なクレーシスと似たものを、いやほとんど同じものがあるのを感知する。パウロにとっては、エクレーシア（ekklēsia）〔教会〕は、救済のための共同体である。マルクスのプロレタリアートは、資本主義社会における、そして資本主義に対抗するエクレーシアである。それは、人を「Xではない者のように」変容させる革命の担い手だ。

4 階級闘争

と、ここまで論ずるのは、資本主義を成り立たせている仕組みやその生成の機序について、まだ解明していない現段階では、明らかに行き過ぎだ。とりあえず確保しておきたい論点は、「階級《クラッセ》」なるものの神学的な含みである。マルクスが、資本主義の社会構造を、階級間の関係・葛藤によって記述しようとしたとき、彼が直観していたことは、資本主義という社会システムを規定している独特の神学的・宗教的な論理だったのではないか。すっかり世俗化してしまっているとはいえ、その原点には、神学的・宗教的な論理がある。「職業《ベルーフ》」が、世俗的な外観のままに、プロテスタンティズムの宗教性を宿しているのと同じように（第5章参照）、「階級」もまた、世俗的な外観を有する宗教的なカテゴリーである。

端的に言えば、階級の間の差異には、つまりマルクスが「階級」という新規な概念によって記述しようとした葛藤には、宗教的な救済、終末論的な救済と結びついた意味があるのだ。終末論は、人間を、祝福され神の国へ入ることが許されるグループと呪われ地獄へと送られるグループに分割する。階級の間の差異と葛藤は、この分割の、地上における反映のようなものである。召命に応じたしかるべきポジションをもつ者、したがって救済への約束を予感できる者たちが、ブルジョワジーである。それに対して、「召命の廃棄」以外の何も命じられていない者たち、召命に応じた積極的なポジションが何も指定されていない者たち、それゆえ救済への希望が与えられない者たちが、プロレタリアートにあたる。

このような対応づけは、しかし、今しがた述べたこと、マルクスを参照しつつ述べたことと矛盾しないか。プロレタリアートこそがパウロのエクレーシアの近代版だという説明と整合しないのではないか。そうではない。「革命」が成功した暁には、プロレタリアートは、救済される者たちの予備軍だったことが、つまりエクレーシアであったことが判明する、という趣旨である。逆に言えば、革命がなければ、常態のままならば、彼らは、呪われた者たちに留まる。プロレタリアートがエクレーシアだという言明は、キリストが、罪人こそが救済される、と述べたときと同じ逆説を指している。メシア（キリスト）の到来がなければ、罪人はただの罪人である。

普通は、資本家階級（ブルジョワジー）と労働者階級（プロレタリアート）は、生産手段の所有と非所有で区別されている。あるいは、経済的な格差、つまり所得や資産の不平等な分配を、「階級」という語で指す場合もある。さらには、より広く、経済資源に限定されない社会的資源の一般的な不平等を意味するために、つまり、所得・資産の他に、職業に結びついた威信、学歴、教養、趣味、人的ネットワークの量や質における差異・差別を意味するために、この語が使用されるときもある。[*5]

だが――ここでは論証抜きに結論的なことを一種の仮説として述べておくしかないが――、以上のような客観的な指標によって検出される不平等は、少なくともマルクスの観点からは、ここで論じてきたような広義の神学的な含意をもつ階級の派生的な現象形態である。階級は、客観的に観察可能な、社会構造内のポジションの特徴ではない。階級を規定しているのは、自らに配分された社会的な位置に対する主体的な応答である。自らの活動がそのまま、召命に対する応答になっているという幸せな確信をもてるのか、それとも、「召命の廃棄」という形式で否定的に応じる以外に召命に答えることができないという意識をもつのか。これが階級の区別に対応している。

このような階級概念の捉え直しから、階級の間の差異、いやもっと端的に言えばマルクス主義者が言う「階級闘争」ということに関して、すこぶる重要なひとつの結論を導き出すことができる。階級の差異とは、社会の内的な差異であると同時に、社会の内部とその外部の区別、つまり社会と非社会の区別でもある、というのがその結論である。どういうことか、説明しよう。資本主義のもとでは、原理的には、誰もが召命を受けている。自由であれ、身分の桎梏から自由であれ、と呼びかけられているのだ。このように呼びかけられている個人の全体が、社会を定義する。だが、同時に、その中の一部の者だけが、自分に与えられたその位置に適合した活動がそのまま召命において肯定されており、それゆえ自らが救済へと方向づけられているという自己確信をもつことができる。とすれば、このような者たちだけが、召命によって規定される社会の自己同一性《アイデンティティ》を代表している、ということにもなるだろう。召命の廃棄にしか方向づけられていない者たちは、言わば見捨てられているのであり、社会の外部に放逐されているのである。要するに、「ブルジョワジー／プロレタリアート」という区別は、社会の内的な差異であると同時に、社会の内部／外部の差異でもあるのだ。

どんな社会も、内部と外部とを区別する。つまり、いかなる社会も、「われわれ」とは何者であるのか、「われわれ」と「彼ら」はどう違うのか、ということについての表象をもっている。資本主義社会の特徴は——マルクスが階級闘争の概念を用いるときに見出していた特徴は——、その「内部／外部」の区別を、「内部」のうちに繰り込んでいることである。言い換えれば、資本主義社会というものは、内部と外部の差異を、自らの内部に不断に再生産することを通じて、自らを維持しているのである。「二重の意味で自由」とは、マルクスが労働者を定義した有名な言い回しだが、ここで言及されている二重性は、プロレタリアの、社会の内部にいると同時に外部に切り離されているという両義性に対応している、と解釈することができるだろう。自由な労働者として市場で自分の労働力を売ることが許されているという意味では、彼は社会の内部にいるが、生産手段から切り離されているという意味では、彼は社会の外部に放逐されている。

繰り返せば、マルクスの階級という概念には、神学的なコノテーションがある。前節の最後に直接の引用は最小限にとどめて紹介した『ヘーゲル法哲学批判』の有名なくだりをここで再読してみよう。この箇所に、終末論的なメシアニズムを認めない方が難しい。

それでは、ドイツ解放の積極的な可能性はどこにあるのか。解答。それはラディカルな鎖につながれたただひとつの階級の形成のうちにある。市民社会のどんな階級でもないような市民社会の一階級、(中略)その普遍的な苦悩のゆえに普遍的な性格をもち、なにか特殊な不正ではなくて不正そのものをこうむっているためにどんな特殊な権利をも要求しない一領域、もはや歴史的な権原ではなく、ただ人間的な権原だけをよりどころにすることができる一領域、(中略)ひとことでいえば、人間の完全な喪失であり、したがって、ただ人間を全面的に救済することによってのみ自分自身を達成することのできる領域、こういったひとつの領域の形成のうちにある。こうした解消をある特殊なシュタントとして体現したもの、それがプロレタリアートである。*6

ここにあるのは、社会の外部に捨てられている「階級ならざる階級」が一挙に社会の全体性を取り戻すことを目指す闘争としての「階級闘争」というイメージである。階級の概念のこうした含意を念頭に置いたとき、マルクスへのよくある批判、「階級は二つだけではなくたくさんある」という批判は、どのような意味でポイントを外しているのか、ということがわかってくる。階級は究極的には二つでなくてはならない。なぜなら、それは、社会の内部と外部の差異だからだ。

だが、同時に、具体的な闘争においては、その「内部/外部」の差異自体を「内部」に再参入re-entryさせなくてはならない。この再参入にともなう、闘争の遷移が、不可避に、二つの階級とは異なる、それには還元できない第三の要素、第三の利害集団という像を招き入れることになる。たとえば、内部での闘争は、賃金の分配の問題であるとか、職場における権限の分配の問題とか、人種やジェンダーをめぐる待遇の違いの問題とか、という特定の主題をめぐって展開するほかない。このとき、ブルジョワジーとプロレタリアートという対立には解消できない、もうひとつ（以上）の利害集団が見出されることになる。しかし、それは、ほんとうはたくさんの階級があるから、ではない。そうではなく、二つの階級が――社会の内部と外部という形式で――闘争しているがゆえに、かえって、たくさんの階級があるかのように見えてくるのだ。

5　近代の奴隷制

本章で、われわれは先走り気味に議論を進めている。「ベルーフ」の概念と「階級」の概念との間の親和性ということをひとつの機縁にして、今後の展開の中で裏付けるべきことを、十分な証拠を提示せずに、言わば映画の予告編のように提示しているからである。そこで、本章の考察の最後に、歴史の応用問題の一つを解くことで、本章の議論を補強する傍証のひとつを提示しておこう。そうすることで、説得力の不足を、状況証拠のようなもので補っておきたい。

応用問題とは、どうして、ヨーロッパ人が入植した新大陸で奴隷制が復活したのか、という疑問である。たとえば、北アメリカでは、ピューリタンが入植し始めたごく早い時期から、つまり一七世紀の前半からアフリカ人とその子孫が奴隷として使用されはじめている。小学生でも知っているように、アメリカの奴隷制が廃止されたのは、一九世紀の後半、南北戦争のときである。

しばしば、われわれは、（新大陸の）奴隷制を、前近代の遺物、近代的な人権概念が十分に定着していなかったためであるかのように理解している。しかし、このような常識的な理解は、状況を少し振り返ってみれば、明らかに間違いであることがわかる。まず、人権概念は、奴隷制廃止の一世紀近く前に、しかもアメリカ人自身によって――独立革命のときに――導入されていた。人権概念の未確立では、奴隷制の存続は説明できない。

留意すべきより重要な事実は、西ヨーロッパでは中世の終わりまでには、奴隷制がほとんどなくなっていた、ということである。確かに、古代には、世界中のいたるところに奴隷がいた。しかし、西ヨーロッパは早い時期に奴隷制が一掃された。新大陸で奴隷制を活用したのは、まさに西ヨーロッパからの入植者たちである。ヨーロッパにあった習慣や制度がそのまま植民地で再現されたわけではない。ヨーロッパではとうの昔になくなっていたものが、新大陸の植民地で（あらためて）創造されたのだ。奴隷制は、前近代の遺物としては説明できない。

さらに派生的な疑問を付け加えておこう。そんなに奴隷が必要ならば、彼らは、どうしてそれをわざわざアフリカから輸入したのか。アフリカで「捕獲」された奴隷が、大西洋をこえて送られ、新大陸のプランテーションで働かされた。どうしても奴隷が必要ならば、遠くから輸入せず、現地で調達したらよいではないか。一部の入植者を奴隷として使えばよいではないか。アフリカの黒人を奴隷にするのは当たり前であるかのように考えられていて、ほとんど問われてこなかったことだが、虚心に状況を観察するならば、遠くから奴隷をわざわざ輸入するのは、非合理的な選択ではないだろうか。

新大陸の奴隷制を、近代化から取り残された辺境に残ってしまった遺物のように見ることはできない。まったく逆に考えるべきである。新大陸で奴隷制が発達したのは、そこが、資本主義的な世界経済の中にしっかりと組み込まれていたからである。

＊

このような判断の裏付けとなる事実の一つは、南北戦争のときのマルクスの態度である。南北戦争の頃、まだ健在だったマルクスは、当然のことながら、強く「北」を支持した。彼は南部の奴隷労働に反対だった。しかし、彼が奴隷制に反対したのは、道徳的な理由から（だけ）ではない。奴隷制の廃棄が、資本主義そのものの廃棄につながると、マルクスは予想していたのだ。当時、奴隷労働によって得られる安価な綿花が、イギリスに輸出され、イギリスの繁栄を支えていた。もし安価な綿花が手に入らなくなれば、イギリスの資本主義は大打撃を受けるだろう。これがマルクスの観測だった。

結局、マルクスの予想ははずれ、南北戦争で「北」が勝利し、奴隷制も廃止になったが、資本主義自体は、生き延びた。ここで、マルクスの間違いを嗤うよりも、われわれにとってより知的に生産的な態度は、次のことに気づくことであろう。当時の最も優秀な時代の観測者にそのような予想をもたらすほどに、アメリカ南部の奴隷制は、資本主義の世界経済の中に有機的に統合され、枢要な役割を果たしていたのである。これがなくなれば、世界経済は大混乱に陥るのではないか、とマルクスに思わせたほどに、奴隷制は中核的だった。

奴隷制は、前近代の遺物ではない。近代の資本主義こそが奴隷制を要請したのである。要するに、資本主義は、奴隷のような労働者を必要としたのだ。奴隷のような労働者とは、極端に安価な労働者、コストがほとんどかからない労働者という意味である。新大陸で奴隷制があらためて創造されたのは、そこが、資本主義のシステムに組み込まれたからである。

　資本主義が必要としたのはプロレタリアートである。そして、黒人奴隷こそ、言わば、純粋なプロレタリアートだったのだ。それは、次のような趣旨である。前節で述べたように、「ブルジョワジー／プロレタリアート」という対立は、社会の内部と外部の対立である。アフリカに由来する黒人は、当時のヨーロッパからの入植者にとって、文字通りの「外部」であった。黒人たちは、「われわれ」の外にいたのだ。普通の（ヨーロッパの）プロレタリアートは、この「外部」的なポジションの内部化の産物である。しかし、黒人奴隷は、外部としての外部、内部化されていない外部である。その意味で、彼らは、プロレタリアートとして純粋状態にある。

　新大陸のヨーロッパ人商人たちは、自分たちの同胞を、純粋なプロレタリアートとして扱うことには強い躊躇があった。そのような扱いは、支持されなかったのだ。同胞は、社会の「内部」のメンバーだからだ。だが、アフリカの黒人は違う。彼らは、当時のヨーロッパ人にとって純粋な「外部」である。「内部」を最も広く解釈した場合でさえも包摂されない「外部」、つまり「人間」というカテゴリーの中にも入らない「外部」だった。

　ハンナ・アーレントは、近代的な人種主義、奴隷制と表裏一体となっている人種主義について、こう述べている。それは、「ヨーロッパ人が理解することはおろか自分たちと同じ人間と認める用意さえできていなかった種族の人間」に対して対応するための、「非常手段」だったのだ、と。近代の人種思想は、「人間とも動物ともつかぬ存在に対する恐怖から出たもの」であり、「このような存在でも人間であり得るという驚愕からは、同一種の生物としてこんな人間と一緒にされるのは絶対に御免こうむるという決心が生れた」と、アーレントは論ずる。*7 彼女の論述は、ブーア人（アフリカ南部に居住したオランダ人等の白人）の体験を念頭においたものだが、これと同じことは、もちろん、近代のヨーロッパ人がアフリカの黒人に対したときの経験の一般に関して成り立つ。

だから、新大陸の黒人奴隷は、言わば、資本主義の社会システムに内部化される前のプロレタリアートである。真に資本主義の中で持続的に機能するものになるためには、プロレタリアートは、最終的には内部化されなくてはならない。具体的には、奴隷制は廃止され、すべて賃労働にとって代わられなくてはならない。実際、歴史はそのように経過したのだ。

ということで、非人道的な問題がひとつ解決し、めでたいことだ、と言いたくなるが、ここで立ち止まって考えてみよう。奴隷制と賃労働とは何が違うのか。両者の本質的な違いは、単なる量的な違いではない決定的な質的相違は、どこにあるのか。奴隷制と賃労働とは全然違う、前者は奴隷の人権を否定し、正義に反しているが、後者はそんなことはない、というのが標準的な見解であろう。しかし、ほんとうにそうなのか。賃労働に従事するということは、ほとんどの人にとって、目覚めている時間の大半を他人の命令によって働くことで費やす、ということを意味している。神の呼びかけ（ベルーフ）ではなく、上司や経営者や資本所有者の呼びかけに応え続けることに、人生の多くの時間を使うのが、賃労働者だ。

こう考えると、奴隷制と賃労働には思ったほどの差異がないことに気づく。両者の違いは、わかりやすく言えば、所有とレンタルの違いである。奴隷の身体はまるごと誰かに所有されている。それに対して、賃労働者は、労働する自分の身体を資本家にレンタルしているのである。言い換えれば、賃労働者はレンタル奴隷である。これこそ、資本主義という社会システムに内部化されたプロレタリア――純粋な「外部」のプロレタリアとしての奴隷に対比される内部化されたプロレタリアである。

「ベルーフ」の概念の検討から始まって、ずいぶんと長い回り道を歩んできた。これで次章から、予定説がどのように作用し、資本主義なるものの誕生に関係したのかを論ずることができる。そうすれば、本章では、厳密には問わずに走り抜けてきたさまざまな知的な課題を解くための準備も整えることができる。

1　ここで、私が「『ルター訳』として普及した聖書」等のもってまわった表現を使ったのは、もともとのルター訳では、ヴェーバーが引用した箇所（「コリント人への第一の手紙」七章二〇節）に「ベルーフ」という訳語は使われていない、という指摘があるからだ。この指摘は、資本主義を成立させた心的・社会的メカニズムを説明するという本来の目的にとっては、瑣末なことである。ルターその人の訳語がどうであったかということよりも、ルター派において、この訳語と、職業を「ベルーフ」と解する思想が浸透し、定着したということが重要だからだ。この指摘によって、ヴェーバーのテーゼの本質的な趣旨は、いささかも傷つかない。なお、この指摘に対する（再）反論については、以下を参照。折原浩『ヴェーバー学のすすめ』未來社、二〇〇三年。同『学問の未来』未來社、二〇〇五年。

2　マックス・ヴェーバー『プロテスタンティズムの倫理と資本主義の精神』大塚久雄訳、一九八九年（原著一九二〇年）、岩波文庫、二〇七頁。引用文中にあるセバスティアン・フランク Sebastian Franck は、宗教改革を推進した思想家の一人。神秘主義的なスピリチュアリズムで知られる。

3　同書、一〇六頁。
4　ジョルジョ・アガンベン『残りの時――パウロ講義』上村忠男訳、岩波書店、二〇〇五年（原著二〇〇〇年）、四七頁。
5　社会学者は、普通、生産手段の所有状態によって定義される古典的なマルクス主義の階級概念との違いを強調し、社会的資源の不平等な配分によって規定される社会構造を指すために、「社会階層 social stratification, social stratum」という概念を使う。
6　アガンベン、前掲書、四九―五〇頁。
7　ハンナ・アーレント『全体主義の起原』1〜3、大久保和郎・大島通義・大島かおり訳、みすず書房、一九七二―一九七四年（原著一九五五年）、2一〇五―一〇六頁。

第10章　終わりなき終わり

1 「時は金なり」

前章でわれわれは、マルクスが創出した「階級《クラッセ》」の概念とヴェーバーが着眼した「召命《ベルーフ》」の概念の交錯する地点を確認したのであった。

階級の概念の中に、神からの召命を受けた者たちの集合という含意が響いている。ヴェーバーによれば、プロテスタントのどの教派も、「宗教上の『恩恵の地位』をば、被造物の頽廃状態つまり現世から信徒たちを区別する一つの身分と考え」ていた。[*1]「status（身分）」という語が使われているが、こう書くとき、ヴェーバーもまた、召命に応じることで救済される者たちが、自らを、「階級」として自覚するということを直観していた。

だが、身分＝階級としての形態をとる、その「恩恵の地位」はどのようにして獲得され、また維持されたのか。カトリックの信徒であれば、恩恵の地位は、秘蹟的な手段や懺悔によって確保されると考えたはずだ。あるいは、カトリックの観点からは、何らかの個別の敬虔な行為が、恩恵の地位を保証するはずだ。しかし、プロテスタントの場合は違う、とヴェーバーは論ずる。彼らの場合は、「恩恵の地位」であることを意味する身分＝階級は、「『自然』のままの人間の生活様式とは明白に相違した独自な行状による確証」によって保持される。だが、その「独自な行状」とは何なのか。カトリックとプロテスタントとの違いのポイントはどこにあるのか。

　カトリックの場合、人間の全生活の中の一部、特別に聖化され、他から区別されて囲われている行為が、救済（恩恵の地位）に関与する。それに対して、プロテスタントにとって重要なのは、「『自然』のままの人間の生活様式」に代わるものでなくてはならない。ということは、結局、人間の生の過程の全体だということになる。これは、前章で引用したヴェーバーの文章の中にあった宗教改革の要諦の、ヴェーバーがセバスティアン・フランクに託して要約していた「宗教改革の意義」の再確認である。プロテスタントの「聖徒たちの、『自然の』ままの生活とは異なった特別の生活は（中略）もはや世俗の外の修道院ではなくて、世俗とその秩序のただなかで行われることになった」[*2]。かつては、「聖（修道院等）／俗（日常生活）」の社会的かつ空間的な区別があり、この区別が、時間の次元に写像されたとき、救済に関係する特別に敬虔な行為（秘蹟など）とそれ以外の日常の活動との区分となった。しかし、今や、プロテスタントとともに、こうした区別が消えた。このとき、「俗」が拡大して「聖」の領域を飲み込んでしまうのではなく、逆に、全領域が「聖」によって覆われるのだ。これがヴェーバーの論点であり、またわれわれが、第5章で述べたことでもある。レストランでの食事に、そのまま性的な衝動が現れていたように、日常の生活が、それ自体で宗教性を帯びているのである。

　プロテスタントにおいては、個々人の生の過程の全体が「恩恵の地位」に関与する、と述べた。世俗の生の過程の中心にあるものは何か。もちろん労働である。召命として意味づけられた労働だ。このような労働が、（近代）資本主義の精神に高い親和性をもった、というのがヴェーバーの主張だが、問うべきことは、その基底にある。プロテスタンティズムとともに、どうして、生の全過程に、とりわけ労働に、このような特殊な意味が宿ったのか。もう一度、第8章で述べたことを思い起こしてほしい。宗教改革の精神の（論理的な）精華ともいうべき予定説は、人間の行動にいかなる積極的な影響も及ぼしそうにもない。それは、論理的には純粋だが、あってもなくてもどちらでもよい説であるように見える。どうして、プロテスタンティズムが、歴史の転轍機のような役割を果たしえたのか。

*

ここで、資本主義の精神ではない行動や態度とはどのようなものなのか、その点をもう一度明確にすることから、考察を立て直してみよう。資本主義の精神は、その浸透の過程で、伝統主義的な感覚や行動様式と闘わなくてはならなかった。ヴェーバーは、資本主義の精神を受け付けなかった伝統主義の様態を浮かび上がらせるために、「出来高賃銀」という例を出している。[*3]

今日でもそうだが、企業家や経営者は、配下の労働者から最大限の労働を引き出そうとするとき、つまり労働の集約度を高めようとするとき、出来高賃銀制を導入する。それは、公平であり、その上、人間の本性に適っているので、どこでもいつでも有効な方法であるように思える。出来高賃銀率を高めれば、労働者たちは、一層のやる気をだし、高い収入を得ようと、それまでよりもずっと努力し、集中的に労働するはずだ、……とこのように見通しをもつことができる。ところが、ヴェーバーによれば、資本主義の初期において、企業家たちは、所期の成果を上げられないどころか、ときに逆効果であることが多いことに気づく。労働者たちは、仕事を増加させそれどころか、逆に、むしろ減少させることでこのルールに対応したからだ。どうして、彼らはそんな不合理な反応を示したのか。だが、よく事情を理解すれば、労働者の観点から見れば、そうした行動にも合理性があることがわかる。彼らは、これまでと同じだけの報酬を得られたところで、仕事をやめてしまったのだ。彼らからすれば、これまでの報酬で満足できたのだから、わざわざ、それを超えて働く必要はない。出来高賃銀率を高めれば、より少ない労働でそれまでと同額の報酬を得られる。彼らの行動の指針は、できるだけ多くの労働によって一日の報酬を増やすことではなく、これまでと同じ報酬を得るにはどれだけ労働をしなければならないのか、という点にあったのだ。

ここから、人間が、貨幣の量で測ることができるような利益を極大化しようとする性向を本来的に備えているわけではない、ということがよくわかる。出来高賃銀制に「適切に」反応しない労働者の態度が、「資本主義の精神」よりも前の伝統主義に対応している。資本主義の導入期には、ヨーロッパでも、また他の地域でも、生産性を高めようとする資本家にとっては、このような態度が大きな障害として立ちはだかった。

逆に言えば、出来高賃銀に鋭敏に反応して、仕事を増やすような労働者は、資本主義の精神のうちにある――少なくともそうしたものに接近している、と見なすことができる。だが、ヴェーバー自身は明示的に述べてはいないが、彼の理論の文脈に置いてみれば、ここに逆説があることに留意しておく必要がある。ヴェーバーが「資本主義の精神」の源泉に見ている予定説は、およそ出来高賃銀制と同じ指針に従ってはおらず、それどころか、そのような考えを、真っ向から否定しているからである。予定説によれば、何かに関して努力しようが、たとえば善行を積み重ねようが、報酬（救済の確率の上昇）が得られるわけではない。むしろ、神との関係に「出来高賃銀」のようなアイデアが入ることを、呪術の残滓として徹底的に斥けるのが、予定説である。

ともあれ、出来高賃銀制の例は、もう一度、われわれの視線を、あのベンジャミン・フランクリンの教えへと導く（第5章参照）。三つの教訓の中で要となっているのは、第一の教訓「時は金なり」であろう。フランクリンは、「こうしたら利益が得られる」といった処世術を説いているのではない。彼にとっては、これは厳格な倫理的命令である。時間があるのに、それを、金が儲かるように使わないのは、つまり労働しないのは、倫理的に悪いことなのである。フランクリンから見れば、出来高賃銀制に対してマイナスに反応すること（出来高賃銀率の上昇に応じて仕事の時間を減らすこと）など、とんでもないことだ。

何が最も悪いこととされているのだろうか？　厳格なプロテスタント（ピューリタン）と資本主義の精神とを結ぶ線上で、拒否されていること、それは何であろうか？　出来高賃銀制への負の反応の中に答えは暗示されている。厳しく拒否されているのは、完全な充足、最終的な享受という意味での充足である。ヴェーバーは、次のように書いている。

われわれは進んで、ピューリタンの召命観念と禁欲的生活態度の促迫が資本主義的生活様式の発展に対して直接に影響を及ぼさざるをえなかった、そうした諸点をとくに明らかにしていこうと思う。（中略）［ピューリタンの］禁欲が全力をあげて反対したのは、とりわけ、現世とそれが与える楽しみのこだわりのない享楽ということ、ただ一つだった。*4

出来高賃銀制に否定的に対応しているとき、伝統主義的な労働者は、それまでもらっていた報酬の範囲でもう十分だ、という態度を取っている。つまりその報酬によって可能になる消費がもたらす快楽が、最終的な目的であって、もうこれ以上は求めない、という態度である。ピューリタンは、これが断固として許せなかった。現世において最終的な充足に到達してしまうことが、である。

ここから、さらに次のように推測すべきだろう。ピューリタンにおいて、そしてまた資本主義の精神において、最終的な享受を繰り返し拒否すること、そのこと自体が快楽へと転換しているのだ、と。つまり快楽の享受の反復的な禁止が、再び快楽へと転換しているのである。それは、言わば苦痛における快楽である。

2　抽象的労働

「時は金なり」という命題は、労働がその時間に比例した価値を生み出すという直観の素朴な表現になっている。その直観を学説にまで洗練させると労働価値説になる。労働価値説とは、商品の価値は、その商品の生産のために費やされた労働の量によって決まる、とする説である。ここまでの議論を労働価値説と関連づけることで、われわれは再び、マルクスの方に回帰することができる。とはいえ、労働価値説は、マルクスの理論の最大の弱点だと考えられている。マルクスの理論、とくにその経済学は、労働価値説を基礎にしているがゆえに妥当な理論として受け入れられない、と見なす者も多い。

労働価値説はマルクスの独創ではない。これを最初に明示的に定式化したのは、アダム・スミスである。それがリカードを間に挟んで、マルクスへと継承された。だが、商品の価格と労働価値とは必ずしも一致しない。価値はどのようにして価格へと「転形」するのか。これが、マルクス経済学者たちの間の活発な論争の主題となった。その結果、結局、商品の交換比率は、きわめてシンプルな場合しか——数学的に言えば線形モデルでしか——労働価値によっては説明できず、一般には——結合生産があったり経済が非線形（たとえば規模の経済）であるときには——労働価値によっては算出できないことが明らかになった。[*5] こうして、労働価値説への信頼は、すっかり失われてしまった。

しかし、モイシェ・ポストンは、労働価値説に対するこの批判に挑戦し、これを返り討ちにしている。ポストンによれば、労働価値説が成り立たないように見えるのは、それが間違った土俵に置かれているからだ。正しい土俵に置いて評価し直せば、労働価値説はほとんど自明の正しさをもっていることがわかる。どういうことか。ポストンの議論の最も重要なポイントは、労働価値説は、あらゆる社会に超歴史的に妥当する一般理論ではなく、歴史的な理論、すなわち資本制社会における労働の特殊な役割を説明する理論だ、ということにある。[*6]

まず、資本制社会において、商品が二重の性格をもつ、という点については誰も否定できない。使用価値でありかつ交換価値であるという二重性である。問題は、この二つの側面の関係である。しばしば、両者は、特殊なものと一般的なものとの間の意味論的な関係のひとつだと理解されているし、実際、マルクス自身も、ときに、そのようにとられても仕方がないような説明を与えてもいる。しかし、使用価値と交換価値の間の関係は、「柴犬もコリーもゴールデンレトリバーも犬である」という命題と同じような趣旨の特殊性／一般性の階梯を形成してはいない。さまざまな使用価値を包摂するカテゴリーは、「有用性一般」であって、「交換価値」ではありえないからだ。では、交換価値とは何なのか。使用価値が帯びるこのプラスαは何なのか。

これを説明するのは、商品の二重性に対応する労働の二重性である。使用価値を生産していると見なされる限りで、その労働は具体的労働である。しかし、労働は、同時に抽象的労働でもある。この抽象的労働こそ、資本主義という社会システムの歴史的本質だというのが、ポストンの中核的な主張である。どういうことか、説明しよう。抽象的労働とは、労働の社会性、つまり労働の社会的媒介としての側面を指している。どうして、商品を生産する労働を、それ自体ですでに社会的媒介と見なすことができるのか。この点は、商品生産の次のような本性を考慮に入れれば、ただちに理解できる。資本制とは、商品が生産物の一般的形態になっている社会のことである。ということは、人々は自らが生産した物を自分では消費しないということを意味している。つまり、人は他者が消費する物をもっぱら生産しているのである。したがって、価値としての商品を生産する労働には、強い社会指向性がある。抽象的労働が社会的媒介だと見なされるのは、このためである。

交換価値とは、——ポストンによれば——結局、抽象的労働の社会性が商品に投影され、刻印されたものである。交換価値は、抽象的労働の社会性を、商品に映したときに見える、幻影である。だから、商品の（交換）価値の源泉が労働（のみ）であることには、論理的な必然性がある。労働と交換価値とは、因果的に関係しあっているのではなく、論理的に、ほとんど定義的に関係しているのだ。

もっとも、これだけでは、まだ反論があるだろう。他者たちの消費のために労働することが、人間の労働に、「社会的媒介」としての性格を宿らせる、と述べてきた。しかし、このような意味での社会的な指向性は、とりたてて、資本主義の下での労働の特徴ではないように思える。任意の社会で、働くことには、社会的な指向性があるのではないか。たとえば、狩猟採集民の男は、バンドの仲間のために狩りをするのではないか。もちろん、その通りである。非資本主義社会においても、労働は社会的指向性があった。人は、他者のために、他者の需要を満たすために働いてきた。それならば、抽象的労働という規定は、どんな社会のどんな労働にも当てはまるということなのだろうか。言い換えれば、資本主義社会の労働には、何ら特別な性質はないのか。

否、である。指向されている社会性に、非資本主義社会と資本主義社会とでは、決定的な差異があるのだ。その違いのために、資本主義社会の労働だけが、抽象的労働として特徴づけられるのである。どういうことか。

非資本主義社会では、労働が社会的であるのは、その労働が、人格を備えた具体的な他者に差し向けられている場合である。非資本主義社会においては、労働する主体にとって親密な他者に向けられている労働が「社会的」である。ポストンは、この状態を、指向されている社会関係が「overt（あからさま、よく見えている）」と表現している。その代わり、その労働が指向しうる社会関係の範囲は、特殊に限定されざるをえない。家族や親族の範囲とか、あるいは部族や村落などの小さな共同体の範囲に、である。

資本主義社会においては、この関係が逆になる。生産者は、自分がどの具体的な他者のために労働しているとの意識ももたない。彼は、自分の労働の利他的な性格を意識していないのだ。生産者の主観的な意識においては、彼の労働は、端的に純粋に利己的であるのみだ。彼は、自分のため、自分の利益のためにのみ労働している。その意味で、資本主義の下での生産者は孤独である。しかし、客観的な視点からとらえれば、資本主義社会における労働の生産物は、それ以前のどの社会よりも広く他者に開かれていて（open）、それが指向している社会関係の範囲は、原理的には無制限である。つまり、商品として客体化された生産物に対しては、誰もがアクセスすることができ、正当な代価さえ支払えば、手に入れることができるのである。それゆえ、資本主義社会における労働は、具体的には意識することができない、抽象的な（社会）全体に貢献している。だが、生産者は、自分の労働が、誰のどの具体的な欲望を充足しているとも意識できない。つまり、それは、社会の全体性に連なる何者かの何らかの欲望に結びついている、としか言いようがない。それゆえ、彼の労働の社会的な指向性は、抽象的だと特徴づけることができる。

整理すると、次のようなねじれの関係がある。非資本主義社会においては、労働は、あからさまな社会関係に向かっているのに、その関係の範囲は限定的である。資本主義社会においては、労働は、主観的には利己的な行為として遂行されているのに、客観的には無制限に開かれた社会的媒介の作用をもっており、それゆえに抽象的で（も）ある。このように、労働価値の歴史性を強調することで、ポストンは、労働価値説を救い出した。[*7]

＊

貨幣によって表現されるような商品の交換価値は、抽象的労働と相関している。抽象的労働は、必然的に、抽象的時間を要請する。抽象的時間とは、数直線によって表象されるような時間、つまり単一であり、無限に連続的であり、そしてどこも均質であるような空虚な時間のことである。それに対して、諸々の出来事の関数であるような時間、つまり出来事に従属し、出来事の性質に規定されている時間は、具体的時間だ。抽象的労働は、自らがそこに位置づけられ、そこで占める長さによって価値量が測られる座標として、抽象的時間を前提として要請する。

あまり詳しく説明している余裕はないが、ポストンによれば、結論的には、抽象的時間の起源は、資本主義への離陸の前史に、つまり中世末期に求めることができる。一四世紀に、ヨーロッパの社会のいくつかの領域で、抽象的時間が浸透し、社会生活の意味に変容をもたらし始めた。抽象的時間が社会的ヘゲモニーを握るようになったのは、一七世紀の終わり頃だと考えられる。[*8] ポストンは、ジョゼフ・ニーダムに依拠して、次のように述べている。現象を従属変数とする独立変数としての時間という概念は、近代の西ヨーロッパにおいてのみ発達した、と。[*9] そのような時間についての理解は、古代ギリシアにも、イスラーム世界にも、ヨーロッパの中世初期にも、さらにインドや中国にも存在していなかった。

たとえば、われわれは夜中の十二時に、つまり太陽が南中する時刻のちょうど半日前に、一日の始まりと終わりを置いているが、生活のリズムとの関係では、これはまことに不自然なことである。もともと、一日の始まりは、日の出だった。ということは、抽象的時間を尺度にすると、一日の始まりが季節によって異なることになるわけだが、人間の活動の方を基礎にして時間を規定するならば、明るくなり始めたときに一日の起点をおくのは自然なことであろう。昼と夜がそれぞれ十二に分割された。ということは、「一時間」の長さが季節によって異なっていたということになるし、また夜の「一時間」と昼の「一時間」は等しくない、ということにもなる。[*10]

抽象的時間のための技術的前提のひとつは機械仕掛けの時計である。しかし、そのような時計が発明されたら、すぐに抽象的時間が採用されるわけではない。教会や修道院が、村や町に時刻を告げている間は、まだ具体的時間が支配している。時間は、日々の仕事や活動に規定されていたからだ。抽象的時間への離陸に最も大きく貢献したのは、中世の自治都市、そこでの商人たちである。商人たちが、彼らの活動を相互に調整するために、抽象的時間を採用したのである。そのような時間は、教会ではなく、市庁舎に備えられた機械仕掛けの時計によって告知された。抽象的時間は、資本主義に固有な抽象的労働と相関して生まれた、とするポストンの理論とよく符合する事実であろう。*11

*

抽象的時間の成立や普及の過程を詳しく追うのはやめておこう。それより、解決しておくべき理論的な問題がある。われわれは以前、資本主義は、終わりをめぐる黙示録的想像力に取り憑かれている、と論じた(第6章)。始まりと終わりという決定的な境界線によって区切られている時間は、抽象的時間とは異なる。(始まりと)終わりのある時間と、抽象的時間との関係はどのようになっているのだろうか。

結論は、第6章に、「サッカー」に託して論じたことのうちに示唆されている。あるいは、前節の最後に述べたこと、資本主義の精神は最終的な充足に反対しているという事実のうちに示唆されている。終わり(あるいは目的)の再帰的な反復。これが答えである。終わりに、あるいは目的に到達したとたんに、その度に、さらなる終わりや目的が、未来に措定されるとしたらどうだろうか。すると、それまでの終わり（目的）は、真の終わり（目的）ではなく、過程（手段）へと繰り返し転落する。そして、まさに終わりが指向されているがゆえに、決して終わらないという逆説が生ずるはずだ。

その結果、導かれる時間は、まさに抽象的時間ではないだろうか。終わりはいつまでも先送りされるがゆえに、時間は結局、無限化する。その反作用として、すべての瞬間は、過程または手段として均質化されることになる。すると、こんなふうに言うことが許されるだろう。抽象的時間の中には、無数の（始まりと）終わりが内包されているのだ、と。始まりと終わりによって質的に区切られた時間が無数に組み込まれているがゆえに、全体をマクロに見ると、均質で抽象的な時間が得られることになるのだ、と。

終わりを指向しているのに、最終的な享受を拒否する、という矛盾した態度から導かれるのが、まずは守銭奴（貨幣退蔵者）である。守銭奴とは、貨幣という形式で、「任意の消費の可能性」だけを蓄積し、決して、消費し尽くすことはない人物のことだ。何度か述べたように、マルクスの考えでは、守銭奴こそ、資本の起源、資本の直接の前史である。

さらに積極的に、貨幣を貯めこむだけではなく、それを増殖させるべく、生産的に再投資するようになれば、守銭奴であることを超えて、本来の資本（家）になる。投資したものを回収することは、ひとつの終わり（目的）への到達を含意している。しかし、これで充足してしまうことがなく、さらなる投資がなされることになる。その結果は明らかだ。資本の無限の拡大、無限の資本蓄積である。これこそ、資本主義を定義する最も重要な条件であった（『近世篇』第1章）。

終わりが反復される。そのような構成の下では、終わりは、死や破滅を意味する終わりではなく、高まりゆくもの、より価値を高める終わりでなくてはならない。終わりは、反復の度に、後続する（真の）終わりに従属する過程にならなくてはならないからだ。つまり、終わりは、後続の終わりに貢献する手段でなくてはならないからだ。

3　ソナタ形式

より高い終わりへの上昇や進歩によって特徴づけられる時間への感性が、近代（西洋の一九世紀）を特徴づけている。このことを、「経済」から離れ、芸術の領域を題材にして、ごく簡単に確認しておこう。まず、近代より前、近世（バロック）の段階から、西洋の芸術、とりわけ西洋の絵画は、「時間」の中の瞬間を、「現在」を描くことに特別な熱意を示していた。[*12]

非西洋の絵画、たとえばイスラームの絵画と比較してみるとよい。イスラームの細密画は、この世の劇的な出来事が描かれているときでさえも、きわめてスタティックで、人物も何もかもが永遠にそのままの姿勢で止まっているかのような印象を与える。つまり、この世の出来事なのに、幾何学図形と同じような、時間の外の永遠のように描かれているのだ。すべてを同時に捉える神の視点に映ずる対象を描いているからである。ヨーロッパでも、中世の絵画、そしてルネサンスの絵画や彫刻までは、なおスタティックで、時間外的な永遠性を連想させる。ダ・ヴィンチやミケランジェロの絵画・彫刻さえも、今日のわれわれには、調和や均衡が勝っていて、ここに描かれている人物は「もうこれ以上は動かないのではないか」と見えてくる。

だが、バロックの絵画や彫刻は違う。今、まさにこの瞬間、それが動いている、この後も動き続ける、という印象を鑑賞者に与えるように描かれているのだ。実際には止まっている絵や彫刻が、この現在の変化を、つまり時間を表象しているのである。カラヴァッジョの絵、たとえば「キリストの捕縛」を見るとよい。キリストは、ユダのキスを避けようとして表情を歪め、そこにユダヤの官憲たちが駆け寄っている。あるいは、フェルメールの絵を思うとよい。「牛乳を注ぐ女」が注いでいる牛乳は、今まさにトクトクと流れ落ちており、「真珠の耳飾りの少女」は、今この瞬間に、われわれの方に振り返っているかのようだ。

このような「動きのある瞬間」は、死や破滅へと向かう終末論的な構成の中に置かれていると見なさなくてはならない。バロックの絵画の三大主題は、「ヴァニタス（虚無）」「メメント・モリ（死を思え）」そして、「カルペ・ディエム（今という時を大切に）」である。これらの主題は、有機的に関係しあっていると見なさなくてはならない。今この瞬間の動きを描いた絵画は、「カルペ・ディエム」に属するが、それらは、他の二つの主題が暗示している、死や虚無へと向かう時間の中の現在である。

＊

バロックは、破滅的な終わりへと向かう時間を描こうとしている。しかし、一八世紀から一九世紀への転換期には、より高い価値をもった終わりへと向かう目的論的とも言える時間の表現が、芸術の領域に現れる。それは、絵画よりも、時間により直接に関係する芸術、つまり音楽の領域において、はっきりと見てとることができる。最もわかりやすい実例は、古典派音楽（一八世紀後半から一九世紀初めまでのヨーロッパの音楽）において生み出された新しい音楽形式、ソナタ形式である。

古典派以降の交響曲や、あるいは独奏協奏曲、弦楽四重奏曲等は、すべて三つか四つの楽章から構成されている。第一楽章は、急速なテンポ（アレグロ）、第二楽章は、ゆったりとした牧歌的な曲調、第三楽章は、舞曲（メヌエット）、そして第四楽章が、最初と同様に急速なテンポ。このような構成が規範となっている。三つの楽章のときには、舞曲の楽章が省略される。ソナタ形式は、この冒頭の楽章で用いられる形式である。

まず先に強調しておこう。ソナタ形式は、多楽章形式の中に埋め込まれている、ということを、である。この後すぐに確認するように、ソナタ形式は、終わりへの高まりということを典型的なかたちで表現している。と同時に、四（あるいは三）楽章の構成もまた、今述べたように、速いテンポから始まって、その否定でもあるようなゆっくりとした曲を媒介にして、冒頭と似たテンポへと回帰するという形式で、やはり、終わりへの展開を、しかも破壊的ではなく生産的な終わりへの展開を、演出している。ここから明らかなように、ひとつの終わり（ソナタ形式）が、より包括的な終わり（多楽章形式）の中に組み込まれるという、ここまで「資本」に即して述べてきたのと同じ「反復」の構成が、ここで音楽作品のスタイルの上に正確に再現されているのである。

ソナタ形式について、音楽史や音楽理論の初歩的な教科書に書いてあることを再確認しておこう。ソナタ形式は、「提示部→展開部→再現部」という三部構成が基本である。提示部では、（一つではなく）二つの主題が提示されなくてはならない。しかも、両者は、調性の点で異なり、対立していなくてはならない。展開部は、二つの主題の間の不均衡が誇張される部分である。ここで、主題は分解されたり、変形されたりする。最後に、再現部で主題が回帰する。ただし、今度は、二つの主題の調性は同じである。したがって、再現部では、二つの主題の間の対立が克服され、両者の総合が実現されているため、終結に至ったとの印象が構成されるのである。

岡田暁生は、社会学的な解釈を含めるかたちで、実に見事にコンパクトに書き上げた西洋音楽の通史の中で、ソナタ形式は「対立を経て和解に至る形式」だと結論づけている。[*13] 提示部で示される二つの主題は二つのテーゼのようなものである。展開部は激しい議論、対論にあたる。再現部において合意が形成され、和解が実現する。要するに、ソナタ形式は、音楽による弁証法だ。この形式が、ヘーゲル哲学と同時代であることに、われわれは深く納得する。[*14]

高次元の終わりへの意志を示す、このような音楽は、バロック時代にはなかった。たとえば、フーガは、通常、一つの主題しかもたないので、ソナタ形式のような発展を通じての終結を演じることはない。バロック音楽でも、協奏曲などは、複数の主題を登場させることがあるが、しかし、そこでは、主題たちはただ対比させられているだけで、それらを対決させせながら総合しようとするいかなる努力も意志も示されない。岡田は、バロック協奏曲の主題の「交代対照」と古典派のソナタ形式の主題の間の「対話的総合」の対立は、バロック時代のオペラ（オペラ・セリア）と古典派において発達した喜劇オペラ（オペラ・ブッファ）の対立と類比的だと示唆している。オペラ・ブッファの達人は、モーツァルトである。[*15]

＊

オペラに深入りするのはやめておこう。ここでは、岡田の解説を導きとして、ウィーン古典派の三大巨匠の中で最も若いベートーヴェンこそは、「高次の終結へと上昇していく目的論的な時間」という概念の最高度の完成者だった、ということだけは確認しておきたい。[*16] このことは、ベートーヴェンの交響曲の特徴的な終楽章を思い起こせば、すぐに理解できるだろう。ハイドンやモーツァルトの交響曲では、第一楽章が内容的に最も重く、終楽章は、軽やかで浮き浮きした祝典を思わせる。したがって、これも確かにひとつの「終わり」ではあるが、「雨降って地固まる」のような終わり方であって、起点を乗り越える総合がなされたというより、本来の場所に差し戻されたことによる和解を連想させる。しかし、ベートーヴェンの終楽章は、これとはまったく性質を異にしている。それは、牧歌的なハッピーエンドではなく、「エネルギッシュな疾風怒濤の突進」であり、ただの和解というより、勝利の讃歌に近い。ベートーヴェンの終楽章は、起点への回帰をまったく含んでおらず、「敵」を完全に打ち負かしたことで得られる高次の総合である。岡田は、ベートーヴェンの音楽は、「シュプレヒコールを叫びながら行進していく群衆のごときノリ」であると述べている。

付け加えておけば、終楽章のこうした特徴は、その準備段階としての第三楽章の性格にも反映している。ハイドンやモーツァルトの交響曲の第三楽章は、メヌエットである。メヌエットは、一八世紀の宮廷舞踏で使用されていた。さらに、第三楽章の中間部には、メヌエットと対照的な民衆的なトリオが挿入された。岡田によると、これには、寛容な貴族に招かれた農民たちの民衆舞踊を連想させ、民衆と貴族の和解を暗示している。しかし、ベートーヴェンの第三楽章は、貴族的な典雅なメヌエットではない。それは「突撃するスケルツォ」だ。ここには、貴族と民衆の妥協的な和解はなく、民衆はまだ対決の姿勢を崩していない。

ハイドン、モーツァルトとベートーヴェンのこうした違いは、フランス革命との位置関係を反映していて、興味ぶかい。モーツァルトは、一七九一年に三十五歳の若さで没しており、基本的にはフランス革命の前夜に、せいぜいとば口に属している。ハイドンは、フランス革命の後もしばらく生きてはいたが、しかし、モーツァルトより二十歳以上も年上で、その精神は、明らかにフランス革命前に属している。そしてベートーヴェンだけが、フランス革命の後に属している。ベートーヴェンの交響曲が表現する攻撃性や勝利への意欲は、こうした時代の文脈に実にふさわしいものだと言えるだろう。

このように、ベートーヴェンは、「高次の終わり」ということを、高い完成度で提示することに成功した。では、彼よりも後の音楽家、一九世紀のロマン派の場合はどうであろうか。詳しくは説明しないが、結論だけを言えば、彼らは、ベートーヴェンほど見事な終わりを創ることはできなかった。彼らの作品は、終わろうとしているのに終わりどころを見出すことができず迷っている、という印象を聴く者に与えてしまうのだ。

ベートーヴェンは違う。彼の作品の主題は、一般にシンプルで、凡庸だとさえ言える。しかし、彼は、その単純な主題を徹底的に変形し、可能なかぎりすべての加工をそこに施してしまう。いわば、「もうこれ以上やることはない」という印象が出てくるまで、主題をあくことなく操作するのだ。音楽用語で、これを「主題労作《テマティツシエ・アルバイト》」と呼ぶ。そう、これは、「労働《アルバイト》」なのだ。商品の価値の唯一の源泉である、あの「労働」が、ここにもある。

4　ふざけたゲーム

さて、もうわれわれの方も、十分に準備を重ねてきた。本来の問いを再提起しよう。予定説へと収斂するプロテスタンティズムのエートスが、いかにして、資本主義の精神の誕生を促すことができたのか。もう歴史的事実を追いかけることはやめ、論理の力を使って、一挙に回答を示したい。そのために、ここに一つのゲーム状況を導入してみよう。

今、目の前に二つの箱が置かれている、とする。透明で中が見える箱と不透明なブラックボックスである。透明な箱Aの中には、一〇〇〇ポンドの札束が入っているのが外から確認できる。不透明な箱Bは、空っぽであるか、もしくは一〇〇万ポンドが入っているかのいずれかであるとされている。

A　透明な箱　　一〇〇〇ポンド
B　不透明な箱　〇ポンドまたは一〇〇万ポンド

ここで行為者に――つまりあなたに――選択肢が提示される。舌切り雀の童話のように、「AかBのいずれかを取りなさい」という選択であれば、このゲームは、たいした含みのないつまらないものになる。この場合には、Aを選ぶ者もいれば、Bを選ぶ者もいるだろう。違いは、行為者の性格による。慎重な人はAを取るし、大胆な人はBを取る。一〇〇〇ポンドを確実に取りにいくか、思い切って一〇〇万ポンドに賭けてみるか。このゲームは、性格診断に使えるだけになる。

しかし、行為者に与えられる選択肢は、「AかBか」ではなく、次の二つである。

H_1　不透明な箱B

H_2　透明な箱A＋不透明な箱B

箱Bだけを取るのか（H_1）、それとも、箱Aと箱Bの両方を取るのか（H_2）。このゲームは、「AかBか」のゲームよりもいっそうつまらないものに見えるだろう。行為者が愚か者でなければ、つまり合理的な行為者であれば、H_2の方を選択するに決まっているからだ。ありうるケースは二つで、箱Bが空っぽか、あるいはその中に一〇〇万ポンドが入っているかのどちらかである。そのどちらの場合でも、H_2を取った方が、H_1を取るよりも得をする。運悪く、箱Bに何も入っていなくても、H_2を選んだ者は、一〇〇〇ポンドを得ることができる。しかし、H_1を取った者は、そのとき、まったく利益が得られないことになる。

このように、H_1を選ぶべき理由はまったくない。だが、はっきり言っておこう。厳格で純粋なプロテスタントや資本主義の精神を完全に内面化している労働者・企業家は、このようなときに、H_1の方を選び、H_2を拒否する者たちなのだ。どうして、そのように解釈しなくてはならないのか。少し説明が必要だろう。

ピューリタンが断固として拒否していることは何であったか？　現世が与える快楽のうちに充足してしまうことであった。彼は、最後の究極の救済、神の国への救済以外のすべてを拒否する。資本主義の精神を引き受けている行為者が、嫌悪することは何であったか。一定のレベルの富に満足してしまい、より以上の富の獲得への意欲をもたないことであった。彼は、常に、より以上の富の獲得へと指向する。

ここで、H_2を選択する行動を規定する心性がどのようなものなのか、考えてみよう。H_2を取る者は、こう思っていたはずだ。「場合によっては、一〇〇〇ポンドでもよい」と。彼は、一〇〇〇ポンドが与える快楽に充足する準備ができている。しかし、このような態度こそ、ピューリタンも「資本主義の精神」も、受け入れられないことであった。彼らは、一〇〇〇ポンドで満足する可能性を斥け、一〇〇万ポンドを決してあきらめないということを行動で示さなくてはならない。それは、H_2ではなくH_1を選択することを意味している。

とはいえ、目下のゲーム状況では、H_1を選ぶ者は誰もいない。明らかに、H_2の選択の方が合理的だからだ。そこで、次のように問いを立ててみる。このゲームをどのように改造すれば、H_1の選択に、一定の合理性を宿らせることができるのか。場合によってはH_1の選択にも合理性がある、と見なしうるようにするには、どのような設定を加えればよいのか。ピューリタンも、資本主義の精神を身につけた者も、H_1の選択に合理性があると見なしている。そのように見えるためには、何が必要なのか。それが解明できれば、われわれは、予定説が何であり、資本主義の精神とどう関係しているのかが説明できるだろう。

1　マックス・ヴェーバー『プロテスタンティズムの倫理と資本主義の精神』大塚久雄訳、岩波文庫、二八六頁。
2　同書、二八七頁。
3　同書、六三―六五頁。
4　同書、三二八頁。

5　これらの点については、森嶋通夫が厳密に証明している。森嶋通夫『マルクスの経済学――価値と成長の二重理論』高須賀義博訳、東洋経済新報社、一九七四年（原著一九七三年）。

6　モイシェ・ポストンの理論についての以下の説明は、次の著書と論文をもとにしている。モイシェ・ポストン『時間・労働・支配――マルクス理論の新地平』白井聡・野尻英一監訳、筑摩書房、二〇一二年（原著一九九三年）。Moishe Postone, "Rethinking Marx (in a Post-Marxist World)," Charles Camic ed. *Reclaiming the Sociological Classics*, Molden and Oxford: Blackwell, 1997.

7　ポストンの理論に対する私の見解の詳細については、次の論文を参照されたい。大澤真幸「抽象的労働の論理的起源」『変革のアソシエ』第一五号、二〇一四年。

8　抽象的時間の歴史については、ポストン、前掲書、三二八―三六六頁。

9　ジョゼフ・ニーダム『中国科学の流れ』牛山輝代訳、思索社、一九八四年（原著一九八一年）、一五〇―一五一頁。

10　実際には、天体や太陽の運動を基準にした時間において、すでに抽象化は始まっている。天体が、労働や生活の対象でもなければ、随伴者でもないのに時間を刻む基準として採用されているのは、主として、その運動が、かなり広域の空間に散らばって住んでいる人々に対して共通の単位となりうるということによるからだ。それに対して、エヴァンス＝プリチャードが紹介している、スーダンのヌアー族の「牛時計」はもっと具体的だ。ヌアー族の人々は、彼らの主要な生業である牧畜作業の循環で、時間を刻む。「家畜囲いに牛を連れ出す時間」「搾乳の時間」等々と。真木悠介『時間の比較社会学』岩波書店、一九八一年、三四―三五頁。

11　ポストンは、教会の時間から商人の時間への移行については、ジャック・ル＝ゴフの研究が参考になるとして、これを詳しく紹介している。ル＝ゴフが記述しているのは、一四世紀の自治都市――布を生産していた都市――における「労働の鐘」の拡散である。そこは、早くから、社会諸関係の資本主義的な形態が、つまり初歩的な資本‐賃労働関係が発生した場所である。労働者の側の労働日の延長の要求を逆手にとるようなかたちで、彼らを雇う側だった商人は、労働日を綿密に規制することは自分たちの利益につながることに気づいた。そのとき、労働の時間を計測し、調整する機能をもつ装置として労働の鐘が導入された。これによって、日の出や日没といった自然に規定されない、抽象的な労働時間が確立し、浸透していった。ル＝ゴフ『もうひとつの中世のために——西洋における時間、労働、そして文化』加納修訳、白水社、二〇〇六年（原著一九七七年）。

12　以下、バロックの絵画についての論述は、私との対談における松浦寿輝の発言に全面的に触発されている。松浦寿輝・大澤真幸「「近世」への三つの球」『群像』二〇一七年五月号。

13　岡田暁生『西洋音楽史——「クラシック」の黄昏』中公新書、二〇〇五年、一一四頁。

14　ヘーゲルとベートーヴェンは、同じ年（一七七〇年）に生まれた。

15　岡田、前掲書、一一五—一二〇頁。

16　同書、一二一—一三〇頁。

第11章　予定説の効果

1　予見者を導入する

前章の最後に、予定説がどのように人間の行動に影響を与えるのかを説明するために、一つのゲームを導入した。行為者Sであるあなたの前には、透明な箱Aと不透明な箱Bが与えられているのだった。前者Aには、一〇〇〇ポンドが入っているのが確認できる。後者Bは、まったく金《かね》が入っていないか、一〇〇万ポンドの大金が入っているかのいずれかであることがわかっている。あなたは、H_1（Bだけ）か、それともH_2（AとB）のどちらかを選べ、と言われる。あなたSが愚かでなければ、H_2を選ぶはずだ。どちらの選択肢も箱Bを含んでいるのだから、H_2を選んでおけば、運悪く、箱Bに何も入っていなかったとしても、箱Aの一〇〇〇ポンドは獲得できるからだ。合理的な行為者でH_1を選ぶ者はいない。

ゲームの設定と予定説——というかキリスト教——の教義との対応をはっきりさせておこう。キリスト教徒の観点からは、自分が、神の国で永遠の生を享受することができるのか、それとも、地獄（あるいは永遠の死）に行かされるのかが問題である。このことを決めるのはもちろん神であり、最後の審判において、それぞれの個人に関してどちらなのかが神によって告知される。私は、呪われている（地獄）のか、救済される（神の国）のか。この分割は、ゲームの上では、箱Bの中が空なのか、一〇〇万ポンドなのかに対応している。箱Aの一〇〇〇ポンドは最初から決まっていることなので、救済論的な意味はない。

不透明な箱Bの中　　〇ポンド＝呪い（地獄）

　　　　　　　　　一〇〇万ポンド＝救済（神の国）

二つの行為H_1とH_2が、信仰のコンテクストの中で何に対応するのかは、前章で述べておいた。H_1は、ヴェーバーが、ピューリタンに見た世俗内禁欲——これは行動的禁欲とも呼ばれる——の原理に基づいて、勤勉に働くことに対応している。H_2は、そのように過度に禁欲的には働かないこと——ピューリタンから見れば怠惰に過ごすこと——に対応する。H_1とH_2の違いは、目の前に見えている——透明な箱Aに入っている——一〇〇〇ポンドを取るか取らないか、である。Aの箱を取らない選択肢H_1は、直近の快楽を断念していることを意味している。Aを取る選択肢H_2の方は、断念せず、その快楽に即座に飛びついていることを意味している。このように考えると、H_1が世俗内禁欲に似ていることがわかるだろう。

二つの行為選択肢　　H_1＝世俗内禁欲　　H_2＝禁欲せず

だが、このような意味を与えたとしても、行為者SはH_1を選択するわけではない。どう見ても、H_2を選ぶ方が合理的だからだ。このゲームにどのような工夫を加えれば、行為者Sに、合理的にH_1を選択させることができるのか。その工夫を見出すことができれば、予定説が信者を世俗内禁欲へと駆り立てるメカニズムが明らかになるはずだ。

＊

ウィリアム・ニューカムという名の物理学者が、このゲームに、ひとつの条件を付け加えることを提案している。予見者Vを導入するのだ。予見者Vは何を予見するのか。箱Bに何が入っているのかを予見するのだろうか。そうではない。予見者Vが予見することは、行為者SがH_1を選択するのか、H_2を選択するのか、である。加えて、予見者Vには、もうひとつ、重要な仕事がある。この予見者Vにこそ、箱Bに何を入れるかを決定する権限があるのだ。つまり予見者Vは、箱Bを空っぽにしておくのか、それとも、その中に一〇〇万ポンドを入れておくのかを決めるのである（というわけで、予見者が箱の中を予見する必要がないことは明らかだろう。彼こそが箱の中身を決めていたのだから）。

予見者Vの二つの仕事、つまり行為者Sの選択についての予見と箱Bの中身の決定との間には、ある相関関係がある、としておく。予見者Vは、ただ闇雲に、箱Bの中に一〇〇万ポンドを入れるかどうかを決めるわけではない。Vは、「行為者SがH_1を選択するだろう」と予想した場合に限って、箱Bに一〇〇万ポンドを入れるのだ。

したがって、ゲームは次のような順序で進行する。まず、予見者Vは、行為者Sが行為を選択する前に、SがH_1を選択するか、それともH_2を選択するかを、予想する。SによってH_1が選択されるだろうと予見者Vが予想した場合には、箱Bには一〇〇万ポンドが入れられるだろう。逆に、H_2が選択されるだろうとVが予想した場合には、箱Bは空になる。その後、行為者Sが実際に——H_1かH_2のいずれかを——選択する。

行為者Sには、「予見者Vがいて、彼（または彼女）があなたの選択をH_1と予想したときにのみ、箱Bには一〇〇万ポンドが入っている」ということは教えられている。しかし、選択に先立って、行為者Sに、予見者Vが何を予想したかは教えられない。それを教えられたら、箱の中に何が入っているかが事前にわかってしまうので、この選択の賭としての性格は完全に消えてしまうだろう。行為者Sは、選択を終え、箱Bを開けたときに初めて、――箱Bの中に何が入っていたかだけではなく――予見者Vが自分に関して何を予想していたか、を知ることになる。

ここで、予見者Vなるものが、予定説の神と少しばかり似ていることに気づくだろう。今、「似ている」と述べた。似ているだけで、同じではない――いや未だこれだけでは根本的に違うからだ。

いずれにせよ、間違ってはならない重要なポイントとして、次のことをはっきりさせておこう。予見者Vは、行為者Sの選択に報いたり、懲罰を加えたりしているわけではない。Vは、SがH_1を選択したことに対する報酬のようなものとして、一〇〇万ポンドを与えているわけでもなければ、SがH_2を選択したことに対する懲罰として、箱Bの中にお金を入れなかったりしているわけではない。Vは、Sの実際の選択の前に、箱Bの中にお金を入れるか入れないかを決めてしまっているのだから、このような解釈は成り立たない。ということは、少なくとも予見者Vは、カトリックの神ではない。カトリックの神は、信者の行為に対して、たとえば悔い改めのサクラメントや贖宥状の購入といった行為に対して、報いてくれるからである（第8章）。

＊

それでは、予見者Vはプロテスタントの神になっているのか。今しがた、似ていてもそうではない、と結論を先取りしてしまったが、重要なことは、どう違うのか、なぜ違うのかを理解することにある。そのためには、ニューカムに従ってゲームの設定をこのように複雑化したとき、つまり予見者Vを導入したとき、行為者Sはどちらを選択するか、を問うてみるとよい。行為者Sは――つまり「あなた」は――、H_1とH_2のどちらを選択するだろうか。行為者Sにとって、合理的な選択肢はどちらだろうか。もしH_1の選択に合理性が出てきたならば、予見者Vは、プロテスタントの神のように機能していることになる。

予見者Vが、箱Bに一〇〇万ポンドを入れるのは、Vが、行為者SがH_1を選択すると予見した場合（だけ）だ、と言われると、「それならば行為者SはH_1を選択するはずだ」と一瞬答えたくなる。が、少しばかり冷静に考えてみれば、この場合でも、行為者Sにとっては、予見者Vがいないときと状況は何ら変わらないことがわかる。つまり、この設定のもとでも、予見者Vがいなかったときと同じように、行為者Sにとっては、H_2を選択する方が合理的である。ゲームの理論の専門家であれば全員、H_2の選択の方を支持するはずだ。H_2は、ゲームの理論で言うところの「支配戦略」になっている。支配戦略とは、相手――この場合には予見者V――の出方を考慮に入れたときの最適な戦略（選択肢）のことである。

H_2が支配戦略であることは、次のように場合を分けて考えれば確かめられる。自分自身が行為者Sであると仮定して推論するとよい。まず、あなたの選択に関する予見者Vの予想は、二つ――H_1かH_2か――のうちのいずれかであり、それに尽きる。そこで、それぞれの場合に関して、あなたが何を選択する方がよいのか――どちらを選択する方が利益が大きいのか――検討してみよう。

1．予見者Vが、あなたSの選択肢をH_1と予想したとき。このとき、箱Bには一〇〇万ポンドが入れられる。

1－1　あなたSがH_1（箱Bのみ）を選択した場合。あなたSは「一〇〇万ポンド」を得る。

1－2　あなたSがH_2（箱Aと箱B）を選択した場合。あなたSは、箱Aと箱Bの両方のお金を、すなわち「一〇〇万ポンド（B）＋一〇〇〇ポンド（A）」を得る。

したがって、あなたSにとって、H_2を選択した方が利益が大きい。

2．予見者Vが、あなたSの選択肢をH_2と予想したとき。このとき、箱Bには何も入れられない。

2－1　あなたSがH_1（箱Bのみ）を選択した場合。あなたSはまったく金銭を得られない。

2－2　あなたSがH_2（箱Aと箱B）を選択した場合。あなたSは、箱Aに入っている「一〇〇〇ポンド」を得る。

したがって、あなたSにとって、H_2を選択した方が利益が大きい。

このように、予見者Vが、行為者Sであるあなたの選択を、H_1とH_2のどちらと予想した場合でも、あなたとしては、H_2を選択した方が得をする。この結論は、予見者Vがいなかったときとまったく変わらない。予見者Vの存在は、ゲームに何の影響も与えないというわけだ。

＊

だが、ここでもし、愚かでもないのに、H_1の方を選択する者がいたとしよう。もしそのような者がいれば、それは真のパラドクスと言わざるをえない。今まで見てきたように、素直に考えれば、H_2の方が有利な選択肢だからだ。しかし、実際に、H_1を選択する者がいるのだ。このようなケースを「ニューカムのパラドクス」と呼ぶ。

それにしても、誰がそんな奇妙な選択をするのか。もちろん、禁欲的なピューリタン、予定説を厳格に受け取るプロテスタントである。だが、どうして、プロテスタントは、合理的にH_1を選択するのだろうか。つまり、プロテスタントの目には、H_1の選択が十分に合理的に見えるのはどうしてなのか。その論理が明らかになれば、ヴェーバーが『プロテスタンティズムの倫理と資本主義の精神』に記したテーゼの本質を摑み、それを形式化するのに成功したことになる。実は、ヴェーバーのテーゼがニューカムのパラドクスの形式をとっていることを最初に見出したのは、政治哲学者のジャン＝ピエール・デュピュイである。[*1] われわれは、それを援用しつつ、ここまで議論を進めてきている。

どうして、プロテスタンティズムの観点からは、H_1の選択が合理的なものになるのか。ここまで来れば、それを示すのは、それほど困難ではない。が、その含意を真に理解するのは、それよりはるかに難しい。そこで、プロテスタントの無意識の推論の過程を再現する前に、少しだけ哲学的な回り道を通っておきたい。その上で、ニューカムのパラドクスに回帰した方が、ニューカムのパラドクスに写像されたヴェーバー・テーゼの真の意義が理解しやすくなるからだ。[*2]

2　現実以上に現実的な「可能性」

予見するとは、——少なくともわれわれ人間にとっては——予期することである。予期は、未来の出来事に関係している。では、予期は、過去の出来事に関係している記憶や想起とどう違うのか。両者は、時間的なベクトルが違うだけで、一方は「今」より後に向かい、他方は「今」より前に向かうというかたちでベクトルが違うだけで、同じ心的な操作なのだろうか。違う。[*3] 予期は、意志や願望や確信といった、その出来事に対する主観的な態度から独立に、決定することはできない。規則的で、それまでの傾向性からきわめて簡単に予見できる出来事に関してさえも、たとえば、「明日、太陽が昇る」というような出来事でさえも、予期は、その出来事の生起に対する私の強い確信を表現しているだけである。記憶は逆である。どの出来事を記憶するのか、どのように記憶するのかということについて、強い主観的な制約を受けるが、完全に、記憶の内容を主観性に従属させることはできない。たとえば、私がどんなに試験の合格を望んでいたとしても、不合格になってしまえば、「私は試験に合格しなかった」と記憶せざるをえない。要するに、予期は、「信ずる」ことの範疇に属しており、記憶は、「知る」ことの範疇に属している。[*4]

ところで、マイケル・ダメットに、「結果はその原因に先立ち得るか」と「過去を変える」という興味深いタイトルの二つの論文がある。[*5] 分析哲学的に詳細に検討するに値する内容豊かな論文だが、ここでは、結論だけを紹介しておく。ダメットは、原因が結果よりも先にある、という観念は、われわれが思っているほど自明なものではない、ということを証明している。彼は、過去に向かって何かを「予期」し、それを引き起こそうと意志して行動する人に対して、その行動は不合理である（からやめた方がよい）と、論理だけを使って説得することができるか、という思考実験を試みた。たとえば、これまで、封筒を開ける前に「チェッ」と舌打ちすると、その中に請求書が入っていたことが一度もなかった、という経験をもつ人がいたとする。そこで、この人は、「差出人が封筒に請求書を入れた」という過去の出来事が起こらないようにするために、開封前に「チェッ」と言うようになった。本人が言うには、これまで一度も失敗はない。この人に、その舌打ちは無益か、無効かのいずれかである、ということを論理のみによって説得できるだろうか。一見、ごく簡単そうに思えるが、実は非常に難しい。というか、不可能である。[*6]

要するに、ダメットによれば、過去に何事かを予期し、それを実現しようと意志することができるのだ。すると、われわれとしては、逆のこともできるのではないか、と問いたくなる。つまり、未来の出来事に関して——予期するのではなく——記憶すること、これもできるのではないか、と。実際、後に論ずるように、ある意味で「未来を記憶すること」を媒介にして、予定説の拘束力は発生している。

＊

予期されている出来事は、常に、「可能なこと」という様相を呈している。当然のことだが、不可能だとわかっていることについて、その生起を予期するということは、自家撞着だ。予期されていることは、私が可能だと見なしていることのみである。ここで、「可能性」という概念について、少しばかり検討しておきたい。この概念には、極端な両義性がある。「可能性」という概念に内在している分裂、この概念を反対方向に引き裂く二つの含みを確認しておきたい。

一方では、「可能性」は、空虚な可能性、ほとんど不可能なことを意味する語として用いられることがある。「それは、単に論理的な可能性に過ぎないではないか」などと言われるときが、そうである。あるいは、試験に落ちたり、勝負に負けたりしたとき、「俺だって本気を出していれば……」等の言い訳を聞いたときに、われわれが感じるのが、空虚な可能性である。このときの「可能性」は、ほんとうはありえないこと、むしろ不可能なことを指している。しかし、他方で、逆に、「可能性」が、まさに現実性を、ただの現実以上に鬼気迫る現実性を意味することもある。たとえば、失敗や不注意によって、多大な犠牲を出してしまったとき、人は、「ああすればよかった」「ああすることもできたのに」と痛恨の思いを抱くことがある。自分を慰めようと、あるいは他人にどうにかして取り繕おうと、「仕方がなかったんだ」「こうするよりほかなかったんだ」と言ってもなお、「いやそうではない、お前はああすることもできたはずだ」という内面の囁きがどうしても消えないことがある。このとき、可能性は、現に起きたことよりももっと切迫した現実性をもっている。

このように、可能性の観念には、二つの含みがある。どちらも、可能性という概念の本来的な意味を否定しているのだが、その否定の方向が逆である。「可能性」は、一方では不可能性を意味し、他方では、現実性を意味している。両方に引っ張られる形で、可能性としての可能性は消え去ってしまう。この二つの可能性の観念のそれぞれが、哲学的に記述されてもいる。ヘーゲルが、現実的なもの（だけ）が合理的であり、可能性がほんものかどうかということは結局現実化することによってしか確かめられない、と主張しているときには、前者の意味での可能性（ただ可能だと言っているだけのことは虚しく、ほんとうは可能ではないという趣旨）を主題化している。しかし、ヘーゲルは、現実的なもの das Wirkliche と実在するもの das Bestehende とは異なるとも述べており、このとき、実在ではない現実的なものとして彼の念頭にあるのは、後者の、現実以上の現実と化した可能性であろう。

「可能性」の概念の中に孕まれているこの両義性が、これからの考察のための伏線になる。何が、空虚な可能性（事実上は不可能性であるような「可能性」）を、現実以上の現実としての可能性へと転化させるのか。こうした問いが、このあとの探究を推進する力のひとつとなるだろう。

*

ケインズが「予期」ということについて述べた、非常に独創的なアイデアが、この問題を考える上でのヒントを与えてくれる。『雇用、利子および貨幣の一般理論』で知られている、あのジョン・メイナード・ケインズである。ケインズは「経済学者」として知られているが、彼の知的活動の中で経済学は一部でしかない。彼の実質的に最初の著書『確率（蓋然性）について』（一九〇七年執筆、一九二一年刊行）で、彼は、人は、どのようにして蓋然性（≒可能性）を判断するのか、という問題を論じている[*7]。これは、経済学とは直接には関係がない、哲学的な著作である。

ケインズによれば、蓋然性（確率、確からしさ）は、前提となる知識hと帰結される知識aとの間の推論的な関係——それはａ／ｈと表記される——として定義される。前提となる知識ｈを、現在のところ確実とされている知識だとすれば、ａ／ｈとは、まさに予期を表す形式になっている。

蓋然的な判断、つまり予期ａ／ｈは、どのようにして構成され、いかにして妥当なものとされるのだろうか。この問いに対してケインズが与えた回答は、驚くべきもので、ほとんど奇抜でさえある。ケインズによると、蓋然的な関係ａ／ｈは、推論者によって、自明なものとして直知acquaintanceされる。「直知」はラッセルに由来する概念であり、対象を直接に見知ることである。人は、知覚、理解、経験といった認識の作用を通じて、対象を、（記述を媒介にせずに）直接に把握することがある。これが直知である。たとえば、人は、青という色を、感覚を通じて直知する。「青」という感覚は、まったく直接の知覚であって、それ以上の要素的な認識によっては説明できないからだ。

だから、青年ケインズによれば、われわれは、青色を明証的に知覚するのと同じように、歯痛を直接に感覚するのと同じように、二つの知識の間の蓋然的な関係を自明なものとして、直接に把握するのである。ケインズが心酔していたジョージ・エドワード・ムーアが『プリンキピア・エティカ』で「善」は直知される、と説いている。ケインズは、これを蓋然的な判断に応用したのだ。その判断を構成する推論的な関係は、善が直知されるのと同じように、直知される、と。

だが、われわれは、本当に蓋然的な関係について、こうした直接的で明証的な仕方で把握しているだろうか？　そこに「青」が見えるという直接性と同等な仕方で、（現在が「ｈ」であるからには）「ａ」がありそうだ、という関係を把握しているだろうか？　たとえば、ケインズの後に、数学的に洗練された確率論を展開したラムジーは、次のようにケインズを嘲笑的に批判している。

ここでケインズ氏の考えにたいするもっと根本的な批判へと転ずることにしよう。それは、彼が記述しているような蓋然的関係といったものは、本当に存在しているようには見えないという、すぐに気づかれる批判である。彼が想定するところでは、少なくともある特定の場合には、この関係は知覚可能であるとされている。しかし、私自身について言えば、それが事実でないと確信をもって言える。私はそれを知覚しないし、それが存在すると納得するには議論による他はない。しかも、私以外の人々もそれを知覚していないのではないかと、疑わざるをえない。なぜなら、人々は二つの与えられた命題のあいだにどの蓋然的関係が成り立っているかについて、ほとんど何の合意に達することもできないからである。*8

しかし、そうだとすると、どうして、ケインズは、そもそも、こんなに簡単に批判されるようなことを主張したのだろうか。ケインズが、蓋然的な関係は直知される、つまり予期は直知の一形態であると主張したとき、彼は、ラムジーやそのほかの批判者たちがまったく自覚できていない認識のある側面を見ていたのではないだろうか。

*

蓋然性（≒可能性）が直知されている、とはどのような状態なのか。この点を明らかにするために、一見、これとは関係がなさそうな事実を参照しよう。柄谷行人はかつて、ごく短いエッセイの中で、スポーツの領域で、誰かが大きく世界記録を更新すると、それまで何十年間も誰も到達できなかったその近辺の記録を出す者が、突如として次々と出てくることがあるが、それはどうしてだろうか、という疑問を提起した。

たとえば、一九六〇年代の後半まで、一〇〇mを十秒以内で走ることができた者はいなかった。一〇〇m競走の記録が最初に測られたのは一八六七年だが、それから一世紀以上の間、誰一人として、九秒台で一〇〇mを走ることができなかった。ところが、一九六八年に初めて九秒台の記録が出ると、それ以降、次々と、十秒を切る記録で、一〇〇mを走る者が出てきたのだ。同じことは、いやそれ以上に顕著なことは、体操やフィギュアスケートの新技術に関しても言える。登場するまでは、何年間も、誰もなしえなかった困難な技でも、ひとたび、一部のアスリートが成功させると、ほどなくして、多くの他のアスリートでも演じうる平凡な技に転じてしまう。だから、われわれは、たとえば二十年前の体操競技の映像を見ると、今日との格差に驚かざるをえない。

この現象をどのように説明したらよいのか。次のように考えるとよい。たとえば、あるとき誰かが、十秒を切るようなタイムで一〇〇mを走ったとする。当然のことながら、他のアスリートは、これを直接に知覚することに——つまり直知することに——なる。この途端に、彼等アスリートにとって、世界の様相が変化する。どう変化するのか。先に述べた、「可能性」という観念の両義性に関係した変化が生じるのだ。以前は、九秒台で一〇〇mを走りきることは、空虚な可能性、事実上はありえないような、論理的にのみ仮定された可能性であった。それが、今や、現実性へと転化している（当たり前である。現に誰かが九秒台で走ったのだから）。可能性の観念の一方の極から他方の極への移動が一挙に生じているのである。

ここで最も重要なこと、肝心要なことは、誰かが九秒台で走るという可能性が現実的なものであることが知覚されると、他のアスリートにとってもそれが、実際に可能なことになる、ということだ。九秒台で走ることができるかできないかわからない、それが不確実な可能性でしかない、と思っている間は、いくらがんばっても、またどんなに能力があっても、九秒台で走ることはできない。だが、それがまぎれもない現実であると知覚されると、それを知覚した者にとっても、（努力次第で）それがなしうることになるのだ。

たとえば、第二次世界大戦中、マンハッタン計画をめぐる最大の機密事項は、どうやって原爆を製造するか、ということではなかった。どういうやり方であれ、とにかく原爆が製造されたという事実、そのことこそが、最大の機密だったのである。「人は原爆を製造できる」ということが、敵（ナチスドイツ）にとって現実になると――単なる空虚な可能性からはっきりとした現実へと転化すると――、実際に、彼らも原爆を製造できてしまうからだ。原爆の製造の可能性について確信をもてずにいる間は――できるかもしれないができないかもしれないなどと思っている間は――、敵は容易にそれを製造することはできない。

さて、それでは、最初に、一〇〇mを、十秒を切る速さで走った者にとっては、どうだったのだろうか。最初に、驚異的な大技を成功させた体操選手にとっては、どうだったのか。彼らは、「誰かが一〇〇mを九秒台で走る」のを知覚する前から、あるいは「誰か別の人がその大技をやっている」のを知覚する前から、事実上、それらを知覚したのと同じ心的状態をもつことができていた、ということではないか。つまり、彼にとっては、人間が一〇〇mを九秒台で走るという予期は、単なる空虚な可能性を指しているのではなく、知覚されたのと同然の現実を指示しているのだ。これこそが、蓋然性が直知されている状態にほかなるまい。蓋然性が直知されていることが、つまり予期が直知として生じていることが、現にそれが実現し成功するための必要条件——ただし最も重要な必要条件——ではないだろうか。

それにしても奇妙なことだ。実際には知覚していないのに、どうして、直知したのと同じ心的状態を構成することができるのか。このように問い返したところで、われわれは、もとの主題に戻ることができる。予定説はどのようにして世俗内禁欲をもたらすことができたのか。あのゲームで、どのようにしたら、行為者に合理的にH_1を選択させることができるのか。

3　非合理的な選択肢の合理的選択

繰り返し確認しよう。プロテスタントの世俗内禁欲は、われわれが導入したゲームに対応させれば、明らかに合理性を欠いたH_1を選択することを意味していた。どうしたら行為者に、十分に合理的で賢明な行為者に、H_1を選択させることができるのか。このような課題のもとで、神にいくぶんか似た風貌をもつ予見者Vを導入したが、何の効果もなかった。予見者Vは、このゲームの中で、遊んでいる歯車である。行為者Sの選択に何の影響も与えない。

だが、それは、予見者Vを、行為者Sと同じ「人間」であると想定していたからである。今、私が行為者Sであるとして考えてみよう。人間である予見者Vは、行為者Sである私の未来の選択に関して、予期のモードでかかわる。予期は的中するとは限らない。また、私としては、予見者Vの予期が的中するように配慮したところで、自分の利益を増やすことができるわけではない。そもそも、予見者Vが私の行為についてどのように予期するのかをあらかじめ知る方法を私はもたない。だから、私は、その予期に自分の選択を適合させることもできない。行為者Sとしては、予見者Vのもちうる予期のそれぞれに対して、最適な選択で応じるのみだ。

しかし、予見者Vが、神だったら、全知全能の神だったら、事情は一変する。神Vは、行為者Sである私の行為を予期するわけではない。神は、端的に知っているのである。私が何を選択することになるか、を。神は、私の未来の選択について予期するのではなく、それをあらかじめ知っている。これが最も重要なポイントだ。このような予見者、つまり私の未来の行為についてあらかじめ、すでに知ってしまっている予見者の存在を前提にしているということと、神を——予定説が教えるような厳密に超越的な神を——信じているということとは、まったく同じこと、同値の事態である。

「信仰」を意味するこの前提は、予見者（＝神）があらかじめ（私の選択の前に）、事後の視点（私の選択の後に属する視点）をもっている、ということを含意している。普通は、私が選択するのを見てはじめて、人は私が何を選択したのかを（H_1／H_2を選択したことを）知る。しかし、今定式化した「前提」は、神としての予見者が、本来であれば私が選択してしまった後に（人が）わかるはずのことを、あらかじめ知っている、ということを意味している。これが、予見者である神が事後の視点をもっている、ということの意味である。したがって、神の「知り方」、神が、私の未来の行為について知るやり方は、予期よりもむしろ記憶に近い。すでに終わったことを思い起こすようにして、神は、私の未来の行為を知る。「神」という媒介項を入れると、われわれは、未来の出来事に対して、「記憶」のモードで関わることができる。

行為者である私は、事後の視点の存在を、予見者＝神に帰属させるかたちで想定（前提）することができる。逆に言えば、神としての予見者が存在しなければ、事後の視点の実在を、私は想定することができない。この前提のもとで、私の推論はどのように展開するだろうか。そして、その推論は、私の選択をどのように規定するだろうか。

私は、神が「知っている」ということを想定してはいるが、神が私の行為・選択について「何を」知っているのかは知らない。私が、実際に選択してしまったとき、たとえばH_2を選択してしまったとき、私ははじめて、神が何を知っていたかを、つまり神が「私がH_2を選択すること」をあらかじめ知っていた（はずだ）、と知ることになる。しかし、選択の前には、神が何を知っているのかを私は原理的に知ることができない。そうであるとすれば、予期する（人間の）予見者のケースと同じことになってしまうのではないか。予見者の予期の内容を知り得ないために、予見者（予期する予見者）の存在は、行為者である私の選択に影響を与えなかったのだった。同じことが、神である予見者を導入した場合にも成り立つのではないか。

だが、そうではない。繰り返せば、神Vは、私SがH_1を選択するのか、あるいはH_2を選択するのかを知っているはずなのだが、私は、神がどちらを知っているのかを知らない。このことは神Vが、最後の審判において、私Sを救済するのか、それとも呪うのかを、私が知らないということでもある。このゲームに即して言えば、予見者＝神Vが、箱Bの中に一〇〇万ポンドを入れたのか、それとも入れなかったのかを、私Sは知りようがない。

しかし、にもかかわらず、私は、神が私を救済するはずだ——予見者は箱Bに一〇〇万ポンドを入れたはずだ——と無根拠に前提にせざるをえない。神を信仰するということは、定義上、そのような前提を要請するのではあるまいか。自分を絶対に救済しないことがわかっている神を、人は信じることができるだろうか。神を信じるということは、神が私を救済することになることを——もう少し慎重に言い換えれば、私を救済する可能性があることを——信じることを意味する。全員が救済されるわけではないということがわかっている場合でも、それどころか、救済される者の方が圧倒的に少ないということが明白である場合でも、事情は変わらない。神を信仰するすべての「私」は、自分が救済される側にあるだろう、ということを先取りして、前提にせざるをえないのだ。この前提の措定は、賭に臨むときの態度に似ている。人は、賭に外れる確率の方が圧倒的に高いことを自覚していても、自分が当たるだろうと想定しなければ、賭をすることができない。

予見者Vである神が私Sを救済するという前提を私が置くこと、つまりゲームの文脈では、予見者Vが箱Bに一〇〇万ポンドを入れたという前提を私が置くこと、このことは、神Vは、私がH_1の方を選択すると予見していた——ということは「知っていた」——ということになる。そうである以上、私としては、H_1を選択しなくてはならない。神は、私がH_1を選択すると知っていたときにしか、私を救済しない——箱Bに一〇〇万ポンドを入れないからだ。もし私がH_2の方を選択したとすれば、神が知っていたこと（予見していたこと）は、「行為者＝私SがH_2を選択すること」であったはずであり、これは、「神は私を救済する」という前提と矛盾する。結局、行為者Sは、神Vの知っているはずのことを充足するように振る舞う。言い換えれば、「最後の審判の後」に属する神の視点に映っているに違いないことを、そのままなぞるように私は行動する。それこそが、H_1の選択である。

こうして、われわれは、行為者Sに合理的にH_1を選択させることに成功した。何が最も重要なポイントだったのか。神が「知っている」者として存在していると前提にされていること、これである。神が人間の行為に対して、「期待している」「願望している」あるいは「信頼している」等の命題的態度をもっているだけであれば、ニューカムのパラドクスのような効果（行為者によるH_1の選択）は生まれない。予定説の神は、知っている神であるがゆえに独特の効果をもたらすことができたのだ。

実際の「信仰」に即するかたちで、ゲームに微調整的なコメントを加えておこう。ここでは、わかりやすくするために、「予見者Vは、行為者SがH_1を選択したときにだけ、箱Bに一〇〇万ポンドを入れる」という条件は、行為者Sにあらかじめ告知されていることにした。しかし、実際のプロテスタントの信仰においては、何をする者が救済に予定されている、と明示的に語られるわけではない。原理的には、どのように行動する者が救済されるべく選ばれているかは、まったく不可知である。[*9] とはいえ、実質的には、信者たちは、どのように振る舞う者が救済に予定されているのかということについて、あるいは少なくとも、どのような者が救済されるべく選ばれてはいないかということについて、明確な、ほとんど合意されたイメージをもっている。たとえば、ある程度稼げば十分だとして、その分を享受し尽くしてしまう者は、救済されるはずがない、等と。こうしたことを考えれば、行為者SのH_1の選択と、箱Bの中身との関係が、あらかじめ行為者に告げられている、というこのゲームの設定は、信仰の実態を裏切るものではない。

4　セクト――教会の中の教会

このような設定の下に信者が置かれたことの最大の心理的効果は、自分が神に救われることへの非常に大きな自信、強い確信が生まれることである。第2節で、可能性の概念は両極に分裂する、と述べた。そのとき使用した表現を用いるならば、プロテスタントにとって、自分が救済されるべく選ばれているということは、現実以上の現実であるような可能性、きわめてアクチュアルな可能性である。

プロテスタンティズムの登場とともに、救済の確率に関して、矛盾しているとも思える二つの傾向が同時に現れる。実際のところ、キリスト教の教義の中で、全人類の中のどの程度の者が救済されることになっているのか、救済の確率はどのくらいの大きさなのか、明示的に語られることはない。人類の大半が救済されるのか、逆に救済される者はごくごく一部なのか、わからない。いずれにせよ、一般に、プロテスタントは、救済を厳格に捉え、神の国に迎え入れられる者は、ごく少数の選ばれた者だと考える傾向が強い。カトリックには、救済される者の範囲を拡げようとするさまざまな装置や発想があったが――贖宥状はその最たるものだが、聖母による取りなしとか、煉獄などもそうした発想の中に数えられる――、それらは、プロテスタントにおいてことごとく否定された。プロテスタントは、大半の者たちは救済されることはない、という事実を受け入れているように見える。しかし、他方で、信仰篤い個々のプロテスタントは、自分は救いへと予定されている選ばれた者だという確信は、カトリックの信者よりもずっと強い。この二つの傾向が同時に進捗するのは、奇妙なことと言えば奇妙なことだ。宝くじの「当たり」の確率がより小さくなっているのに（しかもそのことを誰もが理解しているのに）、個々人に関しては、自分が当たるだろうという確信が大きくなっていることになるからだ。

この背反する二つの傾向が生み出した社会的な産物が、「宗派《セクト》」である。プロテスタントは多様なセクトを結成する。これは、カトリックにはまったくなかったことだ。セクトは、言ってみれば、教会の中の教会、堕落した教会の中に生まれた真の教会である。自分たちは選ばれた極端な少数者であるという自覚に由来する連帯の感覚が、セクトの形成を促しているのであろう。セクトは、孤立への強い指向性——自分は選ばれていて堕落している大半の者とは違うのだという感覚やそこからくる社交の拒否——自体が生み出す、強い連帯感の産物である。

問いたいことは、どうして、プロテスタントにおいては、自分が救済されているはずだという確信がかくも高まるのか、ということである。彼らの目から見れば、人類の集団をマクロに捉えれば、救済の確率（言わばくじが当たる確率）は圧倒的に低下しているのだから、自分が救済されている可能性も小さく見積もらなくてはならないはずだ。ところが、自分自身が選ばれていることへの確信だけは高まっている。どうしてなのか。

ここで、あの「知っている神」が利いているのだ。もう一度、ニューカムのゲームで、プロテスタントがH_1を選択するまでの推論過程を、あの無意識のうちに進む推論過程を思い起こそう。この推論過程の端緒は、神が「私」を救済すべく定めている、という前提である。言い換えれば、神は私が救済されるのを知っ<ruby>て</ruby>いるのだ。この前提には、ほんとうは何の根拠もない。私はこの前提を独断的に採用する。しかし、この前提を置かなくては何も始まらない。それこそが信仰ということだからだ。第2節で導入した用語を使えば、神は直知しているのである。私が最後の審判において救済される側の判定を受けるのを。

ある出来事が直知されること、それがひとつの現実として目撃されることが、その出来事と同種のことが実現される可能性を圧倒的に高める。この点をわれわれはすでに確認した（第2節）。これと同じメカニズムが信仰でも作用しているのだ。神が私の救済の現場に立ち会っている。となれば、私は、自分の救済を、アクチュアルな可能性として確信することになる。そのためには、もちろん、救済までの全過程で私は正しく選択しなくてはならない（箱Bの中の一〇〇万ポンドを得るにはH_1を選択しなくてはならない）。ともあれ神は、「私」が救済されるのを知っている。事後の視点に立って、「私」の救済の事実を認知する超越的な他者——第三者の審級——の存在が想定されているのだ。これが、プロテスタントの救済への過剰とも見える確信の源泉となっている。そして、これと同じ形式の心的機制は、資本主義の決定的な推進要因ともなっているのだ。

1　ジャン＝ピエール・デュピュイ『経済の未来——世界をその幻惑から解くために』森元庸介訳、二〇一三年（原著二〇一二年）。特に第四章を参照。

2　ところで、私は、ニューカムの名を最初に出したとき、いささか不自然な言い回しを使った。「ウィリアム・ニューカムという名の物理学者」と。このウィリアム・ニューカムという人物が誰なのか、分かっていない。そんな人物は実在しないのではないか、と考える人もいる。おそらく、それが正しいのではないか。引用のルーツを遡っていくと、端緒にはリヴァタリアニズムで知られる政治哲学者ロバート・ノージックがいる（Robert Nozick, "Newcomb's Problem and Two Principles of Choice", Nicholas Rescher ed. *Essays in Honor of Carl G.*

Hempel, Synthese Library, 1969)。ここでのノージックの、最初の考案者に関する記述は、虚構ではないかと疑われる。こうしたことを考えると、ノージックがニューカムの名を騙っていると考えるのが最も自然である。ニューカムは物理学者だということになっているが、故ノージックは実際、若かった頃、著名な科学哲学者カール・グスタフ・ヘンペルの下で量子力学の哲学について研究していた。付け加えておけば、量子力学の世界では、光子や電子のような粒子は、ニューカムのパラドクスの行為者Sのように振る舞う。その場合、予見者Vにあたるのが観測者である。

3 実は、バートランド・ラッセルやアルフレッド・エイヤーは、予見と記憶とは時間のベクトルが対称的な同じ操作だとしている。確かに、物理学者が、力学系の過去の振る舞いを計算する場合と未来の振る舞いを計算する場合とでは、何の違いもない。しかし、ここでは、われわれの日常の経験においては、予期や予見と記憶や想起は、同じ操作ではない、という事実だけを指摘するに留めておこう。

4 実は、過去の出来事だから記憶し、まだ起きていない未来の出来事だから予期するわけではない。逆なのだ。われわれは、現前しない出来事に対して、根本的に異なる二つの態度をとらざるをえない。その態度の非対称性が、過去と未来を定義しているのである。この点について今は詳論できないが、考察の起点となるのは、「時間（過去・現在・未来）は実在しない」ということを証明してみせた、ジョン・エリス・マクタガートの有名な論文だということだけは、述べておこう。『時間の非実在性』永井均訳（注解・論評付き）、講談社学術文庫、二〇一七年（原著一九〇八年）。

5 マイケル・ダメット『真理という謎』藤田晋吾訳、勁草書房、一九八六年（原著一九七八年）。

6 ダメットのこの論点については、私はかつてていねいに検討したことがある。以下を参照。『〈自由〉の条件』講談社、二〇〇八年、第一章。

7 ケインズ全集第8巻『確率論』佐藤隆三訳、東洋経済新報社、二〇一〇年。

8 F・P・ラムジー『ラムジー哲学論文集』伊藤邦武・橋本康二訳、勁草書房、一九九六年（原著一九九〇）、八二頁。一部訳語を変更した。

9 たとえば勤勉な者は必ず救われる等のことは絶対に言われない。

第12章　予定説がとり残したもの

1　意志と長期的予期

予定説を信ずる者は、事後の視点——最後の審判の後に属する視点——が「何か」を直知していることを前提にして行動する。その「何か」が何であるかは信者には、原理的にはわからない。しかし、その直知されている内容を満たすように、信者は行動するのである。なぜなら、その内容は、その信者が実際に選択するはずのことを指し示しているからである。このように、予定説を信奉するプロテスタントは、「すでに知っているはず」の超越的な他者——もちろん神である——の存在を確定的な前提とし、その知っていることを充足させるように、行動する。前章で述べたように、この行動は、ゲーム理論でいうところのニューカムのパラドクスの形態をとる。だが、こうした行動が、どのように資本主義と結びつくのか。どのような意味で、ニューカムのパラドクスが、資本主義にとって促進的な要因となるのか。

一般に、ヴェーバーの議論にそって説明する者は、プロテスタントが、職業を「召命」として受け取るがゆえに、日常の経済活動に、本来であれば宗教的な活動に固有な倫理的な禁欲をもって取り組むことになる、という事実を強調する。この説明は間違いではないが、十分ではない。

どうして、プロテスタントにおいては、宗教に直接関係しない世俗の活動までもが、宗教に固有な形式（禁欲）を帯びるのかが、説明されていないからだ。

前章の予定説についての解説が、この不十分さを補う解答を示唆している。神が知っている（と想定されている）ことは、最後の審判における判決だけではない。つまり、神は、「その日」に、当該信者に関して、自分がどのような判決を下すかを知っているだけではない。神は、その日までの全過程を、それゆえ、その信者が誕生から死までの間にどのように生きてきたかを、すべて知っているのだ。[*1] それゆえ、神が知っているはずのことを、現実の行動で充たすためには、信者の生の全時間を動員しなくてはならない。聖職者としての身分を、全信者に社会的に一般化すること（万人祭司）は宗教改革の柱の一つだが（第8章）、それだけではなく、宗教改革を経ることで、信者の人生の全体に対して、宗教的な「聖」の意味が――たとえば秘蹟のような特殊な行為に限定されず――時間的に一般化されるのである。それが、世俗内禁欲だ。

＊

予定説と資本主義的な活動との結びつきは、しかし、この点に尽きるわけではない。もっと重要なことがある。この点を明らかにするために、ハンナ・アーレントの議論を媒介として参照しておく。アーレントによれば、人間の精神の「器官」として、記憶と意志の間に対称性がある。記憶は、過去に、過ぎ去ったものにかかわる精神的な器官だが、そうであるとすれば、未来にかかわる精神的な器官があるはずで、それこそが「意志」だというわけだ。[*2] そうだとすれば、記憶と意志とは双対の関係にあり、一方があるときには必ず他方もなくてはならない。

となりそうだが、アーレントは、意外なことを述べている。西洋の古代や中世の哲学には、（記憶の概念はあったが）意志の概念が欠けていた、と。古代ギリシアの哲学や中世の哲学・神学に関していささかの知識があれば、アーレントのこの主張に違和感を覚えるはずだ。古代にも中世にも、意志に相当する概念やそれをめぐる論争があったように見えるからだ。たとえば、アリストテレスは『エウデモス倫理学』で、「無自制《アクラシア》」なる状態についてくだくだしく論じている。無自制は、今日のわれわれだったら「意志の弱さ」という言葉でそれを指し示す状態である。[*3] 実際、アリストテレスは、無自制のような現象を説明するために「プロアイレシス」なる概念を提起しており、これは「選択 choice」と訳されることからも想像できるように、今日の「意志」の概念に近いものに感じられる。あるいは、中世の神学の重要な主題のひとつは、「リベルム・アルビトリウム liberum arbitrium」の存否だが、その概念は、普通は「自由意志」と訳されている。もちろんアーレントは、こんな教科書的な事実を知らずに、古代・中世における「意志の概念」の不在を論じているわけではない。というより、まさに、ここに引いたような事実を指摘しつつ、そこには、意志としての意志、今日われわれがそう認識しているような意志の概念は存在していない、と結論しているのだ。というのも、意志は、何か新しいことを始める能力に関係しているのだが、「プロアイレシス」や「リベルム・アルビトリウム」はすでにあるものの中から選ぶことに過ぎないからだ。[*4] ともあれ、われわれの考察のために確保しておきたい論点は、固有の意味での「意志」、狭義の「意志」は歴史的な現象だということ、これである。

もう一本、補助線を入れておく。前章で「予期」は「蓋然性の直知」であるとする、ケインズの理論を導入した。その際、われわれはこう述べた。ケインズは経済学者として最もよく知られているが、経済（学）への関心とは別に、あるいはそれ以前に、哲学的な主題を抱えていたのだ、と。だが、さらに進んでこう言うべきかもしれない。「予期」という能力への哲学的な関心の方が基底にあって、その中に、彼の経済学があったのだ、と。というのも、以下に述べるように、ケインズは、社会システムのマクロな構造を、予期の諸形態との相関で把握しているからである。

ケインズの考えでは、彼の経済学が分析の対象とした社会システムは、三つの階級から構成されている。三つの階級とは、労働者＝消費者、企業家、投機家である。階級は、何の所有者であるかによって定義される。労働者（消費者）は労働の、企業家は実物資本の、そして投機家は金融資本の所有者である。われわれもすでに、マルクスに従って――ヴェーバーが注目した「召命」の概念と関連づけながら――階級概念を導入した（第9章）。マルクスの場合は、もちろん、階級は大きく、労働者（労働力の所有者）と資本家（生産手段＝実物資本の所有者）に分けられるのだが、ケインズは、後者を、企業家と投機家に分けたと考えればよい。[*5] ここで注目したいのは、しかし、階級についてのこうした経済的規定ではなく、ケインズの経済理論の中で、各階級は、それぞれ異なるタイプの予期の構造と対応している、とされている点である。労働者＝消費者を特徴づけているのが慣習的予期、企業家を特徴づけているのが長期的予期、そして投機家（金利生活者）を特徴づけているのが機会主義的予期である。[*6]

投機家が資本家からの派生であったように、機会主義的予期は長期的予期の変態の結果と見なすならば、予期は大きく二種類に分けられることになる。ここでアーレントによる記憶と意志の二項対立と関係づけてみよう。慣習的予期は、共同体の慣習や伝統が明日もまた同じように続くはずだという認知に基づく予期、つまりは過去を直接に未来に外挿することで生まれる予期なので、固有の意味での予期というより、むしろ「記憶」の変形である。ケインズにとって、企業家の原像は、未来の不確実性——言い換えれば人間の無知——を受け入れた上で、なお長期的な視野をもった予期をもって行動する者である。そうだとすれば、すぐに理解できるだろう。アーレントが言う「意志」は、ケインズの長期的予期とセットになって働くということに、である。

ケインズ自身の議論の文脈で見れば、彼は、企業家の長期的予期に、「蓋然性の直知」を見ていたのだろう。『雇用、利子および貨幣の一般理論』では、企業家がもつべき長期的予期は、「投資決定の理論」という内実を与えられている。投資決定の理論とは、「資本の限界効率」(投資の予期された収益率)が利子と等しくなる水準で投資が決定される、とする理論である。この場合、企業家は、実物資本を購入してから最終的に廃棄することになるまでの長期間の系列に関して、収益率を予期しなくてはならない。収益率に関しては、投資を拡大すれば、収穫逓減の法則にしたがって一般には限界効率が低下する、といったごく一般的な傾向以外には、それを規定する客観的な法則は存在しない。それゆえ、収益率は、究極的には「直知」によって予期するほかない。

2　事後／事前の視点と投資

今通過してきた回り道から、われわれは、予定説と資本主義との親和性に関して、次のような含意を引き出すことができる。予定説は、資本主義の中核にある活動、資本主義の本性とも見なすべき活動、つまりは投資の活動に有利な態度を生み出すことになるのだ、と。予定説を信じる者がとる態度と投資に対して人を積極的なものとする態度とが、形式において——あくまで思想やイデオロギーの内容においてではなく形式において——同一だからである。説明しよう。

予定説によれば、人間（信者）は、原理的に、神の予定（決定）を知ることができず、またその決定を変更すべく、それに影響を与えることもできない。神の予定が何であったかを知るのは、最後の審判に臨んだときである。にもかかわらず——いやそれゆえに——信者は、神の予定を知っているかのように振る舞うのだった。信者は、最後の審判における神の判断を（勝手に）先取りし、その結果を既定のこととして前提にしたうえで、その結果へと向かう因果関係をたどるように行動する。このときの神の視点は、信者にとっては、最後の審判が終わったあとに獲得する視点と合致する。つまり、最後の審判の後に、信者がその判決とそれまでの自分自身の人生を振り返ったときに見ることは、まさに神が最初から見ていた（予定していた）ことと同じである。したがって、最後の審判を基準にしたとき、一方には、それに未だにたどり着かない視点（事前の視点）があり、他方には、それを既に通り過ぎてしまった視点（事後の視点）がある。世俗内禁欲は、この二つの視点の協働によってもたらされる。

資本を無限に回転させる活動、つまり投資という活動を見てみよう。投資するとき、企業家や投資家は、将来売ることになる商品、これから開発しようとしている商品が市場で高く評価され、しかるべき価格で売れるはずだ、と想定している。この想定こそが、プロテスタントがやっていたのと同じ、事後の視点の先取りである。「最後の審判」に対応しているのが、商品を市場に売り出すときである。この場合、市場こそが神であり、よく売れることが、（最後の審判の）

救済の判定に対応している。

本来の最後の審判は、定義上、一回だけである。それは歴史の終焉を意味している。だが、もし最後の審判が、いつまでも反復されるのだとしたらどうだろうか。最後の審判が終わったと思ったとたん、さらに先に、次の――ほんとうの――最後の審判が待っている。その最後の審判を終えても、その先にまた最後の審判がある。このように最後の審判が無限に反復され、無限に先送りされるのだとしたら、どうであろうか。これこそ、資本主義の精神に基づく行動ではないか。今しがた述べた対応関係を用いるならば、最後の審判の無限の反復とは、投資し、商品を売ることでそれを回収し、再び投資し、それを回収する……という繰り返しの運動になる。つまり、最後の審判の反復は、資本の無限蓄積を結果する。資本の無限蓄積こそが、資本主義の定義である。[*7] このように、最後の審判を基準にした事前／事後の視点の精妙な協働から、宗教的な内実を還元し、そこから得られる行動を無限に反復する。そうすると、資本主義の原型となるような活動が得られることになるのだ。

アーレントの記憶／意志の二分法を適用するとどうなるだろうか。古代・中世とは違って、投資という活動には確実に「意志」が、狭義の「意志」が介入している。投資は、新しいものを生み出すからである。この場合、意志は、事後の視点からの遡及的なまなざしを通じて構成されている。言い換えれば、意志自体が、未来に措定されている者の――予定説そのものに即して言えば神の――、過去に関する記憶という形式をとっているのだ。

われわれは、資本主義は「終わり」という黙示録的な観念に取り憑かれている、と述べてきた(第6章)。また、その「終わり」自体が繰り返されるために、終わることがなくなっている、とも述べた（第10章）。この「反復される終わり」への執着の源泉を、われわれはここで見定めたことになる。資本主義の下で、典型的な行為者は、「既に」（終極＝目的）と「未だ」（過程）に挟まれた時間的な厚みの中を生きなくてはならない。資本主義の下で、「時間」が、労働が投下されている（抽象的な）「時間」が、唯一の価値の源泉と見なされるのは、このためである。

述べてきたように、来るべき「既に」は、そのたびに先送りされるので、行為者は、「今」における完全な充足（だけ）を常に逸することになる。まず、最後の審判に未だ到達していない段階がある。そこで、最後の審判における救済——市場において商品が承認されること——を目標として投資がなされる。商品が売れ、（マルクス経済学の術語を使えば）剰余価値を獲得したとき、人は、最後の審判を通過したように感じる。既に最後の審判を終えたのだ、と。ところが、その「既に」が、まるで「ルビンの杯」が図／地転換によって見え姿を突然変えてしまうように、「未だ」へと反転してしまう。未だ最後の審判に到達していなかった、と。もう一度、「既に」の段階に入っても、その「既に」も「未だ」へとその度に反転する。時間の内部に孕まれている、無数の「既に」（目的）へと前進している（労働の）時間だけが、「価値」をもつと見なされるのである。

われわれは、予定説をベースにして、こうした帰結を説明している。ここで、念のために、第8章第4節で述べたことを再確認しておきたい。われわれは、カルヴァン派なり、その他のセクトなりが唱え、推進した特定の教義の影響を問題にしているわけではない。ここで「予定説」という名前を与えていることがらは、理念型であって、理論上の構成概念である。それは、一神教の論理の純粋化、あるいはヴェーバーが「合理化」と呼んだ過程の極限をとったときに得られる、宗教の像だ。近世から近代の初期にかけて何波にも分かれて生じた宗教改革は、予定説を焦点として展開した。宗教改革は、予定説において極まるような純粋性へと漸近する運動であると同時に、ときには、その極限をあえて避けようとする運動でもあった。いずれにせよ、予定説は、こうした力学の中心にある。宗教改革において最も顕著に現れる西洋の精神の運動の全体を代表する理念型として、ここでは予定説を扱っている。ニューカムのパラドクスのような、抽象的な数学モデルで、その意味を説明したのもそのためである。

＊

このような意味における予定説の反響は、今述べたように、一種の時間的な設定、行為者がその内部に置かれた時間的な厚みの中に見出される。その最も顕著な例として、われわれは、資本の循環を帰結する投資活動や労働を見てきたのだが、こうしたことが現れるのは、経済活動に限られたことではない。すでにわれわれは、スポーツ（サッカー）や芸術（バロック絵画、古典派音楽におけるソナタ形式）の例を出すことで、「終わり＝目的への時間」への感受性が同時代的に現れているさまを見てきた。ここでもう一つだけ、重要な例を加えておこう。科学、近代的な科学である。

通説的なことを再確認しておけば、科学革命は、（フランシス・ベーコンをその主唱者のひとりとするような）経験主義の勝利である。だが、この経験主義なるものが、実際には、経験なるものへの深い懐疑、西洋史上未曾有の経験への不信に基づくものであるということは、アガンベンに従いながら、『近世篇』で論じておいたことである。その不信のゆえに、経験は、統制のとれた実験とか観測という形態をとることになる。科学という知は、無意識のうちに経験を軽蔑しているにもかかわらず、経験だけに、主張の真理性の唯一の根拠として価値を与えているのだ。実は、この逆転は、予定説によって支えられた終末論において、信者にとって真に重要な関心事はもともと死後の救済、つまり死後に神の国で永遠の生を享受しうるかどうかということだけであるにもかかわらず、実際には世俗の活動が価値を帯びてしまう（世俗内禁欲）という反転と同じ形式をとっている。

経験主義の方法は、その公式の見解に従うならば、「帰納法」である。だが、科学哲学者によって指摘されてきたように、帰納法は厳密には不可能な方法である。何が本質的に重要なのかを規定する概念を論点先取的に前提にしなければ、有意味なデータを収集することができないからである。*8 が、今、ここで帰納法なるものを批判したいわけではない。この原理的には不可能なはずの方法が、それでも機能する理由は、無意識の予定説にあるということを指摘しておきたいのだ。

経験主義が標榜するところによれば、結果をあらかじめ予測することができない実験と観察だけが、真理への可能な通路である。それは、人間にはその結果を予測できない信仰だけが、救済への可能な通路であるとする予定説と同じ形式を取っている。その表向きの教義からすれば人間の行動にいかなる影響も与えそうもない予定説が、実際には信者たちの行動を強く規定したのは、信者たちが結果を知っているはずの神（事後の視点）の存在を絶対の前提としており、その上で、暗黙のうちにその神が知っているはずのことを先取りしていたからである。同じことは、経験主義的な帰納についても言える。この方法が成り立つのは、実験や観察の結果を知っているはずの超越的な視点が暗黙の前提になっており、その視点に対して映ずる内容が先取りされているからである。「真理」を知る者が、言わば（未来に）待っていることが、前提になっているのである。そのような前提への無条件の信頼なしに、経験主義は成り立たない。*9

さらに付け加えておけば、経験主義的に獲得される「真理」は、常に暫定的なものである。それは、終極的な真理ではなく、真理の候補、つまり仮説に過ぎない。その暫定的な真理は、絶対に到達しない終極的な真理へのさらなる探究を動機づけ、そうした探究の過程の中に組み込まれる。この構成は、投資した資本が回収され、暫定的な終わりに到達しても、それが、さらなる投資を引き起こすという、資本主義の運動とまったく同じ形式をもっている。科学においても、資本主義的な経済活動においても、終わりへの活動は終わることなく反復されるのである。

3　ミネルヴァの梟

予定説をその理念型的な表現とするような態度は、さらに逆説に富んだ転回をとげていく。だが、そうした帰趨を追いかける前に、ここで立ち止まって検討しておきたいことがある。予定説の中に掬い取られなかったこと、キリスト教が予定説へのダイナミズムに身を任せたときに取り残されたことがある。述べてきたように、予定説は一神教の論理の合理的な極限である。しかし、予定説を指向したとき、キリスト教のある要素が失われた。それは何か。クリスチャンは絶対に認めないだろうが、取り残されてしまったものとは、ほかならぬキリスト性――キリストなるものの最も核心的な特徴――である。この点を説明しておきたい。

まず、基本的なことを再確認するところから始めよう。予定説は何のためにあるのか。つまり、それは、どんな問いへの答えなのか。予定説は、苦難の神義論 theodicy への究極の回答だ。神義論とは、神が創造したこの世界に、どうして（理不尽に見える）苦難や悪があるのか、という問題である。簡単に言えば、これは「ヨブ記」の問いである。ユダヤ教が、特殊な世界宗教になりえたのは、苦難の神義論をそのまま引き受けたからである。他の宗教はすべて、幸福の神義論——善人が救われることを説く——の形態をとる。しかし、ユダヤ教は苦難の神義論を手放さなかった（この点については『古代篇』特に第3章、第6章を参照）。予定説こそ、苦難の神義論への最後の答えである。

予定説によれば、最終的には、神の目から見てしかるべき者が救われ、しかるべき者が呪われる。そのように予定されているのだ。最後の日には、われわれ人間を当惑させる理不尽な苦難や悪は解消されるはずだ。だが、われわれ被造物には、誰が救われ誰が呪われているのか、誰が選ばれていて誰が棄てられているのか、まったくわからない。人間の目からは義と見えることも、神にとってそうである保証はなく、また逆に、人間にはとてつもない悪に見えることが、神の観点からも悪とは限らない。神にとって何が善く、何が悪いかということが人間に開示されるのは、最後の審判のときである。

だが、この予定説は、ほんとうに苦難の神義論に答えていることになるだろうか。これは、答えどころか、問いをそのまま問いとして放置しているとも言える。謎は謎のままだからだ。われわれは、今、義人とされる誰か——もしかすると自分自身かもしれない——の苦難に当惑している。なぜ、こんな善い人がこれほどの不幸に遭わなくてはならないのか。予定説によれば、この疑問は解かなくてもよく、解いてはならない。(目下のところ) 不可解なままだ。しかし、心配する必要はない。すべてが終わったときには、正しく処理がなされているはずなのだから。……ということは、予定説は、苦難の神義論をそのまま放置しているということではないだろうか。これは、解答欄にそのまま問題を写しているようなものだ。

カール・バルトは、最後の審判の判決の予測不可能性ということを一般化し、神の最終的な啓示が人間の側からの予測や期待とまったく通約不能だということを強調している。「神は、私たちに対して隠されていない。神自身は啓示されている。しかし、私たちがキリストの中にあって何者であり、どのようであるかということ、そして世界そのものが神の道の最後のとき、つまり贖いと成就が始まるとき、キリストの中にあって何であり、どのようであるかということ、それは私たちに対して啓示されておらず、隠されたままだ。正直に言おう。私たちがイエス・キリストの再来や、死者の復活や、永遠の生・永遠の死といったことについて語っているとき、私たちはほんとうのところ何を言っていることになるのか、私たちにはわからない」[*10]。われわれが何者なのか、何をやっていることになるのか、何を語っていることになるのかは、最後のときにしかわからず、それ以前の段階では決して啓示されない、というわけだ。

バルトは、率直にも、こんなことも言っている。キリスト教徒の「最も切迫した不安は、神の恩寵があまりにも気前がよく、いつの日か地獄が――多くの人によって一杯であるどころか――空っぽであることが判明してしまうこと」である、と。[*11] もし、誰も地獄に行かないのだとすれば、苦難の神義論の疑問を発したときの当惑が、そのまま解消されずに残ることになる。とんでもない悪、とうてい許しがたい悪と見なされた者もまた、罰を受けていないことになるからだ。しかし、予定説を受け入れれば、われわれは、この不安に耐えなくてはならない。ほんとうに地獄は空っぽだということもありうることなのだ。

*

このように神義論と予定説との関係を説かれると、ここにあるのは特定の信仰に執着する者にとっての問題に過ぎない、と思う者もいるだろう。しかし、われわれの一般的な歴史観、ほとんど唯一の歴史観、つまるところ実証的とも言える歴史の見方は、予定説の世俗化したものである。われわれは、そうとは自覚せずに、予定説と同じ形式で歴史を理解しているのである。

この点を最もはっきりとわかるように提示したのが、ヘーゲルである。彼が「理性の狡智」という隠喩によって歴史を記述したとき、それこそ、歴史は世俗化した予定説の様相を呈している。それぞれの個人が、無我夢中に行ったことが実際には何であったかが、事後において、歴史の理性の観点から明らかになる、ということだからだ。もっとも、この説明では、まだ「神」を大文字の「理性」に置き換えただけで、あまりに形而上学的だという印象をもつだろう。ヘーゲルの述べたことから、もっと凡庸な表現、実証的な歴史学とそのまま合致する表現を選んでおこう。それは、ミネルヴァの梟、日が暮れた頃にやっと飛び立つというミネルヴァの梟である。この警句によってヘーゲルが言わんとしたことはよく知られている。それは、存在に対する認識の必然的な遅れを指摘しているのだ、と。結局、歴史認識とは、ミネルヴァの梟になることだ。われわれはことが終わった夕暮れになって、それぞれの出来事が何であったか、それぞれの英雄が何者であったのかを理解し、彼らに、あるいはそれらに、正しい意味を付与しているのだ。梟が飛び立つ夕暮れが、最後の審判のときに対応していると考えれば、歴史認識の構成は、予定説と変わらない。

たとえば、明智光秀が、天正十年の六月二日の未明に、「敵は本能寺にあり」と叫んで自軍を京都へと進め、織田信長を討伐したとき、彼は結局、何をしたことになるのだろうか。彼が意図したことはあるだろう。そして、おそらく、実際の結果は、彼の意図とは違ったものであっただろう。しかし、ミネルヴァの梟としてわれわれが事後から振り返るならば、光秀の裏切りとそのあとの（秀吉に対する）敗北は、日本史にとって必要なプロセスだったとも言える。それらがあったからこそ、その後に豊臣秀吉による天下統一が可能になり、それがさらに後の徳川幕藩体制につながっていく。光秀の裏切りは、ミネルヴァの梟の観点から、日本の戦国時代が終焉へと向かう過程の中で、必要だった出来事として、正しい意味を与えられるのである。

あるいは、紀元前四九年の一月十日にカエサルが、「賽は投げられた」と言ってルビコン川を渡ったとき、彼は何をやったことになるのか。このとき、カエサルはローマの元老院を裏切ったのだが、やがて勝者として終身独裁官に就任する。が、まさにそのために、彼は暗殺されてしまう。紀元前四四年三月十五日のことである。が、この暗殺をきっかけとした一連の出来事の果てに、その十七年後に、ローマは帝政へと移行する。とするならば、カエサルがルビコンを渡河したことは、ローマが共和政から帝政へと移行する歴史過程において、なくてはならない出来事だったことになる。

このように、ミネルヴァの梟として歴史を記述するとき、われわれは予定説の世俗版を活用している。とすれば、予定説の強さも弱さも、われわれの歴史認識に、そしてまた世界観にそのまま継承されることになる。

4　キリストにおける自由

さて、以上のことを確認した上で、考えてみたいことは、〈自由〉という主題である。予定説を前提にしたとき、われわれには自由があるか。もちろん、自由はない。予定説は、まさにその自由をこそ否定している。われわれの行動や選択はすべて予定されている。これほど過激な自由の否定はないのだが、しかし、客観的には、予定説を信ずるプロテスタントは、他の誰よりも積極的・能動的に自由を行使した。だからこそ、彼らは、社会システムの資本主義への転換に——そうとは意図することなく——貢献することになったのだ。どうして、自由を全面的に否定する教義のもとで、大きな自由が発揮されたのか。

一般に、歴史法則であれ、あるいは物理法則であれ、われわれの行動を一義的に決定する原理を仮定した場合、その原理との関係で「自由」を位置づける論法には二つのパターンがある。最も一般的な説明は、自由は、われわれの行動を規定する必然性をすべては認識できないことによる仮象である、とするものだ。自由を完全に否定する必然性はあるのだが、それは単純に見逃されているのである。そのため、われわれは自分が自由であると錯覚することになる。しかし、それは、ただ必然性を十全に認識できていないことの結果である。今日、脳科学のようなもので行動を説明する議論が依拠しているのは、この論法である。「あなたは自分で選んでいるつもりかもしれませんが、脳内でセロトニンが生成されてきて……」等のしばしば聞かされる解説が、これである。

もう一つの説明は、逆に、自由とは完全に把握された必然性そのものである、というものだ。かつて、共産党政権は、実際、このように主張していた。党は、歴史の必然的な経路を規定している法則を把握している。その法則の通りに、党は人民を指導し、行動する。スピノザも同じようなことを主張していた。必然性を十全に認識することの中に、自由がある、と。しかし、こちらの第二の論法を採用した場合、自由は実際には強く抑圧されることになる。われわれは、法則に準拠した仕方で行動するしかないはずだからだ。ここでは、ただ把握された必然性に「自由」という名前が与えられているだけだ。どうせそうするしかないのだから、それを自由と呼んでもかまうまい、というわけである。

これらとの関係で、予定説はどのように位置づけられるのか。以上の二つの論理と同じように、われわれの行動を規定する必然性が前提になっている。が、しかし、その必然性を、われわれが原理的に知り得ないとする点で、予定説は、どちらとも異なっている。第一の論法のように、偶発的に一部について無知だというのではない。第二の論法のように、必然性のトータルな把握に至ることはもとよりありえない。不可知の必然性を仮定したとき、実際上は、人間の自由が極大化する。自分たちの行動を規定する「必然性」について、どのような仮定をとることも可能になるからだ。

*

とはいえしかし、さらに先がある。予定説が信者の行動を捉える機制に関して、前章から論じてきたことをもう一度、振り返ってみよう。確かに必然性は、つまり神が予定していること、神が知っていることは、信者には原理的に知り得ない。にもかかわらず、信者は、神の知を、神の予定を、勝手に独断的に先取りしない限りは、行動することができない。前節で引用したバルトの懊悩を思うとよい。あのような不安に人は耐えられない。予定説のもとで、人は、神が知っているはずのことを、いかなる根拠もなく仮定する。

まず、自分は神に救われるはずだ、選ばれているはずだ、と先決する。その上で、因果関係を遡るように、最後に救われるほどの者がどのように行動するか、どのように生きるかを逆算的に推定する。こうして推定されることこそ——もし私が選ばれているとすれば——神が予定していること、私がそれに従うはずの必然性だからである。……とすると、どうなるのか。結局、予定説は、第二の論法、「把握された必然性」を自由と同一視する論理に事実上は漸近してくる。

神学の範囲内で考える場合には、「だからと言って困りはしない」ということになるように見えるが、しかし、その世俗版としての歴史認識のレベルで考えると、われわれは奇妙なことを認めなくてはならないことになる。述べてきたように、予定説的な世界観は、実質的には、「把握された必然性」（＝自由）という論理に帰着する。ということは、歴史に関しては、たとえば次のようになる。明智光秀が、悩んだ末に、兵を本能寺へと向かわせたとき、彼は、自分では気づいてはいないが、歴史の法則に従ってそうしている、と。つまり、彼に特定の役割を割り振る、見えない台本のようなものがあり、光秀は、自覚することなく、その台本に書かれている通りに振る舞っている、というわけである。しかし、このような歴史の記述は、転倒しているのではないか。確かに、事後から歴史を見る者には、あたかも、戦国時代の無秩序から幕藩体制の平和への移行を記した台本があるかのように見えるが、そのような台本が、光秀の実際の行動に先立って存在しており、彼はその中の役割を演じているという説明は、事後の視点を事前の視点の中に投射する転倒である。

＊

さて、ここでもう一度、考察の焦点を、宗教に、キリスト教の方に差し戻してみよう。すると、われわれは、キリスト教そのものの核心部に、予定説の設定を否定し、乗り越える契機があることに気づく。それこそ、ほかならぬ、神としてのキリストの受肉ということだ。どういう意味なのか説明しよう。予定説によれば、われわれの運命はあらかじめ決定されている。その運命は、われわれの過去の罪と贖いを変数とし、それらの関係を正しく規定する方程式に従っているはずだ。ところで、受肉したキリストが死に、われわれの過去の罪を消し去るということは、われわれはこの運命から完全に自由になりうる、ということではあるまいか。予定説は、キリスト教のこうした側面を取り逃がしているように見える。

別の言い方をしよう。予定説は、神が何を予定しているのか、神が何を知っているのかは、人間にとって不可知であり、不確実だとする。しかし、予定説にとっては、ひとつだけ確実なことがある。神が存在しているということ、これである。神は存在し、そして定義上、正しい（人間の観点からそれが正しく見えるかわからないが）。その確実に存在すると仮定されている神に帰属させるような形で、信者は、自分の運命を、自分に予定されていることがらを仮定する。

だが、神が人間として受肉し、死んでしまうということは、神自身が挫折することがありうる、ということである。神は失敗し、存在ごと否定されてしまうことがある。ということは、神がその挫折を経由して、再生したり、変形したり、置き換わったりする、ということをも含意している。失敗したり、否定されたりするかもしれない可能性とともにある神（の存在）を想定することになるからだ。予定説の中では、キリスト教のこの部分が見失われている。

先に、自由と必然性の関係を論理化する三つの方法について述べた。「見逃された必然性」「把握された必然性」、そして「原理的に知り得ない必然性」によって、自由を説明する論理である。これらのうちのどの論法を採用したとしても、自由は、ほんとうは存在していない、ということになる。「自由」と見えるものが実際には何であるのか、「自由」を何に還元するのか、について三つの筋がある、ということになる。だが、もし唯一神が、つまり第三者の審級が、根底から否定され、置き換えられたり変形されたりする可能性を認めたらどうであろうか。その可能性こそ、真正の自由、仮象ではないほんものの自由であろう。キリスト教は、まさに「キリスト」を通じて、このような自由を入れる余地をもっていた。しかし、予定説の中には、この契機は吸収されなかった。

「キリスト」についてのこの側面を、歴史認識の方に差し戻したら、どのようなことが言えるのだろうか。先の「見えない台本」という比喩を継承すれば、こうなる。光秀やカエサルの行動に先立って、彼らの役割を決定する台本があるわけではない。彼らの行動が、そのたびに、台本（の一部）を生成し、また書き換えているのである。台本は、歴史の中の登場人物の行動の産物である。

もう少し厳密に言い換えよう。確かに、過去から現在までを遡及的に見返す事後の視点、言わば最後の審判の視点の世俗版のような視点は存在している。その未来から見返す視点を媒介にして、われわれは自分自身が何をしているのか、何者であるのかを認識する。だが、原理的に言えば、その世俗版の未来の視点は、われわれの行動のそのたびに否定され、改定されることになる。というか、世俗版の「最後の審判」の視点の置き換えを要求するような行動こそ、真の自由の行使と見なすべきであろう。たとえば、光秀が思い切って本能寺を攻撃したとき、あるいはカエサルがルビコン川を渡ったとき、彼らは、確かに、それまでの「最後の審判」の視点を清算し、別の視点に置き換えたのである。もっとも、その別の「最後の審判」の視点も、後の展開の中で書き換えられてしまったのだが。

*

最後に、いささか細かな疑問に答えておこう。歴史認識について、どうしてそんなふうに複雑に考えなければならないのか？　単純に、歴史の発展を規定する超時間的な法則など存在していない、と言うだけではいけないのだろうか？　ただ単に、どんな法則にも規定されない時間的な展開だけがある、と言い切ってしまえばよいのではないか？　どうして、世俗版の「最後の審判」の視点などという面倒なものを導入しなくてはいけないのか？　こうした疑問が当然出てくるはずだ。これに答えておこう。

一九六〇年代以降の「現代思想」の論争的な展開のことを視野に入れると、説明が簡単になる。[*12]フランスで構造主義が登場してきたとき、歴史（通時態）に対する構造（共時態）の優位ということが言われた。構造主義者は、それ以前の思想が前提にしていた「進歩する歴史」という観念を否定しようとして、このようなことを述べたのだ。レヴィ＝ストロースが『野生の思考』（一九六二年）の最終章で、サルトル（の『弁証法的理性批判』）を批判したとき、その批判の趣旨はまさにこの点にあった。あるいは、フーコーの『言葉と物』（一九六六年）は、レヴィ＝ストロースと同じように、進歩主義的な歴史への批判を強い前提にして書かれている。歴史に対して構造が優位であるとは、単純化して言ってしまえば、歴史は、非歴史的・超時間的な構造——変数の可能な組み合わせから成り立つようなマトリックス——の表出や展開に還元しうる、という考え方である。

この批判にはもっともな部分もあり、進歩主義的な歴史を解毒する効果もあった。しかし、構造主義は、構造（共時態）そのものの中に孕まれる歴史性（通時態）を見逃している。構造には、歴史的な深さを見るようなパースペクティヴが伴っている。構造の転換は、現在を過去から断絶させるだけではなく、過去（の見え方）をも変化させる。たとえば、二〇世紀の大半において、レーニンは社会主義圏の人々にとっては英雄だが、一九九〇年以降は、レーニンの行動はさまざまな不幸の元凶である。このように、現在の共時的構造には、現在そのものだけではなく、過去が（そして未来も）内在しているのだ。そうした構造が内在させている歴史性の転換を説明するためには、世俗版の「最後の審判」の視点を考慮に入れなくてはならない。過去の様相を劇的に変容させているのは、この視点が転換したときだからである。

1　ニューカムのパラドクスを導くゲームにおいては、それは、予見者の決定（暗箱にお金を入れるか入れないかの決定）を、行為者の選択についての彼の「予見」と相関させるという工夫と対応している。
2　ハンナ・アーレント『精神の生活』上・下、佐藤和夫訳、岩波書店、一九九四年（原著一九七八年）、下一六頁。
3　無自制とは、たとえば、「ダイエットのためにケーキは食べない」と決めていたのに、おいしそうなケーキを見て食べてしまった、というような状態である。善くないとわかっているのにやってしまうこと、つまり無自制なるものがありうるのかが、ギリシア哲学の主題だった。アリストテレスは「ある」という立場をとる。以下も参照。大澤真幸『「正義」を考える――生きづらさと向き合う社会学』NHK出版新書、二〇一一年、第二章。
4　アーレントに依拠しながら、「プロアイレシス」は意志ではないとする立論に関しては、以下を参照。國分功一郎『中動態の世界――意志と責任の考古学』医学書院、二〇一七年、一二七―一三〇頁。
5　『資本論』第三巻に提起されている、いわゆる「三位一体範式」で考えた場合には、対応はもう少し複雑になる。三位一体範式とは、資本―利子、土地―地代、労働―賃金がその実体においては一体である――なぜならそれらはすべて「剰余価値」の変形した姿だから――という趣旨だ。これら三つの契機は、三つの階級、資本家／地主／労働者に対応している。マルクスは、この概念を定式化したとき、後にケインズが「投機家」に見ることになる同じ契機の萌芽を「地主」に見出している。ところで、社会学者のハンス・ユルゲン・クリスマンスキーは、マルクスが最晩年に「投機」的な行動を『資本論』の中に組み込もうとしていたのではないか、という仮説を、「小説」のかたちで提起している。『マルクス 最後の旅』猪股和夫訳、太田出版、二〇一六年（原著二〇一四年）。これはフィクションなので、十分な根拠がない想像の産物ではあるが、まったくの憶測でもない。断片的ではあるがメモのような草稿が残されているからだ。また、クリスマンスキーの小説によって描かれた、死の直前の旅行は、実際にマルクスが行ったもので、マルクスにとってはヨーロッパの外（アルジェ）への最初で最後の渡航であった。
6　詳しくは、大澤真幸『〈自由〉の条件』講談社、二〇〇八年、一六五―一七〇頁。
7　イマニュエル・ウォーラーステイン『入門・世界システム分析』山下範久訳、藤原書店、二〇〇六年（原著二〇〇四年）。

8　いかなる予断ももたずに、データを収集し、それらの間の共通性を見出すことで、一般的な結論を導き出すのが帰納法である。だが、データを収集するためには、つまりデータを選別するためには、何が重要で何が重要でないかを判定する規準がはじめから前提にされなくてはならない。その規準こそ、帰納されるべき結論を直接に規定する。したがって、帰納法によって導かれるべき一般的な結論への予断なしには帰納法は不可能である。

9　この点に関して、柴田悠からヒントを得た。柴田悠「プラグマティズムの成立過程」（未発表）。

10　Karl Barth, *God Here and Now*, New York and London: Routledge, 2003, p.45.

11　Ibid., p.42.

12　以下の説明は、次の文献を参考にしている。Slavoj Žižek, *Less Than Nothing: Hegel and the Shadow of Dialectical Materialism*, New York and London: Verso, 2012, pp.218-219.

第13章　〈増殖する知〉のふしぎ

1　近代科学という知

近代科学の根本的な特徴は、知の蓄積性にある。近代科学の誕生（科学革命）は、『近世篇』（第6章、第7章、第18章、第19章）の重要な主題のひとつだった。近代科学の知は、それ以前の知の体系、あるいは西洋以外の文明圏において生まれた知の体系にはない、ある特別な性質が備わっている。知をどこまでも無限に積み重ねていこうとする志向性こそ、その性質である。もちろん、それ以前にも、人間は、新しい知見を獲得するとか、それまでの認識を改めるということは、いくらでもあった。しかし、近代科学以前は、このような蓄積や変化はきわめて緩慢だった。それに対して、近代的な意味での科学においては、知の蓄積の速度は圧倒的に上昇した。というより、科学において、知は常に持続的に蓄積されている。蓄積が進捗していない瞬間は、ないのだ。近代科学とそれ以外の知との間に、どうしてこのような違いが出るのか。直接の原因は、科学の知は、自らを増殖させなくてはならない、という使命感、強い当為の意識をもっているからである。別の言い方をすれば、科学は、常に、自らに対して、不十分である、という自覚をもっていることになる。

こうした事実を確認すれば、すぐに気づくはずだ。科学的な知と資本主義的な価値との間の類似性に、である。資本は回転と転態を通じて、無限に増殖しようとする。資本は、剰余価値を生み出す。これと類比させるならば、科学は、常に剰余知識（新知見）を生み出している、と見なすことができる。科学と資本主義との間に、密接な繋がりがあることは、つまり資本主義は科学的な知を積極的に活用することによって成功していることは、誰でも知っている。しかし、ここで主題にしているのは、そういうことではない。資本主義的な（価値＝商品の）生産様式と科学的な知の生産様式の間に、同じような形式、同じような衝動が共有されているように見えるのだ。資本は、それ自体、剰余価値の産物であり、そしてさらなる剰余価値を生み続ける。同様に、科学という知は、剰余知識の蓄積であり、さらなる剰余知識を生み出す刺激そのものでもある。このことは、ジャック・ラカンが一九六〇年代の講義の中ですでに、次のような言い方で指摘している。

> 私は、デカルト以前の知を、知の前蓄積的段階と呼ぼうと思います。
>
> デカルト以降、知は――科学の知は――、知のある特定の生産様式の上に構成されているのです。「社会的」と呼ばれている、実際のところは形而上的な、つまり資本主義と呼ばれている、われわれの構造の本質的な様態と同じ生産様式です。その様態とは資本蓄積のことです。これと同様に、デカルト的主体の（自らを確証する）その存在に対する関係は、知識蓄積の上に基礎づけられています。
>
> デカルト以降は、知とは、知のさらなる増殖に役立ちうるもののことです。そしてここに

は、真理についての問いとはまったく別の問いがあるのです。[*1]

資本の定義は、「資本の増殖に役立つもの」である。同じように、科学的な知とは、知の増殖に役立つもののすべてである。ここでラカンは、科学革命の時代の知を、とりわけデカルトに代表させている。ここには、後で述べるように、重要な示唆が含まれている。ともあれ、まず確認しておきたいことは、資本主義における資本蓄積と近代科学における知識蓄積には、時代的にも、そして形式の上でも並行性があるということ、これである。この並行性は、実は、極限までは貫徹していないのだが——この点についてはいずれ述べる——、まずは、この段階では、両者の類比的な関係に注目しておこう。

＊

どうして、近代科学だけが、このような特異な性質をもっているのか。なぜ、他の知の体系には、同じような蓄積性がないのか。近代科学だけが、知の蓄積段階に入ったのはどうしてなのか。

答えは、近代科学が、厳密には、真理の集合ではない、ということに関係している。他の知の体系は、自らは真理（の集合）であるという自己主張を随伴している。それらは、自らを「真理」として提示するのだ。科学は違う。科学という知の体系の中に収められている命題は、すべて「仮説」、つまり真理の、せいぜい候補に過ぎない。科学的な知は、通説としての評価を得たとしても、またどんなに厳しい検証に耐えてきたとしても、原理的には、いつまでも仮説という地位を返上することはできない。「真理」そのものに昇格することはないのだ。したがって、皮肉な逆説が通用していることになる。というのも、今日、グローバルなレベルで真理として認められている知は、科学の知だけだからだ。つまり、「真理候補（仮説）」に過ぎないという控え目な主張をしている知だけが、グローバルな標準として受け入れられ、自らこそは真理であると豪語してきた知は、すべて、ローカルな知の体系と見なされているのだ。

ともあれ、近代科学の知の体系は、真理の集合ではない。このことを、別の仕方で言い換えてみよう。普通、科学革命は、斬新な発見によって、つまりそれまで知られていなかった思いがけないことを知ったことによってもたらされた、と説明される。太陽が地球の周りを回っているのではなく、逆に地球が太陽の周りを回っているのだとか、天体の間にも、大地とりんごの間にも等しくはたらく力があるのだとか、物質はすべて、それ自体は合成できない元素によって構成されているとか、血液は身体の中を循環しているとか、といった事実を知ったことが、科学革命につながった、と。だが、科学革命を実現したのは、こうした知識（の集まり）ではない。そうではなく、——ユヴァル・ノア・ハラリがきわめて明晰に述べているように——近代科学をもたらしたのは、「われわれは知らない」ということの自覚、われわれの無知についての知である。科学革命は、知の革命である以前に、無知（の知）の革命だ。[*2] 近代科学が仮説の集合にしかならないのは、それが真理であるかどうかを、われわれは知らないからである。

近代以前の知の伝統はいずれも、この世界において知るに値する重要なこと——有意味な真理——については、すでにすべて知られている、という前提をもっていた。誰もが知っている、というわけではない。しかし、「われわれ」の中の誰かが、賢者とか、預言者とか、ブッダとか、君子とか、とにかく誰かが、つまり少なくとも一人が、大事なことをすべてすでに知っているのである。ユダヤ教でも、古代や中世の西洋哲学でも、キリスト教やイスラーム教でも、そして仏教やヒンドゥー教、あるいは儒教でも、この点は変わらない。仮に私が知らなかったとしても、その特別な賢者や知者は知っている。*3 そして、賢者や知者が知らないことは、そもそも重要ではないことだ。伝統的な知の体系の中では、真理へのアクセスが、権威あるテクスト――古典や聖典――を読むという形式をとるのは、このためである。テクストは、その特権的な賢者が知っていること、知っていたことが書かれているのだ。このような前提であれば、原理的には、知は増殖しない――増殖してはならないはずだ。

近代科学においては、この前提が否定されている。そこでは、まったく別の前提が採用されている。われわれは(未だ)知らない、と。(知るべきすべてを)知っている人は、誰もいない。したがって、テクストを読んでも、真理に近づくことはできない。知っている人は、過去にも存在しなかったのだから。この「無知」という条件は、原理的には、決して消えない。そうである以上、知は、必然的に増殖へと駆り立てられることになる。いくら知っても、なお「われわれは未だ(十分に)知らない」という状況が続く。とすれば、われわれは、常にどの段階でももっと知らなくてはならない、ということになる。

＊

だが、考察をこのように進めてくると、あらためて疑問がわく。どうして、近代科学のような知が可能だったのか。なぜ近代科学のような知が求められたのか。こんな問いを立てているのは、近代科学が、知というものを求めるときの人間の一般的な衝動に著しく反しているように思えるからだ。近代科学は、知を成り立たせている精神のエコノミーに、根本から反しているように見える。それなのに、それは確かに、(主に)一七世紀の西洋で生まれ、以後そのまま存続し、あまつさえ、今日ではすべての人に承認され、歓迎されている。疑問の趣旨がどこにあるのか、もう少し説明が要るだろう。

ここでもまた、ラカンが言っていることを引くと見通しが開かれる。ラカンによれば、知への欲動のようなものはない。人間に、より多くを知りたいという自然で本質的な衝動のようなものが備わっているわけではないのだ。むしろ、人間は、(一定以上は)知りたがらないものである。どうしてなのか。その理由は簡単にわかる。

確かに、無知は耐え難い。自分が「(重要なことを)知らない」ということを自覚しているときには、その知らないという状態に耐え続けることは困難だ。なぜ知りたいかと言えば、不安だからである。自分と世界との基本的な関係が何であるかを知らなければ、不安である。私は、この世界の中に安全に存在しているのか。私は、この世界において、何者かとして有意味に存在しているのか。知の体系は、こうした疑問に答えなくてはならない。

この私の世界内存在についての問いが答えられていれば、あるいは——私自身がそれに直接に答えられなくても——誰かがその答えを知っていると想定できれば、私は安心である。逆に言えば、誰もその答えをもっていないということは、私にとって、根源的な不安の源泉になる。伝統的な知の体系が——先ほど述べたように——、知るに値することはすでにすべて(誰かに)知られているという前提をもっているのはこのためである。その「知るに値すること」から、私の世界内存在についての基本的な疑問への答えが見出されるはずである。

だからこそ、人は、それ以上は知りたがらない。何らかの実利的な目的がなければ、人間は、それを——知るに値するすべてのことを——超えて、なお知ろうとはしない。むしろ、それを逸脱する知を拒絶する。そのような知が存在しているということ自体を、人は否認するのだ。なぜなら、「それ」を超えてあえて知ろうとすること自体が、われわれは自らの世界内存在を確証する上で知るべきことを未だ知っていない、と認めることを意味しており、それゆえ、あの根源的な不安が蒸し返されることになるからだ。要するに、人には無限の知への欲動などないのだ。むしろ、(ある一定のレベルを超えて)知ることを、人間は拒否するのである。

そうだとすると、ふしぎではないか。近代科学のような知が成立したということが、である。それは、絶えず、われわれが無知であるということを、われわれが世界について未だ基本的なことを知らないということを、自覚させようとする知である。それは、人間が知の体系を要請したときの基本的な動機に真っ向から対立する。むしろ、それは、不安をかきたてているのである。いかにして、そんな知が可能だったのか。なぜ、そんな知が求められたのか。そんな知が、知の体系のほかのヴァージョンを押しのけ、世界標準になったのはどうしてなのか。

2　知の階級的構成

本章の冒頭で、近代科学の知と資本との類似について述べた。そこで、資本主義と一緒に誕生した知としての科学を、資本主義に固有の階級構成との関係でまずは捉えてみよう。すると再び、われわれは、科学の知のそれ以前の知との性質の違いを確認することになる。

真理を目指す知は、伝統的には——資本主義以前には——二種類あった。技術知と智恵である。[*4]前節で、前近代にあっては「知るべきことはすべてすでに知られている」という前提があったと述べたときに念頭に置かれていたのは、もちろん、後者の「智恵」である。これとは別に技術知があった。技術知と智恵では、階級的な分配がまったく異なっている。

技術知に関して言うと、それを所有しているのは、奴隷や従者、つまり階級的には下位に属する者たちである。では、支配階級は技術知とは無関係なのか、と言えば、そうではない。主人は、技術知をもってはいないが、それの使用を命令する。たとえば農民は、小麦の育て方を知っており、職人は、道具の修繕の仕方とか、城壁の造り方などを知っており、彼らは、(常にではないがしばしば)主人や領主の命令に従って、これらの技術知を活用する。先ほど、伝統的な知の体系においては、蓄積的な変化は原則的には生じないと述べたが、技術知について言えば、そのような認識は必ずしも妥当しない。特定の実用的な目的をより効率よく達成できるように、新たな技術知が積み重ねられる。

古代や中世の智恵は、技術知とは正反対の形態で階級的に分布する。智恵は、ときに秘技的な——公式(フォーマル)あるいは非公式(インフォーマル)な——加入儀礼を通過した者に対して、師である賢者から伝授された。そのような智恵は、技術知とは対照的に、階級的な上位者に、つまり主人や君主、あるいは聖職者に所属していた。彼らの目からは、さまざまな分野の専門的な技術知は、とりたてて気にとめる必要のない低級な知に見えており、下層の階級の者に委ねておけば十分だった。この事実、つまり技術知が下位の階級に専有されていることは、支配階級の者たちにとって、いささかも脅威にはならなかった。何となれば、下位の階級の者たちも、支配者や聖職者が「肝心なこと」を知っているという事実——支配者・聖職者が彼らの代わりに智恵を所有してくれているという事実——に、精神的に依存していたからである。

だが、資本主義とともにある近代科学の場合は、階級に関する事情が一変する。生産過程の技術をめぐる科学的基礎についての知識や生産過程の分業を組織する上で必要な知識は、古代・中世の智恵と同じく、上位の階級の側に、この場合には資本家の側にあり、階級闘争の観点からすると、労働者には敵対的なことは確かだ。しかし、次のように問わねばならない。科学的な知においては剰余知識がたえず生み出されると述べたが、その剰余はどこから発生するのか、と。経済的な剰余価値は、マルクスの『資本論』の説明では、労働者の労働から生まれる。剰余知識も、事情は似ている。それは、象徴的には、労働者の技術知、労働者が職人芸的に追求しているノウハウからやってくる。断片的な技術知やノウハウが、科学の体系的な知の中に統合されることになるのだ。ここに、それまでの知の伝統とはまったく違う状況を認めることができる。

伝統的には、智恵と技術知との間には交流はなく、それぞれ異なる階級を担い手としていた。しかし、資本主義においては事情が異なっている。智恵の延長線上にある近代科学と、技術知の現代的な形態であるテクノロジーの間には、相互的な交流がある。フランシス・ベーコンは、一七世紀初期の著作『ノーウム・オルガヌム』(一六二〇年)で、「知は力なり」と謳った。科学的な知識の価値は、われわれに力を与えうるかどうかで決まる、というわけである。力とは、技術的な有用性のことだ。

西洋においても、一五世紀までは、科学(近代科学以前の科学)と技術知は、独立の分野であって、両者が結びつけられるという発想はまったくなかった。だから、ベーコンの宣言は、まことに画期的なものだった。一七世紀、一八世紀と、両者の結びつきはより深くなっていくが、両者を合わせて一つの知の領域のように思い描くことができるようになったのは、一九世紀になってからである。科学と技術知が、相互に無関係な異なる源泉に由来していたということは、一八〇〇年の段階でも、軍事力を強化しようとする政治家や支配者が、あるいは事業の成功を目指す経営者や資本家が、経済学とか物理学とか生物学とかに投資しようという発想をもってはいなかった、ということからも明らかになる。[*5] ともあれ、繰り返せば、資本主義においては、科学は、テクノロジーから、「剰余知識」へと結実しうる発見や工夫を引き出し、同時に、新しいテクノロジーの開発に貢献する知を提供した。これは、伝統的な知においては、考えられない相互援助の関係だったのである。

＊

科学が労働者の技術知から剰余知識を引き出すことができたのは、科学が、真理（の候補）を導き出すにあたって、「経験」を頼りにしているからである。近代科学以前の智恵は、個人の経験を、真理を認識するための助けとは見なしていない。むしろ、経験は不確実であって、真理に反するものだった。真理の根拠は、賢者の知性や権威あるテクストに求められたのである。それに対して、近代科学においては、認識と経験が結びついている。

が、ここで、われわれはひとつの逆説にぶち当たることになる。アガンベンに依拠しつつ何度も述べてきたように、科学革命の時代にわれわれが見出す態度は、経験への信頼ではなく、逆に、未だかつてなかったほどの経験への不信だからである（『近世篇』第6章）。ベーコンでさえも、今しがた参照した同じテクスト『ノーウム・オルガヌム』で、経験を、ばらばらになったほうきや迷宮、森などに見立て、経験への不信を露わにしている。

もっとあからさまなのはデカルト、本章の冒頭に引いた講義でラカンが科学革命の時代精神の代表と見なしたデカルトだ。デカルトは、経験のすべての領域をことごとく疑い、ついに私が経験を疑っているということ、疑うことにおいて考えているということ、それ以外には、何一つとして確実なことはない、という地点にまで自分の思索を追い込んでしまう。これほどまでに経験が疑わしいと見なしているのに、どうして科学は、まさにその経験から知を引き出そうとしているのだろうか。これは不可解な逆説である。

この逆説は前節の最後に述べた疑問の繰り返し、あるいはその強化された反復である。近代科学の特徴は、われわれはみな無知であるということの自覚にある、と述べた。なぜ無知なのかと言えば、経験をいくら積み重ねても真理には到達できないからである。それなのに、知の源泉は経験しかない。あるいは、科学の体系は、結局、真理そのものではなく、仮説の集合だと述べた。「仮説」をポジティヴに言い換えれば、「真理の候補」ということになるが、同じことをネガティヴに捉えれば、いつまでたってもそこにつきまとう懐疑を払拭できない、ということでもある。この懐疑の側面を誇張し、極大化すれば、デカルト的な懐疑になる。このように見直してみれば、前節で提起した疑問は、まさに経験への懐疑が極大化しているとき、その経験を根拠にした知として近代科学が成立するのはどうしてなのか、という問いと同じものであることがわかるだろう。

3　懐疑と信仰

ここで、デカルトに代表されるような懐疑を、彼とほぼ同時代のプロテスタントの信仰や回心体験と対比させてみよう。科学革命の時代は宗教改革が進捗していた時代でもある。デカルトが活躍していた時代は、ピューリタンと呼ばれるイングランドの厳格なプロテスタントが北アメリカに渡り、キリスト者の共同体を築き始めた時期に対応している。これらの共同体こそが後に、アメリカ合衆国に発展したのだ。

なぜプロテスタントたちの信仰に注目するのかと言うと、彼らは今述べたようにデカルトと同時代に属しているのに、彼らの態度はデカルト的な懐疑とは正反対なものに見えるからだ。デカルトは、自らの経験を精査し、そこから、自らが考えているという事実以外は何一つ確実なことを引き出すことはできないと結論したわけだが、プロテスタントは、自らの経験を反省することを通じて、懐疑ではなく逆に確信を――自らが神を信じており、そして救済されるはずだという確信を――導き出すのだ。このような確信に到達することを「回心」と呼ぶ。デカルトに代表される経験への懐疑と、プロテスタントたちの信仰や回心とは完全に対照的である。

が、事態をよく見ると、ことはそう簡単ではないことがわかる。北米の初期の植民地で、プロテスタントが、信者たちの共同体（つまり教会）への加入を望むとき、回心体験についての告白を求められることがある。この告白が、その志願者の資格審査にあたるのだ。初期アメリカ史の研究家、エドマンド・モーガンが、そうした告白のひとつを紹介している。*6 それは、当時のニューイングランドの牧師で、『終末の日』という詩で知られているマイケル・ウィグルスワース[*7]が記録しているケースで、モーガンは、このケースは、審査者と志願者のやりとりとして「典型的」だとしている。志願者は、「キリストを讃えることができず、むしろ自分自身の心の道をそのままたどってしまった、そうした心にお気づきになったことはありませんか」などと質問された。彼は、これに対して、「私は常に、他の何よりもキリストを讃え続けてまいりました」などと答えればよいように思われるが、モーガンによると、もしそのような返答だったら、この志願者は、口頭試問に確実に不合格になっただろう。この志願者の回答は、実際、この浅はかな予想に反するものだった。彼は、自らを内省するに、自分はいくたびもキリストのことを忘れ、自分のことを優先させてきたかもしれないということに気づいた、そして神とともに生きることを愛しているかどうかを知ろうとして苦心して反省してみたが、どうしても確信を得られず、どうやら自分はそのような生を愛していないようだ、といった趣旨のことを答えたのだ。

これは、とんでもない回答だ、とそう言いたくなるだろう。たとえば、出版社の入社試験の面接で、「あなたは本のことが好きなのですね」と問われたとき、「つらつら考えてみるに、私は本があまり好きではないようです。本とともにある人生は嫌いです」と答えれば、不適任と見なされ、試験にパスできないはずだ。ところが、モーガンは、この志願者は入会が認められたに違いない、とする。なぜなら——モーガンは言う——固有の信仰は不完全であるべきだという信仰をこの回答は示しているからだ。

つまり、信仰への確信と信仰への懐疑は、正比例の関係にあるのだ。神を愛していること、そして自分が救済されていること、そうしたことへの確信が強ければ強いほど、逆に、神への愛や救済への懐疑も強い。後者の懐疑の強度によってこそ、むしろ、前者の信仰の強さが証明される。そうだとすると、われわれはさらに進んで、次のように言うことができるのではないか。最初、デカルト的な懐疑とプロテスタントの信仰は対照的・対立的ではないか、という予想を述べたが、実際にはそうではない。むしろ、両者は同じことの二側面である。デカルトがその象徴的な代表であるような（経験に対する）極限の懐疑と、ラディカルなプロテスタントに見られるような極大の信仰とは、実は同じものなのではないか。

懐疑と信仰の合致は矛盾しているように思われるが、しかし、前章まで予定説に即して確認してきたことからその論理的な含意を引き出すならば、まさにそのような合致が生じなくてはならないはずだ。何度も述べたように、予定説こそ、宗教改革の論理の理念型的な参照点である。予定説に従えば、懐疑は最大値になるはずだ。なぜなら、神がその人を救済に定めているのか、呪っているのかは、その人自身にとっては、そして他の誰にとっても、不可知だからだ。信者は、自分の内面をいくら精査しても、またどのような行動を採ったとしても、救済への確信が得られるわけではない。しかし、他方で、神がその人をすでに救済または呪いのいずれかに定めていることは確実であり、その上で、信者は、自らが神によって救済されているということを前提にして行動するほかない。そうだとすると、信者は——その人の生の経験の公理的な前提である以上——、救済は確実だと信じていることにもなる。このように、プロテスタントの予定説にあっては、懐疑と信仰は共存する上に、両者は、互いに互いを前提にしている。

＊

プロテスタントにおける信仰や回心とデカルトが代表するような経験への懐疑との間に、このような通底性があることを踏まえて、近代科学の方へと立ち戻ってみよう。われわれは、近代科学のような知がどうして可能だったのか、という疑問を提起した。自身が無知であることを絶えず覚醒させるこのような知が成立することはふしぎなことだ、と。また、この疑問は、経験への懐疑が高まる中で、まさに経験を真理の根拠とする知である科学が成立するのはどうしてなのか、という問いの変形でもある。

プロテスタントの論理の理念型的な極限である予定説のフォーマットを、科学の方へと転用したらどうだろうか。述べたように、予定説の下で、信者は、自身の信仰や救済への懐疑を決して捨てることはできない。それはいつまでも——厳密には「終わりの日」まで——不確かなままである。これは、科学を規定している「無知」と似ている。近代科学の中では、われわれは本来的に無知である。いくら知っても、未だ無知のままだ。すでに知った（と思った）ことも仮説に過ぎず——つまりそれへの懐疑の余地が残っており——、その上、まだ知らないことがある。

プロテスタントは、どうしてそんな不安な状態を生きることができるのか。どうして、彼らは、そんな不安を強いる神を信じているのか。不安を補償する確信が与えられるからである。神が存在していること、そしてその神が知っていること——信者が救済（か呪い）へと至るまでにどのように生きることになるかを知っていること——は確実だ。内容の上では不可知なこの神の知の存在を前提にすることで、信者は不安を克服することができる。

同じことは科学にも言えるのではないか。無知は不安である。しかし、すべてを（すでに）知っている主体の存在を想定できるとしたらどうだろうか。その主体が何を知っているかはわからない。その主体が知っている真理が何であるかは原理的に不可知である。しかし、そのような主体の存在を論理的な前提にできれば、無知の不安を払拭できるのではないか。予定説を生きるプロテスタントが不安や懐疑を克服できたように、である。そして、そのような「知っているはずの主体」の存在を想定しているとき、人は、積極的に無知にコミットできるのではないか。つまり、絶えず無知であることを確認するような形で探究を持続できるのではないか。純粋なプロテスタントは、信じれば信じるほど懐疑と不安が深刻化するのに、それでも、いやそれゆえに信じたのだ。これと同じように、科学の探究者は、たえず無知の自覚を反復的に蘇生させることで、剰余知識の生産に従事することになるだろう。

この、科学的探究を駆り立てている「すべてを知っている主体」とは何か。それは、かつての智恵の賢者のような、どこかにいる人間ではない。だが、予定説の神と完全に同一視してしまえば、それは狭すぎる。もっと一般化しておかなくてはならない。予定説をその一部に含むような抽象的な超越性、決してこの経験的な世界に直接には現前しないが論理的な前提として措定される、特殊なタイプのきわめて抽象度の高い「第三者の審級」である。このような第三者の審級を析出する社会的なダイナミズムが、西洋の近世から近代へと至る経過の中で作用したと考えられる。そのダイナミズムの産物のひとつが、予定説を基準点とするようなプロテスタンティズムの運動である。近代科学の誕生と発展もまた、同じダイナミズムの産物だと解釈することができる。

4　空白のある世界地図

ユヴァル・ノア・ハラリは、一五世紀から一六世紀にかけて——つまり宗教改革や科学革命が始まる頃——ヨーロッパ人が奇妙な世界地図を描き始めたことに注目している[*8]。その世界地図には、空白部分があるのだ。そのような地図は、それ以前にはなかった。ヨーロッパになかっただけではなく、世界中のどこにも、空白をわざと残した世界地図は存在しなかった。かつての世界地図は隙間なく描きこまれていて、地図製作者がほんとうは知らないはずの地域に関しても、勝手に——もちろんわれわれから見れば完全に誤ったことが——、既知の部分と同じ精度で何かが描かれている。たとえば、一五世紀の中頃の、つまり一四五九年のヨーロッパ人の世界地図（フラ・マウロの世界地図）を見ると、彼らがほとんど何も知らないはずのアフリカ南部の地域も細かく描かれている。しかし、それから半世紀強後の地図、一五二五年のサルヴィアーティの世界地図では、空白のまま残されてある部分の方が広いくらいである。新大陸はすでに発見された後なので、描かれてはいるが、それは、南北に細長いS字のような陸地であり、その西側には、地図全体の三分の一よりずっと広い空白がある。

この空白の世界地図は、前節で述べたことを実に見事に証拠立てている。われわれは、未だすべてを知ってはいない。しかし、知っているはずの主体、知っているはずの第三者の審級の視線の対象として捉えられている領域がある。後者と前者の差異が、世界地図の空白である。これに対して、空白のない伝統的な地図は、あの賢者の智恵のタイプに属している。われわれはすでに知るに値することをすべて知っている、ということの表現が、伝統的な地図だ。伝統的な地図は、その本性上、空白は許されない。もし空白などあったら、それは地図の――実用的な目的を超えた――本来的な目的、そこがわれわれが安心して存在することができる世界であることを示す機能を、根底から揺るがすことになっただろう。

逆に言えば、地図の中に、空白を堂々と残すことができるようになったのは、つまりそんな地図を製作し提示しても安心していられるようになったのは、われわれ人間の知が届いてはいない部分までをも視野に収めている、超越的な視点の存在を仮定できているからである。そのような視点があるならば、空白に怯むことはない。科学が無知を恐れなくなったのは、これと同じメカニズムが作用しているからである。

ここに見てきた論理は、『近世篇』以来のひとつの謎を解くことになる。われわれはどうして、近世以降のヨーロッパ人だけが海へと、大洋へと進出したのか、という疑問を提起しておいた。彼らは大洋を渡り、そのために、陸続きではない、遠く隔たったところに、自分たちの「領土」をもちさえした。それ以前にも、大規模な帝国はあった。ヨーロッパの外にも、大帝国を築いた者はいる。アレクサンドロスの遠征が築いた帝国、ローマ帝国、イスラーム系の諸帝国、中華帝国、モンゴル帝国……。それらは、しかし、すべて陸の帝国である。陸を通じて土地を拡大し、隣国を併合している。しかし、一五世紀末以降、西ヨーロッパ人だけは、大洋へと進出した。地中海を離れ、大西洋の彼方へと。

どうしてそんなことが可能だったのか。彼らが海の彼方を恐れなかったからだが、どうして、なのか。ヨーロッパの人々には度胸があった、などといった説明は、もちろんトートロジーである。そのような「勇気」を支えた精神の構造は何だったのか。空白を含む世界地図が、その答えを示唆している。それについて自分たち（人間）は無知であっても、それを知っているはずの超越者の存在を確信できるとき、人はそれへの恐怖を乗り越え、そこへと向かうことができるようになるのだ。

このように考えたとき、コロンブスは過渡的な段階にあることがわかる。彼は確かに、大西洋へと乗り出し、新大陸に到達したのだが、しかし、そこを既知の領域の一部と見なしたからである。つまり、それは、既存の、空白なき世界地図の中にある領域、インドであると見なしたのだ。彼は無知を真に自覚しておらず、その意味で「まだ中世の人間だった」[*9]。だから、新大陸の名前が、コロンブスではなく、その後のアメリゴ・ヴェスプッチから取られたのは、まことに適切だったと言えるだろう。

いずれにせよ、西ヨーロッパの人々が大洋へと進出し始めたときには、未だカトリックが主導権を握っている段階であった。カトリックの諸王は、大洋への進出者の後見人になった。だが、海への活動で覇権を握り、海を通じて大きな利益を獲得し、さらに政治的な影響力をも身につけていったのは、主としてプロテスタント系の人々、とりわけカルヴァン派であった。この点についてカール・シュミットは、次のように述べている。

> 一六世紀に海のエレメントのエネルギーが爆発したとき、その成果はひじょうに大きかったので、そのエネルギーは急速に政治的な世界史の領域に入り込んだ。この瞬間にそれはこの時代の精神的な言葉の中へも踏み込まざるをえなかった。いつまでもたんなる捕鯨者、航

海者、海の泡の子にとどまっているわけにはゆかなかったのである。それは自分たちの精神的な同盟者、もっとも大胆でもっとも急進的な同盟者を求めねばならなかった。（中略）それは当時のドイツにおけるルター派ではありえなかった。このルター派はむしろ領土主義と全般的な陸国化への傾向の道を歩んでいた。（中略）眼を海上へ転じてみるとわれわれはただちに同時性、あるいは、こういう表現が許されるなら、政治的なカルヴィニズムと爆発するヨーロッパの海洋エネルギーとを結びつける世界史的な兄弟関係に気づく。この時代の宗教戦線や神学論争の合言葉の核心にも大陸から海洋への世界史的存在の移行を引き起こしたエレメント間の根源的な力の対立があるのである。[*10]

ヨーロッパの海洋エネルギーの爆発は、カルヴァン派を同盟者として見出した、というわけである。だが、どうしてカルヴァン派だったのか。シュミットは説明してはいない。しかし、われわれのここでの考察は、答えを含んでいる。カルヴァン派こそ予定説の中心的な担い手だったからである。ヨーロッパの海への進出を可能にした精神のメカニズムは、予定説をもたらしたそれと同じ形式を共有していた。

ヨーロッパの帝国主義的な海外領土の征服は、科学における知識の蓄積、つまり知識の征服と同じ衝動によって駆り立てられていた。実際、ヨーロッパの帝国主義は、領土とともに新しい知識を獲得することを熱望する。[*11] こうした欲望は、それ以外の、あるいはそれ以前の帝国にはほとんど見られない。アラビア人もモンゴル人もローマ人も、富や権力を得るために領土を貪欲に拡大したが、その領土を媒介にして新しい知識を得ようとはしなかった。ヨーロッパの帝国主義の場合は違う。領土的な征服は科学的な征服でもある。実際、とりわけ一八世紀後半から一九世紀にかけては、ヨーロッパの軍事遠征には、しばしば、軍事上はさして意味がない科学者が同行した。有名な例は、一七九八年のナポレオンのエジプト遠征である。この遠征には、百六十五人の学者が随行した。あるいは、一八三一年のイギリス海軍が派遣したビーグル号には、二十二歳のチャールズ・ダーウィンが乗っていた。このときの観察が、進化論につながったことは周知のことであろう。

科学における知識の蓄積への意欲と帝国主義的な拡張との間の、こうした深いつながりは、あらためて冒頭で述べたことを確認させる。科学における知識蓄積と資本主義における資本蓄積との内的な相関を、である。もっとも、本章ではまだ説明してはいないが、両者の間のポジティヴな相関は（理論上の）極限にまでは貫かれていない。

1　Jacques Lacan, *Le séminaire, livre XII: Problèmes cruciaux pour la psychanalyse*, Leçon22, 09 Juin, 1965.
2　ユヴァル・ノア・ハラリ『サピエンス全史』上・下、柴田裕之訳、河出書房新社、二〇一六年（原著二〇一一年）、下第4部・第14章。
3　賢者や知者や覚者は、私が尋ねれば、それを教えてくれることもあるし、そうでない場合もある。私は、特別な訓練や修行を経なければ、賢者たちのレベルに到達できない、とされる場合もある。いずれにせよ、その知っている誰かは（最も広い意味での）「われわれ」の仲間である、ということが絶対にはずせない要件である。
4　『古代篇』第12章第3節で、関連する話題を論じている。また、次のミシェル・フーコーの講義も参照されたい。Michel Foucault, *Le courage de la vérité, Paris*: Gallimard/Seuil, 2009, pp.80-82.

5 これらの点については、ハラリ、前掲書、七〇頁。
6 Edmund S.Morgan, *Visible Saints: The History of a Puritan Idea*, New York:New York University Press, 1963.
7 Michael Wigglesworth, *The Day of Doom: or, A Poetical Description of the Great and Last Judgement*, 1662. この詩は、当時のニューイングランドで大ベストセラーになり、非常に広く読まれた。
8 ハラリ、前掲書、一〇三―一〇九頁。
9 同書、一〇五頁。
10 カール・シュミット『陸と海と――世界史的一考察』生松敬三・前野光弘訳、慈学社、二〇〇六年(原著一九五四年)、九六―九七頁。
11 ハラリ、前掲書、九九―一〇三頁。

第14章　銀行という謎

1　銀行は何をしているのか

銀行は、資本主義にとって不可欠の制度である。近代的な意味での銀行、われわれが今日理解しているような意味での銀行は、資本主義の揺籃期に西洋で生まれた。両替商や高利貸しのようなものは、貨幣をもった社会や文明にはたいていい見られる。しかし、システマティックな銀行は、まずは西洋に固有な方法として生まれた。

銀行とは、一方で、負債としての借用書（預金、債券、手形など）を発行しつつ、他方で、資産として借用書（融資、保有証券など）を蓄える機関のことだ。もちろん、どんな会社にも、借用書の形態をとった負債（仕入先への支払約束残高）や資産（顧客からの支払約束残高）はある。しかし、たいていの会社では、こうした金融資産・負債は、実物資産（工場とか、土地とか、在庫とか）よりずっと小さい。銀行は、これが逆になる。*1

発行する負債と蓄積する資産とが同額であるとすれば、銀行は、単純に借金を仲介しているだけのように見える。が、そうではない。難しい問題は、一般に、負債は短期のものであり、資産の方は長期のものだということだ。預金などの負債は、多くの場合、要求があればすぐに返さなくてはならない。それに対して、融資のような資産が回収されるのはずっと先のことだ。銀行の業務の本質は、長期の資産と短期の負債の間の資金ギャップを埋めることにある。このギャップに対応できるからこそ、銀行には信用創造のようなこともできるのだ。問題は、このような業務がどうして西洋でのみ可能になったのか、である。どうして、他の文明や社会で同じような仕事が生まれなかったのか。

理屈の上では、銀行業務の要諦は次の点にある、ということになる。負債は短期で資産は長期だとしても、資産から生ずる受け取りと負債から生ずる資金の支払いとを集計したときに同期化できればよい――つまり同時に必要な支払義務と受け取りとが一致していればよい――と。この場合、銀行にとっての資産と負債とは、すべての借り手とすべての貸し手の負債と資産の集計である。

だが、この同期化を達成するためには、二つのリスクに対処しなくてはならない。銀行は借用書を発行したり受け取ったりしているわけだが、第一に、その借用書にある支払期日がきたとき、ほんとうに約束通り支払いがなされる見込み（確率）はどのくらいの高さなのか。つまり信用力の問題である。第二に、借用書は、――第三者に売却されることを主たる方法として――換金されなくてはならないのだが、それはどのくらい困難でどのくらい容易なことなのか。いわゆる流動性の問題である。すぐにわかるように、一年後の支払約束を受け入れることの方が、翌日の支払約束を受け入れることよりもずっと困難である。前者の方が後者よりずっとリスクが大きい。銀行とは、結局、（債務者の資産と所得に対する）信用力が低くかつ流動性の小さい請求権を、より信用力が高く流動性を有する請求権へと変換する装置である。どのくらいリスクを小さくすればよいかというと、その請求権が、広く一般に支払手段として受け入れられる程度のレヴェルにまで小さくしなくてはならない。

さまざまな工夫によってリスクを小さくすることはできても、原理的には、リスクをゼロにすることはできない。将来何が起きるのかは、誰にもわからないからだ――神以外には、と付け加えておこう。したがって、困らない程度にリスクを小さくできるかどうかは、主観的な問題だと言える。つまり、このリスクを乗り越え得るかどうかは、最終的には、予言の自己成就のようなものに依存するのだ。貸し借りをしあう本人たちがリスクを克服できると思うことができれば、実際に、リスクが克服できたのである。すると、疑問の中心をクリアに指摘することができる。どうして、西洋でのみ、しかもある時代以降の西洋でのみ、信用力と流動性をめぐるリスクを――銀行業務が成り立つ程度に――小さくするような（究極的には根拠がない）確信が定着できたのであろうか。われわれは、すでに本書の中で銀行については、一度論じている（第7章）。この疑問は、そのとき積み残した問題、ミッシングリンクとなっている問題である。予定説等をめぐる考察を経た後の文脈でこの疑問を解くことが、資本主義なるものの本性を剥き出しにするための手がかりとなる。こうした見通しの上に疑問を提起している。

2　銀行の発明と定着

まずは事実関係を確認しておかなくてはならない。本章の冒頭で、初期の銀行は、資本主義の揺籃期に出現したと述べたが、厳密には、その前史がある。つまり、銀行の萌芽、銀行以前の銀行のようなものは、すでに中世の後半に現れているのだ。ただし、その段階では、その萌芽的な銀行は順調に成長し、定着したとは言い難かった。それは、一歩間違えれば非合法と見なされかねない危うい事業であった。極端な場合には、銀行業は、死刑になることも覚悟しなくてはならないきわめて危険な業務だったのである。後にはまったく問題がない仕事がどうして中世では犯罪視されたのか、その点を考えることもまた、疑問を解く鍵となろう。

ともあれ、その銀行以前の銀行を見ておこう。一二世紀末に、海運の都市国家として繁栄していたジェノヴァでは、大商人が地方銀行のようなものを設立し始めた。[*2]それは、地方の顧客の勘定（アカウント）を記録し、管理することを目的としていた。どうしてそのような業務が必要だったのかは、次のように考えるとすぐにわかる。

本来の課題は、それぞれの人が発行する借用書を流通させることにある。そのためには、全員に信用力があり、かつ全員がそのことを互いに知っているという、二つの条件が満たされなくてはならない。狭い地方の商人の間でならば、この条件は実際に満たされるかもしれない。互いに商売仲間のことを熟知していて、相手が期日までに返済する能力と誠実さを備えていることを知っているからだ。しかし、広域でこの二条件を満たすことは不可能だ。地方の商人が発行した借用書は、その地方を超えたところでは受け取ってもらえない。だが、このとき、もし取引量も大きく、名の通った大商会が、地方商人の支払約束に保証を与えたらどうだろうか。そうすると、もともとは地方経済の中でしか通用しなかった借用書が、広く流通するものへと転換するはずだ。知名度の大きい貿易商（の集団）を頂点におくような、信用保証のヒエラルキーを築くことができれば、借用書の流通の問題はかなりの程度解決できる。ジェノヴァの商人が、地方銀行を設立した目的もここにある。これによって、ひとつの銀行の顧客から別の銀行の顧客に資金を振り替えることで支払いを遂行することができるようになった。

ジェノヴァで始まったやり方は、イタリアとその周辺の諸都市に徐々に波及していった。たとえば、一四世紀のフィレンツェでは、高額の支払いは主として、この銀行振り替えの方法が活用されるようになる。当時のフィレンツェには、振り替えサービスを提供している、こうした前近代的な銀行が八十もあったという。もっとも、完全に口座の数字だけで処理されたわけではなく、しばしば——たとえばヴェネチアでは——、口座をもつ者は、支払いを正式に承認してもらうために銀行に直接に出向いてその姿を示す——銀行に対して自己の身体を現前させる——必要があった（遠くにいる会ったこともない者を信用することができない、という感覚を乗り越えることがまだできていないからである）。だが、一四世紀の半ばには、フィレンツェやジェノヴァ、バルセロナなど、ヨーロッパ南部の主要都市では、小切手のような証券による支払いが普及した。それらは流動性が高く、銀行による正式な公証なしにも受け入れられ、期日前に現金化することもできた。[*3]

このように、中世後半からルネサンス期にかけて、萌芽的な銀行が出現し、機能し始めるのだが、順風満帆とはいかなかった。二つの大きな困難にぶつかるのだ。ひとつは利子である。利子に対する神学的な非難は続いていた。利子については、『中世篇』（第11章）で論じたことがあるので、ここではもう一つの困難について述べておこう。それは、支払準備の問題だ。

背景として、次の事実を念頭に置いておくと事情を飲み込みやすい。述べてきたことから明らかなように、銀行業者が扱う借用書は、事実上、貨幣として機能し始める。これは、しかし、

「主権者」、つまり君主が発行する貨幣とライバル関係に入ることになる。当時、つまり中世の封建社会においては、領主や王にとって、最大の収入源は、貨幣鋳造益であった。まだ、継続的・定期的に直接税をとる制度や技術がなかったのだ（『近世篇』第12章参照）。当時、君主は硬貨を鋳造し、それを使わせていた。中世の硬貨は、それを発行した君主の顔とか腕とかの図柄が刻まれているが、それを貨幣たらしめる最も重要な記号が刻印されていない。額面価格を示す数字が入っていないのだ。君主が、貨幣の標準、つまり硬貨の額面価格を操作することができるようにするためだ。この操作で、君主は大きな利益を得ることができたのだ。たとえば、硬貨の額面価格を下げれば、鋳造貨幣をたくさん所有している富裕層に課税したに等しいことになる。[*4] こうしたことが可能であるためには、しかし、君主が発行した貨幣に人々が依存していなくてはならない。それとは別に貨幣が流通することは、君主にとっては都合が悪い。君主は、自分の貨幣鋳造特権を守るために、新しく登場してきた銀行という機関を規制しようとした。

その際に着眼したのが、支払準備である。当局は、つまり君主や領主の政府は、銀行を営む商人が、資産の規模に比して、支払準備として自国の鋳貨をごくわずかしか保有していないことに気づいた。そこで、当局は、十分な支払準備を義務づけるような法律を制定した。たとえば、ヴェネチアでは、全預金者が鋳貨によって払い戻しを請求してきたときに、銀行は、三日以内にこれに対応できなくてはならない、とされた。顧客の払い戻しの要求に応じられなかった銀行家への罰則は、非常に重かった。一三六〇年に、公衆の面前で罵倒されながら斬首された、かわいそうな銀行家カステーリョの例を以前紹介したことがある（第7章第2節）。

王や領主の打算に基づく介入があったとはいえ、こうした厳しい法がかくも有効だったということは、当時、十分な支払準備もなしに銀行の業務を営むことは、きわめて邪悪な、罪深い詐欺的行為と見なされていたことを示している。だが、前節に述べたような銀行の本質となるような機能が、つまり長期の資産と短期の負債の間のギャップを埋めることが可能になるためには、銀行としては、小さな支払準備で融資できなくてはならない。支払準備の小ささは、本来的な銀行が成り立つための前提である。今日では、それは、法的にも道徳的にも悪いことではない。完全にノーマルなことである。何がこうした違いをもたらしているのか。いずれにせよ、中世の後半に登場した萌芽的な銀行は、述べたような厳しい規制に阻まれて、順調に成長することはなかった。

＊

だが、近代的な銀行業が生まれ、整備され、定着した分野がある。国際貿易の領域である。一六世紀の半ば頃、つまりまさに宗教改革の嵐が吹き荒れている頃、ヨーロッパの国際貿易の領域で、近代的な意味での銀行のシステムが確立する。それにはもちろん、王や領主の権限は、彼らが支配する国や領土を越えては及ばず、彼らが発行する貨幣は国際取引に直接には使えなかった、という事実が与っている。

フェリックス・マーティンは、貨幣の歴史を論じた著書の中の「『銀行』の発明」を扱った章——本章のわれわれのここまでの考察でもずっと参照してきた箇所——を、サリー・H・フランケルの著書からの引用に基づいて、一五五五年頃、フランスのリヨンで人々を驚かせたあるスキャンダルを紹介するところから始めている。[*5] 一人のイタリア商人がリヨンにやってきてそこに定住し、瞬く間に大金持ちになった。人々がびっくりしたのは、しかし、この男が短期間で財をなしたからではない。リヨンは、ローマ時代から大きな市が開かれるヨーロッパの交易の中心地のひとつなので、この都市で裕福になる例はめずらしくはない。当時の人々にとって目新しく、そのため胡散臭いと感じられたのは、彼の仕事のやり方である。彼は商人なのに、売るべき商品を何も持ち込まなかった。ただ、リヨンで大市が開かれている間、彼は、毎日、書類に署名をするだけだった。それなのに、彼は大金を稼いだのだ。人々は彼を詐欺師だと思った。しかし、彼は、初期の銀行業者である。

このイタリア商人が活用したのは、この頃生み出された、「証書為替 exchange by bill」のシステムである。[*6] そのやり方の基本は、ごく単純である。たとえば、イタリア商人がネーデルランドの生産者から何かの商品を輸入するとしよう。イタリア商人は、まず、フィレンツェの大商会から証書為替と呼ばれる信用手形を購入する。直接、地元の鋳貨で買ってもよいが、掛買い（つまり後払いの借金）で買ってもかまわない。証書為替は、貿易における決済通貨で、エキュ・ドゥ・マルク（écu de marc）という単位で表示されたが、この「エキュ」に対応する鋳貨が存在していたわけではない。それは、銀行業者によって、公権力とは関係なく――その意味では私的に――設定された標準的な尺度である。イタリア商人が、証書為替を購入することで、彼は、ローカルにしか通用していなかった私的な信用を、流動性のある貨幣に変換したことになる。と同時に、このエキュ建ての証書為替を媒介にして、フィレンツェの通貨建ての信用をネーデルランドの通貨建ての信用と交換したことにもなる。

ヨーロッパの大都市の間の貿易で使われる通貨を融通するために、証書為替を発行したり、引き受けたりすると、為替銀行業者は、貸方と借方の残高を積み上げていくことになる。ヨーロッパの為替銀行業者は互いに密接に結びついていたので、未払いの借金がたまることに対して非常に寛容ではあったが、それでも、誰が誰の何をどれだけ所有していることになるのかを明確にするために、定期的に貸方と借方とを相殺しなくてはならなかった。そのため、四半期ごとに大商会の一団がリヨンの大市に集結し、帳簿を計算することになったという。大市の期間中に、「コント（計算表）」という、エキュとヨーロッパ各地の通貨との間の為替相場表が作られ、最後には、この相場表に基づいて決済がなされた（現金、つまりどこかの都市や国の通貨で支払うか、残金を次の決済日まで繰り越すかする）。一五五五年頃に、リヨンに現れた謎のイタリア人も、大市に集まる銀行家のひとりだったと考えられる。

＊

このように、銀行は、まずは国際貿易の分野で確立し、発展する。だが国内経済の領域では、君主が発行する貨幣と銀行が流通させる私的な貨幣との間にある葛藤が原因で、銀行がのびのびと成長したとは言えない。今日の完成された銀行から見れば、当時の銀行は、限定的な役割しか果たしていないように見える。（ヨーロッパで）王の権力と銀行が生み出す貨幣との間に敵対関係があるということは、一八世紀のスコットランドの経済思想家、ジェームズ・スチュアートの言葉の中によく表現されている。貨幣社会は、「専制政治の愚かさに対抗すべく発明された最も有効な手綱」である、と。[*7] この場合の貨幣は、銀行によって発行された事実上の貨幣のことを指している。だが、銀行の私的な貨幣が市場で覇権を握っていたわけでもない。標準的な貨幣は、やはり主権者（君主）が発行した貨幣であった。

さらに付け加えておけば、スチュアートが認めたような敵対関係は西洋に固有なことである。たとえば中国であれば、貨幣が皇帝の「専制政治」に対抗しているなどということは思いもよらず——もう少し慎重に言い換えれば、そのような対抗関係が存在しているということが公然と認められることなどありえず——、貨幣が皇帝の統治の道具であることは自明のことだった。*8 ある種の貨幣が、王と敵対関係に入りうるということは、西洋に固有の事情だった。

（西洋の）大きな転換は、一七世紀末（一六九四年）にイングランド銀行が設立されたことによってもたらされた。イングランド銀行が誕生した経緯については、かつてごく簡単に説明したことがある（第7章第2節）。ウィリアム三世は、対仏戦争の戦費を必要としていたのだった。彼は、オランダ総督でもあり、名誉革命の後に、イギリス国王に推戴された。ウィリアム三世がルイ十四世との戦いに熱心だった理由も、主として、オランダを守るためだった——プロテスタントのイギリスをカトリックのフランスから守ることが目的ではなかった——と考えられる。いずれにせよ、王は増税によって戦費を調達したが、支出の方がもっと大きかった。イングランドの国庫は、名誉革命より前のチャールズ二世のときに、放漫な財政のゆえに債務を返済できなくなり、支出の停止を宣言したことがある（一六七二年）。それから二十年余りが経過し、再び国庫の支出停止を宣言せざるをえなくなるのも時間の問題だ、というとき、起死回生の一手として導入されたのが、イングランド銀行であった。その前には、たとえば国営の富くじを発売する等の奇抜な方法も試され、失敗している。銀行設立は、そうした失敗の後に見出された手段である。

まず投資家たちが出資して、銀行を作る。その銀行が政府に貸し付けする。そのことで、国家財政を立て直すというわけだ。イングランド銀行の側にもメリットがあったし、そもそもメリットがなければ、商人たちは王の国庫を助けるために銀行を設立しなかったはずだ。融資に対する対価として、イングランド銀行の側は、独占的に銀行券を発行する権利を得たのである。銀行券とは何か。それは、銀行の債務を表象する紙幣である。その紙幣を貨幣として流通させることが、イングランド銀行に許可されたのだ。

こうして銀行と王の両方が利益を得た。つまり、銀行と政府は、長い間の葛藤を克服し、互恵的な協約に到達した、というわけである。……が、この方法は、よく見ると、きわめてトリッキーである。ほとんど詐欺的でさえある。なぜこれがうまくいったのか、ふしぎである。どういう意味なのか、説明しよう。

そもそも貨幣とは何であるかを思い起こしておこう。貨幣は、負債——別の表現を用いれば「信用」——に由来する。譲渡可能性を有する負債=債権、それこそが貨幣であった（第4章第1節参照）。譲渡可能とは、原債権者が債務者の債務を第三者に譲り渡し、その第三者が、別の債務の決済にそれを使うことができる、という意味である。イングランド銀行の銀行券は、この譲渡可能な負債という、貨幣の定義に適合している。

普通は、負債は譲渡可能ではない。譲渡性を得るためには、先に述べた二つの条件を満たさなくてはならない。信用力と流動性である。教科書的には、この二条件を用いて、イングランド銀行がうまく機能した理由が説明される。まず、国庫が破綻しているので、王（あるいは政府）には信用力がない。銀行の支援によって、王は信用力を回復した。他方、銀行の方は、一民間企業に過ぎないので、自らが発行する銀行券に十分な流動性を与えることができない。だが、王の後ろ盾を得たことで、銀行券は流動性を確保した。要するに、イングランド銀行は王に信用支援を与え、王の方はイングランド銀行に流動性支援を与えているのである。

これが、一般になされている説明だが、よく反省してみると、この仕組みはほとんどマジックのようなものであることがわかる。銀行券は、直接には、銀行の債務を表示している。なぜ、この銀行券、つまりイングランド銀行の債務は、譲渡可能で、流動性をもつのか。それは、銀行の主たる資産が、銀行の王に対する債権だからだ。したがって、銀行券は、究極的には王の債務を表していることになる。もし、銀行券を最終的に裏付けているものが王の負債ではなく、一般の人の負債であったら、その銀行券は流通しなかっただろう。

だが、立ち止まって考えてみよう。もともと、王の負債があまりに大きく、返済することは不可能に見える、ということが出発点の問題だったのではないか。この仕組み、イングランド銀行を用いた仕組みでよいのであれば、イングランド銀行に銀行券を発行させるのではなく、王自身が自分で貨幣を発行すればよかったのではないか。どちらにしても、究極の担保は、王の負債なのだから。ところが、王が自分で貨幣を発行したのではうまくいかない。その貨幣は十分に流通しなかっただろう。どういうわけか、貨幣（銀行券）の使用者と王の間に、イングランド銀行を挟むだけで、事態は激変する。

論理的につきつめ、純化してしまえば、中央銀行（イングランド銀行）がある場合とない場合で、本質的な違いはないように見える。実際、政治権力の頂点にいる者、王や皇帝が直接に貨幣を発行し、流通させることもできるし、ヨーロッパの諸国も、ずっとそうしてきた。また、逆に、王や政府の支援なしに、銀行が自分で発行した銀行券を貨幣として流通させることに原理的な障害はないし、実際にも、それで成功しているケースはいくらでもある。アメリカ合衆国の中央銀行（連邦準備制度理事会、ＦＲＢ）が設立されたのは、二〇世紀になってからであることを思い起こしてもよい。

一七世紀末のイングランドの場合には、国庫が窮乏し、王が自分で貨幣を発行することが不可能な状況になっていた。そんな王に対する債権は、それを支えにもつ銀行券に信用力も流動性も与えないはずではないか。ところが、現実には、そうではなかった。イングランド銀行は成功したのである。それだけではない。このときのイングランドのような特殊な状況になくても——戦費の必要で国庫が破綻寸前になっているというような状況とは関係なく——、やがて、このとき発明された方法、すなわち、政府からは独立の法人として、銀行券を発行し（他の銀行に対する銀行として機能し）、同時に政府の財政資金の収支に深く関与する中央銀行を設立するという方法は、貨幣を管理する最も有効なやり方として標準となり、世界中の国家で広く採用されるようになった。どうして、このトリッキーな方法が、かくも成功したのだろうか。

3 G－G’

さて、本来の問いは、何ゆえ、西洋で、とりわけ近世以降の西洋でのみ、銀行なるものが可能だったのか、にあった。第1節で述べたように、一般には、長期の借用書は、信用力の点でも、流動性の点でも、短期の借用書より劣るので、後者を前者に変換することは難しい。誰も短期の借用書を長期の借用書に交換することを望まない。西洋でも、近世の初期までは、こうした変換は邪悪なことであるとして、変換の程度が大き過ぎるときには、厳罰が科せられていた。

これに対して、近世の後期において銀行の業務が可能になったのは、長期の負債と短期の負債の間に質的な違いはなく、相対的・量的な差異しかないと見なされるようになったからにほかならない。言い換えれば、貨幣が長期において、その価値を増殖させることになる、という期待が、自明のこととして社会的に広く共有されることになったのである。もちろん、未来における貨幣の増殖は、確実なことではない。そのことは、誰もが知っている。しかし、正常な状況においては、貨幣は普通に運用されればやがて増殖して還ってくる……このように期待をもつことが自明なこととなったとしよう。このとき、はじめて、信用力も流動性も小さい（債務者の資産への）請求権を、信用力と流動性の大きいそれへと変換することが技術的に可能になる。利子や割引率を設定して量を操作するだけで、二つの請求権をつなぐ方程式を作ることができるようになるからだ。

ここで、マルクスが『資本論』で用いている、流通の公式を導入しておこう。今や、人々の間で、正常な状況のもとであるはずのこととして期待されていることは、マルクスの公式の最終形態、つまりG－G'である。これは、貨幣Geldが、時間の経過の後に、剰余価値ΔGを伴ったかたちで増殖して、つまりG'（＝G＋ΔG）となって還ってくる、ということを表示している。この公式の意味しているところをそのまま読み取れば、まさに「時は金なり」になる。言わば、デフォルトの設定においてはG－G'である――貨幣は自らを生み出し増殖する――という期待が社会的に共有されているとき、銀行という機関は、普通の制度として、つまり犯罪性のない正常な仕事として承認される。

＊

だが、ここまでの説明で完全に納得する者はいまい。それならば、なぜ、G－G'が正則的《レギュラー》なこととして認められるようになったのか。どうして、そのような突然の、認知上の変化が、ヨーロッパの社会に生じたのか。

この文脈こそ、予定説をめぐって論じたこと、とりわけニューカムのパラドクスに対応させて論じたことを思い起こすべきときである。予定説のもとで、信者は、自分が（神に）救われているのか呪われているのか不可知である。しかし、それは——自分がどちらなのかということは——すでに決まっている……この点は確実だ。ニューカムのパラドクスとの対応では、ブラックボックスの中に大金が入っているのか、それともそこが空なのかは、事前には絶対にわからない。しかし、「予見者（＝神）」がどちらかの選択をすでに終えてしまっていることは確実である。

このとき信者は、自分が救われている側にある、自分には救いが予定されている、と想定して行動するようになる。これは、神が知っていることを前提にした振る舞い、という形式をとるのだった。神は何を知っているのか。「私」が救われることを、である。

すると、ここには極端な逆説、救いの確信をめぐる最大限の振幅が生ずることになる。本来は、「私」は、終末の裁きのときに自分が救われるのか、それとも呪われるのかについて、いかなる予期ももつことができない。救いについての確信や期待を高めるためのいかなる手段も、「私」にはない。カトリックであれば、贖宥状を購入する等の方法で、安心感を高めることができる。しかし、プロテスタント、とりわけ予定説を信じる改革派のプロテスタントには、そんな方法は許されてはいない。しかし、まさにそれゆえにこそ、プロテスタントにとって、自らの救いへの確信は極大値に昇る。なぜならば、そのこと（「私」が救われること）を神は知っている（はずだ）からである。神は、「私」に関して、期待や願望をもっているのではない。期待や願望であれば、それらが満たされないこともある。しかし、神は、それを「事実」として知っているのである。ならば、「私」が救われることは確実でなくてはならない。

　これと同じことを金融や取引の領域にそのまま当てはめるとどうなるか。ニューカムのパラドクスのゲームのときのように、宗教的な含みをそぎおとし、その形式だけを、流通の領域に適用するのだ。この場合、最後に、貨幣Gが利益をもたらし、増殖して——G'になって——還ってくるという状態を、終末における「救い」に対応させることになる。すると、G－G'という循環が当然である、という想定になるだろう。プロテスタントの信者が、自分の救いを確信したのと同様に、である。

　ここから、われわれは、次のように考えることが許されるのではないか。ヨーロッパに宗教改革をもたらしたのと同じ社会変容によって、銀行なるものも可能になっているのだ、と。ここで、今まで繰り返し述べてきた留意点をもう一度強調しておかなくてはならない。予定説の影響で銀行という機関が生まれた、と主張しているわけではない。ここでいう予定説は理念型——理論上の構成概念——であって、近世の後半において西洋の精神がそこへと向かっている状態を、純化し、強調して表現したものである。この理念型を焦点とするような社会変容の中で、銀行も生み出され、定着したのだ。前章で、われわれは近代科学について、同じようなことを論じた。

増殖する知としての近代科学をもたらしたのは、予定説を可能にしたのと同じ社会変容だった、と。増殖する貨幣、剰余価値を生み出す貨幣を自明視する銀行業をもたらしたのも、同じ社会変容である。科学は不断に剰余知識を生み出している。貨幣は、循環の中で、剰余価値を生み出している。それを活用して利益を引き出しているのが、銀行である。

＊

もうひとつの応用的な疑問にも答えておこう。どうして、イングランド銀行（中央銀行）は、かくも成功したのだろうか。論理の骨格だけ見るならば、イングランド銀行を設立するやり方と王自身が直接に貨幣を発行するやり方には、大差はないはずだ。実務上の小さな違いはあるかもしれないが、王の国庫が直面している問題を、イングランド銀行が抜本的に解消しているわけではない。[*9] にもかかわらず、社会的な効果に劇的な違いが生じている。違いは、それゆえ、論理的なことからではなく、心理的なことから来ている。イングランド銀行が入ったことで、一般の人々に、つまり銀行券（イングランド銀行の債務を表示している）を使う者に、心理面で劇的な効果がもたらされているのである。それは何か。

予定説を参照しながら述べたことを考慮に入れるとよい。G－G'という循環で、G'という終端は、単に、人々によって——まだ到来していないこととして——希望されているだけではない。それは、「事実」として先取りされているのである。第11章、第12章で参照したケインズの表現を用いれば、それは「直知」されていなくてはならない。ちょうど、改革派のプロテスタントが、（神が）知っていることとして、救済を想定したように、である。

したがって、ここで人々は、将来のG'を、言わば知覚するように幻視しなくてはならない。「イングランド銀行－王（政府）」という二重化が、そのような幻視を、非常に容易なものにしているのではないか。イングランド銀行がGに、王がG'に対応している。どちらか一方では、そのような効用はない。銀行だけでも、王だけでも難しい。王は、単体で切り離してみれば、借金まみれの国庫の哀れな管理人である。しかし、イングランド銀行というフィルターを間に入れて見たときには、別様に見えてくる。われわれは今、イングランド銀行の債務を表示した書類を互いに譲渡することで貨幣として使用している。この負債が返されるときを、同時に、われわれは幻視する。政治的身体を帯びた王の自然的身体が、つまり、えもいわれぬ権威を発している王の身体が、そのような幻視を投影する場所を提供しているのではあるまいか。

このような意味で、「中央銀行－政府」という構成が、銀行というシステムが機能しやすくなる触媒のようなものになっているのだ。触媒は、反応の促進剤に過ぎないので、反応が生ずるために絶対になくてはならない、というわけではない。しかし、実際上は、それがあるおかげで、反応がスムーズに生ずるのである。

4　隠れていたこと

ところで、ここでもう一度、予定説の効果を振り返っておこう。予定説のもとで信者が自身の救済を確信するということは、根拠もなく、自分が宝くじに当たるという楽天的な観測をもつ、ということではない。神が知っているはずのことは、終末の日の裁きだけではなく、終末までの全過程だからだ。予定説を前提にしたとき、信者は、事実上、終末までの人生のすべての過程を神の統制下に置くことになる。客観的には、彼は、自らの決定に基づいて自由に行動している。神がほんとうは何を欲しているのか――いや神が彼について何を知っているのか――、信者は知らないのだから。にもかかわらず、彼は、自らが想定している神の知の内容に即して行動するので、主観的には神に支配されていることになる。

ニューカムのパラドクスと対応させれば、この点は、次のようになるのだった。「予見者」は、ブラックボックスに何を入れるのかを決定する権限をもつ――大金を入れるかまたは空のままにするのか、と。この決定は、予見者の、「私（行為者）」の選択についての予期に相関している。予見者がただの人間で、「私」について勝手にあれこれ想像しているだけであれば、その予見は、「私」の選択に何の影響も与えない。「私」は、「俺は運がよいから箱の中に大金が入っているに違いない」と能天気に期待しながら行動しても、逆に「俺はいつも損ばかりしている」と悲観的に行動しても、どちらにしても、予見者の予見が「私」の選択にまったく作用を及ぼしはしない。しかし、予見者が全知の神であったとすれば、事情はまったく異なってくる。予見者が予見していることは、彼がすでに知っていることなのだから、「私」としては、その知っていることの通りに行動するほかない。こうして、予見者の予見が、「私」の選択を実効的に規定する。これが、予定説が終末までの過程を支配する、という状況のゲーム論的な言い換えである。

われわれが導入したマルクスの公式G－G'は、しかし、始点と終点しかない。だが、予定説的な態度が作用しているのは、この中間、この公式では消されてしまっている過程である。ここで消去されている過程とは何か。それは、この公式をもうひとつ前の段階の公式へと差し戻せば、すぐに見えてくる。マルクスによれば、G－G'に先立って、G－W－G'という循環がある。Wとは商品（Ware）である。貨幣Gによって、商品Wを買い、それによって剰余価値をもたらす（G'）。G－G'は、この過程の中間にあるWのことを抑圧したり、排除したり、忘却したことによって生じている短絡である。

それでは、Wとは何か。マルクスの観点からすると、それは、究極的には「労働力」である。任意の商品は、労働力の産物であることによって、まさに（交換）価値をもつ商品になるのだから。マルクスによれば、労働力こそは、剰余価値を生み出す原因である。労働力を視野に入れたとたん、われわれは考察の領域を一挙に拡張することができる。なぜならば、労働力とは、「主体」だからである。ヘーゲルが「実体から主体へ」と言ったときの「主体」である。

1　以下、銀行の本性に関する説明は、フェリックス・マーティンの著作の次の箇所に多くを負っている。『21世紀の貨幣論』遠藤真美訳、東洋経済新報社、二〇一四年（原著二〇一三年）、第6章。

2　以下に記す中世のイタリアの初期銀行に関しては、以下の文献に基づく。P. Spufford, *Power and Profit: The Merchant in Medieval Europe*, London: Thame & Hudson, 2002, pp.38-40. マーティン、前掲書、一五五―一五七頁。

3　現存する最古の小切手は、一三六八年の日付をもつという。フィレンツェの貴族が銀行家に宛てて振り出したものである。Spufford, op.cit., p.39.

4　背景にあるヨーロッパの鋳貨の歴史について、簡単に解説しておく。ローマには、もちろん鋳貨があった。しかし、ローマ帝国が崩壊した後には、西ヨーロッパには統一的な鋳貨はなくなった。だが、カール大帝が、あらためて貨幣単位を導入する。そのフランク王国も崩壊してしまった後は、周知のように、西ヨーロッパは政治的統一性を回復することはなかった。中世では、それぞれの領主が貨幣を鋳造する特権が認められており、地域ごとに鋳貨が発行された。ポンド、シリング、ペンスという単位は、カール大帝が導入したもので、フランク王国の崩壊後もその名だけは使われ続けたが、実際には、地域ごとに異なる通貨が用いられる非常に錯綜した状況が出現していたことになる（マーティン、前掲書、一二二―一三一頁）。

5　マーティン、前掲書、一四三頁。S.H. Frankel, *Money: Two Philosophies: The Conflict of Trust and Authority*, Oxford: Blackwell, 1977, p.15.

6　マーティン、前掲書、一五八―一六二頁。M.T. Boyer-Xambeu, G. Deleplace and L. Gillard, *Private Money and Public Currencies*, London: M.E. Sharpe, 1994.

7　マーティン、前掲書、一七一頁。ジェームズ・スチュアートの『政治経済学の諸原理の研究』は、アダム・スミスの『諸国民の富』に九年間先立っている。

8　中国の最初の貨幣論は『管子』に現れている。『管子』は、紀元前四世紀半ば頃、斉の都にあった学校、稷下《しょくか》学宮《がっきゅう》に招待された学者たちによって著された書物だ。この書物は、西洋の貨幣論の原点になったアリストテレスの『政治学』とほぼ同時代に属しているが、そこに記されている貨幣観はアリストテレスとはずいぶん違う。『管子』によれば、貨幣は王の統治のための道具である。王は、富の再分配を操作するために、また取引を生成し、経済活動を管理するために、貨幣を用いるのだ（マーティン、前掲書、一一四―一一九頁）。

9　たとえば、こんな喩えで考えてみるとよい。今、われわれは、Aを信用できない、と思っていたとしよう。このとき、Bが保証人になり、Aを信用してもよい、とわれわれを説得したとしよう。それで、われわれとしては安心したくなるのだが、今度は、Bが信用できるのかが問題だ。よく見ると、Bの保証人はAである。これで、問題は振り出しにもどっている。Aを王に、Bをイングランド銀行に対応させると、ここでの状況のアウトラインが描ける。

第15章　二つのスペキュレーション

1　過剰と欠如の一致

資本主義の本質的な特徴は、富の過剰と欠如とが合致してしまうところにある。余れば余るほど、貧しくなる——欠乏感が大きくなる——のである。富の過剰こそが、貧困の——が言い過ぎだとすれば不足していることの、原因になっているからである。

このことは、マルクスよりも前にヘーゲルが『法哲学』（の「市民社会」の章）の中で、——実は不十分なかたちで——暗示している。ヘーゲルによれば、貧困に陥ろうとしている大衆を助ける直接的な方法は、富んでいる階層から大衆への富の移転だが、それは、市民社会の基本的な原理（諸個人の自主独立と自尊心）に反するので、根本的な解決とは言えない。真の解決は、貧しい大衆に労働の機会を与えるという間接的な方法だ。しかし、このことがまたしても禍の元凶になる、とヘーゲルは診断する。大衆の労働によって生産量が増えるが、それらをすべて買ってくれるほどの消費者——実はこれは生産者自身のもう一つの側面である——がいないからである。こう論じた上で、ヘーゲルは、市民社会は富の過剰にもかかわらず十分には富んでいないことが明らかになる、と結論している。*1

この議論の中で、ヘーゲルは正しい方向に進んではいるが、しかしまだ不徹底である。生産量はどんどん増えてきたのに、貧困や不平等（格差）の問題は一向に解決する様子はなく、むしろ深刻になってきているのはどうしてなのか。一方に、過剰な富があって、他方に、貧困があるのだとすれば、原理的には解決法は簡単なはずだ。ヘーゲルが述べている第一の直接的な手段、前者から後者への富の移転によって、つまり富の再分配によって問題は緩和するからである。しかし、現実の社会を見れば、ヘーゲルの時代よりもはるかに生産量が増えているにもかかわらず、問題の根本的な解決はまったく見えてこない。[*2] ヘーゲルは、富の過剰と富の不足を、逆接（にもかかわらず）で結んだが、実際には、両者をつなぐ接続詞は順接（であるがゆえに）でなくてはならなかったのだ。資本主義の下では、富が奇妙な逆説の中に置かれる。所有する富の量が増えれば増えるほど、欠乏感も――まだ足りないという感覚も――大きくなっていくのだ。過剰と欠乏が同じ平面の異なる場所で生じているならば、富の移転（再分配）が解決を与えてくれるが、両者は、同じ場所で、しかも異なる平面に属する現象として働いているのである。

どうしてこのような逆説が生ずるのか。これを説明するのが、前章で導入した、マルクスの流通の公式である。出発点となる流通の公式は、W（商品）－G（貨幣）－W'（商品）である。何かに使用するための商品W'が目的であれば、それを得たところで――最初の商品Wを売ったことで得たオカネGでW'を獲得したところで――人は充足する。しかし、この循環が、G－W－G'という形式の循環へと転換したとき（G'＝G＋ΔG）、過剰と欠如の間の、今述べたような逆説が生ずる可能性が出てくる。最初の貨幣Gが、商品Wを媒介にして、G'として増殖したとしても、それがなお不足であると感じられるのだ。まさに増殖が実現したその場所と時点で、増殖そのものを原因として、「不足」が実感されているのである。そのため、G－W－G'という循環が、どこまでも繰り返されることになる。資本主義を資本主義たらしめる条件、無限の資本蓄積への衝動[*3]は、こうして生み出される。

＊

それならば、W－G－W'からG－W－G'への転換が生ずるのはどうしてなのか。その原因は何にあるのか。本書の中ですでに論じてきたことから、この点は説明できるし、われわれはすでに、実際、この転換が現実化するということを前提にした議論を展開してもいる。ここであらためて、いかにしてこの転換が生ずるのかを整理しておこう。転換は、二つの条件が重なったことの帰結である。

第一の、より基底的な条件は、予定説についての議論から導き出される。究極の目的は、終末に、終末における救済（神の国）にある。が、もちろん、そのときは——最後の審判のときは——決して訪れない。つまり、真の終末＝目的はいつまでも延期される。ところで、ここでもう一度、予定説のもとで、神がどのように人間の行為を支配するのかを思い起こしておこう。神はその人間の終末までの全過程を知っており、信者はその「神が知っているはずのこと」に合致する行為を選択するのだった。信者は、この神の知を前提にして、「神が救済へと予定しているような人間」が取るだろうと予想される行為を選択する。

すると結局、次のようなことが生ずるだろう。どこまでも延期される真の終末——神の国への入場——に代わって、現世での個々の行為の選択の結果が、小さな終末＝目的として機能しはじめるのだ。日常の行為の選択の結果が、「救済されるはずの人間」に相応しい（と信者が勝手に想定している）内容と合致しているだろうか。神が救済することを予定するほどの人間なのだから、その結果は、たいてい、その当人にとってポジティヴなこと、つまり快楽や幸福をもたらすことではあろう。が、その「相応しい結果」が快楽・幸福をもたらすことである必然性はない。いずれにせよ、救済が（神によって）予定されている者にいかにも相応しい結果をもたらすこと、それが、小さな終末、先取りされた終末として目的化されることになる。

その上で、一つの結果は、その度に、次の結果のための手段に繰り込まれることになろう。こうして、小さな終末は、そこに到達する度に、反復的に、未来の方へと先送りされる。既に終末にたどり着いたと思った瞬間、それは、未だ終末にたどり着いていない時点に転換される。こうして、「既に」と「未だ」が繰り返される時間が出現する。以上が、第12章第2節（の前半）で述べたことの言い換えである。

この基底的な条件の上で、第二に、貨幣が、商品との関係で普遍的な手段であるという事実が効いてくる。マルクスの経済学の術語を用いるならば、任意の商品は、使用価値と交換価値をもつ。貨幣の使用価値は、交換価値であることに尽きる。つまり、貨幣は、商品（使用価値）を得るためにしか使うことができない。商品の消費＝使用が目的であるとすれば、貨幣は絶対に終極的な目的になることはできない。貨幣は、しかし、任意の商品を得るための手段となる。

そうだとすると、小さな終末＝目的が実現されつつ、真の終末＝目的が先へ先へといつまでも送られているような状況では、その小さな終末＝目的はその度に、貨幣の蓄積として実現されなくてはならない。反復される小さな終末＝目的は、同時に、次なる小さな終末＝目的のための手段でなくてはならないからだ。このとき、しばしば見られる逆転が生ずる。すなわち、本来の目的を、最終的に得られるべき快楽を留保し続けるうちに、快楽を抑圧する禁欲そのものが、やがて快楽の源泉へと転換するのだ。手段の目的化であり、苦痛の快楽への反転である。

このように、貨幣は、本来は終極的な目的にはなりえない普遍的な手段であるがゆえに、逆に目的へと転ずる。[*4] こうして、W－G－W'からG－W－G'への、つまり商品を目標とした有限の循環から、貨幣を目標とする終わりなき反復への転換が生ずる。重要なことなのでなお強調しておきたい。W－G－W'があるべき形態であって、G－W－G'は、その疎外された派生形に過ぎないと考えている間は、資本主義の本質を捉えることはできない。後者の循環が前者から独立し、むしろこちらの方こそが本来的な形態として現れるとき、資本主義は完成する。

2　労働力の機能

G－W－G'の中間を省略すれば、端的なG－G'を得る。この運動が正則的《レギュラー》な循環として承認されていることが、前章で述べたように、たとえば銀行のような制度を可能にする。ところで、ここで疑問が生ずるはずだ。どうして交換を通じて、貨幣は増殖するのか？　つまり、いかにして剰余価値が生まれるのか？　これこそが『資本論』の中心的な問いである。ここではしかし、われわれは、剰余価値が生まれるメカニズムを詳細に提示するつもりはない。ごく基本的なことだけ概括的に論じておこう。

交換を通じて剰余価値をもたらす方法はひとつしかない。安く買って高く売ること、これである。ということは一種の詐欺なのか。もちろんそうではない。この方法を正当に、あるいは合法的に実現できれば、剰余価値を獲得することができる。実際、本格的な資本主義が始まる前からあった資本、商人資本は、この方法をあからさまに活用することで儲けてきた。商人資本とは、ある地域で安く仕入れた物を、そこから遠く隔たった場所で高く売る者のことである。このとき商人資本は、人を騙しているわけではない。仕入れることG－Wも、また売ることW－G'も、どちらも正当な売買として承認されている。商品Wの価値が異なるのは、「買い」と「売り」とが、異なる社会的価値体系の中で実行されているからである。Wを買った市場とWを売る市場は、空間的に距離を隔てているので、それぞれの市場で成り立つ――商品たちの相互関係によって決まる――価値体系が異なっている。異なる価値体系の中では、同じ物Wが異なる価値で評価されるのは当然のことである。剰余価値は、価値体系の差異に由来する。

資本主義に固有の資本、産業資本の場合も、原理的には、商人資本と同じ論理で剰余価値を獲得している。柄谷行人は、ずっと以前からこのように主張してきた。産業資本も商人資本をベースに考えるべきだ、と。[*5]商人資本の場合には、依拠する価値体系の差異は、空間的な差異に基づいている。柄谷によれば、価値体系の差異を時間的に創出することができれば、産業資本になる。つまり、剰余価値を、価値体系の間の時間的な差異から得ているのが、産業資本である。

どのようにしたら、価値体系の間に時間的な差異を導入することができるのか。そのための典型的な方法は、技術革新《イノヴェーション》である。ある企業（のみ）が技術革新に成功し、商品Wを生産するコストを下げたとしよう。生産のためのコストが下がったということは、言い換えれば、労働生産性が高くなったということである（単位労働時間あたりの生産量が大きくなった）。他の企業が未だに技術革新を成し遂げていなければ、その商品は、それまでと同じ価値、同じ価格で売ることができる。実際に売るときの価格と技術革新によってすでに低下している生産コストの間の差額が、その企業の利潤となる。厳密さを犠牲にして基本的なことだけ述べれば、この利潤こそが、剰余価値である。*6

他の企業もやがて技術革新に成功し、同じ低コストで商品Wを生産できるようになるにちがいない。そうなると、Wの価格、Wの価値は下がり、剰余価値も得られなくなる。このことは、次のように解釈することを許すだろう。すなわち、最初に技術革新に成功していた企業は、未来の価値体系を先取りしていたのだ、と。他に先駆けて技術革新を成し遂げていた企業は、「現在」の段階で、潜在的には「未来」の価値体系が支配する市場で（も）活動していたことになる。その企業は、言わば、未来の市場で安く買った物を現在の市場で高く売っていたのである。価値体系の差異が時間的に創出されている状況とは、このような事態を指している。前節で論じた、「未だ／既に」によって満たされている時間という概念を用いるならば、次のように言ってもよいだろう。他の者たちが「未だ」の段階として見る世界を、「既に」として生きること、この時間的な不一致が剰余価値の生産を可能にしているのだ、と。

*

剰余価値を生みつつ循環する資本の運動を端的に表現すれば、G－G'となる。ここで、差異を——剰余価値をもたらす価値体系の時間的な差異を——もたらす究極の原因は何なのか？　それは、流通の公式G－G'をもとの形に戻すだけですぐに見えてくる。G－W－G'。原因は、商品W

にある。この公式は、資本家が購入した商品Wは、それ自身の価値Gよりも大きな価値G'を生み出した、ということを意味している。こうした解釈を許す商品、それこそが、価値体系の差異をもたらしていることになる。いや、もう少し慎重な言い方をすれば、その商品に、そのような差異が言わば刻まれており、その商品と差異そのものとを等価なものと見なすことができるのだ。そんな特殊な商品とは何か。労働力である。

マルクスが古典派経済学から継承した労働価値説の評判は、今日では地に落ちている。実際、疎外論的な説明、つまり労働者に内在している労働力なる実体が、生産物に投射されることで価値が生み出されるとする説明は、とうてい成り立たない。しかし、以前（第10章第2節）述べたように、この説にマルクスが加えた変更を考慮すれば、労働が（交換）価値の唯一の源泉であるという命題は、ほとんどトートロジカルな真理である。労働の社会的被媒介性を考慮に入れることがポイントである。厳密に論理を一つずつ組み上げていくような作業は省略し、骨子だけあらためて確認しておこう。

労働が使用価値を生産していることは自明である。問題は、使用価値から交換価値への移行がどのように果たされるかにある。マルクス自身、しばしば、使用価値と交換価値との関係を、特殊と一般の関係であるかのように論じているが、このような理解はミスリーディングである。以前にも強調しておいたように、多様な使用価値を包摂する一般的なカテゴリーは、「有用性」とか「効用」とかであって、交換価値ではない。使用価値／交換価値は、同じ視点の中での具体性／抽象性、特殊性／一般性の違いではない。対象を使用価値と見なすときには、それが人間の何らかの必要を満たす性能をもっている、ということが主題となっている。同じ対象が交換価値と見なされるときには、その対象は、（市場における）社会関係を刻印した徴標のようなものと見なされている。交換価値は、人々の間の社会関係を表現している。この事実を認めてしまえば、労働が交換価値の源泉であることは当たり前のことになる。個々の労働者は、社会的分業の全体の中に組み込まれている。この組み込まれ方を直接に表現しているのが、（その労働者によって生産された商品の）交換価値である。資本制社会において、その社会的分業がどのようなタイプのものなのか、どうして、交換価値を実現する労働が「抽象的」労働とされるのか、といった点については、モイシェ・ポストンの議論を紹介しつつすでに述べたことなので、ここでは再論しない（第10章）。

繰り返せば、剰余価値の源泉は労働力という特殊な商品である。労働力は、特別な商品である。他の商品にとっては、交換価値はただ与えられたものに過ぎない。しかし、労働力という商品だけは、自らの交換価値が与えられているだけではなく、自分で交換価値を生み出すことができる。労働力という商品のこの二重性に、剰余価値生産の秘密が宿っているとするのが、『資本論』の説明である。このカラクリを解くマルクスの理論の詳細をここで追いかけ、検討することはしない。ただ、労働力商品の二重性にかかわる次のことだけは重要なので、あらためて銘記しておこう。

＊

資本制近代の根本的な特徴は、人間と人間の間の社会関係から呪術性や物神性《フェティシズム》が消え去ることにある。たとえば、人が主人に従うのは、主人の身体にカリスマや何らかの神秘的な力が本来的に宿っていると感じているからではない。人と人との関係は基本的には平等で民主的である。もし人が誰かの命令に従い、支配されるのだとすれば、それは、当事者たちの自由意志から結ばれた契約に基づいたことであり、そうすることが自分の利益につながるとどちらの当事者も判断したからにほかならない。このように、近代社会は、伝統社会の人間関係を強く規定していた物神崇拝や呪術性から解放されている。

……とこのように見えるが、人間関係から消え去った物神性は別のところで現れる。それはどこか。物と物との関係、商品同士の関係である。人間たちは、意識のレベルでは、呪術的な物神崇拝からは解放されているのだが、商品たちがまるで神秘的な何かを信じているかのように振舞うのである。[*7] このことは、たとえば、前章で説明した銀行のメカニズムのことを思えば、理解できるだろう。銀行の業務はまったく合理的なものに見えるが、その合理性を最終的に支えているのは、予定説に類する信仰である。あるいは、第3章第3節で述べたこと、貨幣の妥当性は、無限の他者の系列を代表する（神のごとき）第三者の審級A_∞の存在に依存している、ということを思い起こしてもよい。銀行に預金したり、貨幣（銀行券）を使用したりするとき、われわれは、予定説を直接に意識することもなければ、A_∞への信仰を自覚するわけでもない。しかし、そうした信仰が行動の前提になっている。まるで、われわれの代わりに商品や貨幣が信仰をもってくれているかのようではないか。人間関係から排除された物神性が、事物の関係の中に再来する、とはこのような現象を指している。

物神性についてのこうした性格を踏まえた上で、「労働力」を見直すと、それの商品としての特異性が際立って見えてくる。今述べたように、人間関係の物神性と物と物との関係の物神性との間には背反的な関係があり、一方から解放されているときには、他方が強化される。だが、背反的な二つの物神性のレベルが、短絡してしまう点がひとつだけある。それこそ、労働力を売るプロレタリアである。彼は、二つのレベルに同時に所属しているのだ。一方で、プロレタリアは自由な主体、功利的な打算に従う自由な行為者である。他方で、労働力としてのプロレタリアは、市場に売られている商品、事物でもあるのだ。マルクスが「自由な労働者」が資本主義の前提条件だと述べたことの意義を、こうしたコンテクストで解釈しなくてはならない。

労働による生産に、剰余価値を生み出す価値体系の差異が刻まれている。言い換えれば、生産の機能は、W－G－W'の循環ではなく、G－W－G'の循環の中で評価されなくてはならない。つまり、生産は何らかの人間の必要を満たすことを指向しているわけではない。そうではなく、生産は一種の自己目的であって、さらなる生産力の拡大を刺激することが、生産の目的である。

労働力という商品の使用価値は、まさに「価値」の生産にある。この「価値」を、使用価値――その労働が生産する商品の使用価値――のことだと考えたくなるが、そのように理解してしまえば、資本主義における労働力商品の特異性を捉え損なうことになる。資本主義との関係における労働力――抽象的労働力――は、むしろ、第一義的には交換価値を生産していると考えなくてはならない。労働力は、自らが生成した交換価値を使用価値に付与するのだ。その付与された交換価値が剰余価値として現象することになる。

3　概念を生む概念

先にも述べたように、剰余価値が生まれるメカニズムを、資本という現象に即して厳密に説明する作業は、ここでは行わない。それより、資本や剰余価値についてここまで論じてきたことを、さらに広い主題の領域へと一般化してみたい。そのことが翻って、資本や労働力といった契機の中心的な特徴、その近代性の核がどこにあるのかをあらためて浮き彫りにすることになるからだ。

柄谷行人が述べていることを手掛かりにしよう。柄谷は、マルクスが注目した「資本」の自己運動とヘーゲルの哲学が展開している「概念（あるいは精神）」の自己運動との間に、本質的な類比の関係があると見ている。[*8] 資本は、増殖しながら循環していく。貨幣が貨幣を生み出していくのだ。この運動は、G－G'という公式で要約されるのだった。これと同様に、ヘーゲルの思弁的弁証法においては、精神 Geist が、成長しながら循環する。それは、概念 Begriff がさらなる概念を産んでいく過程として描くこともできる。マルクス風の公式を用いれば、その過程は、B－B'と表現されるだろう。

実際、資本の自己展開をめぐるマルクスの叙述は、ヘーゲルへの参照に満ちている。『資本論』は、ヘーゲルの思弁的弁証法の論理によって資本を説明する試みだった、と言ってよいくらいだ。柄谷の示唆に基づいて言うならば、ヘーゲルが「精神」として理解したことを、マルクスは「資本」と捉え直したのである。と同時に、逆の言い方も可能かもしれない。ヘーゲルの弁証法は、資本の運動をモデルにして構想されているのだ、と。少なくとも、こう言うことは許されるのではあるまいか。精神の自己展開を基軸とする哲学が説得力をもちえた現実的な基盤は、資本という現象が社会に定着していたことにある、と。そうだとすれば、ヘーゲルが仮にはっきりと自覚していなかったとしても、弁証法は、資本の運動をモデルにしていることになる。二つのspeculation、つまり「思弁」（ヘーゲルの精神）と「投機」（マルクスの資本）との間には、本質的なつながりがあるのかもしれない。おそらく、ヘーゲルの思弁的弁証法は、資本の投機的な運動と同じ論理に基づいている。だから、マルクスがヘーゲルの哲学を応用しながら資本主義を説明したとき、それは一種の逆輸入なのであって、弁証法が資本の記述によく適合するのは当然のことだったとも言える。もともと、弁証法の方こそ、意識的にか、無意識のうちにか、いずれにせよ、資本に準拠していたのだから。

だが、……と反論する者もいるだろう。資本の運動には終わりがない。それに対して、ヘーゲルの弁証法は、絶対精神 absoluter Geist に到達したところで、欠けることのない自己同一性、完全に静的な均衡を得て、終結してしまうのではないか。この違いはあまりに大きく、両者の類比を破綻させるのではないか。

しかし、この点を心配する必要はない。資本主義の精神の原点に予定説に連なる態度があるとすれば、資本の運動でも、やはり、絶対的な終結が想定されているからである。しかし、第1節で述べたように、その終結（最後の審判）はどこまでも延期され、決して訪れない。そのために、小さな終わりが先取りされ、それがいつまでも反復され、結果として、終わりのない過程が出現するのだった。ヘーゲルの絶対精神も同じである。概念や観念は決してそこに到達することはない。概念は、いったん自己を喪失し、しかるのち他者性を取り込んで、高次元で自分自身を回復する。ヘーゲルの弁証法にとり憑いているこのイメージは、あまりにも正確に投資の活動——喪失を媒介にした拡大的な再領有——を連想させる。概念は、このイメージにあるような自己再生産の循環運動を繰り返すだけで、絶対精神の境地に到達し、安住するということはない。

＊

そうだとすると、資本の場合と同じ疑問に直面せざるをえない。何が剰余価値をもたらしたのか？　われわれはこのように問うた。同様に問わなくてはならない。何がさらなる概念を生み出すのか？　剰余価値の場合、労働力が鍵であった。労働力に対応するような契機は何か？　概念を次々と生み出していく主体とは何か？

まずはダメな回答を先に提示しておこう。フォイエルバッハ風の回答、初期マルクス風の回答である。それは、次のように主張する。概念や思考が自己運動することはない。考えることができるのは生身の人間、経験的な個人だ。概念は、その経験的な個人の内面の思考を外化したものにほかならない。

この回答は、ヘーゲルに対して何万回も繰り返しなされてきた批判である。概念や思考が、担い手となる経験的な個人を必要とすることは、当たり前のことである。そんなことは、わざわざ言われなくても誰でもわかっている。もちろんヘーゲルも。いずれにせよ、この回答は回答にはなっていない。疑問を少しも解いてはいないからだ。謎をすべて、その「生身の人間」「経験的な個人」に転嫁しているだけだ。問われていることは、もっと厳密なことである。どのような種類の主体が、あるいは主体のいかなる契機が、概念の増殖や拡張を可能にしているのか？

求めているものが、資本の領域における労働力の対応物である、ということから考え直してみよう。どうして労働力を媒介にして、剰余価値が生まれるのか。結果だけを端的に記述すれば、労働力を使った生産によって、価値体系の間の時間的な差異が創出されるのだった。労働力は、現在の価値体系の外部に、未だ現在化していない価値体系を措定し、二つの価値体系が交差し共存する場を、剰余価値がそこからもたらされる全体として構成する。そうだとすると、次のように考えなくてはならない。未来の価値体系という外部性、現在の価値体系との間で緊張を孕むこの外部性は、それ自体、労働力そのものに内在していたのだ、と。外部性（未来の価値体系）を実在化させる特異点が、内部（現在の価値体系）の中にある。その特異点こそが、労働力である。労働力そのものに孕まれている内的な差異が、外部性を——まだ現実化していない潜在性として——もたらしているのである。

さて、すると、外部性そのものが内部性の効果として生まれるような（内部の）特異点が、精神や概念の領域にあるのか、と問えばよいことになる。外部性は、さらなる概念、言わば剰余概念にあたる。それが、内部性の限界において析出される部位はあるだろうか？

この問いに対して完全な解答を一挙に与えることはできない。まずは近似的な解答から入ることにしよう。内部性そのものが外部性に書き込まれるという特徴づけに相応しい契機は、ヘーゲルから一歩だけ過去の方へと遡ってカントの哲学にまで行くと、すぐに見つけ出すことができる。統覚——厳密に言えば超越論的統覚 transzendentale Apperzeption がそれである。超越論的統覚は、デカルトのコギトのカントによる継承の産物だと考えればよい。超越論的統覚は、次のように作用する。まず、ただバラバラの印象があるだけでは、われわれは客観的な実在が自分の外部にあると実感することはできない。しかし、それらの印象がすべて、「私は考える」の中に含まれていることを自覚すると、つまり多様な印象がすべて、この「私」に帰しうる統一的な経験のコンテクストに属していると自覚すると、それらの印象がすべて「私」の外部に客観的な実在を構成しているという確証をもつことができる。カントはこのように説明する。超越論的統覚とは、印象の全体に一つの包括的な文脈を与える「私は考える」である。

この議論のどこがわれわれの探究にとって有意味なのか。カントは、主観的な印象（内部性）と客観的な実在（外部性）という区別を主題にしている。彼の説明の最も肝心なポイントは、この区別が、内部性の方に帰属する操作によって、つまり主体の超越論的な構成（超越論的統覚）の身振りの介入によってもたらされるという論点にある。これこそ、先ほど労働力に即して述べたこと、内部性を通じて外部性が帰結する運動の一例であろう。

超越論的統覚の介入は、絵画において、背景を描いたり塗ったりする操作に喩えることができる。事物のみを描いた絵は、どうしても、（画家の）主観的な印象や幻覚を投影しているだけだ、と見えてしまう。こうした絵は、鑑賞者に、その事物が客体として外部にある、と確証させる力をどうしてももてないのだ。ところが、背景をただ塗るだけで、事物とそれが置かれたコンテクストが、確かな客観的実在として現れることになる。絵の主題は背景の前に描かれた事物の方であり、背景によって主題そのものに関与する何ものも付け加えられていないのに、このような効果が生ずる。「背景を塗る」という、（主題にいかなる改変も加えないという意味では）空虚な、しかしはっきりと人為的・主体的な補完の操作が、画家という主体の外部の実在についてのイリュージョンをもたらすのに決定的である。

超越論的統覚は、認識の領域に背景を描いているのである。それにしても、「背景」は何をしていることになるのだろうか。背景がないときには、描かれている事物は、主観的な内部（印象とか幻覚）の方に属しており、その向こう側に、見ることができない外部が漠然と広がっているのを、鑑賞者は感じるはずだ。きちんと塗りつぶされた背景は、その漠然と広がる外部へと開かれた穴を塞いでいるのだ。内部の側から穴を塞ぐことで、かえって、描かれている全体が、内部（主観性）から独立した実在として立ち現れるのである。

ヘーゲルの弁証法において、概念を次々と生み出す主体は何か？　B－B'の循環を媒介する主体は何か？　これが本来の問いであった。その主体は、カントの統覚やデカルトのコギトに似た何かである。しかし、超越論的統覚やコギトがそのまま正解になるわけではない。それらは、経験的な世界の外に、つまり超越論的な水準に属しているからだ。資本の運動に類比的な仕方で概念の増殖の運動を媒介する主体は、経験的な世界に属する実体でなくてはならない。労働力がそうであったように。その主体は経験的な実体でありつつ、超越論的統覚と同じ機能を果たすことができなくてはならないのだ。

4　小説の形式的リアリズム

そのような主体をヘーゲルの哲学の中に探すことも、学問的な意義はあるが、もっと興味深く、知的に重要なことは、現実の歴史そのものの中に直接、その対応物を見つけてしまうことだ。超越論的統覚の働きをも担う経験的な現象があるのか？　ある。たとえば「小説」がそれである。小説だけがそうした現象であると主張するつもりはない。しかし、小説は、きわめて顕著な一例である。どのような意味で、小説なるものをこのように解釈することができるのか。詳しくは次章以降の考察に委ねなくてはならない。ここでは、まずは概略だけを述べ、小説をこのように位置づけ解釈することが妥当である、ということを直感できるような文脈を与えておこう。

小説は、一八世紀前半にイギリスで生まれた新しい文学形式である。その後、小説は、まずは西洋のほかの地域や国に普及し、一九世紀には、きわめて多数の洗練された小説が生まれた。つまり一九世紀には、散文の虚構の圧倒的な主流が小説になり、その状況は今日まで続いている。もちろん、散文の虚構の作品は、ずっと前から、また西洋以外の世界にもあったが、それらは厳密な意味では「小説」とは見なしえない。『イーリアス』や『源氏物語』が文学的に優れた作品であることに異論の余地はないが、それらは小説ではない。小説は、デフォー、スウィフト、リチャードソン、フィールディングらの作品を通じて、産声をあげたのである。

小説とそれ以前の虚構の作品とはどこが違うのだろうか。小説 novel は、その名が示すように、きわめて新奇な様式として迎えられた。いったいどこが斬新だったのか？　イアン・ワットの古典的な研究『小説の勃興』に基づいて、小説を小説としている条件を確認しておこう。*9

小説の本質的な特徴を一言で要約すれば、それは、ある種のリアリズム（ほんとうらしさ）にある。小説はリアリズムに執着している。それは、「形式的《フォーマル》リアリズム」である、とワットは述べている。内容的にはリアリズムではない——つまりほんとうのことが書かれているわけではない。しかし、書き方が、「リアリズム」に準拠しているのだ。どのような書き方が、そのリアリズムを構成しているのか。ワットは、草創期の小説のリアリズムを、同時代の哲学のリアリズムとの類似を指摘しながら、六点に整理している。

第一に、小説は、物語の展開に、伝統的なプロットを使わない。小説より前の文学においては、ある作品の真実性の評価は、その作品がどれだけ伝統的な慣行に準拠しているかに大きく依存していた。古代ギリシア・ラテン文学やルネサンス期の叙事詩などのプロットは、過去の歴史や寓話に基づいており、作者は、手本との照応の正確さや巧みさによって評価された。それに対して、小説は伝統的なプロットを採用することを拒否した。そのことは、結果的に独創性や新奇性に価値を置くことを意味していた。

第二に、小説は、特定の具体的な状況の中に人物を置いた。それ以前の文学は、慣行によって決められた、大まかにパターン化された背景の中に人物を配置し、物語を演じさせていたのである。

第三に、小説の登場人物は、類型ではなく、固有名をもった個人である。人物は、個性をもち、それぞれ特殊な性癖をもっており、それゆえに、固有名で呼ばれるのにふさわしい。小説以前の文学形式では、登場人物は、何かの類型を代表している。だから、名前も類型の名前か、そうでなければ歴史的名前が採用された。

第四に、小説の顕著な特徴は、その中の物語が時間的経過を感じさせることにある。時間的な展開は当然、起伏に富んだ変化を含むが、同時に経過を感じさせるためには、人物たちが同一性《アイデンティティ》を持続させていなくてはならない。古代や中世、あるいはルネサンスの文学では、時間の役割ははるかに小さい。そのことは、たとえば「時の一致」の原則のことを思うとよくわかる。この原則は、悲劇に課せられた制限で、行動は「日の一めぐり」（一昼夜、あるいは一昼）の中で完了しなくてはならないとするものだ。時間的経過ではなく出来事に関心が向けられていることからくる原則である。

第五に、今述べた時間に相関した空間のリアリズムが重視された。

第六は、文体に関する特徴である。小説は、言葉を純粋に指示的な手段として使用し、飾りっ気なく即物的に状況を描写した。それに対して、従来のフィクションにとって大事なことは、修辞的な技巧である。ときに技巧のために、言葉と事物の対応関係の明晰性は犠牲にされた。

ワットに従って、小説のリアリズムがどのような条件によって構成されていたのかを概観した。ここから、われわれの探究との相関で、どのような含意を引き出すことができるのか。六つの条件を圧縮すれば、結局、小説とは、特定の状況に内在する観点から人生を見ることだと言うことができる。一方では、主人公をはじめとする登場人物が内在する状況から見ているという意味では、描かれた人生は主観的なバイアスがかかっている。しかし、他方では、その人生は主人公の視点や思いから独立した客観的な事実である、と思わせなくてはならない。

ここで、カントの超越論的統覚について述べたことをもう一度思い起こしてほしい。超越論的統覚の操作は、特定の観点から描かれている絵画の背景を塗ることに似ている、と説明した。その主体的な操作に媒介されて、かえって主体から独立した客観的な実在についてのイリュージョンがもたらされるのだ、と。小説の叙述によって実現されていることも、これと同じである。人生は状況の内部の主観的な観点から語られているのに、その人生は客観的な事実性を帯びているのである。

と同時に、小説と超越論的統覚はまったく対照的でもある。超越論的統覚の「私」は、抽象的でいかなる個性ももたない。小説は逆である。小説がまさにそこから語られる視点や小説の中で描写される人物は、ともに特異的であることを強く指向している。小説の言語が、超越論的統覚とは対照的に、この経験的な世界の特定の地点に所属しているからである。

1　G. W. F. Hegel, *Grundlinien der Philosophie des Rechts*, 1821, §245. 実はここで、ヘーゲルは、彼と同時代を生きたフランスの経済学者ジャン゠バティスト・セイの名が冠せられた有名な法則、後に経済学の基本公理のようなものとして受け入れられることになった法則が成り立たないと（そうと自覚することなく）論じていることになる。セイの法則によれば、供給と需要とは一致するはずで、ここでヘーゲルが述べているような、供給の過剰はありえない。だからここで、ヘーゲルは経済学をよく知らずに論じていると嘲笑したくなるところだが、今日までの歴史を振り返れば、セイの法則よりもヘーゲルの洞察の方が真実に近かったことがわかる。

2　視野をグローバルな世界‐経済の全体に広げれば、この点は明らかであろう。さらに、トマ・ピケティの評判の著書『21世紀の資本』（山形浩生ほか訳、みすず書房、二〇一四年）によれば、一国で見たとしても、不平等は小さくなってはいない。ピケティが示したデータによると、一九世紀の初頭から現在までのおよそ二百年の間で、先進国の国内の格差は――一九一〇年代後半から一九七〇年あたりまでの半世紀強の期間を別にすると――大きくなっている。一九一〇年代から七〇年までの期間だけ格差が小さくなった最も大きな原因は、大恐慌と二つの世界大戦である。ということは、この種の大規模なアクシデントで富裕層が資産を減らさない限りは、つまり常態においては、格差は拡大する傾向にある、ということになる。

3　『近世篇』第1章第1節で述べたように、ただの市場経済と資本主義を分かつ特徴はここにある。

4　注1で言及した「セイの法則」が成り立たない原因は、貨幣が欲望の最終的な対象になっていることにある。貨幣がそれ自体としては欲望の対象とならず、目標となっている本来の対象を獲得するための便利な道具に過ぎないならば、セイの法則は成り立つ。このとき、貨幣は本質的には省略可能な迂回路に過ぎない——つまりW－G－W'はW－W'という物々交換に還元できる。物々交換では、供給と需要は同じことを別の角度から言い換えているだけだ。Wを供給することが、そのままW'への需要を意味している。それならば、供給と需要は必然的に合致する（セイの法則）。だから、セイの法則を前提にして市場交換を考察することは、貨幣を無視することに等しい。

5　柄谷行人『マルクスその可能性の中心』講談社、一九七八年。

6　これはマルクスが「相対的剰余価値の生産」と呼んだ方法にあたる。これと並んで、「絶対的剰余価値の生産」がある。これは、労働時間の延長や労働者の厳しい管理によって、労働力のコストを下げる方法だ。柄谷の創見は、二つの剰余価値の生産方法のうち前者に剰余価値の本質を見たところにある。労働者に対する搾取を告発したい凡庸な左翼は、絶対的剰余価値の生産の方を原型と見なす傾向があるが、こちらは、剰余価値生産の周辺的な形態に過ぎない。

7　人間関係における物神性と事物の関係における物神性のこうした非両立的な関係については、次を参照。S. Žižek, *The Sublime Object of Ideology*, Verso: London, New York, 1989, pp.23-26.

8　柄谷行人『世界史の構造』岩波書店、二〇一〇年。「精神としての資本」『現代思想』四五巻一一号、二〇一七年。

9　イアン・ワット『小説の勃興』藤田永祐訳、南雲堂、一九九九年（原著一九五七年）、第一章。

第16章　剰余権力

1　読みながらつかの間の満足を

資本は資本を生む（G－G'）。同様に――ヘーゲルが描いた――概念も概念を生む（B－B'）。両者の間には並行性がある。剰余価値の源泉、つまり資本を増殖させた究極の要因は、マルクスの理論では、抽象的労働である。概念の増殖運動において、その抽象的労働にあたる要素は何か。それは、カントの哲学で言うところの統覚である、と前章で論じた。統覚は、デカルトのコギトのカントによる洗練化、ヴァージョンアップされたコギトだ。統覚の働きは、絵で、背景を塗る操作に似ている、と指摘しておいた。もちろん背景は、主題となっている対象と同様に、画家の手によって描かれる。その意味では、それは、主体に属する補完の操作だ。ところが、背景がないときには、画家の主観的な印象の投影のように見えていた、主題となる対象が、背景をもつだけで、主観とは独立の客観的な実在としてたち現れる。カントの統覚は、思考されているすべての対象に、このような背景を与える操作にあたる。

抽象的労働は、具体的には、さまざまな商品を生産する労働という形態をとる。統覚についても同様である。統覚の操作の具体的な様態のひとつ、それが、近代的な文学の様式である「小説」ではないか。もちろん、小説それ自体は、新しい概念を生み出したり、発明したりすることを直接の目的とするものではない。その事情は、それぞれの労働は、剰余価値なる実体を直接に生み出すわけではなく、具体的な商品の生産に関与しているのと同様である。ただ、小説という現象を総体として抽象的なレベルで捉えたとき、統覚の機能を果たすことになるのではないか。前章で、このような仮説を提起しておいた。この仮説を説得的なものにするためには、まだいくつものステップを踏んで論証を重ねていかなくてはならない。

とりあえず、次のような問いを媒介にするのがよいだろう。「形式的リアリズム」によって定義される小説という文学のスタイルは、前章でも述べたように、一八世紀前半にイギリスで生まれ、その後、他の国、他の言語圏にまで普及し、一九世紀以降は、文学の主流になった。小説は、近代という社会と深く結びついている。どうして、小説は近代に生まれたのか？　なぜ、それより前ではなかったのか？　これが考察を導く問いである。問い進める中で、われわれは、副産物的な成果も得ることになるだろう。

小説は、もちろん、書く者がいて、読む者がいて成り立つ。イギリスに小説なるものが登場したばかりの頃、つまり一八世紀の初め、小説は、純粋な娯楽に属する読み物、しかもあまり高尚ではない趣味と見なされていた。小説を読むことは——観劇と並んで——人を堕落させるものだという見解が広く分けもたれていた。[*1]そのことを証拠立てる事実をひとつだけ紹介しておこう。当時のジャーナリスト、スティールは、『ガーディアン』誌（一七一三年）で、小説を読むような「漫然たる読書の仕方をしていると（中略）思考もとかく散漫になりがち」であり、小説を読む者はしばしば「読書するのは楽しみ」ということを言い訳にしているが、楽しみというものは、

「読みながらその時その時のつかの間の満足をうる」（小説の場合）ものではなく、「読んだ内容を省察したり思い起したりしてこそうるべきもの」である、と書いている。[*2] 小説が要請する速読は、当時の知識人の推奨する読書法ではなかった。

したがって、当然、小説の著者であるということは、とりたてて名誉なことではない。ほんとうの著者名は、誇示すべきことではなく、どちらかと言えば、隠しておきたいことだった。著作権という概念が定着する前だったということが最も重要な理由ではあるが、初期の小説である『ロビンソン・クルーソー』や『ガリヴァー旅行記』の初版本のどこにも、ほんとうの著者名は記されていない。前者はダニエル・デフォーによって、後者はジョナサン・スウィフトによって書かれたことは、今日では誰でも知っている常識なのに、当時読まれていた版ではどこにも著者名が見当たらないということに、驚かざるをえない。[*3] では、これらの小説は誰が書いたことになっていたのかというと、それぞれ、「ロビンソン・クルーソー」と「レミュエル・ガリヴァー」である。つまり、これらは、本人の手記、もしくは自伝として読まれていたことになる。

2　小説の読者層

一八世紀前半のイギリスで小説が誕生したのはなぜなのか。この点を探究する上で考慮に入れるべき周辺的な事実をまずは確認しておこう。小説の誕生にとって促進要因になったと思われる事実を、あるいは逆に阻害要因だったに違いない事実を、大急ぎで概観しておきたい。[*4]

そもそも、小説を読む読者層の規模はどのくらいだったのか。信頼できる統計などないので正確なことはわからないが、今日のわれわれの感覚からすれば——つまり一般大衆は娯楽に何かを読む習慣をもつものだという常識を前提にすれば——一八世紀の読書人口はかなり少なかったことは確実である。イアン・ワットは、一七九〇年代で、イギリスに八万人の読者がいたという推計を紹介している。これは、当時のイギリスで、七十人から八十人に一人程度の数にあたる。世紀の前半は、もっと少なかったに違いない。ワットは、一七一〇年代初頭の証言をもとに、新聞を読む人は、二十人に一人以下だったのではないかという推測を披露している。

読者層の規模が小さいことの最大の原因は、教育制度が整ってはいない時代にあっては、文字の読み書き能力をもつ人が限られていた、ということである。書籍商だったジェイムズ・ラッキントンは、一八世紀末に、宗教的な小冊子を無料で配布したとき、農夫とその子供たちの一部、そして貧民の四分の三は字が読めないことに気づいた、と書いている。とはいえ、少なくとも都市部では、初歩的な読み書き能力をもつ者の方が、まったく文字を読めない人よりは多かっただろう。一七八二年にロンドンを訪れたあるスイス人は、店名を文字で記した看板が広く普及していることに驚いている。

読者層の規模を限界づけるもうひとつの要因は、経済的なものである。一八世紀の書籍は、当時の人々の平均的な収入との関係ではかなり高価だった。この時代の平均的労働者の週給は十シリングである。『ロビンソン・クルーソー』の初版本は五シリングだ。一週間の稼ぎの半分を使って本を買う余裕がある労働者はまずいない。

いずれにせよ、普通の労働者や農夫は、本を読む時間もまた体力の面での余力もなかったし、読む空間ももっていなかった。まれに本を読む意欲をもった労働者や奉公人があったとしても、夜の時間を読書にあてることは不可能、あるいはきわめて困難だった。ろうそくは贅沢品だったからである。リチャードソンは、奉公人だったときに、自分でろうそくを買ったことを自慢にしていた。あるいは、先にその名を出したラッキントンは、パン屋に雇用されていた頃、室内で明かりを灯すことを主人に禁じられたので、月明かりで読書したらしい。

　このように見てくると、一八世紀のイングランドがそれほど小説の誕生や普及に有利な状況だったようには思えなくなるかもしれない。しかし、それは、現在と当時を比較しているからである。それ以前と比べると、社会的環境は格段に「読書」にとって有利になっていたはずだ。今しがたも述べたように、都市部では、読み書きの能力をもつ者——ラテン語ではなく俗語のリテラシーがある者——は、急速に増えつつあった。この時代に読者層にあらたに加わったのは、商業や製造業に携わり、しかも富の蓄積に成功した階層の者たちだ。歴史上初めて、読者層の重心が、いわゆる「中産階級」になった。

　余暇の時間も増大した。その影響を特に強く受けたのは、女性である。ある程度の経済的な余裕があった、上流・中流の女性には、余暇の時間がたっぷりあったが、しかし、彼女たちは、仕事でも遊びでも、男性のやることに加わることはできなかった。となれば、彼女たちは読書に向かう。たとえば、外交官夫人メアリー・ウォトリー・モンタギューは、新聞広告にある小説一覧を書いて送ってほしいと娘に頼む手紙の中で、次のような趣旨のことを書いている。その大半はクズであることはわかっているが、しかし、退屈な時間をすごすにはこれらは便利だ、と。

　比較的貧しい階層にも読書する時間と機会があった人々がおり、その中でも、二つの集団がとりわけ重要だった、とイアン・ワットは指摘している。年季奉公人と召使、とりわけ後者である。彼らは「目上の人たち〔彼らの雇い主〕の手本に格別染まりやすい集団」だったからだ。考えてみれば、リチャードソンの『パミラ』の主人公パミラも、まさにこの集団の——つまり本を読めるだけの余暇をもっていた侍女たちの集団の——一員である。一七四〇年に刊行された『パミラ』はしばしば、史上初の「現代的なベストセラー」だと評される。

＊

今、「ベストセラー」という語を使った。書籍販売業者はもちろんのこと、作家も、「資本主義」的な動機をもって活動していたということが、「小説」というスタイルの選択を強く後押ししたという事実も見逃せない。ここで「『資本主義』的な動機」と呼んだのは、とりあえず、素朴で通俗的な意味だ。つまり、よりたくさん売って、より多くの利潤を得よう、ということを、非常に情熱的に、純粋に追求したということだ。

そのような動機の下では、詩歌よりも散文が好まれる。その理由は、フィールディングが『アミーリア』（一七五一年）に登場させた、下働きの作家が説明してくれる。「書籍販売業者にとっては、原稿用紙一枚は一枚さ。散文だろうが韻文だろうが、彼らは違いをつけちゃくれない」。つまり、韻文を作る労働よりも散文を作る労働の方が、生産性が高い、とこの三文文士は言っているのだ。詩歌は、押韻のことなどを考えなくてはならないので、一枚を書き上げるのに散文より時間がかかる。こうして、作家たちの多くが、すらすらと流れるように書くことができる小説の執筆に精力を傾けることになったというわけだ。

かつて、作家には裕福な庇護者（パトロン）がいて、作家は、文芸に精通したエリートの満足のために書いた。しかし、一八世紀のイギリスでは、作品は、書籍販売業者によって仲介される商品であり、市場に向けて書かれている。すると、それ以前にはなかったことを作家は配慮せざるをえなくなる。第一に、できるだけ多くの人の需要に応じられる方がよい。ということは、教育レベルが低く、知識が乏しい読者にも容易に理解できるように、平易に書くということだ。俗語で書かなくてはならないことは当然だが、はっきりと明示的に、ときには同語反復に近い繰り返しもいとわずに書かねばならない。古典の知識がなくては理解できないような作品は、論外である。第二に、『アミーリア』の二流の作家が気にしたことがある。つまり、報酬がパトロンからではなく、書籍販売業者からくるのだとすれば、分量とスピードが重要だ。こうした諸要因が、作家を、小説の執筆へと促したことは間違いあるまい。

実際、一八世紀のイギリスにおいては、書籍の販売は、投資効率のよい、有望な分野だった。そのことは、書籍販売業者に——とりわけロンドンの業者に——経済的に成功し、著名人になった者がたくさんいたことからもわかる。ナイト（勲功爵）の称号をもらったり、国会議員になったり、社交界の名士として活躍したりした者が大勢いたのだ。イギリスの書籍販売業者の地位は一七世紀以前の同業者、あるいは同時代の海外の同業者と比べて、ずっと高かった。

＊

イアン・ワットの研究を主たる根拠にしながら、一八世紀のイギリスの読者層について見てきた。ここから、一八世紀のイギリスに、小説なるものを成長させるのに有利な社会的土壌があったことがわかるだろう。が、しかし、列挙してきたような条件や要因は、どう見ても中核的な原因ではない。

小説の形式的リアリズムが関心の対象としていることは、普通の人々の日常生活である。最初の小説『ロビンソン・クルーソー』は、非日常的な出来事について語っていると思われるかもしれないが、そうではない。クルーソーがやっていることは、当時のイギリス人の日々の労働や生活と同じであり、彼が考えていることも市井の人のそれと変わらない。どうして、社会を構成する一介の個人が、突然、まじめな文学の対象になるほどに重要な価値を帯びるようになったのか。どうして、人々は突然、自分といくらも変わらない普通の人々の信念や行動に強い興味を覚え、それらを細々と記した書物を読みたくなったのか。

こうした欲望の発生は、今述べてきたような諸要因によっては説明できない。こうした欲望が生まれてしまえば、その産物である小説の普及にとって、これらは、つまり、そこそこ読み書き能力が普及していたとか、ある程度経済的に成功した都市の住民には余暇の時間があった等々のことは、副次的な促進要因にはなっただろう。だが、そもそも、小説の執筆や読書に人々を駆り立てた中核的欲望がどうして生じたのだろうか。この点は、まだ説明されていない。その上、われわれの関心は、一八世紀前半のイギリスの特殊事情ではない。イギリスを起点にしてはいるが、半世紀ほどで海外にも現れ、一世紀しないうちに全ヨーロッパ規模に拡散し、やがては地球の全体を覆うようなこの欲望が、なぜ近代に生まれたのか。

3　自叙伝風の……

ならば、どこに手がかりを求めたらよいのか。第1節で、最初の小説『ロビンソン・クルーソー』は、デフォーではなく、ロビンソン・クルーソー自身によって書かれたものとして発表され、また受け取られていた、と述べた。つまり、この小説は、自叙伝的な回想録の形式を採用し、偽装しているのだ。

告白風の自叙伝の形式は、すべての小説に共通する一般的な形式だ、というわけではもちろんない。さまざまなスタイルの小説が書かれてきており、自叙伝（の模倣）は、その中のひとつに過ぎない。しかし、次のように言うことはできるのではないか。すなわち、読者にとって小説は、（他人の）告白のごとき自叙伝の機能的な等価物である、と。小説と自叙伝は、言わばライバル関係にあるのだ。*5 だから、ときに、小説は自叙伝を装い、ほんとうの自叙伝以上の自叙伝であると自己主張する場合もある。あるいは、自叙伝的な形式を採用しない小説の場合も、われわれはそれを、自叙伝へと変換して、あるいは自叙伝でありえたことの第三者による報告や観察のようなものとして読む。少なくとも次のことは確実である。小説は、読者をして、個人（主人公となる個人）の内的な精神状態をきわめてまぢかから――ほとんど本人による自己省察に見まがうほどにごくちかくから――観察させる。これこそ、小説の中核的な特徴、それ以前の、あるいはそれ以外のフィクションにはなかった特徴である。

この点に着目すると、われわれはひとつのことに気づくことになる。当時のプロテスタント、とりわけカルヴァン派の者たちの間で、ある習慣が広く普及し、定着していた、ということにである。その習慣とは、日記を付けること、である。ニューイングランドのカルヴァン派信者に関して、次のように言われる。「読み書きができる清教徒のほとんど全員が何らかの種類の日誌journalを付けていたと思われる。一七世紀・一八世紀からたくさんの日記diaryが残っておりまるで大軍団のようである。この習慣はニューイングランドの人々の性格にあまりに深く浸透したため、大半が清教徒をやめてしまってからもヤンキーらしい実践として残ることとなった」と。*6日記は自叙伝に似ている。というか、日記こそ自叙伝の原型である。カルヴァン派の間で、日記を付けることが広く一般的になっていたような社会的コンテクストの中で、小説は発生している。そうだとすれば、われわれはこう見通しを立てることができるだろう。何ゆえ、カルヴァン派の信者の間で日記を付ける習慣が広がったのかがわかれば、小説がどのような衝動によって生まれたのかを解明する手がかりも得られるのではないか。ちなみに、デフォー自身も清教徒として生まれ育った。彼の父親は、非国教徒でカルヴァン主義者である。

清教徒たちはどうして日記を付けたのか。自らの信仰を精査するためである。つまり、自らが罪を犯していないか、徹底的に自身を観察するためである。自らを厳しく評価すればするほど、行動や思念は「罪」に汚染されていると見なされることになる。それゆえ、信仰が篤い典型的なピューリタンの日記には、毎日、ことこまかに自己の罪が記録されることになる。だが、どうして、厳格なプロテスタントだけが、カルヴァン派やそれに近い立場にあるプロテスタントだけが、日記を好んで付けたのだろうか。

ところで、われわれの探究がカルヴァン派に遭遇したのは、これで二度目である。ヴェーバーの有名なテーゼを展開させつつ資本主義の起源について考察したときにも、カルヴァン派に鍵があった。とすれば、カルヴァン派に特徴的な予定説に関して以前に述べておいた注意事項をもう一度、思い起こす必要がある。かつてこう警告した。予定説をカルヴァン派という特定のセクトに囲い込んではならない、と（第8章第4節）。予定説は、一神教の論理を純粋化したときに得られる極限に過ぎないからだ。とすれば、カルヴァン派の中に極端に、しかも典型的に現れていることは、より広く、（西洋の）キリスト教の全般に、あるいは――もうすこし限定するとしても――プロテスタントの全般に分けもたれていると考えなくてはならない。

同じことは、現下の考察についても言える。カルヴァン派においてとりわけ日記を付ける習慣が出現した理由を説明するにあたって、われわれが求めているのは、カルヴァン派にしか適用できない論理の筋ではない。カルヴァン派において最も顕著に現れはするが、なお広い一般性をもった論理的な筋が見出されなくてはならない。

＊

そこで、カルヴァン派という縛りから自由な、一般的な文脈の中で考えてみよう。たとえば、アレクシ・ド・トクヴィルは――あの『アメリカのデモクラシー』の著者は――、次のように述べている。

孤立状態に投げこまれると受刑者は反省する。自分の犯罪にただひとりで直面すると、その犯罪を憎むことを学ぶのであって、その魂が悪によってまだ無感覚になっていなければ、いずれ後悔がその魂を襲うようになるのは孤立状態においてである。*7

なぜ唐突に、監獄の中の受刑者について記した文章を引いたのかというと、ここでトクヴィルが描いている受刑者の心情は、日記に毎日自分の罪について書き続ける厳格な清教徒の心情と同じだからだ。日記を書くとき、人はもちろん孤立状態に自分を投げ入れている。清教徒は、自分がその日に犯してしまった罪を憎み、後悔の念に襲われているだろう。この文章で、トクヴィルは具体的には何について論じているのか。われわれはこれを、ミシェル・フーコーの『監視と処罰〔監獄の誕生〕』から引いてきた。と、このように解説すればすぐにわかるだろう。トクヴィルが論じているのは、あの「パノプティコン」の効用である。*8

パノプティコンは、ジェレミ・ベンサムが一八世紀末に考案した監獄の構造である。この装置は、中心に塔があって、その周囲に円環状に——あるいは半円状に——建物を配置している。中心の塔は監視のためにある。塔の壁には、その円周にそうようなかたちで監視用の窓がいくつも付けられている。それに対して、周囲の円環状の建物は、独房に区分されている。各独房には、窓が二つずつ設けられており、そのうちの一方は、中央の塔の窓の位置に向かい合うように内側に向けられており、他方は、外からの光線が独房の全体を照らし出すように外側へと向けられている。中央の塔には、監視人が一名置かれることになる。そして、独房には、もちろん受刑者が一名ずつ閉じ込められる。さらに言えば、この建物の構造は、監獄に限定されるわけではない。独房に、狂人を、病人を、労働者を、そして生徒を入れれば、多様な監視に応用が効く。

トクヴィルは、パノプティコンの独房に閉じ込められた受刑者の反応を記し、この建造物の価値を説いているのだ。フーコーは、監獄や刑罰システムの歴史を描くために、この装置に注目したわけではない。フーコーの洞察は、パノプティコンという建築物が、近代的な権力の一般的な隠喩になっている、という点にある。この装置の本質をどのように見定めると、これを、近代を特徴づける権力の定義と見なすことができるのか？

パノプティコンの最も重要な性能は、個人を——つまり身体を個体としての資格で——可視化して観察し、評価している、という点にある。それは、監視を途切れることのない永続的なものとすることによって——厳密に言えば、完全に永続化しているわけではなく、時間的にも空間的にも限定された領域を設定することで、その領域の範囲内で監視を遍在的で常時的なものとすることによって、実現される。フーコーによれば、パノプティコンに類する監視装置は——ベンサムによって明示的にこれが考案されるより前の——一七世紀には登場する。これは、軍隊、生産現場、病院などへとその応用の場を広げ、普及していった。フーコーは、パノプティコンによって象徴される近代の権力を——後に説明するこの権力の効果のことを考え——「規律訓練型《ディシプリン》」と呼んだ。

パノプティコンの本質が今述べたこと——個人の可視化——にあるとするならば、重要なのは、建築物そのものではない。規律訓練型権力にとっては、この本質的なポイントが実現されるような関係の様式が揃っていれば、十分である。そう考えると、今日のわれわれは、監獄に閉じ込められた経験など一度もなくても、ほとんど全員、長期間の規律訓練型の権力の中で育てられていることがわかる。規律訓練型の権力が行使される最も典型的な場所は、学校である。学校においては生徒は、厳密に個人としてその能力を評価され、監視の対象とされている。そのことが最もあからさまになるのは、試験のときだ。試験を受けている生徒は、実質的には、独房に入れられて常時監視されている囚人と同じ状態に置かれている。フーコーは、一七世紀に萌芽を認めることができる規律訓練型権力が、西ヨーロッパの社会で一般化し定着するのは、一九世紀の半ばであると見ているようだ。[*9]

小説がどのような機制に媒介されて生まれたのかという問いをめぐるわれわれの探究は、こうして、フーコーの有名な権力論と交差した。このことの意義は、この問いを、歴史的な視野としても、また主題の領域としても、広く一般的なコンテクストの中に置くことができる点にある。小説の誕生を、近代的な権力の発生やその効果という主題の中で考察することができる。あるいは、問いを、プロテスタンティズム（あるいはカルヴァン主義）という束縛から解き放つことができる。ここで、かつて、近代の内的複数性について論じたことを思い起こしてもらいたい（第2章第5節）。フランス革命を題材にして、こう述べた。プロテスタント的な精神において実現されていることの真実は、カトリック的な社会の政治的実態の中に現れている、と。これと似たことが、ここでも生じている。

4　規律訓練型権力の前に……

規律訓練型権力との相関で問題を解くということは、端緒に絶対王政の権力を置いて考察しなくてはならない、ということを意味している。前近代の権力一般ではなく、近世の絶対王政を起点に据えなくてはならない。規律訓練型権力は、この絶対王政に結びついた権力の否定、その克服として登場してくるからである。絶対王政の本質はどこにあるのか。この点については、われわれは『近世篇』で詳しく論じた。それは、権力の源泉となる王の身体の独特の複合性である。王は、可視的な自然的身体と、抽象的で不可視の政治的身体をもつ、とされている。

フーコーは、『監視と処罰』で、規律訓練型権力と、その直前まで機能していた権力との違いを際立たせるために、一八世紀の半ばに執行された、ダミヤンという男への公開の身体刑を紹介している。われわれはすでに『近世篇』の最終章で、この部分を引用し、検討した。国王を殺害しようとしたとして有罪判決を受けたダミヤンは、一七五七年三月に、パリのクレーヴ広場で、大勢の見物人がいる中、四頭の馬で、その身体を四裂きにされたのだった。フーコーは、このような権力からの転換として、規律訓練型権力を位置づけようとしている。確かに、このようなあからさまに公開される身体刑を必要とする権力と、個室に閉じ込めた囚人を監視状態に置くことが刑罰であるような権力とでは、何かが根本的に異なっているに違いない。

まず、ダミヤンの処刑が、絶対王政の権力のシステムの中にあることをあらためて確認しておこう。この処刑は、華々しい祝祭のようなものになっている。刑罰は、「官権主催の見世物」であって、広場に集まってきた多数の観衆はこれを大いに楽しんだはずだ。なぜそんなことをしなくてはならないのか。それは、最低の身体（犯罪者）の物理的破壊を現前させることで、その反作用として、最高の身体（王）のイメージを人々に与えるためである。それは、ベラスケスの「ラス・メニーナス」に描かれた「鏡の中の王」のようなものである。間接的ではあるが、確かにそこにいる——事実存在している——ものとして王の視覚的なイメージが与えられるようになっている。

この公開の身体刑は、絶対王政期において（王の）政治的身体は（王の）自然的身体による支持なしには機能しえなかった、という事情を反映している。公開の身体刑が人々に確信させているのは、王の自然的身体の確かな実在である。[*10] われわれとしては、この絶対王政の権力のどこがどう変わったら、規律訓練型の権力になるのか、と問わなくてはならない。

＊

今われわれは、小説の誕生ということを問うていることを考えると、ヘーゲルが『精神現象学』で絶対王政について述べていることが参考になる。彼は、「疎外された精神の世界」を「啓蒙された領域」との関係で論じるコンテクストで、絶対王政を「へつらいの英雄主義」ということで特徴づけている。われわれは、この部分のヘーゲルの議論についてすでに一度言及しているのだが（第5章第3節）、それは、ここでもう一度読むに値する論点を含んでいる。というのも、ヘーゲルは、ある種の「言葉」によって絶対王政の本性を記述しようとしているからである。「へつらいの言葉」は、「高貴な（＝貴族の）意識」から「富」への移行を媒介する中間項として登場する。つまり「高貴な意識──へつらいの言葉──富」という三幅対がある。

ヘーゲルによれば、中世の領主（貴族）の「高貴な意識」は、疎外された極にある。高貴な意識は、自分自身の全内容を、王国に体現された共通善（王国の利害）の中に置く。つまり、高貴な意識は、全面的に誠実な献身によって王国の役に立とうとするのだ。高貴な意識は基本的には語らない。献身は行為によって示される。高貴な意識が語ることは、せいぜい共通善のための助言である。それゆえ、高貴な意識を特徴づけているのは、「沈黙の奉仕の英雄主義」である。

しかし、中世の封建領主の段階から近世の絶対王政へと移行すると、つまり「朕は国家なり」と言うことができるような君主をもつ国家へと移行すると、状況は転換する。意識（臣下の意識）は、国家（政治的身体）を体現する君主に対して、今度は行動ではなく、言葉によって奉仕する。発せられるのは、君主に対するへつらいの言葉である。今度は、「へつらいの英雄主義」が登場する。

このように言うとき、ヘーゲルは、臣下の欺瞞を倫理的に批判しているわけではない。中世の騎士のように心底からは忠誠心をもっていないのに、近世の臣下は、君主におもねっており、嘘をついている……ということが問題にされているわけではないのだ。「へつらいの英雄主義」は皮肉ではなく、文字通りに、つまりほんとうの英雄主義として解釈しなくてはならない。ヘーゲルがここで論じていることは、言語というものに宿命的に随伴する疎外の構造である。どういうことか、嚙み砕いて説明しよう。

君主に言葉で奉仕しようとすれば、具体的にはどのような内容をもっていようとも全体としては、君主への恭順の念を表現したり、忠誠を誓ったりする言葉になる。このとき、臣下は、内心でこう思わざるをえない。私はそこまではへりくだってはいない、そこまでは王を尊敬してはいない、私にだって自尊心のかけらはある……等々と。つまり、自身の内心の確信とは異なることを、王に対して儀礼的に言わざるをえないのだ。このように、臣下がその発話によって意味していることと臣下の内心の状態の間には乖離が生ずる。その乖離のことを含意して「へつらいの言葉」だということになる。

ここで、内心の状態の方が真実で、発話によって意味していることは虚偽だ、と考えれば、へつらいは英雄主義とはとうてい言えない。だが、あらためて、発話というものの本性を冷静に反省してみるとよい。何かを言ってしまったとき、私のほんとうの思いはそれとは違う、という感覚が残るのは、普遍的なことではないか。この普遍的な構造を拡大してみせているのが、絶対王政のもとでの臣下の君主への「へつらいの言葉」である。この事実を見据えた上で、ヘーゲルは、今日の言語行為論と同じ見解を採用している。つまり、人が発話したことの真実は、その発話によってどのような行為をなしたのか、どのような社会関係を構成しているのか、ということにあるのであって、発話者が心の中で何を思っているか、何を意図しているかには関係がない、と。要するに、絶対王政の下での臣下の言葉としては、「へつらい」の方にこそ真実がある。[*11] だから、それは、英雄主義と特徴づけられる。[*12]

ここまでは、ヘーゲルが述べていることの解説だが、それを前提にしてわれわれの問題の方に回帰すると、次のように言うことになる。小説なるものが現れるのは、「へつらいの英雄主義」の後の段階でなくてはならない、と。内的な確信と発話行為との乖離が、英雄主義としてそのまま肯定されてしまえば、小説はありえない。小説は、へつらいを乗り越えなくてはならない。いやもう少し慎重な言い方をすれば、少なくともへつらいを何としてでも乗り越えようとする強い執念がなくては、小説は可能ではない。小説を成立させているのは、へつらいをもたらしたあの乖離において、真実は（絶対王政のときとは逆に）内的な状態の方にこそあるという前提である。

それゆえ、全体として三つのステップを歩むことになろう。まずは、言葉以前であり、それゆえに乖離もない「沈黙の奉仕の英雄主義」がある。ついで、発話行為と発話者の内的な状態の乖離をもたらす「へつらいの英雄主義」がある。この乖離がいったん作り出されたあと、これがあらためて縫合されなくてはならない。それが「小説」の段階である。いずれにせよ、ヘーゲルの議論を参照した場合にも、「絶対王政」の段階を起点とした上で、「その次」の段階を成り立たせている仕組みを解明しなくてはならない、という方針をわれわれは導くことができる。

5　剰余権力

絶対王政の権力と規律訓練型の権力では、どこに違いの中核があるのか。結果だけ見れば、可視性のポイントが逆転している、ということになる。前者においては、権力の源泉となっている王の身体の方が——知覚的にまたは想像的に——可視化されなくてはならない。後者においては、逆に、権力の対象となっている個人の身体が可視化されている。この転換はどうして生じているのか。

もう一度、パノプティコンの構成を振り返っておこう。独房の中の個人は、まさにその独房という時空間の限定の中においてではあるが、途切れることなくずっと監視されている……とその当の個人は自ら感じざるをえない。彼がそのような自覚をもつのは、慎重な光学的な配慮によって、中央の塔にいる監視者の身体が、彼の方からはまったく見えないようになっているからである。私からは見えないが、監視者がいるかもしれない。それゆえ、私は監視されているかもしれない。独房の中の者はそう考える。つまり、独房の中の者の観点からすると、監視者がいてもいなくても、監視されている可能性は残り、そのことによって監視の効果が持続するのだ。だから、論理的には、個人が独房の中にいる限りは、監視者は現実には存在しなくても、監視の効果は消えずに持続する、ということになる。

規律訓練型の権力を機能させる上で、最も重要な契機はここにある。権力が帰属する超越的な身体──第三者の審級──は、従属者に対して知覚的にも想像的にも現前することがないのに、存在しているのと同等の効果を維持することができる。簡単に言えば、第三者の審級は完全に抽象化された上でその実在を維持しているのだ。王の政治的身体も抽象的な実体ではあった。しかし、それが抽象的な実体として存在していることの証として、具体的な自然的身体による支えが不可欠だった。だが、今や──規律訓練型権力の段階においては──、第三者の審級はより高度の抽象性をもっており、自然的身体による補完を必要としない。パノプティコンで、監視者が見えない限りで機能していたように、第三者の審級は今や、抽象的であることにおいてこそ機能するのだ。そのためには、第三者の審級の作用が及ぶ圏域を時間的・空間的に限定しておく必要があるのではあるが。

ここで指摘しておきたい重要なことは、この政治権力の抽象性、第三者の審級の抽象性は、資本の運動との類比によって把握しうるということ、これである。以前、こう論じたことがある。近代科学を特徴づけているのは、知識の不断の増殖であり、それは剰余価値を生みながら回転する資本に似ている、と。つまり、近代科学は剰余知識によって特徴づけられる、と（第13章）。これと同じことが、今度は権力の領域でも生じている。剰余権力が発生しているのだ。どういうことか、説明しよう。

第三者の審級の位置を占める者が現前していることで認識されている実体を担保にして、従属者が認め、譲渡した力によって、第三者の審級の権力が機能しているとすれば、そこにあるのは、一種の等価交換である。第三者の審級の現前がその証明となっているような強さとか、恐怖とか、畏怖とか、利害とかに対して、従属者は、力を（その第三者の審級に）譲渡する。この範囲内で権力が機能していれば、権力の「剰余」はない。

しかし、そのような現前による保証を超えて、第三者の審級の権力が行使されているとすれば、どうであろうか。それこそ、剰余価値と似た剰余権力である。王の政治的身体がすでに、自然的身体を超える剰余権力の産物である。権力の原点となる第三者の審級が完全に抽象化されたとしたら、どうであろうか。そこには剰余権力しかない、と言ってもよい。第三者の審級の抽象性とは、このような権力の剰余のことである。

社会契約についての一般的なモデルを使って説明すれば、剰余権力とは次のような現象である。第1章で述べたように、近代的な支配の構造の特徴は、承認の循環が自覚されていることにある。従属者は、たとえば市民は、支配者による承認を欲しているが、支配者がまさに第三者の審級の位置に立つことができるのは、従属者によって承認されている限りにおいてのことである。その循環を、支配する側も従属する側も、隠すことなく、あからさまに認め合っている。とすれば、支配者の権力は、従属者によって承認されている範囲に限定されていなくてはならないはずだ。ところが、実際には、権力は、つねにこの範囲を超えた恣意性を発揮する。これが剰余権力である。この状況は、等価交換しか生じていないはずの市場で剰余価値が発生するのと似ている。等価交換のような社会契約のもとで、剰余権力が発生する。この剰余分は、権力の原点にある第三者の審級の抽象性に相当している。実のところ、近代社会において、承認の循環があからさまになっても政治権力が崩壊せずに、維持されているのは、剰余権力があるからだ。

本章の最後に、もう一度、プロテスタンティズムに――とりわけカルヴァン主義に――回帰しておこう。その特徴は、今ここで述べている議論の中に位置づけておくことができる。一神教の神は、本来、抽象的である。つまり、その存在は、知覚や感覚による現認によって担保されているわけではない。しかし、現実には、神の抽象性は、信者たちの行動において、また信仰の中で、そのたびに裏切られてきた。プロテスタンティズムとは、神（第三者の審級）の存在を抽象的なままに厳密に確保しようとする運動だと言える。宗教的な言葉を使えば、偶像崇拝の真に厳格な禁止が、プロテスタンティズムを特徴づけている。第三者の審級の高度な抽象化を基礎にして機能する権力の効果は、それゆえ、清教徒たちの間にいち早く現れることになる。小説なるものを誕生させた機制を説明するためには、まずはその効果を見定めておかなくてはならない。

1　イギリスでは、清教徒革命（一六四二年）のときに、劇場が破壊され、閉鎖された。一六六〇年の王政復古とともに、演劇の上演が再開された。
2　イアン・ワット『小説の勃興』藤田永祐訳、南雲堂、一九九九年（原著一九五七年）、六五頁。
3　武田将明「小説の機能(1)『ロビンソン・クルーソー』という名前」『群像』二〇一四年九月、一三二頁。
4　この節で言及する諸事実については、主にワットの前掲書（第二章）に基づいている。
5　ワット、前掲書、一〇三頁。
6　Perry Miller and Thomas H. Johnson, *The Puritans*, New York, 1938, p.461.
7　ミシェル・フーコー『監獄の誕生――監視と処罰』田村俶訳、新潮社、一九七七年（原著一九七五年）、二三六頁。

8　トクヴィルは、一八三一年に休職し、私費で、九ヵ月をかけてアメリカを視察した。そのときの体験が後に『アメリカのデモクラシー』として結実するわけだが、視察旅行の名目上の目的は「刑務所の視察」だった。

9　エドモンド・デ・アミーチスの有名な子供向け小説『クオーレ』では、試験のときに、優秀な生徒が、監督している教師の目を盗んで、それほど勉強が得意ではない生徒たちに正解を教えてやる場面を、生徒たちの間の友情を示す美談として描いている。一九世紀も終わりに近づいた頃、つまり一八八六年に書かれたこの小説は、（一八六一年に）国民国家としての統一を実現してまだ日が浅いイタリア王国を背景として、学校生活を描いている。この段階でイタリアの生徒たちは、そして作家は、まだ規律訓練型権力に十分に慣れてはいない。彼らは、生徒が個人として切り離されて能力を測ることがどうしてそれほど価値があるのか、納得できてはいない。そのため作家は、今日では厳しい処罰の対象にもなりうる不正行為を、生徒の中で最も優秀な少年の徳性の高さを証明する事実として楽しそうに描写することになる。

10　フランス革命で執行されたギロチンによる死刑は、ダミヤンの処刑のような祝祭的な刑罰とははっきり異なったものに変容している（『近世篇』第20章参照）。

11　次のように考えてみるとよい。たとえば、われわれは久しぶりに会った友人などに、「元気にやっている？」等の外交辞令的なあいさつをする。このとき、われわれは、心底からその友人の心身の状態を心配していたわけではない。ならば、このとき、われわれは嘘をついていることになるのか。これは倫理的に問題のある欺瞞なのか。そうではあるまい。王への儀礼的なへつらいは、こうした状況の誇張されたケースである。

12　だが、なぜ中世の貴族の主君への従属においては、「へつらい」は顕在化しないのか。この問いに答えるには、ヘーゲルが論じていないことを補わなくてはならない。正解は、中世の王においては、あの「二体論」が完成していないからだ、というものになる。絶対王政のもとで、政治的身体への奉仕は、言葉によらざるをえない（逆に、自然的身体／政治的身体という分離がないならば、黙って行為によって王に奉仕すればよいだけだ）。だから、臣下が示す恭順の言葉は、ほんとうは王の政治的身体に向けられている。その言葉を実際に受け取る自然的身体にとっては、必然的に、へつらいになる。

第17章　〈主体〉の産出

1　ピューリタンの「日記」

小説が誕生したちょうど同じ頃、プロテスタント——とりわけカルヴァン派——の間で、日記を付ける習慣が普及した。小説と日記の間には、相関関係がある。小説を読むことは、他人の自叙伝風の日記を読むことと——同じではないが——明らかに似ている。小説という文学のスタイルを生み出した機制は、日記という習慣を生み出した社会的コンテクストの中に含まれているように思われる。そこでまずはこう問わなくてはならない。どうして、日記が急速に普及し、定着したのか。

ウィリアム・ペイドンは、一七世紀前半にニューイングランドに入植した清教徒《ピューリタン》トマス・シェパードの日記を読みながら、シェパードの一人称の使い方に特徴があるとして、この点に着眼したマクギファートの研究を引用している。ポイントは、「私」によって指示されている「自己」が二重化されていることにある。

くる日もくる日もこれらのページが表明しつづけたのは、それを書いている筆者の存在が苦悩する自己であると同時に、観察し考量し理解しようとする自己でもあるということであった。シェパードの敬虔は、何にもまして知覚的である。『日誌』には光や啓示の隠喩があふれている。「私は見た〔=分かった〕」とは、彼特有の言い回しである。「私は、いかに神の生活から遠ざけられ、神を見る視覚はおろか、神を知覚するあらゆる感覚をもっていないかが分かった……」、（中略）シェパードは見ると同時に見られている。（中略）正真正銘の苦悩に身を投げ出しているシェパードがいる。が同時に、あのもうひとりのシェパード、すなわち、身を正し認識面ではうむを言わせぬ、あの見る私が、彼の『日誌』に診断や処方の記録をしたためるためにペンを握っているのだ。*1

ここで、日記を書く個人（シェパード）は、観察される自己と観察する自己とに二重化している。後者の自己、観察する自己は、シェパードを観察する神に由来する、と考えるべきだろう。実際、マクギファートは、この引用部分に続けて、こう書く。「第二のシェパード〔見る私〕にはどういうわけか神に似たところがある」と。「見る私」が神の似姿であるのは当然である。

ピューリタンの間で流行した日記がこのようなものであったとするならば、われわれは、彼らに日記を書かせた――書かざるをえないものにした――心的な機制をまずは以下のように推測することができる。パノプティコンの「独房」に孤立状態に置かれた受刑者は自然と反省することになる、とトクヴィルが論じたときに（はっきりと自覚されることなく）機能するはずだと想定されていたのも同じ連関である。

＊

前提になるのは（前章で述べたような意味での）剰余権力の原点となる第三者の審級（神や監視者）の身体の抽象化である。規範性を帯びた視線が、十分に抽象化された――知覚的・想像的にそれを対象化することができない――第三者の審級から発している。このとき、その規範的な視線は、――一定の時空的な広がりの中で――遍在化し、常時化する。つまり、抽象的な第三者の審級の存在を前提にしたとき、人は、常にどこでも、第三者の審級の観点から監視されているに等しい状態に置かれる。パノプティコンにおいて、中央の塔にいる監視者が、独房の側からは不可視化されている限りで、監視者の可能的な視線（常に「見ているかもしれない」という様相が維持されていること）が現実化した（常に「現に見ている」のと同じ効果をもった）ことをあらためて思い起こしておこう。抽象的な第三者の審級は、その規範的な監視の視線を――一定の限定された時空的な範囲の中で――普遍化し、その意味で遍在化しているに等しいことになる。

　その結果、どうなるのか。抽象化された第三者の審級に起点をもつ規範的な権力は、必然的に、身体を個体としての資格において対象化することになる。恒常的で普遍化している監視は、身体を、移動における最小限の単位において捉えることになるからだ。つまり、普遍化した監視は、身体を集合的に捉えるのではなく、また空間や時間や状況に相関して捉えるのでもなく、常時、個体として対象化することになる。パノプティコンが囚人たちをたまたま独房に閉じ込めるがために、権力に、このような性質が備わるわけではない。論理の順番は逆である。身体を、何としてでも個体という単位において対象化しようとする権力の指向が、自らの建築的な現実態として、独房を備えた監獄を要請したのだ。学校や工場での生徒や労働者への監視のことを思えば直ちに理解できるだろう。独房のような物質化された装置に媒介されていないときにも、この権力は、個人に焦点を合わせている。[*2]

こうして、理念的には――その抽象化された第三者の審級が機能する時空間の範囲において――、権力とともに発効する規範によって、個人の任意の行為と体験に対して、規範的な正（妥当）／負（非妥当）の値が充当されることになる。権力のこうした作動のもとでは、個人は、（権力とともに実効性をもつ）規範に対して、自己がどのような位置にあるのかを、不断に対自化することを強いられるはずだ。すなわち、自己の行為・体験が規範にどの程度一致しているのか、あるいは逆にどの程度一致していないのかを、肯定的あるいは否定的に明示する実践が、その個人の身体を舞台にして展開することになるのだ。それは、規範との関係で、その個人が、自らが何者であるのかを、不断に問い続けることでもある。誰に対して？　もちろん、抽象化された第三者の審級に対して、である。この個人の問い進めの実践は、次節に述べる理由から、必然的に、規範を真には遵守しきれない自己を否定的に――言わば罪あるものとして――自覚化する営みとなるだろう。いずれにせよ、こうした不断の反省によって、抽象化された第三者の審級のもとで、個人は訓育される。この権力が、「規律訓練型《ディシプリン》」と形容されるのは、このためである。

規範との相関において自分自身のアイデンティティを（第三者の審級に）問い、それを不断に対自化する実践は、独特の形式の言語行為となる。語る身体と語られた主語とが合致することを必須の要請とするような言語行為が、それである。どのような文の発話も、語る身体と語られた主語との分立を強いる。だが、規律訓練型の権力の下での規範的な対自化の実践は、前者（語る身体）が後者（語られた主語）に付せられた述語の中に余すことなく意味されるような文（の集合）を産出することを目指す。もちろん、このような言語行為において定立される主語は、まさに語るこの身体を指示する語、すなわち「私」である。したがって、ここに生まれる言語行為とは、いわゆる「告白」である。こうして、われわれは、近代的な権力について論じた（中期の）フーコーの最も重要な二つの著作、つまり『監視と処罰』と『知への意志（性の歴史1）』を、一つの論脈の中に統一的に捉える鍵を得たことになる。前者は、ここまで見てきたように規律訓練型の権力について論じ、後者は、（性をめぐる）告白の系譜の中に近代的な権力の源泉を見ようとしている。両者は一本の理路の中に収められる。

ピューリタンの間で普及した日記は、ここに述べてきたようなタイプの「告白」の一種である。冒頭で紹介したシェパードの例によく示されているように、彼らは、神との関係において、自らが規範的・道徳的に何であるかをたえず対自化しようとした。それが日記という形式をとったのである。引用した文章の中でマクギファートが注意を向けているように、シェパードの日記は、光の隠喩に満ちている。この隠喩から、パノプティコンの独房を隅々まで照らし出してしまう光線を思い起こさずにはいられない。パノプティコンで光が効果を発揮するのは、逆に、監視塔の部屋が闇の中にあるからだが、ピューリタンの場合も同じである。神が十分に抽象化し、被造物に対する厳格な超越性を帯びている限りで、つまりは神自身は見えない限りで、シェパードは光に照らされているのである。

＊

ピューリタンの日記の歴史的な源泉について、留意すべきことを述べておく。その直接の前史は、もちろん、カトリックのサクラメントの中にある「告白」である。しかし、同時に、日記を含むプロテスタントの告白は、カトリックの「告白」の否定、その克服でもある、ということを強調しておかねばならない。カトリックの告白とプロテスタントの告白では、信者に対してもった効果は正反対だった。

カトリックの告白は贖宥状と同じ意義をもった。というか、贖宥状こそ、告白を含む「悔い改めのサクラメント」を（代理人が）済ませたことの証明書だった（第8章第2節参照）。信者は、司祭に対して告白することで、少なくともその分だけ罪から解放されたと信ずることができた。カトリックの信者にとって、告白は――生涯に何度も繰り返されるとはいえ――非日常的で一時的な行為である。

プロテスタントの（広義の）告白は、これとはまったく違う。まず、カトリック的な様式の告白は、プロテスタントの中では重要度を下げていく。ヴェーバーは、とりわけカルヴァン派が有力な地方では、懺悔の聴聞が消失してしまう傾向があった、と指摘している。[*3] だが、それは、告白の習慣が、プロテスタントたちの間では消え去ってしまう、という意味ではない。むしろ逆である。毎日認《したた》める日記をはじめとした日常的な反省が、すでに告白になっているのだ。ピューリタンにあっては、告白が世俗の全生活の中に浸透したがために、もはやそれとして特別には意識されなくなった、と言ってよい。

信者の心理に対する効果も、プロテスタントの日常化した告白は、カトリックのサクラメントとしての告白と正反対である。プロテスタントは、たとえば日記を毎日書くことで、罪が赦されたり、軽減されたりするとは思ってはいない。シェパードについてマクギファートが述べていたことからも読み取ることができるように、告白は、自分がいかに罪深いかということの発見であり、探究でもある。それはむしろ苦痛をともなう行為だった。しかし、それでも彼らは、それをやめることはできなかった。

カトリックとプロテスタントとの間のこうした違いはどこから生ずるのか。被造物である人間に対する神の超越性のレベルが、プロテスタントにおいて、圧倒的に高まっているという点に鍵がある。われわれが参照してきた論考で、ペイドンは、シェパードを、初期キリスト教（四世紀後半から五世紀前半）の「砂漠の聖者（修道僧）」ヨアネス・カシアヌスと比較している。神への絶対の従属を、宗教的な態度の本質としているという点では、両者の間に違いはない。しかし、その従属の内実は大きく異なっている。なるほどカシアヌスも、人間の傲慢を悪徳のひとつに数え、人間に対する神の圧倒的な優越を強調し、修道院長への従順さも推奨している。しかし、カシアヌスにとっては、傲慢は悪徳のなかのひとつにすぎないし、謙虚によって中和できるものだった。彼は、傲慢を、一戦を交えて征服することができる「獣」に喩えている。この点を捉えて、ペイドンは、人間は無力とはほど遠いと見られている、と解説している。それに対して、プロテスタント、とりわけピューリタンにとっては、人間がいささかなりとも自己の救済のために自力で何かをなしうる、と考えること自体が、根本的な過ちである。ここには、攻撃的と言ってもよいほどに積極的な自己否定・自己卑下がある。こうした観念の延長線上に、予定説があった、ということについては、もはやくどくどしく説明する必要はないだろう。

このように、プロテスタントがもたらした断絶は決定的である。が、しかし、同時に、いくら克服の対象とされていたからといって、カトリックの告白がなければ、プロテスタントの日常化した告白もありえなかったように、カトリックからの、いやそれどころか古代ユダヤ教からの連続性も軽視してはならない。たとえばフーコーが古代オリエント社会では支配的なものだったとして紹介している、神や王に対する隠喩は、われわれのここでの考察には参考になる。フーコーによれば、エジプト、アッシリア、ユダヤといった古代オリエント社会では、神や王を牧人に比する見方が支配的だった。とりわけヘブライ人は牧人のテーマを増殖させた。彼らにとって真正な牧人は神《ヤハウエ》だけだった。しかし、神や主人に対するこのような見方は、ギリシア人やローマ人には馴染みが薄いものだった。[*4]

神や王を牧人と見なすとき、神や王のどのような特徴が記述されているのか。牧人は、土地ではなく、家畜の群れに対して力を行使した。あるいは、牧人は、離散した個体を呼び集め、導いており、牧人なしには羊の群れはまとまらない。それに対してギリシアの神々はまずは土地を所有しており、土地を媒介にして人間と関わった。またギリシアの政治的首長は、都市の葛藤を鎮める責務を負ったが、首長なしに都市が統一を保てないわけではない。[*5]先ほど、規律訓練型権力は、移動する単位としての個体に働きかけることに特徴がある、と述べた。規律訓練型権力のこの特徴は、牧人としての神の態度の延長線上にあるもの、その純化や強化の産物であることがわかるだろう。

2　不可能な告白

第三者の審級が高度な抽象性を維持しつつ存在しているとき、個人は、告白に類する仕方で自分自身のアイデンティティを問い、究めることになる、と述べてきた。だが、この実践には原理的な不可能性がつきまとっている。小説の誕生ということとのつながりを考える上では、この点にこそ留意しておく必要がある。

たとえば、よく知られているように、ジャン＝ジャック・ルソーには、まさに『告白』（一七七〇年）と題された自叙伝がある。[*6] ルソーは告白しないではいられなかった。ルソーには、ほとんど異常とも思えるほどの「透明なコミュニケーション」への偏愛があり、[*7] ルソーに『告白』を書かせた原因も、まさに彼自身の告白によれば、透明性への執着にある。「生来、私は感じたり、考えたりすることを隠しておくことはまったくできない人間なのだ」「私の水晶のような透明な心は、そこにひそむ些細な感情をものの一分も隠しておけなかった」と。ここで注目しておきたいことは、ルソーが「告白」と「省察」を対置しているという事実である。ルソーの考えでは、省察は告白の反対物であり、告白の敵である。『ルソー、ジャン＝ジャックを裁く』では、ルソーは省察の問題点を指摘し、これを批判している。だが、これは奇妙なことだ。告白するということは、結局、省察の結果を語ることではないだろうか。省察が告白の否定であるとすれば、告白自体が不可能になるのではあるまいか。

これは、語る身体と語られた主語の間の構造的な不一致、「語る私」と「語られた私」の間の還元不可能な乖離に由来する問題である。告白は、先にも述べたように、「語る私」が「語られた私」の中にすべて写像されることを約束している言語行為である。しかし、この約束は果たされない。「語られた私」は「語る私」に対して、常に遅れているからだ。語られている以上は、それは「語る私」そのものとは合致しない。何ごとかが語られることにおいて、「語る私」は裏切られていることになる。とりたてて、意識的に嘘をつこうとはしなくても、である。厳密に言えば、「語る私」が、語られるべきものとして先在しているわけではなく、何事かを語ったときに、「未だ語りえなかったこと」が、「語られたこと」を成り立たせる論理的な先行条件として、遡及的に措定されているのである。ヘーゲルの言う「へつらいの英雄主義」(前章第4節)が生まれる必然性も、ここにある。告白の約束、告白における透明性にこだわるルソーには、しかし、これが我慢できなかった。だが、これは、正直に告白すれば解決する、といった類の問題ではない。告白は、不可避に省察を随伴することになり、その省察は、今述べたような論理に従って、ただ告白を裏切ることを通じてしか実現できない。

この困難は、繰り返せば、「語られた私」が「語る私」に時間的に遅れているということに由来する問題ではない。本人の意識の中では、そのように表象されるが、真の原因は、論理的なことにある。その論理的な困難を最も原理的な水準にまで突き詰めるとどうなるのか。ヴィトゲンシュタインの議論を活用して、探究を進めてみよう。『論理哲学論考』の有名な命題の中で、ヴィトゲンシュタインは、まるでデカルトを真っ向から否定するかのように、次のような趣旨のことを述べている。[*8] 思考したり、表象したりする私は、ある意味で、存在していないのだ、と。というのも、もし私が『私が見出した世界』という本を書いたとすると、この中で絶対に登場しないこと、この中で言及されることのない唯一のことが、この「私」だからだ。

今、この『私が見出した世界』を語りうることの総体だとすれば、ヴィトゲンシュタインは、告白(だけ)は不可能だ、と主張していることになる。*9 どうして、そのような結論になるのか。たとえば、われわれは「私は歯が痛い Ich habe Zahnschmerzen」とか「私は考える I think」などと言ったりするが、正確にことがらを観察するならば、「歯痛が生起している Es gibt Zahnschmerzen」のみであり、あるいは「考えが生じている It thinks」のみであって、どこにも、歯痛そのものとは独立した「痛がる私」や、「考えている私」そのものは現れてはいない。現象が生起しているとき、まさに現象している事物や事象の存在と同じ意味において、「私」という事物の存在が積極的に確認され、認識されているだろうか。すなわち、事物aと事物bとが現象を媒介にして区別されるのと同じ意味において、他の諸事物・諸事象から区別され、そのことを通じて同定される「私(思考し、表象している事物)」の存在が、現象の生起と同時に示されているだろうか。否、である。思考や表象が次々と生起していくとき、すなわち現象が連続しているとき、直接には、どこにも私自身という事物の存在は認識されてはいない。『私が見出した世界』の中には、「私」が言及されることはなく、それゆえ「思考し、表象する私」は存在していることにはならない、とヴィトゲンシュタインが書くとき、含意されていることは以上のことである。

だが、われわれはもう少し慎重になってもよい。「思考し、表象する私」は、確かに、積極的には存在しない。が、端的に無であるわけでもない。「私」は消極的な意味においては存在する。どういうことか。さまざまな事物や事象が存在するための前提、存在がそこにおいて可能になる場として、「私」は存在している。「私」は、実は『私が見出した世界』という本そのものである。この本自体が、同じ本の中で言及されたり、丸ごと引用されたりすることはありえない。『私が見出した世界』は、『私が見出した世界』の中には登場しない。しかし、この中に書かれていることのすべてが、この本の存在に依存しているとも言える。カントの「超越論的統覚」とは、実はこの本のことである。

3 〈近代的主体〉の産出

ともあれ、ここで確認しておきたいことは、真の告白、十全な告白は不可能だということ、これである。にもかかわらず、規律訓練型の権力が実効性をもって機能しているとき、あるいはピューリタンの厳格な神が支配しているとき、それらの下にある個人たちは告白することを求められる。告白に相当する自己反省の実践が強いられる。あるいは、彼らは、告白に相当する自己探究をやめることができなくなるのだ。不可能なことが、なお可能であるとの前提であえて遂行されたとき、どのような帰結が導かれるのか。その論理を追ってみよう。

告白は、「私はp_1である」という形式の言明を産出することである。告白が原理的に不可能だということは、このとき「私」は、それに対して意味を充当することができない空虚な記号《シニフィアン》になっているということだ。暫定的には、「私」という主語に付される述語p_1、p_2、p_3……として意味があてがわれる。しかし、それらは決して、「私」という記号《シニフィアン》を満たしはしない。「私」は、いつまでも、いくら告白を重ねても、最終的には、対応する意味を欠いた記号《シニフィアン》である。ヴィトゲンシュタインの思考実験のイメージを借りて、次のように言うことができる。不可能な告白に挑戦するということは、『私が見出した世界』という本に、「私」という記号を書き込むことである。しかし、この本に現れる他の記号と違って、この記号には、意味《シニフィエ》がない。言ってみれば、本を埋める記号の列の中で、一ヵ所だけ、穴があいているのだ。その穴を埋めようとする対象は次々と現れるが、決して穴は埋まることはない。

不可能な告白が要請されている。告白という実践が有効であるためには、「私」が何であるかが（いずれ）語りつくされるという条件が必要だ。しかし、述べてきたように、この条件が充足されることはない。それでも、告白が可能であるためには、この条件が満たされることになるということを先取りして前提にしておかなくてはならない。「私$_1$はp$_1$である」と言明してもなお、〈語る私〉そのものは語りつくされてはいない。そのため、告白は繰り返されなくてはならない。「私$_2$はp$_2$である」「私$_3$はp$_3$である」……と。いくら告白を重ねても、〈語る私〉は、なお語りえなかった残余として留まることになるだろう。しかし、告白の（無限回の）反復によって、〈私〉が何であるかは語りつくされることになるという想定は必要だ。つまり、〈私〉（の同一性）は、現実には到達しない「私$_n$」についての告白の極限値として、先取り的に措定されているのだ。こうした事情を、次のような等式によって表現しておこう。*10

$$\lim_{n\to\infty}「私_n」=〈私〉$$

この等式で、「私$_n$」はn回目の告白において言明された「私」にあたえられた意味である。

〈私〉は、もちろん、語る私の総体である。このとき、ある錯覚が生ずるだろう。個人の身体の内部のどこことも特定できない場所に、〈私〉によって指示されるところの自己意識の座が存在している、という錯覚が、である。その自己意識の座のことを〈内面〉と呼ぶことにしよう。語られつくされない〈私〉は、〈内面〉として回収されるのである。

ここに述べてきた論理の筋は、ひとつの謎を解くことにもなる。ピューリタンたちの告白、彼らの世俗内化した告白は、どうして罪ばかりを発見し、苦悩を深めるのか。告白は、自分が犯した罪を悔いるためなのだから、罪について語るのは当たり前のことだと思うかもしれないが、先に述べたカトリックのサクラメントのことをもう一度、思い返すとよい。確かに、カトリックの信者も、司祭に向けて己の罪を語るのだが、彼らはそれによって安心や快楽を得ている。告白によって、罪が減じられ、贖われているからだ。しかし、ピューリタンの場合は違う。日記を付けることを通じて自己反省し、告白したからといって、罪が消えるわけではない。むしろ、告白のための反省によって、罪が発見され、ときに罪が創造され、増し加えられてさえいるように見えるのだ。この告白は、逆効果——というか逆説的である。どうしてそうなるのか。

その原因は、すでに説明されている。告白が不可能なままに実践されているからだ。告白への執着は、その不可能性の（再）確認を強いる。信者は、神に向けて、神にとって自分が何であるはずか、神には自分がどのように見えているはずなのかを、告白する。だが、告白すればするほど、ほんとうに自分は告白しきれているのか、告白したことは自分の真実ではないかもしれない、という懐疑も深まっていく。むしろ、私は、告白によって、神に対して、自分を偽っているのではないか。告白していることは、ほんとうに神が私に求めていることなのか、神にとっての真実なのか、私は確信をもつことができない。このようにして、告白を通じてこそ、ますます、自らがすべての罪を自覚し、神に対して語りえたかということへの疑問が深まっていってしまうのだ。

ニューイングランドの教会への加入を望む信者は、回心体験の告白（資格審査の意義をもつ）において、むしろ自分の信仰への懐疑を語ったことによってかえって加入を認められることがあった、とかつて述べたことがある（第13章第3節）。自分が神を信じていると思う（語られた「私」のレベル）ことと、ほんとうに神を信じている（語る〈私〉のレベル）こととは違う。「信じていると信じていること」をかんたんに「実際に信じていること」と同一視してしまう安易さこそ、信仰の欠如であると見なされることがあったのだ。不可能な告白が、可能であるとの前提のもとで求められたことの奇妙な結果のひとつである。

＊

論理的な機序を最後まで追いつくしてしまおう。本章の冒頭で参照した、シェパードの日記では、「見る私」と「見られる私」の二重性が顕著である、と述べた。「見る私」とは、「私」を見ている不可視の——その意味において抽象的な——神を、〈内面〉の一契機として私が固有化したことの帰結である。プロテスタントは、自分を監視している神の視線を前提にし、神の視線に対して自分がどうであるかを反省的に対自化する。このとき、しかし、神は、信者の外に具体的に実在しているわけではない。客観的に見れば、神の視線とは、信者自身が自らへと差し向けている視線にほかならない。結局、「見ている神」は、「(私を) 見る私」へと転換される。

次のように言ってもよい。「見る私」には、（反復される）告白のための自己反省の中で、そのたびに言語化されつくさなかった〈語る私〉が投影されているのだ、と。〈語る私〉こそ、私の行為、私の経験をすみずみまで監視し、反省し、それを積極的な言明へと変換するエージェントとして措定されているのだから。

さらにもう一歩の展開が待っている。規律訓練型の権力に即してみても、あるいはプロテスタントの信仰に即してみても、規範化された視線の源泉として措定されている第三者の超越的審級は抽象化されており、可能性としてのみその存在を確保しているため、経験的な世界の内部で現前しているわけではない。すなわち、抽象化された審級は、経験的世界の内部に事実存在《イグジスト》しているわけではない。権力がそこから発しているとみなされる原点を、世界の内部の現前する実体（たとえば王や君主の自然的身体）として特定することができないのだ。だが、これは、端的な不在を含意しているのではなく、まったく逆であった。第1節で述べたように、経験的世界に内属する具体的な事実存在を除去することは、むしろ、強められた存在（つまり遍在）の相関項になっていたのだ。それゆえ、抽象化された第三者の審級は、これに従属する者にとっては、「全体性」としての性格を帯びることになる。すなわち、従属する身体＝個人は、彼が移動していく空間的・時間的な場面のすべてを、この抽象的な超越性の効力が及ぶ作用圏として認めざるをえず、それゆえ、その支配の外部に逃れることができない。もちろん厳密には、こうした効果は、第三者の審級の作用圏を、あらかじめ一義的に限定しておかなくては得られないのだが、今は、そうした細部の留保についてはカッコに入れて議論を前に進めておこう。第三者の審級は、抽象化されたことによって、これに従属する個人の可能的な生の全体と外延を等しくすることになったのだ。

こうなれば、第三者の審級は、これに従属する個人から見れば、すぐわきに、その個人とともに常に存在しているのと実質的には同じことになる。つまり、第三者の超越的審級は、個人の身体に、極限的に近接する。最終的には、超越的審級と個人との距離は、完全に無化されてしまうはずだ。こうなれば、第三者の審級は、反復される告白の効果として、個人の身体に穿たれたあの〈内面〉の中に収容され、〈内面〉の一構成契機をなすにいたるだろう。

こうして個人が、〈(近代的)主体〉となる。これをとりたてて〈主体〉と認定するのは、選択という現象を構成する二つの水準がともに――述べてきたような機制を通じて――個人に帰属している……かのように、事態が(当人や社会システムの他のメンバーにとって)現象しているからである。どのような趣旨なのか説明しなくてはなるまい。

*

どのような選択も、二重の水準をもつ。特定の選択肢の実現は、まさにそれによってもたらされる状態(=目標)を通じて指向されている価値(=目的)の選択を前提にしているからだ。言い換えれば、選択肢の実現は、それが「何のために」なされているのかということを、つまりそれが指向している価値(=目的)の選択を前提にしているのだ。価値=目的の設定は、それに下属する状態(目標)と選択肢の集合を開示=選択することを含意している。選択は、この選択肢の集合の中からの選択として完結することになる。

目的(価値)の水準と目標の水準との区別は、相対的なものである。いずれにせよ、近代以前の段階においては、最終的な目的＝価値は、個々の具体的な選択、具体的な経験の可能性の条件として、つまり超越論的な前提として、主体にあらかじめ与えられている。つまり、選択性の二重の水準がまるごとすべて、主体に委ねられることはなかったのだ。

しかし、今、論理的に導出してきた機制は、個人が、選択性の二重の水準をあますことなく、自らの内に組み込むことになる可能性を示唆している。つまり、選択の内在的・経験的な水準（目標の選択）と、その前提となる超越論的水準（価値の選択）の二つのレベルが、ともに、個人に帰属するものとして認定されるようになったとしたらどうか。それこそ、〈主体〉を定義する要件であろう。〈主体〉の産出の鍵となっているのは、第三者の審級が完全に個人の〈内面〉に収容され、その個人を構成する契機として定位されたことにある。選択の超越論的水準を最終的に規定するのは、第三者の審級に帰属しているものとして認知されている選択の作用だからである。[*11]

もしここに描いてきた論理が成り立つならば、つまり〈主体〉の産出へと至るここに見てきたような論理が妥当だとすれば、これこそ、歴史の逆説と言うべきものであろう。〈主体〉は、そのまったき反対物から生まれた、ということになるからだ。すなわち、〈主体〉は、（所与の範囲に対して）普遍的な効力を発揮する権力への徹底的な従属を媒介にして産出されたということになるからだ。ここでもう一度、砂漠の聖者カシアヌスと、一七世紀の北米のピューリタンとの比較を思い出してもよかろう。神との対比における人間の能動性の否定という点で、後者の方がはるかに徹底していた。しかし、〈主体〉は、そのような能動性の徹底した抑圧を媒介にしてこそ生まれてきたと考えられるのだ。[*12]

それにしても、今述べてきたのは、論理の順序である。それゆえ、歴史的な事実を通じて、その妥当性を検証することはできない。マルクスの価値形態論の妥当性を、歴史的な事実によって確証できないのと同じである。それでは、どうしたらよいのか。述べてきたような論理が作動していたということの裏付けを、どうやって得たらよいのか。解釈、テクストの解釈がその手がかりを与えてくれる。

格好の素材はカントである。カントの批判哲学は、ここで述べてきた〈主体〉のあり方のほとんど理想的な表現になっている。とりわけ『実践理性批判』が明白だ。このテクストは、「汝の意志の格律」から普遍的な道徳法則を導くことを目的としている。その際、カントは、その「意志」以外のいかなる外的な根拠にも頼らない。純粋に自由な〈主体〉だけを根拠にして、道徳法則を導くことができるのか。これがカントの挑戦である。

4　サドとともにあるカント

もっとも、カントだけでは不十分だ。カントにおいて隠れている部分を照らしだす何かが必要だ。ここで、ジャック・ラカンが論じていたことがヒントを与えてくれる。ラカンによれば、カントとマルキ・ド・サドとは双対的な関係にある。つまり、カントとサドは表裏一体の関係にあるというのだ。ラカンから見ると、カントはサドであり、サドはカントである。サドは、カントにおいては見えないカントの真実を映し出し、カントもまた逆に、サドの真実を暴いている。常識の観点からすれば、カントとサドほどかけ離れているものはない。二人は確かに、ほぼ同時代人だ。サドの方が若いが、フランス革命を含んだヨーロッパの同じ時代を共有している。しかし、両者の言動、両者の哲学は、まったくの対極にあるように見える。カントが道徳の王様だとすれば、サドは逆に、放蕩の王様だ。両者をペアにするなど、ほとんど冗談としか思えない。だが、ラカンの観点からは、カントとサドは、歴史上稀に見るほど理想的な双子である。実際、ラカンの示唆に従い、サドを媒介にしてカントを見直すと、われわれは、ここで論じてきた論理を支持する傍証を得ることができるのだ。ラカンは、その生涯の中で、二回、カントとサドの組について論じている。最初は、『精神分析の倫理』についてのセミナー（一九五九―六〇年）の中で、[*13] 次は、『エクリ』に収録した論文（一九六三年）の中で。[*14] これらから必要な論点を引き出してみよう。

ラカンの論に入る前に、次の点に気づくべきだろう。典型的なサド的な形象は、激しい拷問のような仕打ちに耐える若く美しい女性であろう。ところで、奇妙なのは、どんなに激しく鞭打たれ、責め苛まれても、その若き女性の身体は、無傷のまま美しさを保ち続けていることだ。これは、ありえないフィクション、勝手な幻想だと片付けたくなるが、カントの方に目を転ずるともっと非現実的なことが書かれている。カントによれば、魂の不死は、実践理性にとってどうしても必要な要請のひとつであり、超越論的仮象として容認されなくてはならない。つまり魂の不死は、道徳法則が機能するためには外せない前提であって、いくら非現実的であっても排除するわけにはいかない。サドの小説のヒロインの不滅の身体は、カントの不滅の魂に対応しているのではないだろうか。つまり、この無傷の身体は、超越論的仮象ではないか。こう見ると、サドとカントをつなぐ線が少しずつ見えてくるのではないか。

さらに――ジジェクが述べていることだが――両者をつなぐ項として、フーコーの権力論が論ずる「身体」を入れてみよう。[*15] われわれは前章の後半よりずっとフーコーの権力論を背景に置きながら考察を進めてきたわけだが、フーコーの「身体」は、純粋に生物学的な意味での身体ではない。そこで〈主体〉なるものが発生する、魂の装置でもある。要するに、それは、身体でもあり、魂でもある。フーコーの「身体」は、不死の魂と無傷の身体とを媒介する二面性をもっているのだ。

＊

カントによれば、「最高善」を導く上で最も基本的な操作は、排出である。何を排出するのか。経験的偶然性を特徴とするさまざまな対象を、である。そうした対象を善の位置に置いたとする。そのとき、われわれは、対象が与える感覚的な快楽に従って、行動することになるだろう。それでは、人は、その普遍的な妥当性のゆえに自らコミットした道徳法則に従ったことにはならない。意志は動物的な快楽に妥協し、真の能動的な自由を発揮してはいないからだ。道徳法則に普遍性を与えるためには、最高善を純粋形式にまで還元しなくてはならない。

サドが、たとえば『ジュリエット物語、あるいは悪徳の栄え』（一七九七年）で表明している、独特の幻想は、カントの以上の操作と正確にパラレルである。サドによれば、自然は生成と腐敗の永遠の循環運動の中にある。自然の中に捉えられていれば、人は他の自然物と同様にこの循環運動の奴隷である。だから、ここで必要なことは、この循環運動そのものを破壊してしまうような絶対の犯罪、つまり循環の中に含まれている（次なる生成の準備になる）崩壊を上回る絶対的な破壊である。これがサドを突き動かしている執念である。少女たちへの拷問は、こうした絶対の犯罪に含まれる。自然の惰性から逃れるための破壊的犯罪というこのアイデアは、最高善を導くためのカントの徹底的な排出——経験的な対象の絶対的な還元という操作——とまったく同じだと言ってよいのではないか。カントが、最高善を導くためになそうとしたことと、サドが、最高の犯罪のためになすべきだとしたこととは、正反対の出口に向かってはいるが、実は同じことである。このように見れば、カントとサドとは表裏一体の関係にあるというラカンの主張は、決して強引なこじつけではないことがわかってくる。

こうしたことを確認した上で、われわれは、カントに向けて一つの問いを発してみたい。ラカンに促されるようなかたちで、カントに問いを提出してみたいのだ。それは、カント自身の中から決して出てこない疑問だ。道徳法則は誰が発しているのか？　誰が道徳法則を告げているのか？　絶対無条件の倫理的命令、つまり定言命法を発話しているエージェントは誰なのか？　この疑問は、カントの観点からはナンセンスであろう。普遍的な道徳法則は、抽象的で非人称的なものなのだから、それは、誰から来るわけでもない。それは、どこでもない場所に由来している、と見なさざるをえない。言い換えれば、カントの文脈では、道徳法則は、主体自身が自律的に措定している、ということになる。

この疑問は、しかし、サドの方に移し替えたときに有意味なものになる。カントに差し向けた疑問に、サドに答えてもらうのだ。その際、カントとサドの両方に、一つの同じ、アプリオリな感情が存在していることに、ラカンは注目している。アプリオリな感情とは、「苦痛」である。カントの文脈では、主体は道徳法則と直面するとき、このアプリオリな感情を体験する。このとき、人間は、自分には生まれつきの悪への性向——カントはこれを「根源悪」と呼んだ——があって、道徳法則に違反する格律（行動の方針）を採用しがちであることに気づき、自尊心を傷つけられ苦痛を感じるのだ。

サドにおいては、もちろん、苦痛の観念が中心的な役割を果たしている。拷問にかけられ、屈辱にさらされる犠牲者の苦痛がそれである。この「苦痛」の感情がカントとサドをつないでいる。ここで、もう一度、問おう。道徳法則は誰が発しているのか？　それは誰の命令なのか？　サドが答えをもっている。道徳法則が提起されたとき（カント）、あるいは拷問を執行されたとき（サド）、苦痛の感情が発生するのは、その「苦痛」の中に快楽を見出している者がいるからだ。それこそ、道徳法則を発している者だ。言うまでもない。サディスト、拷問の執行者である。

ここから何がわかるのか。カントをサドと並べた上で、サドを鏡にして見たときに何が抽出されているのか。カントの道徳法則は、サディストとその犠牲者の間に作用しているような権力関係を前提にして機能しているということ、これである。この権力関係こそ、本章でわれわれが論じてきたこと、つまりカントの哲学において典型的に表現されているような〈近代的主体〉の構成条件であろう。

ところで、サドという作家には別の戦略的な価値がある。フーコーもまた『言葉と物』の中でサドに特別な位置を与えていた。古典主義時代のエピステーメーが終わり近代のエピステーメーへの移行が始まっていたということ、それを告げるのがサドだからである。

1　ミシェル・フーコーほか『自己のテクノロジー——フーコー・セミナーの記録』田村俶・雲和子訳、岩波書店、一九九〇年（原著一九八八年）、一〇七頁。
2　前章の注9に記した『クオーレ』の例をここで再び思い起こしてほしい。
3　マックス・ヴェーバー『プロテスタンティズムの倫理と資本主義の精神』大塚久雄訳、岩波文庫、一九八九年。
4　ミシェル・フーコー、北山晴一、山本哲士『フーコーの〈全体的なものと個的なもの〉』北山晴一訳、三交社、一九九三年（原著一九八一年）。
5　たとえば、ソロンが抗争を解決してしまえば、彼が去った後でも、都市の統一性は残る。
6　この書は、一七六四年から一七七〇年にかけて書かれたとされている。ただし、出版されたのは、ルソーが一七七八年に死んだ後である（一七八一年、一七八八年）。
7　この点に着眼してルソーを読み解いたのが、ジャン・スタロバンスキーである。『透明と障害——ルソーの世界』山路昭訳、みすず書房、一九七三年（原著一九五七年）。作田啓一がスタロバンスキーの読みを発展的に継承している（『ルソー　市民と個人』人文書院、一九八〇年）。
8　ヴィトゲンシュタイン『論理哲学論考』命題5.631。
9　ピューリタンが毎日書き続けていた日記は、しかし、まさにこの『私が見出した世界』ではあるまいか。
10　以下の等式は、亘明志の議論を参考にして作った。亘明志「M．フーコーの権力分析と社会学的課題」『社会学評論』三一巻一号、一九八〇年。
11　第12章で、古代・中世の哲学には意志の概念が欠けており、固有の意味での「意志」は近代において見出されたとするハンナ・アーレントの議論を紹介した。アーレントがそのように認定したのは、古代・中世の擬似的な意志概念は、選択性の二重の水準のうち、内在的・経験的な水準だけで定義されていたからである。〈主体〉の本質的な要件となる真の意志は、選択性の二つの水準をともに含んでいなくてはならない、とアーレントは考えたのだ。

12　佐藤俊樹も、プロテスタントの禁欲を支持していた機制から、個人の身体の深奥に「内面」や「自由意志（＝〈主体性〉）」がもたらされたと論じている（『近代・組織・資本主義』ミネルヴァ書房、一九九三年、九七―九八頁）。佐藤によれば、「監視される自己／監視する自己」という二重性自体はそれほどめずらしいことではないが、プロテスタントの特徴は、この二重性が無限に重層化し、連鎖していくことにある。この無限に積み重なる二重性は、われわれが本文で論じた、無限に反復される告白と同じものである。佐藤の洞察は鋭利で説得的だが、個人が〈主体〉へと転換されるまでの筋をすべて説明するにはまだ一歩が足りない。佐藤の議論に対する私の考えについては、以下の拙著を参照されたい（『性愛と資本主義』青土社、一九九六年、二三一―二三二頁）。

13　Jacques Lacan, *Le Séminaire, Livre VII: L' éthique de la psychanalyse*, Paris: Seuil, 1986, chap.VI.

14　J. Lacan, "Kant avec Sade," *Écrits*, Paris: Seuil, 1966.

15　Slavoj Žižek, "Kant and Sade: The Ideal Couple," *Lacanian Ink* 13, 1998.

第18章　最初の小説

1　類似、表象、そして人間

近代において小説なる文学のスタイルが生まれ、確立された。なぜなのか。どうして、小説という文学様式が、近代に誕生したのか。このように問いを立てた（第15章）。こうした問いを掲げた探究の中で、前章でわれわれは、ピューリタンたちの間で流行した自叙伝のような日記、広い意味での告白に着眼した。どうして、彼らは、日記を付けるというかたちで絶えず「告白」したのか。その理由を一般化することを通じて、われわれは、〈近代的主体〉を生成する機制を抽出したのであった。

小説がどうして生まれたのか、という問いに対しては、ここまでの議論を通じて、第一次近似的な回答（荒削りの回答）は与えられていると見なすことができる。というのも、自叙伝風の日記の「私」の部分が、虚構の人物に置き換えられれば、それはもうほとんど「小説」だからだ。とはいえ、このような説明は、まだ肝心な細部を欠いている。どうして、形式的なリアリズムに準拠した虚構を創作しなくてはならなかったのか。小説を読む快楽はどこから来るのか。なぜ、書かずに――あるいは読まずに――いられなかったのか。

ここでまずは、小説にこだわらずより広い主題の領域の中で、すなわち時代ごとの言説の構成という観点から問いにアプローチしておこう。学的な認識は、言うまでもなく、言説の体系的な集合という形態をとる。その学的な認識の枠組みは、時代ごとに、分野を横断するかたちで中核的な要素をもつ。それゆえ、同一の時代に共存する学問の諸分野は、同じ中核的な要素を原点においた同一の認識論的な場を共有しており、それゆえ、内容は異なっていても、同じ形式的な構造をもつ。この認識論的な場を「エピステーメー」と名付け、今述べたような知の転換の歴史がヨーロッパにあったことを証明してみせたのが、ミシェル・フーコーの『言葉と物』である。[*1] あらためて確認しておけば、エピステーメーとは、直接の知覚や感覚のコードと学問的な反省との中間にある文化的なコードのことであって、われわれの認識、われわれの物の見方は無意識のうちにこれに規定されている。

よく知られているように、フーコーによれば、(ルネサンスを含む)中世のエピステーメーの中核にある要素は「類似」であり、近世(古典主義時代)にはそれが「表象」に代わり、そして近代のエピステーメーの中核には「人間(に対応する諸要素)」がある。われわれは『近世篇』でも、フーコーのこの説を参照し、その含意を検討した。ベラスケスの「ラス・メニーナス」が潜在的に表現しているように、「表象」のエピステーメーは、政治的には「王の二つの身体」と対応している。

＊

ここで、エピステーメーの中核的要素の転換、つまり「類似→表象→人間」という転換は、偶発的な順序ではないということに気づかなくてはならない。この移行には、内在的な論理があるのだ。まず、記号や言語がそれ自体、「物の秩序」の、つまり現実の一部である場合を考えてみよう。記号がある物を含意したり、物と関係づけられるのは、記号と物との間に連想関係を生じさせるような「類似」があるときに限られるはずだ。たとえば、縄を「蛇」として読み取ることができるのは、両者の形状が類似しているからである。このエピステーメーに基づけば、"Serpent"という語は、文字の形状や単語の発音に関して、現実の「蛇」を連想させる類似があるのだ。

ここで、記号の秩序が物の秩序（現実）の外部に切り離されたらどうなるだろうか。記号と物とが対応しなくてはならないが、その対応はもはや「類似」によって保証される必要はない。記号の秩序と物の秩序が、それぞれ体系として同型的な構造をもっていれば、両者の間に写像的な対応が成り立つ。ひとつずつの記号と物とが似ていなくてもよい。ただし、記号の全体と物の全体とが、同じ形式の「同一性と差異性の秩序」をもたなくてはならない。二つの秩序の間の写像的な対応こそが、「表象」である。たとえば地図は典型的な表象である。地図の中の山は現実の山とは似てはいないが、地図は現実の地形を知る指針として役に立つ。

フーコーは、「表象」の時代の知として、博物学（生物学の前史）、富の分析（経済学の前史）、一般文法（言語学の前史）に特に注目した。「表象」のエピステーメーの中で、博物学は、自然の連続性と断絶を規定する「特徴」についての学となり、富の分析は、「交換価値」の学となり、そして一般文法は、事物の分類に対応した「名詞」の体系に関心を寄せた。

記号の秩序が現実の中に組み込まれているときには「類似」が、そして記号の秩序が現実から分離しているときには「表象」が、それぞれエピステーメーの中核を占める。この次に何がやってくるべきか。今、「表象」を機能させるためには、記号の秩序は、物の秩序の外部になくてはならない、と述べた。とはいえしかし、他方で、記号の秩序もまた本来は、物の秩序の一部、すなわち現実の生活世界の中に組み込まれているということも自明のことであろう。そうであるとすれば、次のように考えなくてはならない。物の秩序の一部であるような何らかの契機が、物の秩序の中から記号の秩序を引き剝がし、両者の間に――「表象」の関係が可能になるような――距離を作っているのだ、と。この記号の秩序の引き剝がしの働きを担うとされる特権的な契機、それこそが、近代のエピステーメーの中心にある「人間」である。人間の定義的な条件は、フーコーのコンテクストでは、欲望の担い手であること、欲望をそこに帰することができる存在者であることだ。欲望こそが、記号と物との距離を構成しつつ、両者を対応させているからだ。

　学問の分野ごとに、「人間」に対応する要素が何であるかを見ておこう。経済学においては、それは「労働」だ。労働とは、生を磨耗する営みである。人を疲労させる労働は、究極的には死によって支配されている。それゆえ、労働を規定しているのは、時間だ。このように、経済学においては、学の全体を規定する原点が、交換価値のような表象に関連した要素から、労働という時間性・歴史性を含意する要素へと転換する。同じような転換が、生物学でも確認することができる。近世の博物学において最も重要な概念は、「組織」である。組織を構成するエレメントの特徴によって、植物や動物が分類されるからだ。近代的な生物学は、組織に加えて、あるいは組織に代えて、組織の構成素である表面的な器官の機能を保証するポテンシャルを重視する。それこそ「生命」である。近代の生物学が初めて、生命という概念を実質的なものとして導入したというのが、フーコーの認定である。生命という概念を得るということは、生物に、生から死への歴史性を導入することを含意している。

近代的な言語学、すなわち文献学においてはどうであろうか。近世（古典主義時代）のポール＝ロワイヤル文法において最も重要だったのは、一般名についての理論である。一般名の集合が、それぞれの言語がどれだけ精密で的確に外界を表象しているかを示すと考えられていたからである。しかし、一八世紀末より、語の「屈折」（語尾の変化）に着目する視点が現れた。語の屈折それ自体は、以前からよく知られていたことだが、特にこの時期に関心をもたれ研究されたのは、名詞・形容詞の語尾の変化（曲用）ではなく、動詞の語幹と語尾の変化（活用）である。この焦点の移動は、エピステーメーの中心の転換に対応している。今や表象ではなく、発話する者の欲望や意志に関心が向けられているのだ。動詞において人は自分の欲望や意志を分節するからである。動詞が他の品詞と特に異なっているのは、絶えざる変化である。動詞への関心は、必然的に、言語の歴史分析につながる。これが文献学である。

経済学における労働、生物学における生命（生と死）、言語における動詞（欲望と意志）は、「人間」の概念の変奏である。人間は、生から死への歴史性の中にある存在者であり、欲望の働く場である。エピステーメーの中核要素として、「類似」と「表象」のあとに、「人間」が現れることには、述べてきたように、必然性がある。それは、物の秩序の中から記号の秩序を差し引いた上で、両者を結びつける蝶番のような役割を果たしているのである。このとき、人間には二律背反的な意味が宿る。一方で、人間は、他の事物と同じ有限性によって特徴づけられる。経験的な有限性——時間的・空間的な限定性——は、人間の要件である。しかし、他方で、人間は、経験可能な事物を構成する言語と記号の超越論的な働きを用意する能力をもっているとされる。それゆえ、次のように言ってもよいだろう。近代のエピステーメーは、記号の秩序と物の秩序の間の表象の関係を成り立たせる機制を解いたわけではない。その機制のもつ神秘を、すべて「人間」の系列に属する概念に押し付け、担わせたのだ。

2　クッションの綴じ目としての固有名

フーコーの『言葉と物』のエッセンスを大急ぎで概観したのは、われわれの探究に見通しを与えるためである。今見てきたように、近代のエピステーメーは、意味するもの《シニフィアン》（記号の秩序）と意味されるもの《シニフィエ》（物の秩序）を分離し、かつ関係づける契機を理論的に確定しようとしていた。ここで、われわれの問いの直接の焦点である「小説」をも、このような文脈の中に位置づける次のような仮説を提起してみたい。すなわち、小説という言説もまた、いやとりわけ小説こそは、この二系列の分離と結合の役割を果たす契機をその内に組み込むことで成り立っているのではないか、と。

ここで言わんとしていることは、次のような趣旨である。小説それ自体は、記号によって成り立つ虚構として、ひとつの自律的な世界を構成している。小説は、「形式的リアリズム」（第16章）を特徴としており、それが前提にしている虚構の世界はときに現実の世界とそのまま地続きに感じられることもある。いずれにせよ、この小説の形式的リアリズムは、小説の中に、「記号の秩序」と「物の秩序」とを分離し、かつ接続するあの蝶番の役割を——つまり学知のエピステーメーにおいて「人間」が果たしていたのと同じ機能をもつ要素を——組み込んだときに、成立するのではないか。これが、提起しておきたい仮説の骨子である。

この仮説を補強するために、「小説の機能」と題された武田将明の一連の評論の助けを借りよう。[*2]この評論は、一八世紀のイギリス小説を題材にして、小説なるものの起源を想起しようとする試みである。忘れられた起源——いや、そもそも記憶されさえしなかった起源を想起すること、これが武田の評論のねらいである。

この評論の着眼点は、「名前」、主人公を指し示す固有名にある。武田によれば、主人公の固有名が実質をもった名前として機能している最初の作品は、リチャードソンの『パミラ』である。一七四〇年に世に出たこの作品には、最も初期の現代的な意味でのベストセラーとして一度言及したことがある（第16章第2節）。小説のタイトルにもなっている「パミラ」は、主人公のメイドを指し示す名前であり、この名前が、作品の中で、縦横無尽に、そして一貫性をもって活用されている。『パミラ』以前に、「ロビンソン・クルーソー」だって、「ガリヴァー」だって、主人公の名前が機能しているではないか、という反論があるだろう。しかし、すぐ後に述べるように、「ロビンソン・クルーソー」や「レミュエル・ガリヴァー」は実はうまく働いておらず、固有名としては失効している。ともあれ、この節ではまずは、『パミラ』が、主人公が自分の名前の所有権を行使するのに成功した最初の作品であり、それゆえ、十全に完成した最初の（イギリスの）小説だということだけを、武田に従って確認しておこう。小説は、主人公の固有名をまさに固有名として定着させえたときに成立したのだ。

ここで、われわれは、ジル・ドゥルーズが『意味の論理学』で提起している理論を活用しよ

[*3]う。ドゥルーズによれば、二つのセリー、つまり意味するもの《シニフィアン》のセリー（記号の秩序）と意味されるもの《シニフィエ》のセリー（物の秩序）が区別され、かつ両者の間の対応が首尾よく機能するためには、二つのセリーが二重に登録される逆説的な実体を含んでいなくてはならない。つまり、「過剰」であり「欠如」でもあるような実体が登録されなくてはならない。一方で、シニフィアンはシニフィエに対して過剰である。つまりシニフィエをもたない空虚なシニフィアンがある。他方で、シニフィエの欠如がある。すなわち意味の領域の中の無意味なポイントがある。ドゥルーズの説明では、シニフィアンがシニフィエに対して論理的に先行している。それゆえ事態はこう記述される。シニフィアンという形式が、空いた座席のようにまずあって、続いて、シニフィエに対応するエレメントたちが、その座席を埋めるべくやってくる、と。過剰でありかつ欠如でもあるような逆説的な実体があるということは、シニフィエのセリーとシニフィアンのセリーがいつまでたっても、過不足なく重なり合うことはない、ということを含意している。

ドゥルーズの理論をもう少し解説しておこう。解くべき論理的な課題は、シニフィアンのセリーとシニフィエのセリーの間にギャップがありながら、いかにしてシニフィアンとシニフィエの間の（正しい）対応が維持されているのか、ということである。対応を保証する外的なファクター——中世のエピステーメーにおける「類似」にあたるもの——はどこにもない。そうだとすると、二つのセリーの対応はどのようにして確保されるのだろうか。次のような比喩で考えてみると、問題の所在がよくわかる。クッションを作ると考えてみよう。綿のような塊を革で覆うのだ。綿の塊がシニフィアンのセリー、革をシニフィエのセリーだと思うとよい。単に、革の袋の中に綿を詰めただけでは、革袋の中の綿の塊は動いてしまう。ということは、革（シニフィエのセリー）と綿の塊（シニフィアンのセリー）とが全体として接触（対応）してはいるが、革のどの部分（どのシニフィエ）と綿の塊のどの部分（どのシニフィアン）とが対応するのかが固定していない、ということになる。これでは記号は働かない。

どうすればよいのか。クッションに綴じ目を入れればよい。綴じ目は（最低で）一ヵ所あれば十分である。一ヵ所（以上）に綴じ目を入れて、表面の革の特定部位と中身の綿の特定部位との対応を固定してしまえば、もはや革袋の中で綿の塊が動くこともなくなり、すべての箇所の対応が固定される。クッションの比喩は、ジャック・ラカンが導入したものだ。[*4] つまり、すべてのシニフィアンとすべてのシニフィエとの間の対応が決定される。ドゥルーズは、ラカンと同じ課題を解こうとしている。

ドゥルーズが不可欠だとした逆説的な実体、つまり過剰＝欠如となる実体こそは、クッションの綴じ目である。過剰と欠如が二重に登録されるというとき、二つの異なる実体がある、と考えてはならない。過剰と欠如は同じ実体の二つの側面である。同じ実体が、一方のセリーの側から見ると過剰として現れ、別のセリーの側からは欠如として現れているのである。次のように考えるとよい。外部に対応すべきシニフィエをもたないシニフィアンがある（過剰）。ということは、この「シニフィエなきシニフィアン」は、――自らシニフィアンのセリーの中の一項でありながら同時に――直接にシニフィエのセリーの中に嵌入している、ということでもある。シニフィエのセリーに入り込んでいるこの要素を、今度は、シニフィエのセリーの中で見るならば、意味を欠いたポイントに見える（それが収まるべきシニフィアンの座がどこにもないのだから）。それゆえ、過剰＝欠如である逆説的な実体のところで、二つのセリーは直接に合致しているのである。この合致している項――シニフィアンの系からは過剰として、シニフィエの系からは欠如として現れるその項――がクッションの綴じ目として働くことになる。

小説という主題に戻ろう。武田将明に従って、『パミラ』において初めて主人公は、真に固有名を獲得することに成功した、と述べておいた。固有名こそ、純粋な「シニフィエなきシニフィアン」、つまり過剰なシニフィアンであろう。パミラという固有名には、厳密には、意味（シニフィエ）がない。固有名は確定記述（対象を一義的に特定できる対象の性質についての記述の束）に置き換えることができない、という分析哲学者の主張の含意は、まさにこれである。[*5]「パミラ」をあえて定義しようとすれば、「パミラと呼ばれている個体」というトートロジーに頼るほかない。このことは逆に言えば、「パミラ」によって指示されている人物は、無意味なポイント、どのような意味をも受け付ける無意味なポイントとして、物語の冒頭において提示されている、ということでもある。「名前（固有名）」を実効性のあるものとして導入することに成功したということは、文学作品が、ドゥルーズが着目したあの逆説的な要素の作用を確保したことを含意する。小説は、このときまさに小説として成立した。

3　最初の完成した小説

したがって、「表象」を核に置いた近世のエピステーメーから、「人間」を核に置いた近代のエピステーメーへの転換は、小説の登場と連動した現象だったのではないか。ここまでの考察から、こう推測することができよう。

とはいえ、このように歴史的な事象の間に対応関係を付けただけでは、小説なるものを生み出し普及させた内的な衝動が何であったか、それがどこから来るのかは説明できない。こうした疑問に答えるためには、どうしても、初期の小説の内容にまで立ち入って考察する必要がある。そして、この論脈においてこそ、ここまで断片的に、主としてシンプルな事実の確認に際してのみ言及してきた、武田将明の評論「小説の機能」が役に立つ。先に述べたように、これは、名前(固有名)の機能に着眼して、小説の抑圧され、排除された起源を想起・発掘しようとした試みである。武田の論考からわれわれの主題にとって有意味な部分を抽出しながら、探究を前に進めてみよう。

『パミラ』こそが、固有名の機能を真に確立し、そのことによって小説として完成した最初の作品だ、と述べた。このことの内実を、もう少し具体的に見ておこう。[*6]『パミラ』の筋は、今日の観点から見ると、たいしたおもしろみのない凡庸なものに見える。主人公のパミラは、十五歳のきれいな——おそらくかなりコケティッシュな——少女で、貴族の家のメイドである。彼女が、その家の主人ミスターBから、今日であればまちがいなく「セクシャルハラスメント」と非難されるような仕方で、激しく誘惑される。パミラは、これを拒み続け、何度かミスターBに犯されそうにはなるが、結局、貞操を守り抜く。では、パミラは、主人のミスターBを嫌っているのかと言うと、必ずしもそうではない。結局、パミラは、ミスターBを受け入れ、彼と結婚することになる。ただし、この転換が生ずるための前提として、ミスターBの改心がある。いずれにせよ、メイドだったパミラは、最後に貴族の夫人となり、周囲にも受け入れられ、幸福な生活が保証されたところで終わる。主人公のパミラは、自らの階級を大きく上昇させたことになる。武田は、「萌えとツンデレとサスペンスを融合させた物語」と要約している。

このどこがすごいのかと思いたくなるだろうが、ともかく、『パミラ』は、刊行されるとすぐに多数の熱狂的な読者をもち、ベストセラーとなった。それだけではない。当時のヨーロッパの一流の知識人の多くが、『パミラ』を激賞し、作者リチャードソンの崇拝者となった。フランスのドニ・ディドロもそのような崇拝者の一人である。彼は、リチャードソンに会ったことはなかったが、リチャードソンが死んだ翌年（一七六二年）に、「リチャードソン頌」という情熱的な文章を書いているという。その中で、ディドロは、「どんなときでも、ぼくはきみを読みつづけるだろう」と書き、リチャードソンを、モーセやホメロスやエウリピデスやソフォクレスと並べている。*7

＊

『パミラ』は書簡体の小説である。小説の中心は、パミラが両親に宛てた手紙という形式をとっている。したがって読者は、パミラの手紙を盗み読んでいることになる。別の言い方をすれば、読者は両親の立場に立たされている、ということでもある。ここで思い起こしておこう。ピューリタンたちの日記を、である。日記は、神に向けて書かれている。彼らの日記は、神に宛てた書簡だとも言える。『パミラ』の場合、この神の位置に、両親がいて、そして読者がいる。ピューリタンは神を思い、神へと向けて日記を書き、パミラは父か母かを思い、両親に向けて手紙を書いた。そして、実際に神と同じ役割を果たすのは、読者である。読者の読む行為は、武田が述べているように、窃視にあたる。ところで、神はピューリタンの日記を窃視＝監視していた。読者がやっていることはこれと同じである。
　パミラの手紙には何が書かれるのか。最も重要な話題は、主人であるミスターBのパミラへの破廉恥行為、パミラを何としてでも我が物にしようとするミスターBの欲望を帯びた数々の所業である。パミラは、これをまことに饒舌に詳しく報告する。部屋で服を脱いでいるとき、クローゼットに異変を感じ、誰かがそこに潜んでいて覗いているのではないかと思ってクローゼットの中を見てみると、果たして予想通り、「ご主人様」(ミスターB)がいた、というパミラの手紙を引用した後、武田は、次のように述べる。[*8] 読者はクローゼットに身を潜める主人の視点で事態を覗き見ているのだ、と。読者は、ミスターBという媒介を通じて、パミラへの欲望を自覚させられる、と。パミラ自身、自分が(ミスターBに)覗かれる者であるということを意識している。あるときパミラは、強引にキスし、胸に手を入れてきたミスターBの魔の手を振りほどいて、隣の部屋に逃げ込み、大急ぎで内側から扉の鍵をかけた。追いかけてきたミスターBが引き裂いたパミラのガウンの切れ端が、扉の外に垂れ下がったままである。

　　部屋に逃げこんだまでは覚えているのですが、その先のことは後になって知りました。あまりにも怖くて怯えていたので気絶してしまったのです。手足を伸ばしたまま床に伏しているわたしの姿を、あの人は鍵穴からのぞいていたみたい。[*9]

　鍵穴からパミラを窃視するミスターB。これは、この小説の読者の隠喩である。読者は、ミスターBに同一化してこの小説を読むような仕掛けになっているのだ。主人が「ミスターB」という匿名的な名前、変数のような名前になっているのはこのためである。ここに、任意の読者の視点を代入することができる。したがって、小説の外部にある読者の視点を転轍機にして、ミスターBと両親とがつながる。両者は、パミラを――その内容においては異なってはいるが――強い関心をもって見つめている。読者は、場面ごとに、そのどちらかの関心を身に帯びて、小説を読むことになる。

この小説の中で、「ミスターB」という変数化された偽の名前と「パミラ」という真正の固有名とが対照させられていることは明らかだろう。「パミラ」は、一八世紀中盤の当時としてはかなりの珍名である。[*10] つまり、その個人の特異性・単独性を強調する名前である。武田が引いている、ジリアン・ビアーの研究によると、「パミラ」は、一六世紀後半のイングランドの詩人フィリップ・シドニーの散文ロマンス『アーケディア』に出てくる王女の名前から取られている。「パミラ」は、ロマンスのヒロインを連想させる名前として人工的に作られたものである。固有名であることを否定した名前「ミスターB」と逆に固有名性を誇張した名前「パミラ」。この両極の間に、他の登場人物たちの名前がある。他の人物は、ミスターBとは違って、普通に固有名をもつのだが、いずれも、レイチェルとかアーサーとか、ごく平凡な名前、固有性を剝奪された名前だからだ。

この小説において目立つのは、「パミラ」という固有名の使用頻度の異常な高さである。武田によると、この呼称は、小説の全体でおよそ五百五十回も登場する。パミラ自身も、「私はパミラ」ということをことあるごとに強調し、繰り返している。「お父さんのかわいそうなパミラ」（手紙で）、「みなさんの愛をありがたく思う、このパミラ」（屋敷を去ろうとしたときに他の使用人たちに残した「詩」の中で)、等々と。

　がしかし、奇妙なことに気づく。「パミラ」という特異性を際立たせる名を連呼しているのに、その「パミラである私」は何者なのか、どのような個性をもった人物なのか、ということになると、パミラはほとんど自己主張しない。「私はパミラである」という無意味なトートロジーを超えた、アイデンティティの積極的な提示がないのだ。これでは、主人公にパミラという凝った名前を与えたことの意味がなくなってしまうようにすら思える。

＊

　パミラ(である私)は何者なのか、という同一措定に関して、パミラは、全面的に他者の判断に委ねている。その「他者」とは、他の使用人を含む周囲のすべての人々だが、中でも最も重要なのは、言うまでもなく、ミスターBである。すべての個人は対他存在なのだから、自分が何者かということについて他者の視点を媒介にするのは当たり前だと思うかもしれないが、パミラのケースはそのような一般論には還元できない。というのも、自身のアイデンティティの規定に関して、他者の判断に委ねているくせに、パミラは、その「他者にとってのパミラ」を積極的に受け入れているようには見えないからだ。せいぜいごく消極的に受け入れるか、ときには積極的に拒否している。

　この点が最もはっきりと現れているのは、パミラとミスターBとの関係においてである。パミラが自己主張しないということは、彼女が何を欲望しているのか、自ら示さないということでもある。武田が強調しているように、パミラは、他者たちの欲望の受動的な対象であることに徹している。だから、パミラは誰からも愛され、欲望される。とりわけ、彼女は、ミスターBの欲望の対象だ。しかし、繰り返し述べてきたように、パミラは、ミスターBの誘惑を断固として拒否する。ということは、パミラは、「ミスターBの欲望の対象である私」を受け入れない、ということである。

それゆえ、パミラは何者であるとも同定することができるが、同時に、どのような同定も不十分であるとパミラ自身が自ら拒否していることにもなる。武田が提示している、同じ一七四一年に描かれたという二枚のパミラの肖像画がまことに印象的である。一方は、誘惑者（ミスターB）の手を慎ましく拒否する少女としてパミラを描き、他方は、白い胸と太ももを露わにベッドから出てくる妖艶な女としてパミラを描く。パミラはこれらのどちらでもありえるが、しかし、同時にそのどちらにも完全には適合しない。

パミラの最小限の規定は、メイドであることだが、どうもそれすらも、彼女にはしっくりいかないらしい。パミラは、メイドとしてミスターBの屋敷にいながら、自分には居場所がない、という感覚をもっている。この小説のストーリーは、ミスターBの母にあたる女主人の死から始まる。パミラはどうやら、この夫人にえこひいき的に愛されていたらしく、夫人が生きている間は、普通のメイドがやるような家事をほとんど免除されていた。その代わり、パミラは、飾り縫いとかお絵描きを習ったり、夫人の趣味である歌や踊りにつきあったりすればよかったのだ。要するに、彼女は、メイドでありながら、半分は、貴族の娘がやるようなことをしていたのだ。そのため、女主人が亡くなり、新しい主人（ミスターB）が当主となったとき、パミラには、メイドとしてやるべきこと、こなすことのできる仕事がない。こうして、パミラは、「私はメイドである」という自己規定に関してすら、それはちょっと違う、という感覚をもっているのだ。

＊

これだけでは、ストーリーは展開しないし、そもそも、パミラという凝った固有名を導入したことの意義も消えてしまう。結局、「パミラ（である私）とは何者か」に回答がなくなってしまうからだ。しかし、この小説は、終わりの方で、急転直下の転回があって、パミラは自分のアイデンティティを認識し、自分の居場所を発見する。どのようにして、か？　ミスターBの愛を受け入れることによって、である。パミラは、ミスターBの視点から見て自分が何であるかを認識し、そこに真実の「私」があると納得するに至るのだ。「私はミスターBの愛する妻であり、貴族の夫人である」と。

しかし、この展開にはどう見ても無理がある。パミラはずっと、ミスターBの自分への欲望を拒否していたではないか。この拒否こそ、筋の中核だったではないか。どうして、パミラは、突然、ミスターBの欲望を、肯定的なものとして受け入れたのか。

この小説は、この急激な転換を読者に納得させるために、かなり強引で不自然なエピソードを重ねていく。ミスターBの欲望や愛がより高尚なものへと変化したと、あるいはもともと十分に高尚なものだったのだ、と読者に、またそれ以前にパミラにわからせるような出来事を、展開の中に連続的に組み込んでいるのだ。それらを詳細に検討することには、われわれの考察を深化させる理論上の意味はあまりないが、このままでは、「訳がわからない」と思われるだろうから、どんなことがあったのか、ごく簡単に紹介しておこう。

たとえば、ミスターBがパミラの監視役として使っている女怪ミセス・ジュークス――この女はパミラに対してミスターBと同様に性的な関心をもっているように見える――が、策を弄して、ミスターBがパミラをレイプできる状況を作った。ミスターBもこの策に乗ってきたのに、パミラが気絶すると、突然「いい人」になってパミラを看病し、まったく淫らな行動に出なかっただけではなく、正気にもどったパミラに許しを請うたりしている。ミスターBは、それまで繰り返し彼女を犯そうとしてきたのに、どうしてこのときには態度を変えたのか、ふしぎなところだ。またミスターBは、パミラの日記を読み、強く心を動かされたりしている（実はこのときミスターBは、「日記」を窃視する神と同じ位置にいる）。最後の決め手は、実家に帰りつつあるパミラに、ミスターBが出した手紙である（それまでパミラはずっと、神の等価物である両親に向けて手紙を書いていたわけだが、ここで突然、神の等価物＝ミスターBからの手紙を受け取った）。屋敷に戻るように強く懇請するミスターBの手紙にパミラは感動し、パミラは屋敷に帰還する。こうして、二人は互いの愛を確認し、結婚を決める。

実際のところ、こうした転回に説得力をもたせることは難しい。よくある納得の仕方は、結局、パミラはほんとうは最初からミスターBの自分への欲望や愛を受け入れていたのだ、という理解だが、つまりパミラの拒絶の態度はいわゆる「ツンデレ」のものだったと見なすやり方だが、これはこれで、不自然さや不合理さは否定できない。ともあれ、『パミラ』の筋にケチをつけることは、われわれにとって重要なことではない。確認すべきは、不自然さは除去できないとしても、このような転回が、この作品が小説として完結するためには必要だった、という点である。パミラは、結婚によって、屋敷も周囲もまったく違って見えるようになり、こう叫んでいる。「わたしの監獄がいまでは宮殿になったんですもの。なにもかもが別の表情を見せるのも不思議じゃないわ！」と。[*11]

『パミラ』の物語は、この後も、まだ続く。ミスターBの姉のレディ・デイヴァーズに、結婚を承認させたり、ミスターBの過去の女性関係が暴露されたり、と。しかし、これらは基本的な筋に対する付け足しのようなもので、検討には及ぶまい。

4　報われたvirtue

さて、小説として十分に成熟した最初の作品が、このようなものだったとして、われわれのここまでの探究との関連では、どのような教訓を引き出すことができるだろうか。前章で、われわれはピューリタンの日記——告白の形式をとった日記——を考察の対象とした。『パミラ』の展開を最も基本的な骨格において捉えれば、それは、このピューリタンの自叙伝風の告白と合致する。どういうことか。ピューリタンの日記は、「私はpである」という趣旨の言明の反復の中で、〈私〉が何であることが真実なのかを極めるものだった。この場合、神の観点が前提になっている。神にとって、〈私〉は何者なのか（何者であるべきなのか）、ということを、〈私〉は自らのアイデンティティとして受け入れようとしている。

『パミラ』はどうなのか。ここでは神はそれほど重要な役割を果たしてはいない。『パミラ』を含む小説にとっては、神は不可欠な要素ではない。かえって、神への信仰が弱体化したときこそ、小説の必要性は高まってきた、と言ってもよいくらいだ。しかし、『パミラ』をよく見れば、ピューリタンにとっての神と機能的に等価な働きをする、超越的な他者が存在している。それは、ミスターBである。ミスターBは、読者の視点が投入される変数でもあり、その事実を媒介にして「両親（の視点）」にも通じている、ということに関しては、前節で指摘しておいた。〈私＝パミラ〉はそこからどのように見えるのか。それは〈私＝パミラ〉に何を欲しており、〈私＝パミラ〉の本質として何を知っているのか。このように問うことが意味をもつような「それ」、超越的な他者（第三者の審級）が、『パミラ』にも存在している。このような視点を前提にしたとき、〈私〉は何者か、と問うことが有意味なことになる。〈私〉は何であるかを見出すまでの過程が、小説の筋を作っているのだ。

『パミラ』の副題は、“Virtue Rewarded（美徳の報い）”である。表面的には、これは、貞淑であったことの報いとして高貴な身分の男との結婚が得られた、と解釈される。しかし、武田が指摘しているように、“virtue”という語には、貞操観念には還元できない含みがある。この語の元にある“vir”の原義は「男」である。“virtue”は、超越的・神的な視線のみが見出すような、崇高で精神的な価値のようなものを指している。要するに、“virtue”は、〈私＝パミラ〉の本質は何か、という問いへの答えである。報い（reward）が貴族の男との結婚であることは確かだが、それをもたらした原因は、「男からの誘惑によく耐えた」ということではない。

だから、繰り返せば、成功した最初の小説とも言うべき『パミラ』の筋の基本構造は、ピューリタンの日常的な告白と同じ形式をもっている。パミラ自身が、結婚までの過程を次のように総括するとき、このポイントが的確に捉えられている。

いまではわたしにはよく分かります。すっかり意気消沈してしまっていたあのとき、わたしは幸福に近づいていたのです。どう逃げ出そうかとばかり考え、その算段で心がいっぱいになっていたけれど、本当に逃げ出していれば、いまこの目の前にある祝福からも逃げることとなり、まさに避けたいと思っていた悲惨な境遇におそらく真っ逆さまに落ちていたことでしょう！

それでも結局のところ、このすばらしい人生の転機を迎えるのに、こうした段階を踏まなければならなかったのです！　ああ、神の叡智のいかに計り知れないことでしょう！*12

ここでの神への言及を信仰告白のようなものと解釈すべきではない。もっと軽い意味で神が言及されている。とはいえ、「神の叡智」という隠喩がどうしても必要だとパミラに感じられていたことは重要だ。神に類する何かが知っていた、と前提にしなければ、ここまでの過程の意味を説明できない、と。

＊

とはいえ、ピューリタンの日記の構造と同型だと言えるのは、小説の、『パミラ』の展開の骨格だけを見ている場合である。少し細部を眺めれば、違いの方が目立ってくる。ピューリタンは、直接的に、いかなる否定をも介さず、神の知を前提にして、〈私〉は何であるかを尋ね続けている。しかし、パミラは違う。彼女は、最初、ミスターBの視点に対して現れている自己が、自分についての真実であるとは思えない。彼女は、最初、それを拒否していた。「それは私ではない」と。この点に着眼すると、ピューリタンの日記と小説とは直線的にはつながっていないことに気づく。間に屈折が、何らかの否定的な契機が入っているのだ。

どのような屈折があるのか。そこまでを視野に入れなければ、小説なるものの本質は捉えられない。この屈折は、しかし、小説としてすでに完成したと言える『パミラ』だけを見ていてもしかと捉えることはできない。武田将明の分析と読解が秀抜なのは、『パミラ』という作品を単体で切り離して見てはおらず、これを、デフォーの『ロビンソン・クルーソー』、スウィフトの『ガリヴァー旅行記』と組み合わせた三幅対の中に位置づけている点にある。[*13]『ロビンソン・クルーソー』から始まって、『ガリヴァー旅行記』を経由する弁証法的な展開の最終段階として、『パミラ』が出てきているのだ。

しばしば、『ロビンソン・クルーソー』は、最初の（近代）小説であると、言われる。これは、ある意味では正しい。「ある意味では」というのは、早産で未熟児として生まれた赤ちゃんも、生まれたことにはかわりない、と考えれば、という趣旨である。『ロビンソン・クルーソー』が、小説としては未熟児だというのは、まさに固有名の現れ方を見ればわかる。ほんとうは実に長大なタイトルをもつこの作品は、『パミラ』と同様に、主人公の名前で知られているので、われわれはつい、この小説の中では、主人公がこの名で何度も呼ばれているだろう、と思い込んでしまいがちだ。パミラの名前が五百回以上も反復されたのと同じように、「ロビンソン・クルーソー」の名も連呼されているに違いない、と。ところが、武田によれば、「ロビンソン・クルーソー」という名がそのまま直接に言及されている箇所は、ごくわずかしかない。名前は、しばしば、似てはいるが別の名前に変換されている。

どうしてそうなるのか。主人公（の〈私〉）を固有名で指し示したいという欲求があるのに、何かが原因になって、固有名が回避され、別の名前へと変換されている。そのように見えるのだ。『ロビンソン・クルーソー』には、二つの背反する力が作用している。主人公をその固有の名前によって指示しようとする力と、それを回避しようとする力が、である。このように見たとき、われわれとしては、三幅対の二番目の作品『ガリヴァー旅行記』については、深入りして考察する必要はない、ということがわかる。『ロビンソン・クルーソー』が孕む二つの力の中で、名前を回避しようとするベクトルの方を継承し、強化したのが『ガリヴァー旅行記』だからである。つまり、『ガリヴァー旅行記』では、固有名は消滅している。この作品の通称が、『レミュエル・ガリヴァー』にならなかったのはそのためである。作品を単体で読めば、『ガリヴァー旅行記』にも興味深い点はいくつもあるが、「小説の誕生」との関係では、この作品の重要度は小さい。それは、小説から退行しようとしたときに生まれたものだからだ。

それに対して、『パミラ』は、『ロビンソン・クルーソー』にあっては未熟だった、固有名への執着を引き継ぎ、発展させた産物である。『ロビンソン・クルーソー』の中にあった、何らかの困難を乗り越えて、『パミラ』は実現している。克服され、解消された困難とは何だったのか。そこまでをも考慮に入れなければ、小説なるものを生み出した衝動や必然性は理解できない。

1　ミシェル・フーコー『言葉と物』渡辺一民・佐々木明訳、新潮社、一九七四年（原著一九六六年）。

2　武田将明「小説の機能」『群像』⑴二〇一四年九月号、⑵二〇一四年十一月号、⑶二〇一五年四月号、⑷二〇一五年十二月号、(5)二〇一六年十二月号。
3　Gilles Deleuze, *Logique du sens*, Paris: Éditions de Minuit, 1969.
4　Jacques Lacan, *Le séminaire, Livre III, Les Psychoses*, Paris: Seuil, 1981.
5　ソール・A・クリプキ『名指しと必然性——様相の形而上学と心身問題』八木沢敬、野家啓一訳、産業図書、一九八五年（原著一九八〇年）。
6　武田将明「小説の機能(3)『パミラ』あるいは報われた名前」『群像』二〇一五年四月号、一八六—二一九頁。
7　同、一八八頁。
8　同、一九四頁。
9　同、一九五頁。
10　今では「パミラ」という名前はそれほど稀ではないが、武田によれば、この名前が普及したのは、まさに『パミラ』がベストセラーになり、主人公の名前が広く知られるようになったおかげである。
11　武田、前掲評論、二一四頁。
12　同、二一四頁。
13　武田「小説の機能(1)「ロビンソン・クルーソー」という名前」『群像』二〇一四年九月号、一六二頁。

第19章　小説の不安

1　名前の非固有化

最初の完成した近代小説と見なしうる『パミラ』（一七四〇年）は、〈私〉であるパミラが、「神」の機能的な等価物にあたる超越的な他者（第三者の審級）の視点に対して、自分自身が何者であるかを自覚する過程になっている。この構成は、基本的には、「日記」のような形態をとったピューリタンの日常的な告白と同じだ。「パミラ」という固有名が、まさに「実名」として機能できたのは、つまり明確なアイデンティティをもった個体を指示する名前となりえたのは、小説のこうした構成のおかげである。読者は、「パミラ」という名前を、想像の中に明確に像を結ぶ個人と対応させることができる。

だが、小説とピューリタンの告白の間の同型性は、構成のこうした大枠に関して認められるだけである。細部を見れば、むしろ違いの方が目立ち、その違いの方にこそ、小説の小説たる所以があるようにも思える。ピューリタンは、神にとって自分が何者であるのかを、直線的に問い続けている。しかしパミラは、ミスターB（第三者の審級）の視点に映ずる自分を容易には受け入れられない。彼女は、否定や拒絶や躊躇を経由してようやく、最後に、自分が何者であるかを受け入れるに至る。この曲折を孕んだ展開は、小説には、ピューリタンの告白にない別の要因が介在している、ということを含意している。それは何なのか？

前章の最後に述べておいたように、この問いに答えるためには、『パミラ』以前の小説、完成する前の成長途上にある小説を分析の俎上に載せなくてはならない。その小説以前の小説、早産で未熟なままに出てきた小説として最もふさわしい作品が、『ロビンソン・クルーソー』（一七一九年）である。小説をめぐるわれわれの考察にとってずっと導きの糸となっている、武田将明の「小説の機能」では、『ロビンソン・クルーソー』と『ガリヴァー旅行記』（一七二六年）と『パミラ』は三幅対を構成している。三幅対の端緒にあるのが、ダニエル・デフォーの『ロビンソン・クルーソー』だ。

武田の着眼点は、名前――登場人物（主人公）を指示する固有名――の働きにあった。『パミラ』と同様に、『ロビンソン・クルーソー』も主人公の名前がそのまま書物のタイトルになっている。もっとも、作品の本来のタイトルは、「ヨーク出身の船乗り、ロビンソン・クルーソーの人生と不思議で驚くべき冒険。……」と続く長大なもので、書物は、デフォーが創作した虚構としてではなく、ロビンソン・クルーソー本人が著した自伝として発表され、売り出された。それが結局、「ロビンソン・クルーソー」という主人公の名前によって知られ、定着してきたのだから、この名は、きわめて明確な特定の人物の像を喚起し、指し示すのに成功したのだろう、と推測したくなる。

が、しかし、武田は、さまざまな角度から、「ロビンソン・クルーソー」が固有名としては失敗していることを証明してみせる。失敗しているとは、次のような意味だ。名前は、当然、単一の個体を一義的に指し示すことができなくてはならない。「パミラ」という名前は、本章の冒頭で述べたように、実際、そのようなものとして機能している。ところが、「ロビンソン・クルーソー」という名前は、いわば多重化し、運動する。つまり、この名前は、しばしば複数のものを指し示し、どれと対応しているかを決定することができなかったり、指示対象やそれが属する世界が絶えず変容してしまうのである。[*1]

それゆえ、武田は、「パミラ」は実名だが、「ロビンソン・クルーソー」は虚名だという。「虚名」は、ここでは、空虚な名声とか、仮名やあだ名といった意味ではない。「実名／虚名」は、「実数 real number／虚数 imaginary number」との類比である。個々の実数は、一次元の数直線の上の一点に対応しているが、虚数は、この数直線の上に対応物をもたず、それを位置づけたければ、実数の数直線と直交する——つまり実数の数直線とは独立の——別の次元を必要とする。「ロビンソン・クルーソー」は虚数のようなものだというのだが、それは、たとえばどのような状態を指しているのだろうか。武田の詳細な説明をすべて再現することはできないので、この後の議論を理解する上で有用なポイントだけを選んで、紹介しておこう。

＊

そもそも、『ロビンソン・クルーソー』という書物には、「ロビンソン・クルーソー」という名をできるだけ目立たせないようにしよう、という意志が貫かれているように感じられる、という。前章にも述べたように、作中でうるさいほど連呼される「パミラ」と違って、「ロビンソン・クルーソー」という名がそのまま呼ばれる場面は、ごくわずかしかない。表紙のタイトルには、今見たようにこの名前が組み込まれているが、著者については「本人」とだけ書かれ、「レミュエル・ガリヴァー著」と（虚構の）の著者名を誇示しているように見える、スウィフトの『ガリヴァー旅行記』とは対照的である。

したがって、書物の意志に反して、「ロビンソン・クルーソー」という名が定着してしまうのだが、本人（クルーソー）によれば、この名は正式の名ではなく、通称に過ぎない。本来の名前は、「ロビンソン・クロイツナーエル」だった。ロビンソンは、ヨークの母親の実家（名家らしい）の姓に由来する。父の姓「クロイツナーエル」が英語にしては風変わりなのは、父がドイツからイングランドに渡ってきた「よそ者」だからで、これがイングランド風になまって「クルーソー」に変化した。

父の姓 Kreutznaer は、Kreuz（十字架）と nahe（近い）の合成語で、Crusoe には、cruise（巡航）が響いていることを考えると、『天路歴程 *The Pilgrim's Progress*』（一六七八年）との関連に気づかざるをえない。『天路歴程』はジョン・バニヤンが書いた寓意物語で、まさにクリスチャンという名の男が、虚栄の市などの堕落した場所をさまざまな困難を克服しつつ通り抜け、最後に「天の都」（神の国）にたどり着くまでの旅の記録という体裁をとっている。この物語は、プロテスタントに、とりわけ新大陸に移住したピューリタンたちに広く熱心に読まれ、ヴェーバーも『プロテスタンティズムの倫理と資本主義の精神』の中で、この作品に何度も言及している。ヨーロッパを離れ北米に渡ったピューリタンたちが、自らの歩みを「クリスチャン」という男の神の国への旅に見立てていたことは間違いあるまい。武田は、『ロビンソン・クルーソー』と『天路歴程』との関係にこだわり過ぎるのは、文学から運動性を奪うことにもなると警告しているが、予定説の社会的効果やピューリタンの告白の変容の延長線上で、小説について考えているわれわれとしては、両者の関連を銘記しておく必要がある。『ロビンソン・クルーソー』は、『天路歴程』のパロディ、あるいはその――世俗化した――変形版としての側面をもつ、と。[*2]

同時に――こちらは武田も重視していることだが――、ロビンソン・クルーソーの名において、「母の名」はそのまま保存されているのに、「神（十字架）」との近縁性を暗示する「父の名」は、無残に変形してしまっているということは留意しておく必要がある。父の名は消えてはいない。しかし、そこに変形・否定の操作が加えられている。

このように、本人（クルーソー）の説明をそのまま受け取ったとしても、名前の中に変化が蓄積されているのだが、"Robinson Crusoe"は、本来、"Robeson Cruso"だったのだ、とする説があるという。証拠とされている書物は、どうやら劣悪な海賊版なので、この説は拒絶できそうに見える。しかし、武田によれば、デフォーの学生時代の友人にTimothy Crusoという名の――後に長老派の聖職者になった――人物がいて、デフォーが早世したこの友人に自分自身の分身を見ていたとしてもおかしくない間柄だったという。とすれば、デフォーの人生を反映している主人公にクルーソーと命名したとき、彼が、ほんとうに"Cruso"という綴りの名前を思っていた可能性は否定できない。

それで結局、起源はCrusoeなのかCrusoなのか。このように問うことには意味がない、というのが武田の考えであり、われわれもそれに賛成だ。「ロビンソン・クルーソー」という名前は、複数の起源があり、どちらが真実と特定することもできず、絶えずそれらの間を揺らぎ変化しているのである。名前の指示対象である「モデル」についても同じような複数性がある。

公式見解からすれば、「ロビンソン・クルーソー」という名の船乗りが実在しており、彼が自分自身の経験を語っていることになる。だが、チャールズ・ギルドンという貧乏文士が、『ロビンソン・クルーソー』の成功に嫉妬して、この書物は自伝ではなく、デフォーの創作であり、冒険物語は、靴下屋あがりの文士の人生をドラマティックに仕立て直したものに過ぎない、と指摘した。これに、「ロビンソン・クルーソー」を名乗るデフォーが反論を書いているのだが、この反論がおかしい。自分で、この物語は、喩え話《アリゴリカル》のようなものとも言っているのだ。これでは、自ら、「ロビンソン・クルーソーの物語」は創作であって、別にモデルがいる、ということを認めてしまったことになる。実際、「クルーソー」と「デフォー」の対応が仄めかされている。さらに、この文章は、「クルーソー」の状況を、大工の息子であったキリストと結びつけている件を含んでいる。

要するに、「ロビンソン・クルーソー」の指示対象にしてモデルは、ロビンソン・クルーソーという船乗りであり、ダニエル・デフォーであり、そしてキリストでもある。そして、おそらく、他の何者かでもありうる。これが、「ロビンソン・クルーソー」という固有名が失効している状態であり、その指示対象は複数化し、どれが真実とも決定することができない。

＊

名前の指示対象が不可避的に複数化するということは、その指示対象が位置づけられている世界そのものが複数化するということでもある。このことは、小説の展開の中で、実際に確認することができる。

たとえば、時空を測り、数える数字。クルーソーは非常に几帳面に月日を数えているのに、どういうわけか、ときどき矛盾や現実との不一致が生ずる。たとえば、あのフライデーを救出した日は、金曜日ではなく土曜日であったことが後で判明する。こうした不整合に関して、武田は、「まるでクルーソーが別の時空をずれながら行動しているかのよう」である、と述べている。*3 言わば、「ロビンソン・クルーソー」という名前を媒介にして、異なる時空が重ね合わされているのだ。

もっと驚くべきことは、物語の中に、ほんとうにもうひとり「ロビンソン」が登場することだ。物語そのものの展開の中で、「ロビンソン」の指示対象が複数化してしまうのだ。それは、次のような場面だ。クルーソーが漂着して二十八年目のある日、島にイングランドの船が近づいた。そして、一部の乗員たちがボートで島に上陸して、何人かの人を海岸に置き去りにしていった。島に捨てられたのは、その船の本来の船長とその側近だった。船の中で反乱が起き、船長たちは船を奪われ、船から追放されたのだ。クルーソーは、この船長たちを助けて船を取り戻す。この後、クルーソーは、この船に乗ってヨーロッパへの帰還を果たす、という運びになるわけだが、もうひとりの「ロビンソン」がいることが判明するのは、船の奪還劇の最中だ。敵方からの呼びかけによって、味方の交渉係となっている人物が「ロビンソン」という名であることがわかるのだ。主人公を「ロビンソン1」、交渉係を「ロビンソン2」と武田に倣って呼び分けておこう。

どうして、ロビンソンが二人になっているのか。現実ではともかく、ひとつの整合的な世界たらんとしている作品の中に、同名の人物が複数いるなどということは、普通はありえない。「ここには作者の意図的な操作というより、文学空間の多重化の痕跡を認めるべき」と武田は論ずる。ほんとうに、複数の世界が重なっているのであって、ロビンソン2はロビンソン1のドッペルゲンガーだとか、両者は自我と超自我の関係にあるだとか解釈して、強引に世界の複数性を消去してはならない、というわけだ。*4

もうひとつ、武田の指摘から事例を引いておこう。無人島から帰還し、リスボンに到着したクルーソーは、遭難前にブラジルで経営していた農場の利益を確認しようと、かつての「共同経営者《パートナー》」に連絡をとる。これによって、クルーソーのために莫大な財産が蓄積されていたことが判明するのだが、この部分で、たいていの読者は躓くだろう。「共同経営者って誰だ？」。三十年近くも不在だった仲間に財産を分け与えるのだから、この共同経営者は、非常に親しい人物でなくてはならない。だが遭難前の描写の中には、一度も共同経営者は言及されていない。このパートナーは、ロビンソン2と同様に、突如として現れたのである。共同経営者も、言わば、もうひとりのロビンソンである。彼は――武田の解釈では――無人島に漂着する前のロビンソンの痕跡、過去のロビンソンの亡霊である。ここでもまた、複数の時空、つまりヨーロッパ帰還後の時空と遭難する前の過去の時空が交錯しているのだ。

このように「ロビンソン・クルーソー」という名前は、固有名としては挫折している。固有の単一の対象に繋留することができないのだ。とはいえ、この名前は、無名性へと向かおうとしているわけでもない。ここで「無名性」と呼んだのは、主客をはじめとするあらゆる個物が溶け合う法悦の空間のことである。「ロビンソン・クルーソー」は、無名性へと浸ろうとしているのではなく、やはり固有名たらんとしている。しかし、その指向が途中で機能障害に陥り、指示対象が多重化してしまっている。このように見るのが正確だ。

2　人間類型としてのロビンソン・クルーソー

ロビンソン・クルーソーは、さまざまな論者によって、「近代」なるものを象徴する――あるいはその先駆けとなる――人間類型の典型として語られてきた。武田は、それを大きく三つに分類している。第一に――おそらく最も広く知られているのが――資本主義を推進した中産階級の行動倫理や心性を反映している経済人《ホモ・エコノミクス》。第二に、近代政治思想における自由を具体化した個人主義者。第三に、二〇世紀後半のポストモダンの時期にとりわけ流行した――近代人の偽善を宿す――植民地主義者。つまり、「ロビンソン・クルーソーとは何者か」ということについての観念やイメージが大きく割れているのだ。

第一の経済人としてのクルーソーには、マルクスやヴェーバーが言及している。[*5] 日本では、ヴェーバーの影響を強く受けた、経済史の大塚久雄が、繰り返し、ロビンソン・クルーソーを論じてきた。大塚の意図は、たとえばベンジャミン・フランクリンのような人物と同様に、プロテスタンティズムのエートスの痕跡を残した「資本主義の精神」を理念型的に例示する（虚構の）人物としてクルーソーを提示することにある。[*6] イアン・ワットの『小説の勃興』に収められた「ロビンソン・クルーソー」論でも、クルーソーの経済人としての側面が特に強調されている。孤島で生きるなどということは、普通の人には起きない非日常的なものに見えるが、クルーソーがやっている活動をひとつずつ見れば、当時のイギリスの中産階級の人々の日常的活動や労働と少しも変わらない。この点を指摘したあと、ワットは、まさにヴェーバーの理論に沿うようなかたちで、次のように述べている。「小説の誕生」というわれわれの主題とも関連が深いので、引用しておこう。

デフォーのこのような心的態度〔経済的な実益の追求はキリストにならうことになるという説〕は、清教徒の労働の尊厳の信条が格別に陥りやすい、宗教的な価値と物質的な価値の混同を見せつけている。（中略）カルヴァン主義者の物事の処理、運営に対する考え方の世俗化が、小説の勃興に相当大きな役割を果したことは充分考えられる。『ロビンソン・クルーソー』は、普通の人間の日常的活動が一貫して文学的な関心の対象となった、最初の虚構の物語である。（中略）こうして清教徒のもつ労働の尊厳の観念が、小説の一般的な前提――個々人の日常生活は文学の主題とするにふさわしい意義をもつ興味深いもの――を、実際に具象化した小説を誕生させるのに一役かったことは充分考えられるのである。[*7]

第二の自由な個人主義者としてのクルーソーを賞賛した論者としては、ジャン＝ジャック・ルソーがよく知られている。ルソーは、『エミール』で、『ロビンソン・クルーソー』を子供をよき方向へと教導する寓話として激賞している。ルソーには、他から隔絶した孤立した状況への偏愛がある。彼は、クルーソーの生活に、孤立の理想を見たのである。

以上の二類型は、クルーソーを肯定的に評価するものだが、第三の植民地主義者という解釈では、近代人の否定的な側面が批判の対象となっている。クルーソーの態度に、帝国主義や人種主義へとつながる要素を読み取るのだ。この解釈は、『ロビンソン・クルーソー』の物語を原作とは異なった視点から書き直す、優れた文学作品をいくつか生み出してきた。早い時期の作品としては、ミシェル・トゥルニエの『フライデーあるいは太平洋の冥界』（一九六七年）が、より後の二〇世紀の終わり頃の作品としては、J・M・クッツェーの『敵あるいはフォー』（一九八六年）などが挙げられる。[*8] 植民地主義は、クルーソーにおいては偽善的に隠しもたれているので、これを抽出する批評や文学作品は、クルーソー以外の人物、たとえばフライデーに注目して、そこからクルーソーの植民地主義を照射する、という論法をとる場合が多い。たとえば、ピーター・ヒュームは、あの「共同経営者《パートナー》」が、クルーソーの帰還後に突然現れる理由を、植民地主義の観点から精神分析的に説明する解釈を提起している。[*9]

今、どの類型のクルーソー像が真実か、と検討することには意味がない。さまざまな相互に独立なクルーソー像を抽出することができてしまう、ということが重要だ。そして、どのクルーソー像に対しても、その中に収まらない、そこから逸脱する部分を、テクストに描かれたクルーソーに見出すことができる。たとえば、禁欲的な経済人として、クルーソーをトータルに規定できるだろうか。たとえば、大塚久雄は、痛風で足を患っている父親が痛みに耐えながら、「中流の身分」こそがイギリスの国を支える土台なのだと力説しており、初めはこの父の訓戒を聞き入れなかったクルーソーも、無人島では、父の教えの通りにまさに中流の身分の生活様式を実行するようになった、と説く。しかし、武田によれば、「痛風」は当時贅沢病と見なされており、この病をもつ父親が、世俗内禁欲の模範だったと解釈することはできない。つまり、中産階級の経済人の父―子という像は、この点では妥当ではない。

結局、「ロビンソン・クルーソーとは何者か」と問うても、単一の焦点が定まらない。複数の焦点ができてしまう上に、どの焦点も、十分とは言いがたい。どれに対しても、「これは違う」という印象が残ってしまうのだ。これは、名前の複数化という現象を別の角度から捉え直したものである。「パミラ」が、テクストの中で実名として機能することに成功したのは、パミラの場合にも、何者であるという自己同定が大きく揺らぎ、定まらない状況を通過しつつも、最終的には「私（＝パミラ）はX〔たとえば貴族の夫人〕である」という判断へと収束することができたからである。しかし、ロビンソン・クルーソーにあっては、こうした収束に成功していない。名前が「虚名」にしかならないのはこのためだ。このことが、『ロビンソン・クルーソー』が、『パミラ』に比べて、小説としてはまだ未熟である、という印象を与える要因である。

3　足跡の恐怖

どこに違いがあるのか？『パミラ』と『ロビンソン・クルーソー』を分かつ原因は何なのか？　その原因をピンポイントで特定してみたい。ここまで、われわれは、名前をめぐる武田将明の論考に頼って、『ロビンソン・クルーソー』という作品の特徴を見てきた。ここからは、武田の論をなぞるだけでは、答えは得られない。武田の評論は相変わらず、大きな霊感の源泉だが、そこにはじめからわれわれの問いに応ずる回答が書かれているわけではない。われわれは、独自に考えなくてはならない。

〈私〉は何者か、ということについての知は、超越的な他者（第三者の審級）がもっている。

『パミラ』の場合、その超越的な他者として機能していたのは、ミスターBである。いや、厳密に言えば、この変数のような匿名の主体の位置に視点を投射できるすべての他者が、超越的な他者である。読者もそうかもしれず、パミラの手紙を読む両親もそうかもしれない。場合によっては、パミラを囲む他の使用人たちの集合的な視線も含まれよう。いずれにせよ、第三者の審級としての超越的な他者が、〈あなた＝パミラ〉が何であるかを知っている。パミラは、それを受け取ることで、自身のアイデンティティを得る。「〈私〉はミスターBの愛の対象である」と。

では『ロビンソン・クルーソー』の場合はどうだろうか？　こちらでは、第三者の審級として機能する超越的な他者は、より堅固で安定的なものとして確保されているように見える。クルーソーは、しばしば「神意 Providence」に言及していることにそれは現れる。ミスターBのような不道徳な面ももつ主人ではなく、ここには、ほんものの神がまだ活きている。……とこのように見えるのだが、事態はそれほど単純ではない。クルーソーの「神意」という語の使い方には、奇妙に倒錯的なところがあるのだ。この点については、後で述べよう。

＊

その前に、ヒントとなるエピソードを引いておこう。それは、『ロビンソン・クルーソー』における様々な痕跡の意味を集約して伝える場面だとされる。

ある日の正午ごろ、ボートに向かっていたときのことだ。浜辺にはだしの人間の足跡を一つ見つけて、ぼくはとてつもなく驚いた。砂のなかでも、それはとてもはっきり見えた。ぼくは雷に撃たれたように、あるいは幽霊を見たかのように立ちすくんだ。耳をそばだて、周りを見まわしたけれど、なにも聞こえないし、なにも見えない。小高いところに登って遠くまで見たり、浜辺をあちこち歩いたが、足跡は一つしかない。跡がついているのはあそこだけだ。*10

このあと、クルーソーは、足跡がほんとうに一つだけなのか――一目で明らかなのに――あらためて調べたり、この足がどうやってきたのか、想像できぬままに取り乱したりしている。砦に戻ってからも、恐怖からくる狼狽は止まらない。「おびえた心には物がどれだけ多種多様な姿をとって見えたか、ぼくの脳裏にはどれだけ多くの妄想が目まぐるしく湧き起こったか、途上でどんなに奇妙で理屈に合わない思いつきに駆られたか」。こうしたことはとても説明できるものではない、とクルーソーは語っている。

この一つの足跡が、クルーソーの無人島での安定的で牧歌的な生活を一挙につき崩す。彼は、以降、二年間にわたり、驚異的な難事業をいくつも進め、それらを実現した。たとえば、住居の周りの壁を補強し、そこに銃眼を設けた。二万本の樹木を周囲に植えて、住居を外から見えにくくした。森の奥に新しい牧場を作り、家畜もそこに移動した。等々。

しかし、この恐怖からの解放は二年後に突然、訪れる。このとき、クルーソーは初めて、島の西端にまで行った。その西の浜辺に、彼は、おびただしい数の足跡があるのを認める。その浜辺には、頭蓋骨や手足などの人骨も散乱しており、焚火の跡もある。明らかである。ここで人肉食の饗が行われていたのだ。クルーソーが住む島には、「野蛮人」がやってきて、ときどき人肉食の饗宴を開いていたのだ。この点を確認した後、クルーソーは、恐怖や危機感からは自由になり、今度は嫌悪感が前面に出てきて、「野蛮人」を追い払うための算段を考える。「一つの足跡」を発見した後の異様な混乱とは対照的に、浜辺の人肉食の痕跡を確認した後のクルーソーは冷静である。

さて、ここで考えてみたい。最初に浜辺にはだしの人間の足跡をたった一つだけ見つけたとき、クルーソーは何にそれほど恐怖を感じたのか？　常識的には次のように説明されるだろう。足跡を残した人間は、ロビンソンに何らかの危険をもたらす悪いやつ、敵かもしれないからだ、と。実際、『ロビンソン・クルーソー』を子供向けに翻案した、ヨアヒム・ハインリヒ・カンペの『新ロビンソン物語』では、ここでクルーソーが恐れ驚いた理由をまさに、そのように記している。[*11]だが、原作のクルーソーに関して言えば、そのような解釈は明らかにまちがっている。もし、この説明の通りであったとすれば、「野蛮人」たちの人肉食の痕跡を見たときの方が、よりいっそう恐怖が大きかったはずだ。今や、足跡の主が、クルーソーにとって危険な他者であることが明らかになったのだから。だが、実際には、逆に、クルーソーは、「野蛮人」のたくさんの足跡や人肉食の残骸を見て、むしろ安心している――少なくとも、特別な恐怖はほとんど消えてしまっている。

クルーソーは、足跡の意味に恐怖を感じているのではない。武田が述べているように、彼が足跡に恐れおののいているのは、足跡が意味を与えていないからである。別の仕方で慎重に言い換えてみよう。浜辺に一つだけあった足跡の意味が、つまりその足跡が何なのか、なぜここにあるのかがさっぱりわからず、あれこれ想像してみても、成り立ちそうな「仮説」のようなものさえも思い浮かばない。可能的な仮説さえも思い浮かばない状態で、「意味」が根源的にわからない、ということは、それを知る者がどこにもいそうもない、ということだ。それを知る者は永遠に現れないかもしれない。未来の自分自身も含むすべての他者たちの範囲で考えても、それが何であるのかを知る者はいないのかもしれない。「神」とか、（現実のではなく）理想的な科学者とか、賢者とかといった理念的な認識者を含めてもなお、誰もそれを知らないかもしれない。これこそが恐怖の源泉である。つまり、クルーソーが、浜辺にたった一つ残っている足跡に異様な恐怖を覚えたのは、可能的な他者を含めても誰もその意味を知らないかもしれない、そのような状態で、足跡が与えられていたからである。

だから、足跡が、人肉を食する習慣をもつ「野蛮人」のものだと知って、クルーソーは安心するのだ。足跡の意味、足跡をめぐる真実は、やはり知られうる者だった。あの一つの足跡についても、誰かが最初からその意味を知っていた、と信じることが許される、ということになる。

＊

足跡についてのこのエピソードは、クルーソーの反応があまりにも過剰であるため、非常に印象的である。他の点ではむしろ常識人に近いクルーソーが、このときだけは、異様である。この過剰性に着眼して、この恐怖を、単に一つの案件をめぐる混乱以上のものだと考えてみたらどうだろうか。つまり、この恐怖を一般化し、クルーソーの生の全体に及ぶ通奏低音のようなものだと考えたらどうだろうか。生を貫通するこのような通奏低音があるからこそ、クルーソーは、一つの足跡に過敏に反応したと考えたらどうだろうか。

ここで言わんとしていることは、次のようなことだ。小説を通じて、主人公は、〈私〉は何者かを探求する。その知は、しかし、第一次的には、他者に——第三者の審級に——帰属している。第三者の審級が、〈私〉が何であるかを知っているのだ。〈私〉は、第三者の審級の対象として自分が何であるかということを媒介にして、自らを知る。『パミラ』を題材にしながら、こう論じてきた。

問題は、『ロビンソン・クルーソー』だ。クルーソーは、不信感をもっているのではあるまいか。第三者の審級（神）もまた、ほんとうは知らない（わからない）のではないか、と。神でさえも、足跡の意味を知らないのではないかという疑いが激しい恐怖を惹起した。これと同じように、神でさえも、〈私〉が何者かを知らないのではないか、という不信と不安が、クルーソーの精神の基底にあるのではないか。〈私〉こそ、あの浜辺のたった一つの足跡かもしれない。「ロビンソン・クルーソー」という名前の指示対象が複数化したり、揺らいだりしてしまうのはこのためであろう。神の視線を媒介にしてもこの名前の指示対象を一つに固定できないのではないか、という不安がいつまでも消えずに残っているのだ。

先に、クルーソーは「神意」に言及することはするのだが、その言及の仕方には倒錯的なものがある、と述べておいた。倒錯的とは次のような趣旨である。たとえば、島の周りを探索していたとき、乗っていたボートが潮に流され、島への帰還がほぼ不可能だと感じられたときがあった。彼は絶望し、ほぼ諦めたのだが、それでも懸命に努力した結果、幸運にも島の方向に向かう潮流に乗り、島に帰ることができた。このとき、彼は神に感謝し、跪いて神に祈った。*12 だが、これは転倒しているのではないか。ほんとうに神意を信じているならば、神の救済の意志を信じているならば、神がクルーソーを気にかけているはずだと信じているならば、なぜ困難に直面した最初に、神に祈らないのか。最初に祈らなかったのは、クルーソーがほんとうは、神に対して不信感をもっているからである。神は、〈私〉のことなど配慮していないかもしれない、と。しかし、幸運にも助かったことによって、事後の時点から遡及的に、「神は〈私〉のことを知っていた」ということになるのだ。[*13] だから、クルーソーは、後で祈るのである。

4　小説の不安／キリストの不信

以上の考察を一般化しながら、ここでは、次のような仮説を提起してみたい。端緒には、第三者の審級もまた、肝心の真実を知らないのではないか、という懐疑と不安がある。〈私〉が欠いているもの（〈私〉についての知）は、第三者の審級においても欠けているのではないか。そのような不安がまずはある。小説は、この不安が克服されたときに可能になるのではあるまいか。いや、このような言い方は、十分に正確ではない。もう少し繊細に言い換えよう。確かに、ここに述べたような不安が生《なま》のまま精神を支配している間は、小説は不可能だ。しかし、不安が消えるわけではない。むしろ、不安が小説へと――小説を書き読むことへと――人を駆り立てている、と考えるべきであろう。まさに小説が成り立ったということによって、第三者の審級が実は知っていた、ということが証明されるからである。パミラも、クルーソーと同じ不安を抱えている。ミスターBは、〈私〉の真実を知らず、〈私〉に適切な関心を向けてはいない、と。しかし、その不安は最後に克服される。

小説という営みの基礎には、ある根源的な不安がある。その不安が、小説への衝動の源泉であり、そして小説が、その不安への対抗策でもある。不安は、原理的なものなので、それを排除することはできない。小説は、しかし、それを抑制（抑圧）する。今、とりあえず、このような仮説を立てておこう。

小説のこの後の展開を見ていくことで、この仮説は補強されるだろう。今のところ、われわれは、いかにも一八世紀的な小説だけを見ている。一九世紀に入ると、小説はさらにいっそう成熟する。「成熟」という、単線的な進歩を連想させる表現は不適切かもしれないが、一九世紀になると、小説が新たなフェーズに入り、今日われわれが典型と見なしているようなタイプの小説が現れる。しっかりとしたプロットをもち、三人称客観描写をもつような小説が、である。このような小説がいかにして可能になったのかを考察することで、今提起した仮説は補完され、さらなる論拠を得る。ただし、この場合も、すでに出来上がってしまった一九世紀小説においては隠蔽されてしまうものを掘り起こさなくてはならない。ということは、一八世紀的な段階から一九世紀的な段階への移行の痕跡を露出させているような小説に着眼しなくてはならない。

＊

この課題は次章に委ねるとして、ここでは逆に小説以前の遥かな源流に遡って、ここで述べた仮説の意味を大きな歴史的パースペクティヴの中で示しておきたい。われわれは、小説の直接の前史として、プロテスタントの「告白」（のような日記）に着眼した。それをさらに原点へと遡及すれば、もちろん、最終的にはキリストそのものに到達する。今、われわれは小説を駆り立てる不安について述べたわけだが、このことを念頭にキリストを見返せば、キリストこそこの不安の最大値であることに気づく。小説は、この不安を抑圧することにおいて成り立つ、と述べた。同じタイプの不安をいささかも抑制することなく、むしろ可能な限り大きくすれば、それこそ、十字架の上のキリストになるだろう。どういうことなのか、解説しておこう。

キリストは神（にして人）である。それなのに、十字架に架けられたキリストは、神への不信を表明している。それこそ「エリ・エリ・レマ・サバクタニ」という叫びである。父なる神は、〈私〉のことを気にかけていないかもしれない。神は、〈私〉を見捨てようとしているのではないか。これは、小説へと人を導いた不安を極大値において表現したものである。結局、十字架の上で死んだキリストが、それから三日目の日に復活したということまでも視野に入れれば、神は〈私＝キリスト〉を忘れずに救済してくれた、ということにはなる（海の彼方に流されそうになったクルーソーが、幸運にも陸に戻ることができたときに、神意が働いていたことになるのと同様である）。しかし、福音書に記された一連の出来事が真に衝撃的なのは、キリストがほんとうに死んでしまうからである。復活の話は、この衝撃を緩和するためのエピソードだ。キリスト性を純粋状態で抽出するためには、「（キリストの）死」の方を取らなくてはならない。より精確に言えば、復活を、死と分離し、死への対抗措置として解釈するのではなく、死そのものと一体化して捉えておかなくてはならない。つまり、キリストの死こそが、そのまま、ある意味でキリストの復活だと解釈しなくてはならない。

すると、こんな構図が見えてくるだろう。キリストにおいて、極大状態で開示された不安がある。神から捨てられている、神から切り離されている、という不安が、である。小説は、これと同じ種類の不安をエネルギー源にしてはいるが、同時にそこから逃避する手段（のひとつ）である。それゆえ、小説への衝動の遥かな源泉には、キリストがある、と言ってもよい。ただし、小説は、キリスト性をそのまま反復しているのではなく、むしろ、それを隠蔽し、抑制することにおいて成り立っているのだ。

もう一度確認すれば、キリストは神である。彼は預言者や殉教者ではなく、神なのだ。それゆえ、彼が、救済されることなく十字架の上で絶命したとき、神自身も知らなかったということ、神にとっても彼自身に降りかかっているこの運命は見通せない謎だったということが、否認しようもないかたちで開示されている。神こそが、神から切り離され、最も過酷なかたちで神から疎外されているのだ。小説は、十字架の上でキリストが感じた不信や苦難を——言わば小刻みにしたり薄めたりして——分有している。と同時に、小説は、この不信や苦難への防衛反応の一つであり、それらから逃れようとする試みでもある。視野に入れる歴史のスパンを大きくとって「小説」という現象を位置づけたときには、われわれは今、このような仮説を提起していることになる。

1　武田将明「小説の機能(1)「ロビンソン・クルーソー」という名前」『群像』二〇一四年九月号。

2　ヴェーバーは、バニヤンの「巡礼者（クリスチャン）」から「ロビンソン・クルーソー」への移行は、神の国を求め孤独に奮闘する宗教的熱情から、経済人の醒めた職業道徳への変容に対応している、と解釈している。『プロテスタンティズムの倫理と資本主義の精神』大塚久雄訳、岩波文庫、三五五頁。

3　武田、前掲評論、一四四頁。
4　岩尾龍太郎は、細部まで徹底的に『ロビンソン・クルーソー』を読み解いた『ロビンソンの砦』（青土社、一九九四年）で、島の絶対的な支配者として君臨してきたロビンソン1がついには神となり、人間の名である「ロビンソン」を捨てたことを暗示するために、わざともうひとりのロビンソンを登場させた、という解釈を提起している。興味深い読みではあるが、『ロビンソン・クルーソー』をこのような神話的構造をもった統合的な物語として読むべきではない、という武田の見解により説得力がある。
5　マルクスは『資本論』で触れている。ヴェーバーについては注2を参照。
6　大塚久雄『社会科学の方法――ヴェーバーとマルクス』岩波新書、一九六六年。『社会科学における人間』岩波新書、一九七七年。
7　イアン・ワット「『ロビンソン・クルーソー』、個人主義と小説」『小説の勃興』藤田永祐訳、南雲堂、一九九九年、一〇〇―一〇一頁。
8　後者のクッツェーの作品（原題は端的に*Foe*である）については、以下を参照。大澤真幸『ナショナリズムの由来』講談社、二〇〇七年、四八四―四八八頁。
9　ピーター・ヒューム『征服の修辞学――ヨーロッパとカリブ海先住民、1492―1797年』岩尾龍太郎・正木恒夫・本橋哲也訳、法政大学出版局、一九九五年（原著一九八六年）。ヒュームによれば、クルーソーがプロテスタント的な世俗内禁欲を発揮して、無人島で農地を拡大したり、家畜を殖やしたりするという話は、ブラジルやカリブ海などの植民地で西欧の列強が、異人種や先住民を奴隷として酷使し、搾取することで莫大な富を得ている、という事実を隠蔽している。イングランドなどの西欧にいれば、彼らの繁栄の根拠にもなっている植民地での人種差別的な搾取を見ないですむのと同じである。だが、この不都合な事実の隠蔽は、クルーソーに無意識の罪悪感を生まざるをえない。それゆえ、クルーソーの代理人として（クルーソーが無人島で勤勉に労働している間に）ブラジルで奴隷を搾取していた「パートナー」が浮上することになる、というのがヒュームの解釈だ。パートナーは、クルーソーの罪を背負ってくれる、クルーソーの分身だというわけだ。武田は、テクストに記されたいくつかの事実を指摘しつつ（クルーソーが黒人奴隷を使役していたことは作中に包み隠さず書かれていること。彼が漂流する原因となった航海も黒人奴隷の密輸が目的だったこと)、クルーソーが無意識の罪悪感をもっていたとは考えられないとして、ヒュームの解釈を斥けている。

10 武田、前掲評論、一四八頁。

11 ヨアヒム・ハインリヒ・カンペ『新ロビンソン物語』田尻三千夫訳、鳥影社、二〇〇六年(原著一七七九/八〇年)、二三二頁。

12 武田、前掲評論、一五九頁。

13 人肉食の跡を見たとき、「神はあの一つの足跡の意味を知っていたはずだ」と確信をもつことができるように、である。

第20章　神に見捨てられた世界の叙事詩……なのか？

1　小説の一八世紀／一九世紀

小説は、十字架の上のキリストが感じていた（全知であることを要件とする「神」の存在に対する）深刻な不信と同種の不信に抗する防衛機制の一種である。ごく初期の近代小説――『ロビンソン・クルーソー』と『パミラ』――を読みながら、われわれはこのような仮説を提起してみた。

この仮説を導き出すにあたって、われわれは一八世紀前半のイギリス文学を素材にして考察を進めてきたわけだが、しかし、この時期の小説に関して、人は――すでにたくさんの小説を読んできた現代の読者は――、こんな印象をもつはずだ。それらは、イアン・ワットが言うところの「形式的《フォーマル》リアリズム」（第15章）の条件を満たすとはいえ、近代小説としてはなお未熟なのではないか、と。「未熟」という表現は、芸術や文学が進歩したり、成長したりするかのような史観を前提にしていて不適切かもしれないが、いずれにせよ、現代の読者は、一八世紀の小説に違和感をもつに違いない。それらは、一九世紀（以降）の典型的な近代小説とは、まだ何かが違っているのである。

違和感をもたらす、第一の——そして最大の——原因は、物語の時間の進行に関係している。簡単に言えば、一八世紀の小説は、なかなか話が進まない、という印象を与えるのである。時間は確かに経過しているが、大事な出来事がなかなか起きないのだ。たとえば『パミラ』を読んでいると、物語を前に進めていく出来事が心地よいテンポでは生じないので、どうしても退屈になってくる。こんな印象は、一九世紀の代表的な小説を読んだときには生じない。ジェイン・オースティンやディケンズの小説、あるいはシャーロット・ブロンテ、エミリー・ブロンテの小説は、出来事が次々と起きるので、長篇であっても飽きることはない。イギリス文学に限定する必要はない。スタンダールやフローベールによって書かれた、一九世紀のフランスの小説も、物語の進行は速やかである。

こうなってしまうのは、一九世紀の小説と対比したとき、一八世紀の小説はまだ何かが欠けているからである。何が？　プロットである。[*1] プロットとは、最終的なカタルシスへと向かっていく筋の展開である。一八世紀の小説は、プロットがしっかりしていない——プロットそのものをもっていない、という印象を与える。それでは、西洋の文学表現の歴史の中で、プロットなるものが確立したのは、一九世紀の初頭なのだろうか。もちろん、そんなことはない。アリストテレスの『詩学』にすでにプロットの重要性が説かれており、実際、古代ギリシアの演劇は、きわめてめりはりの効いたプロットをもっていた。叙事詩でも、演劇でも、プロットは死活的に重要であった。観衆や聴衆の、あるいは読者の興味を持続させるために、叙事詩や演劇では、結末までの緻密な因果の連鎖と、それに基づく豊かな起伏を与えられた。観衆を飽きさせるくらいであれば、古典演劇の「時の一致」の原則に見られるように、時間の経過そのものを短縮する方が取られたのだ。だから、西洋の詩人や劇作家は、魅力的なプロットの創造に腐心してきた。

ところが、一八世紀の小説はプロットに関してきわめて貧弱である。全体の物語が特定の目的へと収束していく、という印象を与えないのだ。描かれている出来事の間の因果関係が緊密ではなく、そもそも出来事自体がなかなか生起せず、仮に起きたとしても、それはしばしば十分な前触れや原因をもたず、唐突感を与えるからである。すると次のように考えざるをえない。今述べたように、西洋の文学がプロットの技法を知らなかったわけではないのだから、小説なるものが登場したとき、つまり英雄や王を主人公とした範例的な物語のヴァリエーションではなく、一介の個人を主人公として、伝統的なモデルをもたないリアリズムに準拠した物語が書かれたとき、いったん、プロットが大きく損なわれたのである。一九世紀の小説では、プロットが回復している。それがために、われわれは、一九世紀に至って、小説が成熟した、という印象をもつのである。どうして、小説が誕生するとき、プロットの創造に、突然、大きな困難が生じたのか。なぜ、一九世紀には、プロットが回帰したのか。

一八世紀の小説が現代の読者に違和感を与える第二の理由は、三人称による客観描写が未だ(十分に)確立していない、ということにある。小説は、一人称でも、三人称でも書くことができ、実際、現在でもどちらのスタイルも採用されている。が、一九世紀は、三人称客観描写を標準的なスタイルとして確立した。三人称で書いていても、一人称で書いたときと同じレベルで繊細な心理の描写が含まれていなければ、小説にはならない。ということは、語り手が、主人公をはじめとする登場人物の心の内側を見通している、という想定が必要である。つまり、語り手は、神に匹敵する全知性を備えていなくてはならない。一八世紀の小説では、三人称客観描写とセットになっている全知の語り手が未だ——原則的には——現れない。

ベネディクト・アンダーソンは、小説らしさの核心には、「この間 meanwhile」という語法がある、と述べている。「この間」とは、遠く離れた二つ（以上）の出来事の間の同時性を含意する語である。それぞれの出来事に内属している登場人物たちは、互いを知覚することはできない。しかし、二つの出来事は同時に進行している。「Aは愛人Bと口論していた。この間、Aの妻Cは一人の男Dとともに旅立とうとしていた」といった具合にである。アンダーソンの中心的な関心は、文学や小説にあったわけではなく、Nation（国民）とNovel（小説）という二つのNがほぼ同時に歴史的に出現してきたことに気づかせ、後者のNとの類比によって、「ネイション」という共同体の——それまでの共同体にはなかった——特徴を浮き彫りにすることにあった。[*2] いずれにせよ、「この間」を自由自在に駆使することができるのは、三人称客観描写をわがものとした一九世紀の小説である。[*3] 全知の語り手だけが、登場人物が知ることができない、二つの出来事の間の同時性を知覚している。読者は、この語り手の視点に自らの視点を投入して、小説を読むことになる。

＊

このように、小説は、一八世紀的な段階から一九世紀的な段階へとはっきりと変容している。[*4] この変容はどうして生じたのか？　いかなる論理がこの変容を駆動したのか？　後に明らかになることだが、この問いに答えることを通じて、小説の本質についてのわれわれの仮説——小説はキリスト的な不安を抑圧する装置になっているという仮説——は、さらなる補強を得ることになる。

もっとも、一八世紀から一九世紀への変容を探究するには、考察にふさわしい素材が必要だ。すでに変容を終えた一九世紀の小説には、変容の論理の痕跡は残らない。だが、普通の一八世紀の小説では、変容がまだ始まってはいない。移行過程そのものを体現しているような作品はないだろうか。ある。一八世紀のほぼ中間と言える年(一七四九年)に発表された、フィールディングの『トム・ジョウンズ』である。『トム・ジョウンズ』は、一八世紀にありながら、一九世紀的な小説を先取りしている例外的な作品と見なすことができる。この長篇は、一八世紀において、すでに一九世紀の小説への変容を開始しており、移行性をそのまま体現しているのだ。

たとえば、『トム・ジョウンズ』は、全知の語り手による三人称客観描写によって書かれている。「トム・ジョウンズ」という人物の一人称として書かれてはいない。この点を特に重視しているのは、ジョン・マランである。[*5] マランによれば、三人称客観描写こそ、小説の一九世紀を定義する特徴であり、『トム・ジョウンズ』は、早熟的にその一九世紀的な方法を採用している。

プロットに関しても、『トム・ジョウンズ』は、一九世紀的な小説を先取りしている。主人公であるトム・ジョウンズの「勝利」を意味する結末へと向かって、まことに起伏に富んだ複雑な物語が展開していくのだ。孤児として育てられた主人公が、最後に多額な資産を相続しうる血筋の生まれであると確認され、報われるという展開は、ディケンズの『オリヴァー・ツウィスト』(一八三七—三九年)を思い起こさせる。一九世紀の前半に属する詩人コウルリッジは、ソフォクレスの『オイディプス王』とベン・ジョンソンの『錬金術師』とともに、『トム・ジョウンズ』を西洋文学の「三大プロット」のひとつと見なしている。『トム・ジョウンズ』以外の二作は、近代小説以前に属する演劇である。ベン・ジョンソンはシェイクスピアと同時代の劇作家である。

それゆえ、『トム・ジョウンズ』は、一八世紀から一九世紀への転換をそのまま代表しており、われわれの考察にとって絶好の素材となる。とすれば、われわれとしてはもう少し、武田将明の「小説の機能」から刺激をもらわなくてはならない。武田は、『トム・ジョウンズ』は「十八世紀小説の例外にして十九世紀小説の原型をなす特異な一作」である、という観点から、『トム・ジョウンズ』を読んでいるからだ。*6

2　『シャミラ』から『トム・ジョウンズ』へ

フィールディングが最初に書いた小説は、リチャードソンの『パミラ』のパロディ『シャミラ』（一七四一年）である。『パミラ』は、第18章に見たように、「パミラ」という名前の実在の少女が書いた手紙、そして彼女の日記を編纂したもの……という形式の小説であった。パミラは、貧しい家で生まれ育ったが、貴族の屋敷にメイドとして住み込むこととなり、その屋敷の若い主人ミスターBから、（何度ももう少しでレイプされそうになるほどに）激しく執拗に誘惑されるが、それらに抵抗して貞節を守る。最後に、主人が改心（回心）し、同時にパミラもまた自分が主人を愛していたことを自覚し、二人は結婚した。パミラは、下層の階級の出だったが、貴族の妻になったというわけである。と、このようにかんたんに要約できてしまう話が五百頁の大長篇になっているのだから、『パミラ』は、なかなか物語が展開しない一八世紀小説の典型だが、当時の読者はこれを熱心におもしろく読んだ。その証拠に、『パミラ』は大ベストセラーになり、一流の知識人に絶賛されたのだ。

フィールディングの『シャミラ』は、「パミラ」の名で通っている「ふしだらな小娘」についての物語（つまり『パミラ』）の真相を暴露するための手紙を公表した、という設定の小説である。パミラの本名は「シャミラ」で、[*7] 彼女の貞淑は実は意識的な戦略であって、ほんとうは、彼女こそが主人のミスターBを誘惑し——つまりミスターBを誘惑者たらしめるべく誘惑し——、二人の結婚へと導いた……というわけである。『シャミラ』は、このように、『パミラ』への痛烈な批判を込めた作品である。

『パミラ』と『シャミラ』の対比に関して——武田に従って——注目しておかなくてはならないことは、次の点である。パミラとは違って、シャミラには、明確な、はっきりと自覚された目的がある。ミスターBとの「上昇婚《ハイパガミー》」を実現するという目的が、である。パミラに限らず、一八世紀の小説の主人公は概して、明示的な目的をもたずに行動している。クルーソーもガリヴァーも、航海への激しい情熱をもってはいるが、何のために旅をするのかは定かではない。パミラにも目的はなく、目的らしきものがあるとすれば、それはミスターBの方に属している。『パミラ』は、ミスターBの目的に後からパミラが参加することで、パミラの目的も果たされたことになる、という構成になっている。それに対して、シャミラは最初から、明確な目的をもって戦略的に主人に対している。

主人公たちの目的が明確ではないということが、一八世紀の小説がはっきりとしたプロットをもたない、という印象につながっている。プロットは、結末への目的論的な過程だからである。

とはいえ、主人公（シャミラ）に目的をもたせたら――そしてその目的が実現するという物語を創ったら――、すぐに成熟したプロットが生まれるかといえば、そうではない。「目的」は、主人公に属しているのではなく、物語そのものに属しているからだ。『オイディプス王』は、コウルリッジの「三大プロット」のひとつだが、物語を通じて、オイディプス自身の目的が果たされるわけではない。むしろ、彼の希望はすべて打ち砕かれる。

＊

さて、『シャミラ』の八年後に発表された長篇小説『トム・ジョウンズ』――正式のタイトルは『みなしごトム・ジョウンズの伝記物語』――こそが、われわれの主題であった。それは、次のような筋である。

ある日、田舎地主のトーマス・オールワージ氏の寝室に男の赤ちゃんが置き去りにされていた。誰の子なのかわからない。この子は、オールワージ氏のファースト・ネームと、実母と見なされた――後にそれが嘘であったことが判明するのだが――女中の姓から、「トム・ジョウンズ」と名付けられた。トム・ジョウンズは、篤志家のオールワージが父代わりになって育てた（「母」とされた女中はすぐに行方をくらましてしまう――が後半に名を変えて再登場するのだが）。ジョウンズはカッコよく、やや単純に過ぎるところがあるが正義感も強い魅力的な青年に育っていった。だから、彼は、誰からも――オールワージにも――愛され、そして何よりも女にもてた。ジョウンズは「女」には弱く、作中で多くの女性と関係をもつ。

ジョウンズのライバルは、オールワージの甥にあたるブリフィルである。ブリフィルは、オールワージの妹のブリジェットの息子だが、生後まもなく父が亡くなったため、オールワージ家でジョウンズと一緒に養育されていた。ブリジェットも、小説の途中で亡くなる。オールワージには子がいなかったから、本来であれば、ブリフィルこそが、オールワージの後継者、跡取りである。

大づかみにみれば、『トム・ジョウンズ』は、オールワージ氏の後継者としての地位とソファイアという女性との結婚をめぐる、ジョウンズとブリフィルの戦いが筋の基本的な骨格になっている。ブリフィルは、今述べたように、本来は唯一の正統な後継者なので心配する必要はないのだが、どういうわけか、実母のブリジェットでさえもジョウンズの方を贔屓したりするので、ジョウンズに対して強い嫉妬心を抱いている。ソファイアは、隣の地主のウェスタン氏の娘である。ソファイアとジョウンズは相思相愛の関係にある（もっとも、先に述べたように、ジョウンズは多くの他の女とも性的な関係を結ぶのだが）。ブリフィルはソファイアを愛しているわけではないが、彼女との結婚は自分に有利だと考えており、またソファイアの父であるウェスタンも、娘が——オールワージの資産を引き継ぐわけではないジョウンズよりも——ブリフィルと結婚することを望んでいる。

結局、ブリフィルのオールワージへの（ジョウンズを貶める）讒言や巧みな立ち回り、そして何よりも（ブリフィルにとっての）幸運が重なって、ジョウンズは、父代わりのオールワージの怒りを買い、家を追い出されてしまう。また、ソファイアとブリフィルの結婚も、ほぼ決定という状況になる。つまり、ブリフィルの勝利が確実に見えた。

追放された後も、ジョウンズの身の上には、実にさまざまなことが起こり、彼は、冤罪で死刑になりかかったりもする。が、刑の執行の前に疑いが晴れ、ジョウンズは解放される。そして、かつてジョウンズの実母ではないかと噂された女中ジェニー・ジョウンズ（今やウォーターズ夫人で通っている）の話を通じて、オールワージは、ジョウンズが、ブリジェット（オールワージの妹、ブリフィルの母）が結婚前の関係によってもうけた子であったことを知る。オールワージは、ジョウンズが自分の甥であること、そしてブリフィルがジョウンズを追放するためにさまざまな悪事を重ねてきたことを知ったのだ。こうして、ジョウンズは、オールワージ家を継承する権利があることが判明し、今度は、ブリフィルがオールワージ家から追放された。最後にジョウンズは、愛するソファイアと結ばれた。ジョウンズが逆転勝利を収めたことになる。

＊

以上が『トム・ジョウンズ』の大筋だが、武田が示唆していることの中から、われわれのこの後の考察にとって有意味な論点を確認しておこう。筋の要約に記すにはあまりにも細かいことなのだが、ソファイアの父親のウェスタン氏は、粗野で保守的な人物で、おそらく「古き良きイングランドの郷紳」を揶揄する目的で造形されている。彼は、熱心なジャコバイトとして描かれている。ジャコバイトとは、名誉革命（一六八八年）で追放されたジェイムズ二世とその子孫（つまりスチュアート家）の正統性を支持する人のことである。言い換えれば、今日まで続いているハノーヴァー（ウィンザー）家に反対する者だということになる。[*8]

ジャコバイトを嘲笑的に描いているということは、フィールディングはハノーヴァー家を支持しているのかと言えば、最近の研究からは、そうとも言えないということがわかってきているらしい。つまり、『トム・ジョウンズ』の中では、ハノーヴァー朝の正統性も、疑問を投げかけられている。[*9] たとえば、ウェスタンの妹は、兄と違って熱心にハノーヴァー家を支持しており、兄と喧嘩ばかりしているのだが、彼女もまた滑稽に描かれている。

したがって、武田が述べているように、フィールディングは、「ジャコバイトだ、ハノーヴァー家だ」といった、特定の王朝の正統性をめぐる争い自体を愚かしいものと見なしていたのだろう。われわれの探究の中で言い換えれば、『トム・ジョウンズ』は、「王の二つの身体」論（『近世篇』参照）を、あるいはいわゆる「王権神授説」のような政治神学を、批判的に相対化していることになる。

この小説の、王権をめぐるイデオロギー的な背景に注目したのは、この挿話がこの小説の骨格となる物語に直結しているからである。あらすじの中で述べたように、『トム・ジョウンズ』の物語を構成する基本的な葛藤は、「誰がオールワージ氏の後継者か」という争いにある。この争いと王朝の正統性をめぐる喧嘩や紛争は、互いが互いに対して隠喩となるような関係にある。一見、ブリフィルによる継承の正統性は明らかに思える。が、最後に、ジョウンズにも継承権があったことが証明され、実際に、ジョウンズがオールワージが就いていた「家長」の座を受け継ぐ。小説は、ジョウンズによる継承の正統性を証明したかのように見える。

しかし、「ジャコバイト対ハノーヴァー家」という対決自体が茶化されていたことを考えれば、この小説はむしろ、「ジョウンズがオールワージの正統な後継者である」ということへの拘りもまた突き放し、相対化しているのではあるまいか。その証拠は、トム・ジョウンズの姓（ファミリーネーム）である。先に述べたように、「ジョウンズ」は、彼の母とされた女性の姓に由来する。本来、「父の名」が置かれるべきところに、「母の名」――しかも贋の母の名――が代入されているのである。物語の展開の中で、パートリッジという名の教師が父親だと正式に認定される（これも誤り）。認定したのは、治安判事に任命された、他ならぬオールワージである。それでも、トム・ジョウンズは「トム・ジョウンズ」のままであって、「トム・パートリッジ」になるわけではない。また、彼は「育ての父」の名をとって「トム・オールワージ」になる、というわけでもない。後継の争いの目標になっているはずの「父の名」は一貫して、ないがしろにされているのである。[*10]

考えてみれば、「オールワージ Allworthy」というのは、たいそうな名前である。武田が気づかせてくれるように、字義通りにとれば、それは、「あらゆる点で善良な」を、つまり「完璧な人格者」を意味している。これは、無謬とされる「王の政治的身体」を指すのにふさわしい名前ではないか。だが、実際のオールワージ氏は、この名とは乖離している。オールワージは、孤児のジョウンズを育てるくらいだから、確かに、慈愛の心をもつ者ではあるが、ブリフィルの悪意の計略にかんたんに騙されたことからわかるように、愚かで洞察力を欠いた人物である。「オールワージ」は、明らかに皮肉である。

このように見ると、フィールディングその人に明確な自覚があったかどうかは別として、『トム・ジョウンズ』は、「王の二つの身体」の体制からはっきりと離脱している。「王の二つの身体」と類比的に捉えられる精神や関係の否定の上に、この小説は成り立っているのである。

3 チェスではなくサイコロ賭博

前節で紹介したあらすじからは読み取りにくいことだが、『トム・ジョウンズ』の展開で最も特徴的なことは、偶然性の役割の大きさである。重要な出来事、登場人物の運命に影響を与える肝心な出来事が、しばしば、絶妙なタイミングで偶然、発生する。たとえば、ブリフィルは、どうして、ジョウンズを、オールワージ氏の屋敷から追い出すことに成功したのか。ブリフィルの策略、とりわけ巧みな讒言が功を奏したことはもちろんだが、成功の主たる要因は、いくつもの偶然が重なったことにこそある。最も重要な偶然は、オールワージ氏が病に倒れていたそのときに、彼の妹のブリジェットが死に、その死を知らせるべく、弁護士が屋敷を訪問してきたことである。病中のオールワージは弁護士に対応できないので、面談に応じたのは、ブリフィルだった。小説の最後にわかることだが、このときブリフィルは、ブリジェットが弁護士に託したオールワージ宛の手紙を通じて、ジョウンズの出生の真実を知ってしまった。ブリフィルは、もちろん、この真実を隠し、オールワージには伝えなかった。ブリジェットの死のタイミングが、オールワージの病のタイミングがほんのわずかずれていれば、要するに弁護士が直接、オールワージ氏にことを告げることができていれば、ジョウンズは屋敷を追い出されることはなく、したがって、その後の辛酸も嘗めることはなかっただろう。

武田は、『トム・ジョウンズ』の中で、偶然性がどれほど決定的な意義をもっているか、ということをていねいに解説してみせる。[*11] 今、ジョウンズが追放の憂き目に遭うにあたって、とんでもない偶然が作用していたと述べたが、追放された後の展開は、さらに激しい偶然性の嵐である。波乱万丈の過程の中で、ジョウンズは、「母」との近親相姦を犯したり（結局、ほんとうの母ではなかった）、「殺人」の罪に問われたり（しかし相手は死んでいなかった）、といったさまざまなことがあり、紆余曲折の果てについにオールワージ家の継承権者であることが証明される。あまりに複雑な後半（ジョウンズの追放から結末まで）の展開を、武田は、便宜的に、四つの筋に整理している。*[12] それぞれの筋の中にもたくさんの偶然の出来事が詰まっているのだが——たまたま誰かと誰かが同じタイミングで同じ家を訪問したり、ジョウンズがそのとき別の目的でもっていた大金が役立ったり、誰かがかつて別の場所で見かけた人物を別のコンテクストで運よく再び目撃したり……等々——、その上で、これら四つの筋が精妙にからみ合わなくては、述べたような結末には至らない。ほんのすこし違ったことが起きていれば、ジョウンズの刑は執行されていたかもしれない。わずかな違いで、ジョウンズの出生の真実は、永遠に暴かれなかったということも大いにありそうだ。

フィールディングは、自分が創刊した新聞『闘士《チャンピオン》』に寄稿した記事で、次のように書いているという。

> 人生というのは私にはチェスというよりサイコロ賭博（the game of hazard）に似ているように思われる。このうち前者では、よい指し手同士であれば、一回の悪手が敗北を決定づけてしまう。これに対し後者では、最悪の場合でも勝ち目が乏しくなるだけで、それも二対一より不利になることはない。*[13]

この後、サイコロ賭博では、間の抜けた奴が知恵ある賭け手に勝つこともある、といった趣旨のことが語られる。実際、『トム・ジョウンズ』がそうであろう。間抜けなジョウンズが、目先が利くブリフィルに勝ってしまったのだから。

そうだとすると、『トム・ジョウンズ』の対極にあるのは、前章、『ロビンソン・クルーソー』との関連でその名を挙げた『天路歴程』のような物語だということになるだろう。フィールディングの比喩をそのまま借りれば、『天路歴程』が描く人生は、(サイコロ賭博ではなく)チェスのようなものだ。主人公の「クリスチャン」は、最善手を打ち続けることで勝利し、「天の都」に到達する。

*

だが、ふしぎではないか。どうして、こんなフィクションが書かれたのか。偶然性によって左右されるサイコロ賭博のような人生の軌跡を、書かずにはいられない衝動とは何か。どうして、そんなことが書かれた書物が広く読まれたのか——人々はなぜこれを読まずにはいられなかったのか。

ここで前章に引いた、『ロビンソン・クルーソー』のあのエピソードを思い起こそう。クルーソーを戦慄させた浜辺の足跡のことを、である。この足跡は、どこから来たのかわからない。不意に、まったく予想していないところに、それは出現した。クルーソーがこの足跡を発見して、恐慌をきたしたのは、それが何であるかを知る者がどこにもいないかもしれない、と思わざるをえなかったからだ。これほどに偶発的で不可解なかたちで出現したものであるとすれば、神でさえも謎を解けないかもしれない（そして全知であることが神の定義的な条件のひとつであるとすれば、この不安は、神がいないかもしれない、ということでもある）。恐怖の原因はここにあった。

『トム・ジョウンズ』では、偶然の出来事が次々と発生する。これら偶然の出来事は、クルーソーが発見した足跡のようなものである。クルーソーにとってはたった一つだった足跡が、『トム・ジョウンズ』では、次々と、まるで連打するように出現しているのだ。

ここで、小説についてのわれわれの仮説を復習しておこう。原点には、神でさえも――いや「第三者の審級」と一般化して呼んでおこう――、それの真実を知らないのではないか、という不安や懐疑がある。第三者の審級に帰属する理念的な知の中で、それがなぜ起きているのかという理由が、それがもつ意味が、説明されうるのか。謎は永遠に残るかもしれない。そのような不安と恐怖がまずはある。小説は、こうした不安と恐怖に対抗し、それらを癒す効果をもつ。それらを消去することは、小説にもできない。しかし、抑圧したり、緩和したりすることは可能だ。まさに小説の語りの中に位置づけられたことによって、不可解だった偶然性が何であったのか、何のためにあったのかが説明されたことになるからだ。

『トム・ジョウンズ』はどうであろうか。このような論理に適合しているだろうか。もちろん、適合している。『トム・ジョウンズ』は、われわれが仮説として提起している論理に合致した内容になっているのだ。いくつもの偶然の出来事が生起した。起きたその瞬間にあっては、それらはいずれも、意味のない――あるいは意味がわからない――出来事である。しかし、すべてが終わった後から遡及的に振り返れば、それらが、この「結末」に至るために――「トム・ジョウンズが救済される（ジョウンズがオールワージ家の相続者として認められ、ソファイアと結ばれる）」という結末を得るために必要なことだったことがわかる。ということは、不可解だった偶然の出来事が何のためにあったかを知り、そのことによって、それらの出来事を必然性（必要性）としてあらためて意味づけなおすことができる第三者の審級が存在していた、ということになる。

が、しかし、ここで慎重にならなくてはいけない。『トム・ジョウンズ』は、善人は最終的には救われる、世界は善が実現されるべく定められている、といった類の話ではない。フィールディングは、善は必ず報われることになる、ということを小説によって書こうとしているわけではないのだ。そんなことを表現したいのであれば、『天路歴程』のような物語を創作すればよかったはずだ。つまり、人生はチェスである、ということを証明する物語を書く方がよかったはずだ。だが、実際に書かれた小説『トム・ジョウンズ』は、人生をサイコロ賭博として描いている。

ということは、どういうことなのか。不安、あるいはむしろ恐怖が、まずは前面に出ており、それらは結局、消滅してはいない、ということである。あの浜辺の足跡の突然の出現のような偶然性について、その意味を第三者の審級（神）でさえも把握できていないのではないか、という不安の方が、まずは自己主張しているのだ。そうした不安が解消されることがあらかじめ保証されているような物語を書く気はしない……とフィールディングは思っていたに違いない。だからこそ、それぞれの出来事の異様なまでの偶然性がまずは誇張的に記述されているのである。

そうだとすると、あらためて問われなくてはならない。その偶然の出来事が生起する理由を説明できる知の理念的な所有者（第三者の審級）が存在していた、ということを、人はいかにして納得できたのか。小説は、どのようにして、偶然性を、必然性（そうあるべくしてあったこと）へと転換できたのか。出来事の偶然性を一方で強調しておきながら、結局、最終的には、それが――第三者の審級の観点からは――必然性としても解釈しうるという展開に、どのようにしたらリアリティ（ほんとうらしさ）を与えることができるのか。『天路歴程』のように、あらかじめ神が存在していること、そして神が何もかもを知っているということを素朴に信じることができるならば、こうした問題は生じない。しかし、端緒において、神の存在や神の知に対して懐疑があるときに、どのようにしてそれが最終的には克服されるのだろうか。

4　神はいったん見捨てて、それから救う

ここで小さな回り道を通っていこう。小説と同様に近代に固有な言説ではあるが、小説の対極にあるタイプをとりあげてみよう。つまり「近代科学」の場合には、どうであったかを考えてみよう。というのも、科学も、小説と同じ課題に直面しているからである。まずは、まったくの幸運（または不幸）の産物と見なしたくなるような現象が生起している。太陽が毎日まったく欠かさずほぼ同じ地点から――いや少しずつ規則的にずれながら――昇ってくれるとか、寒い日と暑い日の出現する頻度に特殊な周期性があるとか、どうしてこんなふうであって他ではないのか、と思いたくなる現象がある。これらの現象が、いかにして生じたのかを説明し尽くすことが科学の目標である。それゆえ、科学もまた、偶然性を必然性へと転換することを求められていること

になる。
近代的な自然科学は、超越的な神を追い出すものだとされているが、それは、科学の言説が神の機能的な等価物となりうるからである。外見上は偶然の体裁をとっている現象が、実際には必然的に生起していたとする説明を与えることができれば、神が世界をそのようなものとして予定し、知っていた、と解釈したのと同じである。アインシュタインが量子力学を批判したときの表現を転用すれば、成功した科学的説明は、神がサイコロで戯れていたわけではないということの証明に相当する。言い換えれば、近代科学がもたらす説明は、神がこの世界のこの様態を意図的に選択していたとする解釈と、論理的に同値なのである。神は論理的に可能な世界の集合の中から最善のものを選択した、とするライプニッツの説を思い起こしてもよい。要するに、近代科学によれば、宇宙は、神のサイコロ賭博の場所ではない*14。

問題は、どのようにして、科学はそのような説明を構成するのか、である。現象の生起を規定している法則を見出すことによって、である。法則のうちに包摂するためには、個々の具体的な現象を——本質的だと見なしうる特徴にだけ着目することを通じて——抽象化し、一般化し、そして類型化しなくてはならない。具体的な現象と一般化された類型との間にはギャップがある。現象は類型（を代表する一例）として認識される限りにおいて、法則による説明の中に位置づけられるのだ。

*

同じことは、小説の場合に成り立つだろうか。小説もまた、偶然性を必然性へと転換しているように見えるのだが、その方法は、科学の場合と同じだろうか。違う。まったく違う。小説は――『トム・ジョウンズ』のような小説は――、サイコロ賭博の場であるような世界を描くのであった。しかし、小説においても、この賭博場でのサイコロの目の偶然性は、馴致されずに放置されるわけでもない。浜辺の足跡は、恐怖を引き起こす原因にとどまるわけではない。どのようにして、こうした偶然性は還元されるのであろうか。

科学的言説が採用する方法は、小説の本性に反している。科学の場合には、出来事は抽象的で一般的な類型としてのみ認識される。それに対して、小説にとっては、内容の具体性、そこで描かれた出来事の具体性こそが命である。小説の中で生起する出来事は、一般的な類型の一事例ではない。小説の内容をなす出来事の連なりの「類型には還元できない具体性」こそが、小説を小説たらしめている。小説の中で次々と生起するいくつもの出来事の特殊性の全体が、それらを経験する主人公の個人としての特異性を――「他でもないこの私」と言われるような特異性を――浮き彫りにする。「トム・ジョウンズ」等の特定の固有名によってしか指し示すことができない特異性を、である。個体の特異性を際立たせる具体性は、小説にとっては絶対に譲れぬ条件である。この条件は、小説の源流がどこにあったか思い起こさせる。小説の起源――小説にはまだなっていない源泉――は、この探究の中で述べてきたように、プロテスタントの「日記の体裁をとった告白」である。その告白は、特異的な〈私〉を記述し尽くそうとし、〈私〉を目指していた（第17章参照）。小説は、こうした〈私〉への指向性を主人公の特異性として引き継いでいる。

小説の内容のこうした具体性が、叙述されている出来事の偶然性として現れる。（小説の中の）出来事は、一般法則の中に回収できない具体的な細部がある。その部分に関しては、偶然そうなった、としか言いようがないではないか。具体性と偶然性は、このように表裏一体の関係にある。

だが、まだ先がある。それが偶然であるということは、「それだけではない」「それに尽きない」という様態でそれが現れている、ということを意味している。偶然ということは、定義上、「他でもありえた」ということである。つまり、出来事は、現実化している「それ」だけではなく「ありえた他なるもの」への指示を伴っているからこそ、偶然の生起なのだ。このことは、別の表現で言い換えれば、偶然の出来事をそのまま具体的に――現実のこととして――記述するとき、何かが排除されている、何かが抑圧されている、という印象を不可避に与えるということでもある。

そうだとすると、ここからひとつの転回が生じうる。他でもありえたのに、まさに「これ」が生起しているということは、「ありえた他なる様態」がすべて排除され、「これ」が選ばれている、ということではないか。偶然性を強調すればするほど、逆に、その偶然性そのものが否認されることにもなる。なぜなら、偶然に生起しているそれは、誰かによって意図的に選ばれているかのように現れもするからである。選択の意志が帰属する誰かとは、無論、神のような何か、いや第三者の審級である。偶然の出来事の連鎖を通じて、最終的に何らかの結果がもたらされたとき、事後的に、それらは第三者の審級によってそのようになるべく選ばれていた、ということになる。当然、第三者の審級は、それらの出来事の連続が、そうした終結へと差し向けられていることを知っていた、ということにもなる。

小説が、一八世紀的な段階から一九世紀的な段階へと「成熟」する過程で作用していた論理は、以上のようなものではあるまいか。小説の展開の渦中にあって、偶然の出来事を体験している主人公たちは、それがどこに向かうかは知らない。しかし、彼らは、結末まで至ったときに、その結末へと差し向けられるべくそれらの出来事が選ばれていたことになるかのように、つまり、一種の前未来形の様式で、出来事を体験する。こうした構成が、目的＝結末へと至るプロットを可能にする。と、同時に、第三者の審級はすべてを知っていた、ということになる。この第三者の審級の役割を実際に果たすのは、もちろん、小説の語り手である。それが、一九世紀の小説を特徴づける「全知の語り手」だ。

　ルカーチは、『小説の理論』でこう結論した。「小説は神に見捨てられた世界の叙事詩である」と。[*15] この認定は、正しい方向を歩んでいるが、その方向を歩み切ってはいない……これがわれわれの考察が示唆することである。むき出しの偶然性が露呈したとき、たとえば唐突に浜辺に一つの足跡が出現したとき、人は、この世界は神に見捨てられているのではないか、という不安を抱く。この出来事の意味を告知することで世界を救出する神はどこにもいないのではないか、と。しかし、他ならぬその偶然性を活用して、あらためて、神が現れる。いったんは見捨てられた世界を救出する神が、である。そのような神を無意識のうちに信じるとき、小説が可能になるのだ。

　とはいえ、小説なるものを駆動しているメカニズムは、ここで停止するわけではない。このことは、『トム・ジョウンズ』の結末の両義性のうちにすでに暗示されている。

1　武田将明「小説の機能(5)――『トム・ジョウンズ』と僭名の時空」『群像』二〇一六年一二月号、一二二頁。
2　ベネディクト・アンダーソン『定本　想像の共同体』白石隆・白石さや訳、書籍工房早山、二〇〇七年（原

著二〇〇六年）。

3　西ヨーロッパで民衆的なナショナリズムの嵐が吹き荒れるのは、フランス革命後の一九世紀である。すると「この間」を駆使する小説の文体とナショナリズムとが同じところに根をもつ現象だとする、アンダーソンの主張は、ますます説得力を増す、ということになるだろう。詳しくは以下を参照。大澤真幸『ナショナリズムの由来』講談社、二〇〇七年。

4　もっとも二〇世紀の小説はしばしば、一九世紀の小説のスタイルを否定することで、その前衛性を示すので、むしろ、一八世紀の小説に似てくる。たとえば、二〇世紀の小説はしばしば三人称客観描写の自明性に疑問を投げかける。あるいは、時間の進行に関しても、たとえばプルーストの『失われた時を求めて』に典型的に現れているように、二〇世紀のいくつかの重要な小説は、わかりやすいプロットにそって展開はせず、むしろ、一八世紀の初期の小説のように出来事の出現・進行・完結がいつまでも引き延ばされていく。だから、一八世紀の小説は、一九世紀の小説よりもむしろ「新しい」とさえ見えるのだ。もっとも、小説の斬新さや独創性をはかるとき、今でも一九世紀的な小説からの逸脱の程度が基準になっていることからも明らかなように、一九世紀に確立した様式が小説の典型であるという感覚は、二〇世紀以降も続いている。

5　John Mullan, *How Novels Work*, Oxford, New York: Oxford University Press, 2006.

6　武田、前掲評論、一一九頁。

7　武田によれば、Shamela の“Sham”は「贋物」という意味なので『シャミラ』は『贋パミラ』と訳しうる。それゆえ、「本物らしい名前こそ実は贋物で、贋物こそ本物だという価値観の転倒」（武田、前掲評論、一二二頁）がここにはある。

8　ジェイムズ二世の後に、父とは離反した彼の娘メアリとアンが順に女王の座に就くが、アンが没したあとは、ドイツのハノーファー選帝侯ゲオルクがジョージ一世としてイギリス国王に即位した（一七一四年）。ハノーヴァー家は、第一次世界大戦のときに、敵国（ドイツ）の出自であることをあからさまに示す名前を捨て、「ウィンザー」と改名した。この事実は、二〇世紀の初頭まで、イギリス人は、自分たちの国王が外国からやってきたということをさして気にはしなかった、ということを示している。ハノーヴァー朝が始まった一八世紀の前半には、今日的な意味でのナショナリズムがまだ生まれていなかったことがわかる。と同時に、二〇世紀の頭には、ナショナリズムは熟しており、王は「国民の王」であることを示さなくてはならなくなっていたこともわかる。

9　John Allen Stevenson, *The Real History of Tom Jones*, New York, Basingstoke: Palgrave Macmillan US, 2005.

10　前章の第1節で述べたように、『ロビンソン・クルーソー』でも、母の名が温存され、父の名が否定される。否定の度合いは、『トム・ジョウンズ』の方が大きい。前者では、父の名は変形されるだけだが、後者では、排除されてしまっているからだ。

11　伝統的には、フィールディングは、思慮分別を重視し、世界は必然的に善に向かうと信じていた、と解釈されてきた。しかし、武田によれば、近年では逆に、「偶然性」の概念が、フィールディングを読み解く鍵と見なされている。武田の評論もこのような研究の最新のトレンドの中にある。次のような著作が、このトレンドを構成している。Jesse Molesworth, *Chance and the Eighteenth-Century Novel: Realism, Probability, Magic*, Cambridge, New York: Cambridge University Press, 2010. Sarah Tindal Kareem, *Eighteenth-Century Fiction and the Reinvention of Wonder*, Oxford, New York: Oxford University Press, 2014.

12　武田、前掲評論、一三九―一四二頁。

13　武田、前掲評論、一三九頁。武田将明による訳。

14　しかし、アインシュタインがサイコロの比喩をもって量子力学を拒否したことが含意していることは、量子力学までも視野に収めたときには、このような科学観は維持できない、ということである。だが、今はあえて、常識的な科学観に依拠している。

15　ジェルジ・ルカーチ『小説の理論』原田義人・佐々木基一訳、ちくま学芸文庫、一九九四年（原著一九二〇年）。

第21章　虚構性の勃興

1 道にそって移動させる鏡——初期近代小説

小説の一八世紀的な段階から一九世紀的な段階への転換がいかにして生じたのか。前章で、われわれはこのような問いをめぐって考察した。この問いの中に含まれている疑問は、まだすべては解けていない。「虚構性の勃興」と呼ばれうる変容が説明されてはいないからだ。近代小説を定義する条件は——イアン・ワットに基づいて繰り返し述べたように——形式的リアリズムである。リアリズムは、もちろん、本来は、現実との対応によって定義される。しかし、小説は、一八世紀後半から一九世紀前半にかけての時期を通じて、現実を映し出す記述であるというスタイルを放棄し、虚構の中で自己充足した「真実らしさ」だけを追求するようになる。キャサリン・ギャラガーが「虚構性の勃興」と呼んだのは、こうした状況である。[*1]

われわれの仮説では、近代小説の前史、その源泉には、プロテスタントの「日記」に現れるようなタイプの告白がある。カトリックのサクラメントとしての告白の否定であるような日常化した告白が、である（第17章）。そうだとすると、小説は、本来は、内面の真実を正確に反映するものでなくてはならないはずだ。実際、初期の小説は、自伝であるとか、本人の手記であるとか、あるいは発見された手紙を編集したものであるとか、といった体裁をとることで、現実との対応関係が成り立っていることの保証とした。『ロビンソン・クルーソー』も『ガリヴァー旅行記』も、本人の自伝という設定になっているし、『パミラ』は、主として、パミラ本人の書簡によって構成されている。もちろん、こうした設定自体が虚構であって、偽装なのだが、今ここで注目しておきたいことは、それでもなお、初期の近代小説では、「ここに書かれていることは現実と対応しているのだ」と思わせるための言い訳がどうしても必要だと考えられていたという事実である。

ここまで、主として、小説の「先進国」であるイギリスを中心に見てきたが、事情は（ヨーロッパの）他国でも同じである。たとえば、フランスでも、一八世紀までは――いや一九世紀前半にあってさえも――、小説は（内面または外面の）現実を反映している、とする想定を必要とし、その設定が明示されることが重要だと考えられていた。蓮實重彦の表現を用いるならば、この段階では、「物語が知に従属している」ということになる。作者は知っている真実を読者に伝えることを任務としている。蓮實に従って、この点を裏付ける作品を次にあげておこう。[*2]

たとえば、アベ・プレヴォーの『マノン・レスコー』（一七三一年）は、作者が、二年前にアメリカに渡ろうとしていたときに助けてやった青年に偶然再会し、その青年――騎士デ・グリュウ――からアメリカ滞在中のことを聞き出し、ほぼ一字一句忠実に報告している、という設定の小説である。あるいは、マリヴォーの未完の長篇小説『マリアンヌの生涯』（一七三一―四一年）は、幼い頃に両親をなくしパリに出てきた「マリアンヌ」という女性の手記だが、その手記自体が、作者によって、田舎家から偶然発見されたことになっている。作者である「私」は、購入したある地方の家の壁の窪みに、四十年も前に書かれたと推定される、女性の筆跡からなるノートを見つけ、それをそのまま印刷して出版した、というわけである。レチフ・ド・ラ・ブルトンヌの長篇『ムッシュー・ニコラ』（一七九四―九七年）は、序文で「じっさいに書かれた書翰のうちに記録された真実の事件しか書かれていない」と宣言している。こういう調子は、一九世紀前半でも変わらない。バルザックの『ゴリオ爺さん』（一八三四―三五年）は、冒頭で、「All is true」と英語で宣言し、これは作り話ではない、と強調している。

このように、イギリスでも、フランスでも、初期の小説は、書かれていることが現実を反映しているという想定を重視していた。近代小説の源泉が何であったかを考えれば、この要請は当然のことである。だが、ここから、現実との直接の対応にこだわらない自律した虚構性への転回が生ずる。どうしてなのか。なぜこのような転回が生じえたのか。[*3] この疑問を解く上で、またしても、フィールディングの『トム・ジョウンズ』が戦略上の拠点となる。前章で武田将明に従って指摘したように、『トム・ジョウンズ』は、一八世紀にあって、一九世紀小説を先取りしているからである。つまり、一九世紀小説への変容が、すでに、この小説において始まっているからである。「虚構性の勃興」という点についても、このことは言える。同じフィールディングの作品であっても、『シャミラ』は、依然として一八世紀的であり、「虚構性の勃興」以前に属する。それは、『パミラ』では隠されていた、パミラならぬシャミラのほんとうの手紙を暴露する、という形態をとっている。しかし、『トム・ジョウンズ』は、はっきりと転回への一歩を踏み出している。

ここで、フーコーの『言葉と物』の議論を前提にしてかつて指摘したこととの関連を確認しておこう。近代小説の誕生は、古典主義時代の「表象」のエピステーメーから近代の「人間」のエピステーメーへの移行に対応しているのではないか、と論じておいた（第18章）。この構図を用いるならば、現実の正確な反映であることに執着する段階の小説は、当然のことながら、未だ表象の時代に属している、と認定すべきである。表象の時代そのものを表象するアイテムは、鏡――ベラスケスの「ラス・メニーナス」でも重要な役割を果たしていた鏡――である。自然を模写する鏡だ。初期の近代小説もやはり、しばしば、自らを「鏡」に喩えている。蓮實重彥は、スタンダールの『赤と黒』――先に言及した『ゴリオ爺さん』とほとんど同時期の一八三〇年の作品――のエピグラフから、「小説とは、道にそって移動させる一つの鏡である」という一文を、「心の鏡としての小説」――内面の表象としての小説――という理念を凝縮した一行として引いている。

2　表象の時代を入口から出る――『トリストラム・シャンディ』

ここで、『トム・ジョウンズ』に立ち戻る前に、ローレンス・スターンの『トリストラム・シャンディ』について、ごく簡単に論じておこう。一八世紀後半の――一七五九年から一七六七年にかけて五回に分けて出版された――、この未完の長篇小説にここで言及するのは、われわれの考察が依拠してきた武田将明の評論「小説の機能」が、『パミラ』以後の小説として、『トム・ジョウンズ』と並んでこの小説を詳しく分析しているのに、これを無視するのはあまりにもバランスを欠いているという配慮だけが理由ではない。『トリストラム・シャンディ』を――武田がそうしているように――、『トム・ジョウンズ』と同時代に属しつつその対極にあるものとして位置づけて捉えたとき、『トム・ジョウンズ』という小説が何を果たしたのかが、より明確に見えてくる。『トリストラム・シャンディ』にも目を向ける主な理由はここにある。

『トリストラム・シャンディ』は、一口で言えば、文学史的なコンテクストを外した異様な小説である。二〇世紀文学をすでに知っている者の目には、この小説は、非常に先駆的なものに映る。武田は、「十九世紀に近代小説が国民文学として確立していくより前に、狭義の文学を超えた世界的な文学・文化の可能性を予告していたように思えてくる」として、このような未来を先取りした業績を残したのが、「出世から取り残された病気がちの四十男で、下ネタが趣味の田舎司祭だった」ということは奇蹟であり、また希望でもあると総括している。[*4]

だが、よく見れば、『トリストラム・シャンディ』の破格は、一八世紀小説のスタイルをあまりに徹底的に――過剰なまでに徹底的に――追求したことの結果であることに気づく。つまり、単純に時代を超越しているというより、むしろ、まずは時代に深く内在しているのだ。基本的には、この小説は、「トリストラム・シャンディ」という名前の、ヨークシャーの地主階級に属する紳士が、自分の半生を振り返った回想録、一種の自伝である。つまり、これはやはり一種の「告白」であり、トリストラム・シャンディの人生を映す鏡であろうとした小説である。しかし、この鏡の表面はあまりにもきちんと磨かれており、そこに映る像の精細度があまりにも高い。こうした特徴は、有名な冒頭だけでもすぐに確認できる。普通、自伝や回想録は、筆者の誕生のときから書き起こされる。ところが、『トリストラム・シャンディ』は、自分が精子として射出されたところから始まるのだ。自分が精子だったときのことなど記憶しているはずはないのだが、あらゆる細部をも映し漏らさない人生の鏡であろうとすれば、ここから始めなくてはならない、誕生以前の地点、誕生ということのさらなる起源から書き始めなくてはならない……と言っているかのようである。

この「自伝」は、かように細部にこだわるあまり、周辺的なエピソードへと脱線に脱線を重ねていく。前章で、『トム・ジョウンズ』は、一九世紀小説の特徴である「プロット」を先取り的に確立したと述べたが、『トリストラム・シャンディ』は、この点ではまったく正反対である。プロットは、完全に破壊されている。この小説には、ハムレットのあの科白――デリダが注目した有名な科白――「時間の関節が外れている（The time is out of joint）」がふさわしい。

書くべきことが多すぎて、やがて、自伝によって叙述された時間よりも、それを書いている間に進行する人生の時間の方がずっと長くなってしまう。自伝の叙述の速度が、人生が実際に進行する速度よりもはるかに遅いのだ。それゆえ、トリストラム・シャンディはこう語る。「私が書き進めば書き進むほど、書かねばならぬことはそれだけふえてゆく」と。それゆえ理の当然の結果として、読者側からすると「読み進めば読み進むほど、読まねばならぬことがそれだけふえてゆく」ことになる。

このようにして、実際の人生よりも、人生を映す鏡の像の方が起伏に富んだ複雑なものになる。これは、一八世紀の自伝的な小説の自己破綻である。もはや、鏡が現実の人生と対応しているとは言えなくなってしまうからだ。この破綻は、別のかたちでも示される。小説が鏡だとすると、つまり表象だとすると、それが映し出す現実が外部に存在していなくてはならない。しかし、『トリストラム・シャンディ』は、この現実の存在を宙吊りに、つまり決定不能なものにしてしまうのだ。たとえば、今しがた紹介した冒頭の「精子」の話題。わざわざ精子だったときから始まっているのに――武田が指摘しているように――、精子が実際に受精に成功し、妊娠に至ったのか、はっきりとは書かれていない。もしかすると母親は懐妊しなかったかもしれない。すると、トリストラム・シャンディなど本当は存在しないのではないか、という疑念まで生ずる。[*5] この疑念を払拭する根拠は、小説の中にはない。

もうひとつ、トリストラムの叔父トウビーの股間をめぐる話題の例を挙げておこう。ウォドマン未亡人は、トウビー叔父に恋心を抱いており、結婚を考えてもいる。しかし、トウビー叔父は、かつて、戦場で股間に傷を受けたと言われており、ウォドマン未亡人としては、彼の性器が結婚にふさわしいものとして機能するのか気になって仕方がない。じらしにじらされたウォドマン未亡人に――そしてもちろん読者に――、ついに股間の秘密が明かされる場面がやってくる。トウビー叔父は従者のトリムに命令して、ナミュールの町とその周辺を描いた「大きな地図」を持ってこさせる。「叔父トウビーはウォドマン夫人の鋏《はさみ》を借りて、聖ニコラス城門の前の引返し点から六十メートルばかり測ると、処女のようなはじらいを見せつつ夫人の指さきをとってその場所にあてが」った。……それで結局、ペニスはどうだったのか。あったのかなかったのか。活きていたのか死んでいたのか。わからない。確認されたのは、地図という「表象」の平面だけである。表象によって意味されている対象の存在は未決定のままだ。[*6]

*

このように、『トリストラム・シャンディ』は、表象の時代の小説としてのスタイルを徹底させ、純化させることで、そうしたスタイルを成り立たせている前提そのものを失効させている。つまりこの小説は、表象の時代に内属しつつ、そこから脱出しようともしているのである。どこへ？　どこへと脱出しようとしているのか？　結論を先に言えば、私の考えでは、『トリストラム・シャンディ』は、誤った方向に脱出しようとしている。いや、「誤った」という表現は不適切かもしれない。この小説は、入口から――出口ではなく入口から――外に出ようとしているのだ。書かれたものたちを囲い込んでいるエピステーメーの部屋の入口からである。どういう趣旨なのか、説明しよう。

武田によれば、スターンはこの小説を通じて読者を、「言葉と物が入れ替え可能な世界」に巻き込む。それは、言葉そのものが物たちの集合の中に参入し、物理的な因果の作用を物に及ぼしうる世界、という意味である。[*7] このことが典型的に現れるのは、名前が人格に作用するとする、主人公の父親ウォルターの理論において、である。我が子によい名を与えたいと思うのは、どの親も同じだが、ウォルターは、名前が、言ってみれば食物や薬と同じように、その人物に因果的な影響を及ぼすという理論をもっている。[*8] これを揶揄しながら紹介しようとするときの語り手の文章が、さらに興味深い。武田の評論から（一部を省略して）引用する。

一体なぜ私の父ほどにも十分な分別をそなえた紳士が……（中略）……あれほどにも常道をはずれた考え方を頭に抱くなんてことが起り得たのか――いや、あんまりはずれ方がひどいので、いよいよ私がその話を持ち出しましたら、もしすこしでも怒りっぽい性質の読者だったら、その場でこんな書物はほうり出してしまわれるおそれがある、もしまた陽気なお方だったら、ゲラゲラ笑い出しておしまいになりそうですし、――また生《き》まじめな気むずかしいお人なら、一目御覧になっただけで、荒唐無稽と一言できめつけられようかと心配なのです……[*9]

と、このように語り、語り手は、ウォルターの名前の理論をあらかじめ批判している。だが、武田によると、ここで主人公によってなされている読者の分類、「怒りっぽい性質」「陽気な」「生まじめな気むずかしい」といった分類は、ルネサンス期の四体液説や占星術に依拠している。「怒りっぽい cholerick」は、黄胆汁 choler が怒りをもたらすという理論を背景としており、「陽気な mercurial」と「気むずかしい saturnine」は、それぞれ「水星 Mercury」と「土星 Saturn」の形容詞化で、天体の影響の産物とされている。語り手は、ここで、父親の奇説を嘲笑しているようでいて、自分自身も、それとよく似た理論に立脚しているのだ。それは、物の名前が、人間の体質や性格に物理的に作用して、影響を与えている、という観念だ。

　このような言葉の物質化は、作品の内部で生じているだけではない。あたかもこの作品の内容が当時の読者たちに対して感染力をもっていたかのように、この作品が置かれている社会的コンテクストの中でも、同じようなことが引き起こされているのだ。具体的に言えば、「トリストラム・シャンディ」という名前だ。ローレンス・スターンは、しばしば、『トリストラム・シャンディ』という小説の作者としてではなく、トリストラム・シャンディその人として言及されているのである。たとえば、著名な批評家サミュエル・ジョンソンは、ある晩餐会でスターンと初めて会ったときのことをこう語っている。「トリストラム・シャンディが自己紹介をした」。スターン自身も、そのような呼ばれ方に便乗し、自らの身をもって、「トリストラム・シャンディ」という人格を流布させている（「紳士トリストラム・シャンディ著」の本を出そうとしたり、と）。武田は巧みにも、こうした状況を、スターンは自覚的に『トリストラム・シャンディ』の活喩として振る舞った、と解説している。*10

ところで、こうした状況、つまり言葉そのものが物と同じ存在論的な身分をもち、互いに直接的に類似していたり、相互に因果関係を及ぼしあったりするのは、『言葉と物』の図式を用いるならば、中世・ルネサンスのエピステーメーが捉えている世界ではないか。「類似」がエピステーメーの全体を統括する観念であったときには、言葉は物と同じ水準に属していた。つまり言葉がそのまま物であった。

そうだとすると、われわれは、次のように事態を捉えることができるのではないか。『トリストラム・シャンディ』は、表象の時代の小説としての性質を過剰に徹底させることで、脱構築的にこの時代のエピステーメーを食い破り、その外へと出ようとした。「外」とは、しかし、表象の時代の後に来るはずの——この段階ではまだ実現していない——近代の（人間主義の）エピステーメーではなかった。『トリストラム・シャンディ』が向かった「外」は、表象の時代（近世、古典主義時代）の前の段階、つまり類似の時代（中世〜ルネサンス）のエピステーメーである。この小説は、時代の規格のうちに収まることを拒否しようとする衝動を、歴史の道を逆流することで満たしたのだ。『トリストラム・シャンディ』の作者は、保守的だったり、反動的であったりしたわけではない。むしろ、この作品は、自らの存立条件を批判的に超克する前衛性をもってはいるのだが、その前衛性は、すでに終わっているものをあえて蘇生させるアナクロニズムを通じて、実現している。そのため、『トリストラム・シャンディ』は、表象の時代の小説の様式に内側から穴を空けてはいるのだが、後続の時代の小説や文学を直接に準備するものにはならなかった。

3 神による天地創造——肯定的・否定的ヴァージョン

表象のエピステーメーという部屋を、『トリストラム・シャンディ』とは反対側の口から、つまりまさに出口から出ようとしたのが、『トム・ジョウンズ』である。後者は、やがて到来しようとしているエピステーメーの方へと向かって脱出した。『トリストラム・シャンディ』と『トム・ジョウンズ』は、同じ衝動を対照的な方向へと発揮したのである。『トム・ジョウンズ』が正しく出口を選んでおり、『トリストラム・シャンディ』は入口から出て行ったということは、もちろん、その当時は誰にもわからなかった。今日、振り返ったときに確認できるだけだ。

さて、フィールディングの『トム・ジョウンズ』については、前章で背景となった事実や小説の筋を紹介しているので、これらのことをあらためて説明する必要はないだろう。理論的な核の部分だけを再確認しつつ、その含意を敷衍して、本章の疑問——虚構性はいかにして勃興したのか——に答えを与えてみよう。

『トム・ジョウンズ』に関して、最も注目すべき特徴は、偶然性の強調、つまり展開の中で偶然の出来事が果たす意義の大きさであった。フィールディングは、人生を「サイコロ賭博」に喩えているが、トム・ジョウンズの人生こそ、まさにサイコロ賭博である。ところで、ある出来事が偶然として体験されるということは、その出来事が「すべてではない」「それに尽きない」と感受されている、ということである。出来事が偶然という様相を帯びていることは、その出来事に他なる様態がありえたということ、他でもありえたということが、同時に意味されているからである。ここに生起しているこの出来事は、他でもありえたことの中の一つでしかなく、可能なことはこれだけに尽きないのだ。

従って、偶然性が構成されているとき、人は、本源的な排除と抑圧があったかのように感じる。ありえた他なる様態が抑圧されていて、それが今、回帰してきて、この現実の出来事をまさに偶然のことであると自覚させている……こんなふうに感じられるのだ。もちろん、実際には、原初的な抑圧・排除が先在していたわけではない。そうではなく、他でありえたことが「抑圧されていたものの回帰」のように見えるということ、そのことが、抑圧されていたものの同一性を、遡及的に構成しているのである。このことの含意については、次節でもう一度、振り返ることになるが、まずは先を急ごう。

前章で述べたことは、こういうことであった。偶然の出来事が、「これに尽きない」ものとして現れているということ、すなわち「他でもありえた（にもかかわらずこれである）」という様態で現れるということ、このことが基礎になって、この出来事を選択し、その（救済的な）意味を知っているはずの第三者の審級が――神のようなものが――措定される。第三者の審級の存在が想定されることによって、小説は、プロットを、言い換えれば物語をもつことが可能になる。第三者の審級に帰せられる知を媒介にして、小説の主人公が経験する一連の出来事が、どこへと向かっていたことになるのかが、決定可能なものとなるからだ。このケースで、第三者の審級の存在の様態は、前未来（未来完了）的である。来るべき結末からの遡及的なまなざしの中で、第三者の審級は、物語の過程の中にある個々の出来事の意味を「知っていた」ということになるからだ。

＊

ここまでは、前章ですでに論じたことである。ここで、あらためて次のことに気づくはずだ。最終的な結果だけを見るならば、小説を可能なものとした以上のような構成は、予定説のもとでの行動を支える態度（エートス）と同じだということに、である。神が誰を救いに定めているかは、「その日」にならなければわからないのだから、信者としては――神の知の存在だけを想定した上で――いかなる根拠もなく選択するしかない。神が私（信者）の行動を知っていて、私を救いへと（あるいは呪いへと）定めていたことは、「その日」に、最後の審判の日に、私は知ることとなる。このような構成は、小説でも同じだ。

だが、この最終産物までに至る過程は、予定説の場合と小説の場合では異なっている。小説へと――それを書いたり読んだりすることへと――人を駆り立てているものは、ある不安――いやむしろ不信と言うべきか――である。この不安が、予定説の信者にはない。いやそんなことはない、予定説を信じるプロテスタントにも不安はある、と反論する者もいるだろう。

確かに、予定説に固有の不安というものもある。信者にとって何が不安かと言えば、それは、自分は救われるのか呪われるのかということである。自分は神の国での永遠の生が予定されているのか、それとも地獄へと定められているのかということを信者は知ることができないので、不安な気持ちをもたざるをえないのだ。カトリックの信者の場合には、懺悔や贖宥状によって、この不安を緩和することができるが、プロテスタントには不可能だ。彼らが不安なのは、神が存在し、信者一人ひとりのことをすべて知り、その上で彼らの救済（と呪い）について決定してしまっていることが確実だからである。

しかし、小説への衝動を支えているのは、まさにこのプロテスタントが確信しているそのことへの不信である。神（に相当する者である第三者の審級）は、ほんとうに知っているのか。私の行動の意味や目的を。そのような知によって定義できる、超越的な他者（神）は、そもそも存在しているのか。不信は、この点に向けられている。この不信は、十字架上のキリストが神に対して抱いた懐疑と同じものだ、と述べておいた（第19章）。この不信は、小説によって――まさに小説が一個の物語として成立することによって――癒され、克服される。

端緒にこのような不信があるからこそ、小説の中の出来事は、還元不可能な偶然性＝偶有性としての様相を帯びる、ということをここで確認しておかなくてはならない。プロテスタントが想定するような全知の神が存在していれば、人間の行動は神があらかじめ定めていたことであって、それは必然である。しかし、神が知らなければ、あるいはそもそも神が存在していなければ、それはまずは偶有的なこととして現れる。

この地点で、ミハイル・バフチンの小説についての理論、叙事詩と小説の違いについての理論を導入してみるのもよいかもしれない。[*11] バフチンによれば、叙事詩が語っているのは、「絶対的過去」における不変の出来事である。それは、あえて時間的に位置づけるならば「過去」となるほかないが、厳密には、経験的な時間の外部、経験的な時間をいくら過去へと遡っても到達できない場所にある。バフチンの見るところ、小説を支えているのは、これとはまったく違った時間感覚である。小説が表現しているのは「未完結の現在」である。未完結の現在とは、偶有性を帯びた現在、それがどこへ向かうのかあらかじめ知ることができない現在という意味だ。神の存在を最初から自明の前提とすることができるならば、叙事詩を語ることができる。叙事詩において語られる絶対的過去に属する物語とは、神の視点を通して見たときに規範的なものと見なされる物語にほかならない。だが、もし神すらもあらかじめ帰趨を知らないとすれば、現在をその未完結性において表現しなくてはならない。このバフチンの議論にわれわれが付け加えることができることは、次のポイントである。小説は、確かに、未完結の現在を表現する。と同時に、小説は、未完結性を克服しようとする試み、未完結性を消去しようとする挑戦でもある。

さらに、プロテスタントの――いやより広く一神教の――神と、小説がその実現を通じて回復する神(のようなもの)との間にある、根本的な性質の違いにも注目しておこう。それは、言わば、「創造」の観念の差異として現れる。一般に、神による宇宙の創造はポジティヴなものである。しかし、小説が、プロットを獲得し、物語を完結させたときに事後的に取り返す神の場合は、創造はネガティヴな所作として思い描かれる。つまり、こういうことだ。前者の普通の神の場合、創造とは、宇宙に、新しい秩序を押し付けるポジティヴな(積極的な)行為である。その新しい秩序は、絶対的過去に属する叙事詩や神話によって寓話的に表現されることもあるだろう。それに対して、小説を媒介にして取り戻される神のごときものに相応しい創造とは、多様な可能性に制限を課すという――いくつものありうる可能性の中のひとつにただ優先権を与えるという――ネガティヴな(否定的な)操作であるほかない。

4　現実の「否定の否定」

「二種類の神の性質の違い」という話題を経由することで、われわれはもう一度、偶然性＝偶有性ということの意味をめぐる考察に回帰することができる。出来事が偶然として体験されているということは、その出来事が「これに尽きない」という様相を帯びているということだ、と述べた。そして、「他なる様態」が、「抑圧されていたものの回帰」の形式でたち現れ、経験されるのだ、とも論じた。これがどのような状態であり、さらにいかなる効果をもたらすのか、考察を進めてみたいのだ。

だが、初期の小説だけを探究の対象にしている限りは、主題となる状態に具体的なイメージを与えるのは難しい。小説において、萌芽的に、きわめて微弱に感じられていることを増幅して提示するために、小説よりもずっと後に出てきた、新しい芸術のジャンルから援軍を送ってもらうことにしよう。ここで念頭に置いている芸術のジャンルとは、映画である。いや、もっとはっきりと絞って言えば、クシシュトフ・キェシロフスキが撮った映画だ。というのも、キェシロフスキにとって、「偶然性・不確定性に取り憑かれた生」は、一貫したテーマだからだ。

たとえば、一九八一年の映画『偶然』を観てみよう。*[12] この映画の主人公ヴィテクは、「ポズナン暴動」として知られている大規模なデモ――最終的には政府が軍隊を動員して鎮圧を図ったために流血の惨事になる――があったその日、一九五六年六月二十七日に生まれた。生後すぐに母親が亡くなったため、彼は、父に育てられた。父の希望で、ヴィテクは、ウッチの大学で医学を学んでいた。大学の同級生オルガが、恋人である。そこに父の訃報が届いたため、ヴィテクは医学への意欲を失ってしまう。大学には休学の届けを出して、ワルシャワに旅立つことを決める。列車がまさに発車しつつあるホームに、ヴィテクが全速力で走って入ってくる。この後、ヴィテクの人生の三つの異なるヴァージョンが上映される。

第一のヴァージョンは、ヴィテクが列車に乗ることができた場合。すでに発車していた列車にかろうじて追いつき、乗車することができたヴィテクは、列車の中で知り合った男の仲介で、党中央評議会で働くことになる。さらに彼は、かつての恋人チュシュカと再会し、愛し合うようになった。だが、ヴィテクは、反体制的な地下出版にたずさわっていたチュシュカのことを、そうとは意図することなく、結果的に党中央に密告したことになってしまい、チュシュカはヴィテクから去っていく。彼は、フランス行きの命令を受けるが、出発の直前、「連帯」が指導する大規模なストライキがポーランド全土で発生し、結局、旅立たないことになる。

第二のヴァージョンは、駅の警備員に制止されて、列車に乗れなかった場合である。警備員を投げ飛ばしてしまったヴィテクは、罰として奉仕労働を科せられた。奉仕労働の中で知り合った男に紹介されて、こちらのヴィテクは、反体制活動に——地下出版の仕事に——従事することになる。ヴィテクは、幼い頃に別れた旧友と再会し、彼の姉ヴェルカと愛し合うようになった。キリスト教に入信したヴィテクは、ＹＭＣＡの集会に参加するためにフランスに行こうとするが、逮捕歴のせいでパスポートを得られず、旅行を断念する。ヴェルカとの情交の最中に、地下出版の作業所が当局によって捜査されたため、ヴィテクは仲間から裏切り者と疑われることになる。ちょうどそのとき、ポーランド全土のストライキの発生が報道される。

第三のヴァージョンで、ヴィテクは、最も平穏で幸せな生活を送る。駅のホームに駆け込むと、そこには恋人のオルガがいた。結局、彼は、列車には乗り遅れ、大学に復学し、卒業後にオルガと結婚した。娘が生まれ、ヴィテクは、医者として働きはじめた。彼は、息子の反体制活動によって失脚が確実になった学部長から、リビアでの講義の仕事を委託される。この大仕事を喜んでヴィテクは引き受ける。しかし、この仕事のために彼が乗った飛行機は、離陸直後に爆発し、墜落する。

この映画が表現していることは、まずは、ほんのわずかな違い、どちらにもなりうるような偶然の微細な差異によって、まったく異なる三つの人生がありえた、ということだ。別の角度から見直せば、偶然性の作用によって振り分けられている、人生のそれぞれのヴァージョンは、他の二つの可能性の排除の上に成り立っているものとして体験されるということでもある。

たとえば、第三のエピソードで、ヴィテクは、平凡な家族の夫にして父であり、政治とは距離をとり、順調に仕事をこなし昇進しつつある。しかし、このシンプルな人生は、直接に得られるものではなく、媒介された結果である。つまり、この人生は、二つの極端な可能性――党に奉仕する活動と反体制的な出版活動――の否定によって得られているのだ。これら両極的な可能性が排除されている限りにおいて、平穏な生活（第三のエピソード）が成り立っているということを考えれば、排除された選択肢は、現実の人生に――「それらではない」という否定的な仕方で――介入しているのであって、言わば、幽霊のようにとり憑いている、と解釈することができる。「幽霊」は、「抑圧されたものの回帰」の様式で、現実の人生のもとにやってくるのだ。第三のエピソードだけを見れば、それは、普通に生きていれば確実に得られるきわめて堅実な人生に見えるが、排除されている二つの人生を背景にしたときには、ほんのちょっとしたことで崩壊しうる危うい人生だということがわかる。第三のエピソードの結末の飛行機の爆発は、排除され現実にならなかった他なる可能性が、現実の人生に刻印を残していることの証拠のようなものである。党のための活動をしていたとしても、また反体制活動をしていたとしても、ヴィテクは飛行機に乗ることができなかったはずだからだ。つまり、これら二つのヴァージョンの排除が作用して、ヴィテクは飛行機事故の道へと向かったのである。この突然の事故が、堅実なものに見えている人生が——この事故の瞬間だけではなく常にずっと——脆弱なものだったことを知らしめる。

*

映画『偶然』をめぐる以上の解釈から、次のようにアイデアを導くことができるのではないか。物語の形式をもった人生の経路の偶然性は、「他なる可能性が幽霊のように現実の——そして偶然的な——人生に潜在的に随伴しており、それらが現実の人生と相互作用をもったり、現実の人生に介入したりしている」ということを含意している、と。キェシロフスキ監督のさらに後の映画『ふたりのベロニカ』(一九九一年)は、こうした理念を、もっと端的に、そして寓話的に表現している。

映画のあらすじは、次の通りである。ポーランドの小さな村に住むベロニカは、個性的な美しい声をもち、コンサート歌手としてのデビューが決まった。初めての演奏会で歌っているとき、ベロニカは、舞台上で突然、以前からときどき彼女を襲っていた激しい胸の痛みを感じ、倒れてしまう。周囲の人々は驚き、あわてて彼女を抱き上げるが、すでに彼女は息絶えていた。

同じ頃、パリにもベロニカがいた。*13 こちらのベロニカは、小学校の音楽教師である。ある日、彼女は、学校のホールで上演された神秘的な人形劇を見て、これに強く惹かれた。彼女は、この人形劇を上演した人形使いのファブリに関心をもち、最終的に、彼と恋に落ちる。二人が結ばれた後、ファブリは、ベロニカのバッグの中に入っていた何枚もの写真の中から一枚を取り出し、こう言う。「ここに君が写っているね」と。ファブリが見ていた写真はすべて、ベロニカが数年前にポーランドを旅行したときに撮ったものだが、そこに自分が写っているはずがないということをベロニカは知っていた。彼女は専ら写真を撮るだけで、誰にも自分を撮ってもらってはいなかったからだ。しかし、ファブリが差し出した写真の隅には、間違いなく自分が——自分とそっくりの女性が——いた。その瞬間、ベロニカは悟る。もうひとりベロニカがいるということを、である。実は、彼女はずっと前から、自分は一人ではない、誰かが常に一緒にいる、と感じていたのだ。そして、このもう一人のベロニカこそが自分を助けており、こうして恋が成就できたのも彼女のおかげであった、と知る。

『ふたりのベロニカ』は、人生の「もうひとつの可能性」との間の差異を際立たせている。ポーランドのベロニカは、パリのベロニカから遠く離れたところで、まったく違った人生を歩んではいるが、それでもなお、パリのベロニカのありえたかもしれない姿である。ポーランドのベロニカは、パリのベロニカに、やはり幽霊のように——いや守護天使のように——付きまとっている。ふたりのベロニカの人生は、平行世界のようなものだが、互いに交わったり干渉しあったりすることもあるのだ。このことを劇的に示しているのが、あの一枚の写真である。このとき、写真を撮るベロニカと撮られるベロニカが、まちがいなく一つの場所の中に共存していたのだから。

＊

キェシロフスキの映画を検討したのは、これらの映画が、偶有性ということが、つまり人生の展開や出来事の生起が偶然的なものとして現れるということがどういうことなのかを、誇張したかたちで可視化してくれるからである。ここで得た洞察を、小説についてのここでの考察に適用してみよう。

現実の人生の展開が偶有性の様相を帯びているということは、他のありえた可能性が、見てきたように、「抑圧されたものの回帰」の形式で現実にたち現れ、幽霊のようにとり憑くことである。このとき、同時に、次のような逆転が生ずるのではないか。この偶然の現実が、他なる可能性の否定を前提にしてこそ成り立っているのだとすれば、後者の現実化していなかった可能性の方がより本来的であり、現実よりもいっそう、私にとって真実だということになる。たとえば、堅実で平凡な若手の医者として生きるヴィテクにとっては、政治活動に従事し、激しい恋に生きるヴィテクの方が、よりいっそう真実の自分である。

ここで、まことに正確に、ヘーゲルの弁証法でいうところの「否定の否定」の論理が作用している。「否定の否定」とは、否定されていることが、実際には、もとの「肯定されているもの」よりもいっそう徹底的に肯定されているという意味である。*14 現実の人生の物語がたち現れる上で否定された可能性の方が、現実よりも深い真実を含んでいるように感じられるとき、まさに「否定の否定」の論理が働いている。

そして、この論理こそが、小説における「虚構性の勃興」を説明するのである。現実が偶然性を帯びているとき、その現実をまさに偶然性として際立たせる上で背景になっている、現実化しなかった可能性がある。こちらの可能性にこそ真実を見出し、これをプロットの軸に据えたとき、小説は、現実から切り離された虚構性そのものの中に真実を見出すのだ。そのプロットは、虚構であるがゆえにますます真実であり、これを採用している小説は、現実を単純に模写する小説よりもなおいっそうリアリズムに深く傾倒していることになる。

1 Catherine Gallagher, "The Rise of Fictionality," Franco Moretti ed. *The Novel* Vol.1, Princeton, Oxford: Princeton University Press, 2006.

2 蓮實重彥『物語批判序説』中公文庫、一九九〇年、八九―九六頁。

3 小説家が、誰かが自分の生涯を綴った告白や日記の類の報告者を装う、というスタイルは、作品の文学的な意匠や物語におもしろみを加える工夫としては、後にも――今日でも――ときどき採用される。たとえば、二〇世紀の前半に属するサルトルの『嘔吐』(一九三八年)は、「刊行者の緒言」によれば、アントワーヌ・ロカンタンの書類の中から発見されたノートが、まったく手を加えられずに公表されたものである。このような、個々の作品の個性として採用されている虚構的設定と、同時代のすべての作品を支配する当為としてのスタイルとは、言うまでもなく、まったく別のことである。

4 武田将明「小説の機能(4)――『トリストラム・シャンディ』と留保される名前」『群像』二〇一五年一二月号、一一一頁。

5 同、九一頁。

6 同、一〇二―一〇三頁。武田は、トウビーの股座を、「シュレーディンガーの猫箱」に喩えている。

7　同、八二頁。

8　それなのに、「トリストラム」は、この父親が意図していた名前ではない。彼が選んだ名前は「トリスメジスタス」だった。しかし、伝言ゲームの中で生じたアクシデント（ノイズ）によって、伝達に誤りが生じ、赤ん坊に洗礼を施す副司祭の口から出た名前は「トリストラム」になってしまった。だが、この名前は、「宇宙のありとあらゆる名前の中で、父が一番どうしようもない嫌悪を感じていた」名であった、と語り手（つまりトリストラム）は語っている。

9　武田、前掲評論、八一頁。武田は、この評論で小説本文を引用するさい、岩波文庫の朱牟田夏雄訳をベースに、文脈にあわせてときにこれに手を加えているが、この部分に関しては、朱牟田訳がそのまま使われている。

10　同、七四―七七頁。

11　ミハイル・バフチン「叙事詩と小説」『ミハイル・バフチン全著作』第五巻、水声社、二〇〇一年。

12　この映画の英訳タイトルは、Blind Chance である。

13　もちろん、二人のベロニカは同一の女優（イレーヌ・ジャコブ）によって演じられている。

14　フロイトは常に「否定」ということの意味を、非常に繊細に解釈している。だから精神分析の臨床例には、文字通りヘーゲル的な「否定の否定」の例がたくさんある。たとえば患者（分析主体）が、夢に現れた男についてこう言ったとする。「あの男が誰なのかはよくわからないのですが、父でなかったことは確実です」と。このように断言する以上、まちがいなく、その男は患者の父親である。「父でない」という否定が、ほんとうはもう一回否定され、「父である」と強く肯定されているのである。

第22章　役に立たない辞典

1　辞典の自己否定

一九世紀中盤から後半にかけて活躍したフランスの小説家、しばしばリアリズム文学の巨匠などと呼ばれてきた小説家、そう『ボヴァリー夫人』（一八五七年）や『感情教育』（一八六九年）の作者でもあるあのギュスターヴ・フローベールの遺作は、一種の辞典である。ヨーロッパの諸国がそれぞれ自分に固有の俗語があるということに、つまり国語の所有ということに目覚めた一九世紀は、近代的なタイプの辞書が次々と編纂された時代だ。が、もちろん、フローベールが構想したその辞書、『紋切型辞典（誰にも受け入れられている考え方の辞典）』は、辞典の時代の渦中にはあるが、普通の辞典とはまったく違う。それは、辞典の風刺、辞典の否定であるような辞典である。

どんな辞典なのか。未完に終わったこの辞典は、およそ千語から成り、それらは普通の辞典と同じようにアルファベットの順に並べられている。この辞典のねらいについて、フローベールは、一八五二年の終わり頃、年上の女友達ルイーズ・コレに宛てた書簡で、こう書いている。「人前でこれさえ言えばよい、それだけで礼儀をわきまえた感じのよい人間になれる、といった文句が並んでいます」[*1]、と。これだけ読むと、とても実用的な書物なのかと思いたくなるが、もちろん、この辞典は、そうした類のものではない。同じ手紙の中で、フローベールは次のように書いている。

> 全体として散弾のように恐るべきものになると思います。この本のはじめからおわりまで、ぼく自身のつくりあげた言葉はひとつも見当たらず、だれでも一度これを読んだなら、そこに書いてある通りをうっかり口にするのではないかと心配で、ひと言もしゃべれなくなる、というふうであってほしいのです。[*2]

ということは、どういうことなのか。『紋切型辞典』は、それぞれの語に、一見したところ機知に富んでいるようではあるが、実際には、自らが知的に洗練されているかのように見せたい誰もが思わず口にしてしまうような凡庸な定義が与えられているのである。自分がいかにも事情通であるかのように、あるいはひねりを利かせて考え抜いてきたかのように語ったこと（あるいはいかにも語りそうなこと）と同じことが、この辞典に書かれているのを発見したときには、人は、羞恥で赤面せざるをえなくなる。自分だけが知っていると思っていたことが、まさに辞書に書いてあるとすれば、それは誰もがすでに知っていることなのだから。そして、彼または彼女は、今後はそんなことは絶対に言うまい、と決心することだろう。

たとえば、「芸術」という項目は、次のようになっている。

芸術［art］　最後は施療院行きとなる。

芸術より「巧みに、しかも速く」作用する機械装置に取って代わられるのだから、いったい何の役に立つのか？[*3]

当時、「芸術」は比較的新しい語である。つまり、フランス語のartが、今日、われわれが「芸術」と呼ぶものを意味するようになったのは、一八世紀になってからだという。しかも、芸術を意味する場合には、中世以来の「技術」とか「熟練」とかといったこととは違うものを指しているとわかるように、複数形les artsで、文学、絵画、音楽などを総称する語として用いるのが普通だった。したがって、単数形artで芸術一般を意味する用法は、一九世紀的なもので、この辞典の当時としては、新語に近い印象だったはずだ。産業革命が進捗している中、写真機のような機械装置の方が、絵画などよりずっと速く、巧みに肖像や風景を写すのであって、芸術など無益で、そんなものにこだわっていたら、貧困に陥り、最後には施療院に送られる境遇が待っている……というようなことが、芸術についての気の利いた論評であるかのように言われていた、ということがこの項目から推察される。

要するに、『紋切型辞典』はおよそ役に立ちそうもない辞典であり、辞典のまったくの自己否定である。ここには、誰もが知っていることが、まさに知っている通りに書かれているだけだ。普通、辞典は、知らない語彙について知識を獲得するために活用するのではないか。たとえば、『紋切型辞典』のおよそ一世紀前にあたる啓蒙時代の『百科全書』は、まさに、そうした使用を想定して編まれた。どうして、フローベールは、無用の長物としか言いようのない辞典を作ろうとしたのか。

結論を先に述べておこう。そうすれば、なぜ本書の探究が突然、フローベールの荒唐無稽な試みに着眼しているのか、その理由を提示できるからだ。われわれは前章まで、小説というスタイル、この近代的な言説のタイプが、どのような衝動に導かれて誕生したのか、ということについて考えてきた。この衝動は、どこに向かっているのだろうか。この衝動を貫いている論理を、最後まで徹底して働かせたとき、どのような帰結が導かれるのか。この帰結、つまり小説的な衝動の極限を知りたい。そうすれば、小説なるものを導く衝動がどのようなベクトルをもっているのかを抽出できるからだ。『紋切型辞典』は、この極限の像を示しているのではないか。これが、本章から次章へと続く考察から導きたい仮説である。

フローベールは、小説の黄金時代のその頂点にいる作家である。そのような作家が、小説の最終的に行きつく地点を先取りし、実験的に提示しているとしたらどうだろうか。その極限の地点のひとつの像が、『紋切型辞典』だとしたら……。とはいえ、『紋切型辞典』自体は、およそ小説らしくはなく、そして今述べたように、辞典としてもまったくの無益なものに見える。だから、『紋切型辞典』が小説を導く衝動の極限に見出されるという主張は、小説が己の原理にすなおに従ったときに、変形や転回を被るということを含意してもいる。フローベールが自覚的に、時代のダイナミズムをあえて誇張して、小説の極限の像を提示しているのだとすれば、それは、小説を最終地点にまで早く導くためではあるまい。自然にまかせていればそこへと向かっている地点へとあえて先走り、その場所を戯画的に表現することは、そこへと向かう運動から距離をとり、相対化することにつながる。フローベールの意図は、小説の帰趨を見極めることで、そこから小説を解放し、むしろ、変形・転回の前の、小説本来のモチーフを保持することにあったと見るべきであろう。

いずれにせよ、『紋切型辞典』という荒唐無稽な辞典が、どうして、小説の帰趨を暗示していると解釈することができるのか。この辞典に関しては、かつて蓮實重彥が論じている。一九世紀フランスの言説が、「流行語」を中心においていた時代から「問題」を中心においた時代へと転換しており、『紋切型辞典』は後者の時代に属している、と。[*4] 蓮實のこの議論については、すぐ後に概観することになるが、その前に、この奇妙な辞典に関連するいくつかの事実を確認しておく必要がある。

2　二人の写字生

『紋切型辞典』について、フローベールの「遺作」であると冒頭に述べた。それは確かにその通りではあるが、この辞典の最も初期の構想は、フローベールの青年期に遡る。『紋切型辞典』にはっきりと言及するフローベール自身による最初の文書は、一八五〇年の手紙で、このとき彼はまだ二十八歳である。[*5] 先に引用したルイーズ・コレ宛の手紙は、その二年余り後のもので、フローベールが三十一歳になったばかりのときに書かれたものだ。ジャン・ブリュノーは、一八四五—四六年頃に構想は生まれたのだろう、と推測している。[*6] 厳密に確定することは難しいが、『紋切型辞典』の構想は、『ボヴァリー夫人』の執筆よりも前からあった、ということになる。構想が宿ったのは、フランス近代史のコンテクストに置けば、いわゆる七月王政の最末期から、一八四八年の二月革命で始まった第二共和政の勢いを利用してナポレオン三世が皇帝位に就き、共和政自体を否定し、第二帝政を始めたばかりのときに至る数年間のどこかだった。いずれにせよ、フローベールは、『ボヴァリー夫人』をはじめとする代表的な長篇小説を書いている期間、ずっとこの辞典の構想を維持し続けていたはずだ。

最終的には、『紋切型辞典』は、独立の一冊としてではなく、長篇小説『ブヴァールとペキュシェ』の一部を構成するものになった。この長篇小説こそは、まさに遺作である。一八八〇年、この作品の執筆の途上で、フローベールは死去した。そして、その翌年、ほぼ完成していた第一巻だけが刊行された。『紋切型辞典』は、この小説の第二巻に組み込まれる予定だった。したがって、それまでは、発表された小説の背後で、ただ潜在的な構想としてのみ持続的に存在していた奇妙な辞典が、遺作となったこの小説では、その筋の展開の中で、表面に浮上するはずだったのだ。それにしても、一冊の辞典そのものをその中に孕んだ小説とは、どんな小説なのか。それまでの小説にとっては、言わば聞こえない通奏低音のようなものだったこの辞典に、オーケストラに喩えれば、第一ヴァイオリンのような地位を与える（予定だった）『ブヴァールとペキュシェ』とはどんな小説なのか。どうして、この小説の中で初めて、フローベールの若き日に着想されながら、その実現がいつまでも引き延ばされていた辞典が、実際に姿を現すことができた……ということになるはずだったのか。

＊

『ブヴァールとペキュシェ』の最もはっきりとした特徴は、タイトルにあるように、主人公が二人だということにある。草稿段階でも、『二人の蟄居坐業者の物語』とか『二人の写字生』などの仮題が与えられており、フローベールは「二人」に拘り続けたことがわかる。ブヴァールとペキュシェは外見的には対照的だが——前者は長身だが後者は短軀——、同じ四十七歳（当時としては初老とも言える年齢）の独身者で、どちらもパリで写字生の仕事をしていた。二人はふとした偶然から知り合い、意気投合し、無二の親友になる。ブヴァールが多額の遺産を相続したのをきっかけに、彼らは一緒に田舎に移住し、隠遁生活を始めた。

そこで、彼らは農業や園芸に手を出すが、うまくいかない。失敗の原因は、自分たちに化学の知識が欠けているからだと信ずる二人は、書物を取り寄せて勉強するが、ことごとく挫折する。やがて、彼らの関心は次々と遷移していく。医学と健康法に興味をもったかと思えば、化石や骨董品に夢中になったりもする。骨董品の売買に失敗した後は、歴史学や伝記執筆に気持ちが移り、さらに、文学に興味をもつようになる。二月革命が起きたのをきっかけに、政治家になろうと考えた二人は、今度は政治哲学の書物を読み漁るのだが、状況が保守反動化すると政治への関心は一挙にしぼんでしまう。その後、二人は、それぞれに恋愛するのだが、どちらも手ひどい失敗に終わる（一方は、梅毒に感染し、他方は、女性のねらいが資産であることが判明する）。その後も、二人は、体操に入れ込んだり、神秘学にはまったり、唯物論／唯神論に分かれて周囲を説得しまくったり、さらにはキリスト教神学、教育学にも凝って、それらの分野の書物を渉猟し、神父に論争を挑んだり、引き取って教育しようとした孤児たちに裏切られたりする。二人は、そのたびに各学問分野の書物を取り寄せ、それなりに熱心に読書し、勉強するのだが、まさにその研究があだになって、失敗を繰り返すばかりである。

ブヴァールとペキュシェは、このように、きわめて多様な学問領域を渉り歩く。しかし、その歩みにはいかなる一貫性もない。二人は、最終的な目的もなく、地図も携えずに、ただ闇雲に動きまわっている……そのような印象をもたざるをえない。そして、何よりも、あまりにも失敗ばかりを重ねている。成功の兆しすら見られない。なぜこれほど失敗するのか。ミシェル・フーコーは、二人の失敗は普通の失敗とは違う、と指摘する。普通は、失敗というものは、あるカテゴリーを不適切なところに適用したことに由来するものだ。だから失敗にも法則性があり、カテゴリーの適用さえまちがえなければ、成功にいたる。しかし、ブヴァールとペキュシェの失敗には、まったく法則性がなく、とてつもなくずれているという印象をもつ。フーコーによると、その原因は、二人が、あらゆるカテゴリーの枠組みから外れていることにある。つまり、ブヴァールとペキュシェは「非カテゴリー的存在 être a-catégorique」である。*7 このフーコーの議論を、われわれは別の形で捉え直してみたい。二人のほとんど必然的な失敗という事実を、二人による学問の旅の異様なまでの一貫性の欠如と関係づけて、である。

*

ここで、前章で『トム・ジョウンズ』の意義を理解するために活用した、キェシロフスキの映画『ふたりのベロニカ』のことを思い起こしてみよう。ブヴァールとペキュシェは、あの二人のベロニカのようなものではあるまいか。ひとりのベロニカ（パリのベロニカ）にとって、もうひとりのベロニカ（ポーランドのベロニカ）は自らの「他でもありえた可能性」の具体化であり、そのことのゆえに、後者は、前者にとって守護天使のような協力者になっているのであった。同じことは、ブヴァールにとってのペキュシェにも、あるいはペキュシェにとってのブヴァールにも成り立つのではないか。ただベロニカたちの場合とはちがって、ブヴァールとペキュシェは生産的な結果をなに一つ残せなかったのだが……。

『ふたりのベロニカ』との対比は、前章で言及したキェシロフスキのもう一つの作品への遡行にわれわれを誘う。もう一つの作品とは、『偶然』である。二つの映画は、同じ主題の変奏である。『偶然』では、主人公の男は、三つの異なるヴァージョンの人生を反復する。『ふたりのベロニカ』では、ベロニカたちは、遠く離れていても同じ一つの世界に属していて、相互の人生の干渉のようなものを感じるのであった。『偶然』では、各人生の物語に対して、ほかの二つのヴァージョンは、いわば抑圧されたものとして潜在的《ヴァーチャル》にのみ共存しており、互いに因果的に関係しあうことはない。三つのヴァージョンの人生は、共時的に共存しながら干渉しあうことのない平行世界のようなものである。そこで、『偶然』を『ふたりのベロニカ』のように変換したらどうだろうか。つまり、三つの平行的な人生を通時的な系として展開したらどうだろうか。すると、主人公のヴィテクは、あるときは党の中央評議会で働く体制側の人物だが、やがては地下出版に関与する反体制活動家になり、そして私生活の幸福や職場での昇進にのみ関心を向けるノンポリにもなる。このように、主人公は、政治的に一貫性がない支離滅裂な人物に見えてくるはずだ。

この地点で、われわれは、『ブヴァールとペキュシェ』に戻ることができる。ブヴァールとペキュシェの学問領域の踏査の軌跡が示す、一貫性の欠如は、今述べた、改訂版の『偶然』のヴィテクの政治的な無節操に似ていないだろうか。一八～一九世紀の小説の意義を理解するために、あえて、それよりずっと後の二〇世紀の映画を参照してきた。この同じ方法をもうすこし活用してみよう。キェシロフスキの映画は、人生の偶有性の感覚に取り憑かれている。つまり彼の映画は、ありえたかもしれない他なる人生、他なるリアリティが、現実の人生の筋とともに潜在しており、何らかのかたちで現実に関係している、という観念をもとにしている。この観念をさらに強調して表現している映画は、ロバート・アルトマン監督の『ショート・カッツ』（一九九三年）であろう。

この映画の舞台となっているのは、アメリカのごく平均的なコミュニティである。つまり物語の展開の場となっている空間は非常に小さく、時間的なスパンもごく短い。しかし、この映画には、一本の明確な筋もなく、また主人公が誰であるとも認めがたい。というのも、この映画は、レイモンド・カーヴァーの九つの短編と一つの詩をつなぎ編集したものだからだ。カーヴァーの十の作品のそれぞれは、さらに多数の短い断片《ショート・カット》に分けられ、映画の全体にちりばめられているのだ。その上、十の物語は、それらの断片の中で、ときに出会ったり、交錯したり、干渉しあったりしているのだ。つまり、一つの断片の中で、二つ（以上）の筋に関連する人物たちが遭遇したり、ある筋の中に組み込まれている断片の中で生じたことが、別の筋の出来事に因果的な影響を与えたり、といったことが複雑に絡み合うように進行しているのである。

ここで次のように考えてみよう。われわれは、出来事が偶然的なものとして体験されたり、記述されたりしているとき、現実の「この私」は、体験しているこれが「すべてではない」と感じ、自分は「他の様態でもありえた」「他のことを体験しえた」という思いを拭いがたくもっている。前章で、こうした事実に注目した。ところで、「他の様態でもありえた私」とは、結局、「この私」ではないのであって、他者であろう。というか、他者たちを、「この私」のありえたかもしれない様態の現実化・具体化として見なすことができるのではないだろうか。たとえば、『ふたりのベロニカ』で、ポーランドのベロニカは、パリのベロニカにとって他者でもあるが、しかし「私」のヴァリエーションでもある。そうだとすれば、どの他者もすべてポーランドのベロニカであってもおかしくはないわけだ。こうした感覚を作品化したら、『ショート・カッツ』が得られる。レイモンド・カーヴァーの、独立に書かれた十個の物語は、どの物語に内属している登場人物にとっても、「この私」の「他でもありえた様態」であると同時に、他者たちの体験である。

『ブヴァールとペキュシェ』は、『ショート・カッツ』に似ていると見なすべきではないだろうか。『ブヴァールとペキュシェ』を単一の物語として捉えると、プロットはあまりにも散乱している。物語が次々と偏心し、逸脱し、思いも寄らぬ方向へと展開してしまうのだ。しかし、これを一つの物語と見てしまうのは、われわれが、主人公（たち）の一貫した同一性にこだわっているからであって、実は、『ショート・カッツ』のように、いくつもの物語の筋が組み込まれているのだとしたらどうか。そうだとすれば、物語の運動の偏心・逸脱・拡散は、当たり前のことになる。

どうして二人はあれほど失敗ばかりするのか、という疑問への答えはここにある。失敗は、一つの物語から他の物語への切り替えの通路になっているのだ。一つの筋に内在すれば、相対的な成功と失敗とがある。しかし、一つの可能世界から別の可能世界へとワープするような大きな転換のきっかけは、通常の「成功―失敗」の尺度の中におさまらない純粋な失敗、何か根本的にずれているとしか言いようのない失敗でなくてはならない。

*

ところで、『ブヴァールとペキュシェ』のまだ書かれていない部分に、『紋切型辞典』が入るのであった。どのような展開の中で『紋切型辞典』が登場するのだろうか。見てきたように、公刊された第一巻では、二人は、書物を解釈して、そこから学んだことを実行に移すのだが、そのたびに、失敗する。とすれば、書物の読解だけでは足りないのだ。読解以上のことをしなくては。結局、遺稿の中にあったプランによれば、彼らは、自分たちの本来の仕事、写字生に戻るのが最もよい、と結論することになる。つまり、見た文書をひたすら書き写すことが、読解よりさらによい、と二人があらためて認識するところで、第一巻が終わることになっていた。

というわけで、第二巻では、ブヴァールとペキュシェは、あらゆる分野の文書をひたすら書き写すことになる。したがって、第二巻は、ほとんど引用文だけで構成されただろう。『紋切型辞典』は、筆写の対象となる文書の一つである。『紋切型辞典』は、誰かが言ったこと、いかにも言いそうなこと、書いたこと、いかにも書きそうなことを、書き留めた辞書である。それゆえ、この辞典を筆写する二人の写字生は、書き写されたことを再び書き写している、ということになる。

この長篇小説は、どのように終わるのだろうか。どのような結末が想定されていたのだろうか。幸い、構想ノートには、結末のことも書かれているという。[*8] それによると、彼らが、自分たちのことが書かれている文書を書き写すところで、小説は終わることになっている。二人は、自分たちが何者であるか――権威ある他者から見たとき何者であるか――が書かれた文書を見つけ、それをまた写し取るのだ。それは、次のような経緯の結果である。村人たちは、二人がやっていることにだんだん不安を覚え、彼らを危険分子と見なすべきか思い悩む。こうした動きに、二人の方は、新聞と、知事と、議会と、皇帝陛下に宛てた意見書や誓願書を出して対抗するのだが、これらはもちろん、無視されてしまう。だがある日、二人は、工場からまとめ買いした反故紙の中に、自分たちをどう処遇すべきかを記した、村の医師の手紙を発見する。それは、二人は「危険な狂人」かという県知事の問い合わせに対する、医師の回答である。そこには、二人は「無害な愚者にすぎない」という結論が、いかなるあいまいさも残さずに断定的に記されていた。この手紙をどうするか。すぐに「写そう！」ということになって、二人は筆写を始める。構想ノートにはこうある。「善良なる御両人が写字机の上に身をかがめて写しを取っている光景で小説は終る」（山田𣝣訳）と。

3 「流行語」と「問題」

さて、『紋切型辞典』をどのような歴史的コンテクストの中で把握し、理解すればよいのか。まずは、こうした風刺が直接のターゲットとしている現象が何であるかをはっきりさせておこう。それは、たとえば、貴族や（貴族になりたい）「ブルジョワ」が集まったサロンであろう。フランスで、貴族ではないブルジョワの女性が、毎週、自分の曜日を定めて、招待客をもてなす習慣が普及したのは、七月王政期（一八三〇―四八年）だという。最も一般的な開催時刻は、午後二時から七時くらいまでの「マチネー（午後の集い）」だが、ほかに「ソワレー（夜会）」もあった。サロンでは、参加者たちは才気を競い合い、気の利いた毒舌を披露したりする。ここに露呈しているスノビズムこそ、『紋切型辞典』が侮蔑し、黙らせようとした当の対象である。

サロンの様子を知るには、プルーストの『失われた時を求めて』を繙くのがよい。そこには、一九世紀末から二〇世紀初頭にかけてのサロンが活写されている。一例を引いておこう。カンブルメール侯爵夫人のサロンでのことだ。彼女の兄のルグランダンは、パリのエリート技師で、教養もあり、機知に富んだ会話を得意としている。普段からスノビズムを口汚く批判しているくせに、当人こそが典型的なスノッブである。だから、ルグランダンは、妹が、地方貴族のカンブルメール家に嫁いだことを誇らしく思っていたはずだ。そのカンブルメール侯爵夫人に、語り手が、前日に見た夕景を、ニコラ・プッサンの絵の光に喩えて賞賛した。すると、彼女は、「どうぞ後生ですから、天才そのものと言っていいモネのような画家〔を話題にした会話〕のあとで、プッサンみたいな才能もない平凡な老いぼれ画家の名前なんか出さないでくださいな」と、嘲笑した。当時、最先端だと見なされていた画家は、印象派で、プッサンのようなバロック期の画家は時代遅れとされていたことがわかる。だが、ここで語り手が、印象派の画家ドガもプッサンを褒めていたと教えてやると、夫人は、「それじゃ今度また見直さなければ。だいぶ前に見たので、ぼんやりしてますからね」と取り繕った。*9

『紋切型辞典』を読んだあとに口に出すことができなくなるのは、カンブルメール侯爵夫人がここで吐いているような発言である。この辞典に、「印象派」という項目はないが*10、もしあれば、こんなふうに書かれたに違いない。「古典主義時代の画家を腐しながら、『天才そのもの』と言うべし。ただし、マネ、モネ、ドガが褒めている画家を、まちがってもけなしてはならない」。

とはいえ、サロンや、あるいはブルジョワのスノビズムにだけ着眼した解釈は、まだあまりに皮相的だ。そうした風俗や社会現象を規定している言説の変動を捉えなくてはならない。ここで考察の助けになるのが、先に言及した蓮實重彥の『物語批判序説』である。そこにある議論を、われわれの考察に必要な部分にしぼって要約しておこう。[*11]

まず、こう問うてみよう。『紋切型辞典』のようなものが成り立つのは、言説がどのように編成されているときであろうか。つまり、この実験的な辞典が、それに対して批判的な距離をとることになるような言説の編成は、どのようなものなのか。言説の編成とは、知と(広義の)物語、つまり知っていることと語ることとの関係であり、蓮實は、これを「説話論的な磁場」という隠喩で表現している。一般には、物語は知に従属している。つまり、人は知っていることについて語る。このような一般的な状況のもとでは、『紋切型辞典』は、まったく批判的な機能をもたない。それは、普通の辞典、サロンで聞いた知らない語彙を調べるための辞書のようなものになってしまう。

この辞典が批判としての機能を発揮するのは、語ることが知っていることに従属するのを止めたときである。物語と知との間の主従関係が逆転したときだ。知っているから語るのではなく、(しかるべきコンテクストで)語ることができたとき、知っていることになるのだ。そして、このときこそ、『紋切型辞典』は状況を相対化するメディアとなるだろう。物語が知に従属していないということは、もう少し慎重な表現で言い換えれば、知に関する不安が消えている、ということだ。「私はほんとうに知っているのだろうか」という懐疑、「私は知らないかもしれない」という不安がすっかり消えており、適切なタイミングで、あるいは適切なコンテクストで語ることができるならば、「私はすべて知っている」という確信をもつことができる。蓮實は、物語が知への従属をやめている時＝空に形成される説話論的な磁場を、そしてこの磁場の表層に現れる——つまり聞かれまた読まれるようなかたちで現出する——物語の群を、「現代的な言説」と呼んでいる。

現代的な言説は、特定の歴史的な段階に生まれたものである。述べてきたように、本来は、物語こそが知に従属していたのだから。小説の歴史を振り返っても、このことは確認できる。前章で見ておいたように、初期の小説は、作者が知っている真実が書かれている、という設定にこだわった。小説は、内面や外界を正確に映す「鏡」だとされたのだった。あらためて確認しておけば、物語が知の優位に服している段階とは、フーコーの言う「表象」のエピステーメーの時代、つまり古典主義時代である。

＊

では、現代的な言説はいつ始まったのか。それを、『紋切型辞典』の構想がフローベールの精神に宿ったときに定めるとすると、一九世紀のちょうど真ん中、第二帝政が始まるか始まらないかの時期だということになる。すると、古典主義時代の終わりと現代的な言説の開始の間に隙間ができる。それは、物語が知に従属していた段階から、この従属関係が消え去るまでの移行期である。おおむね七月王政期に対応するこの期間を、蓮實は、「流行語の時代」と呼んでいる。どうして「流行語」なのか。それは次のような趣旨だと解釈することができる。

まず、事実から確認すれば、実際、この時期、フランス社会では、新しい政治制度への転換や産業革命と商業の発展などに伴うかたちで、数多の流行語が生まれた。いや「流行語」という現象自体が、新しかった。どんな流行語が出てきたのか。先に述べた、単数型の「芸術 art」も流行語のひとつである。「蒸気機関車」「議会主義」「予算」等といった言葉も、英語から輸入された当時の流行語である。蓮實が特に注目しているのは、「(当店の) 特選品」という意味での spécialité という語だ。この単語自体は、昔からあるが、「特質」とか「特殊性」とかを意味していた。「特選品」という意味を担ったときのこの単語は、明らかに一九世紀前半の流行語である。

起きたことを知っている者にだけ物語を語る権利が帰属しているときには、流行語という現象は生まれない。とはいえ、流行語になる語を最初に使用した者にとっては、その語はやはり知に従属している。たとえば、「特選品」は、最初は商業的な知に従属していて、商業に従事する者たちの専門語だったに違いない。しかし、物語に対する知の拘束力が弱いとき、最初は知に結びついて生まれた語が、その源泉から離れ、外へと波及していくだろう。これが流行語だ。ただし、その波及の運動には、抵抗が常に伴っている。その抵抗は、「特権化」と「排除」という相関的な現象である、と蓮實は論ずる。流行語を口にする者は、流行語の意味も使用法もわからぬ者に対して、特権意識をもち、誇らしさを覚えるだろう。それに対して、流行語を偉そうに使う者への反発や不快な思いが、排除の動きを引き起こす。流行語は、特権化と排除に抗して波及していく——というより特権化も排除も、むしろ流行語の波及にポジティヴに作用してしまう。今日でも、流行語への道徳的な批判が、かえって流行語を広く認知させ、その定着に結びつくということはよくあることだろう。

付け加えておけば、流行語の時代は、予言の——というより予想の——時代でもある。どうしてか。こう考えるとよいだろう。流行は、未来指向の現象である。次に何が流行するのか、人は気にせざるをえない。流行に気づいたときには、すでに流行は終わっている……ということにならないように、人は、次に何が流行するのかを予想し、予言する言説を求めている。予言（予想）と流行語はセットになっている。

*

流行語の言説の時代の後に、現代的言説の時代が、つまり『紋切型辞典』の時代が到来する。その時代の言説は「『問題』の言説」と呼ばれている。つまり、流行語から問題へ、という説話論的な磁場の構造の転換があった、というわけだが、その転換については、次のように解釈すればよいのではないか。今、語ること一般（つまり物語）に対する知の束縛がゼロになり、それゆえ、特権化と排除といった摩擦もまったく消え去って、流行語の拡散の速度が無限大になったと仮定してみよう。そのような理念型的な状況を思い描いてみるのだ。すると、最初から（拡散・波及の過程を待たずして）誰もが誰とも同じようにその語彙を話題にすることができ、そのように語りうることをもって自分がそれを知っていると確信できる、といった状況が得られるだろう。これが、問題の言説の時代の単純化した描像である。

『紋切型辞典』は、まさにこうした時代に対応している。現実の『紋切型辞典』は未完の辞典であり、仮にいくら編纂を続けても原理的に完全版には到達できないものではあるが、実際にはありえない、可能な語彙をすべて収録した『紋切型辞典』をあえて想像してみれば、そこには、誰もが自然に同じように従っているそれぞれの語彙の物語り方が羅列されているに違いない。この辞典にあるように語ることができるとき、人は他の人たちの同じように「知っている」という確信に至り安心するだろう。ここでは、語ることは、知の証である以上に、連帯の証である。なぜ、この段階が、「問題」の時代とされているかと言えば、この時代にあっては、「とは何か?」という問いが暗黙のうちに共有されているからである。このとき、語彙の定義が主題になっているわけではない。問われているときには、すでに答えは用意されている。そう問うことはよいことだとされているのだ。それを通じて、互いの連帯性を確認することができるからだ。

流行語の時代から問題の時代への転換を、蓮實は、当時の先端技術——初期の複製装置——と対応づけて説明している。これが非常にわかりやすいので、紹介しておこう。写真の歴史の端緒は、一八二六年の化学者ニエプスによる写真製版の発明と、一八三九年のフランス科学アカデミーで「ダゲレオタイプ」として公認された、ダゲールが発明した銀板を用いた複製装置が置かれるのが一般的だ。これらの出来事は広く知られ、顕彰されてもきたが、知が鏡の比喩によって語られていた時代(古典主義時代)との連続性が強く、これらの出来事による断絶を過度に強調すべきではない。ダゲレオタイプは、簡単に言えば、流行語の時代に対応した装置である。ダゲレオタイプは、一つの被写体に対して一つの作品しか生産できない。それは、現実を鏡のように写す唯一の特権的な作品である。とすれば、それは、実際に知を所有している特権的な中心から周縁部へと拡散していく流行語と同じように、人々に認知され、普及していくだろう。写真の技術と関係づけるならば、古典主義時代の知が好んだモデルは、カメラ・オブスクラ(一種の針穴写真機）である。[12] ダゲレオタイプとカメラ・オブスクラの間にあるのは、断絶よりもむしろ連続性である。

真の断絶は、カロタイプとともに訪れる。カロタイプとは、史上初の、ネガ方式による写真技術である。イギリスの科学者タルボットがカロタイプを発明した時期は、ダゲレオタイプの発明の時期とほとんど変わらない。というか、タルボットは、ダゲレオタイプが大評判になったのを見て、あわてて（イギリスで）特許を取得したのだ（一八四一年）。しかし、カロタイプは、ダゲレオタイプほどには評判にならず、公的な称賛もうけなかった。[13] だが、カロタイプにはダゲレオタイプに対して決定的に優っている点があった。ネガ方式を用いたときには、一挙に複数のコピーを生産することができたのだ。

まさに、この特徴によって、カロタイプは、問題の時代にふさわしい技術となった。このことは、今日のわれわれ自身の経験を振り返っても理解できることだ。われわれは流通している写真を通じて、たとえばダヴィンチの絵を知っている……気分になる。美術館で本物を見るのは、すでに知っていることを再確認するためでしかない（写真で見たのとそっくりだから本物だ、などと思ってしまう）。このように、カロタイプによって流通するコピーは、現実が生起した現場に立ち会ったことではなく、適切に語ることができたということによって「知」が保証される「問題の時代」に対応している。そのコピーが真の複製であるということは、唯一の現実との関係によって保証されているのではなく、ほかにも出回っているコピーとの類似によってこそ保証されているのだ。他者と同じように語ったことが、現実を知っていることを意味しているのと同じだ。

＊

それゆえ、蓮實重彥によれば、問題の時代とは、知が民主的に共有される時代である。ということは、「とは?」というかたちで設定されている問題は、厳密には、他者の問題、他者にとっての問題だということになる。この場合の、「他者」というのは、具体的には「国民《ネーション》」――フランス大革命の頃より西ヨーロッパに続々と誕生してきたあたらしい政治的・文化的な主体――ということである。もちろん、「私」は、何かを憂慮したり、問題視したりしている。たとえば、「私」は芸術の未来が心配だ。そして「私」が、その未来を切り開くほどの芸術家としての天分があるのかも気になるところだ。どうして、そうしたことが重要な主題になるかといえば、懸念しているそれらのことを、「私」は「他者=国民」の視点から捉えているからだ。「他者=国民」にとって何が問題であるかは、明白である。それを「私」は引きうけているのである。問題の時代の言葉とは、「現代を生きるためには誰もが等しく思考すべき課題というものが存在するという確信から、あえて他人のために語ることを義務として引きうける者たちの言葉」である。[*14]

流行語の時代から問題の時代への転換という、以上の図式は、もう少しだけ繊細なものに置き換えておかなくてはならない。確かに、第一次近似(ラフなスケッチ)としては、フランスの一九世紀の前半には流行語の時代があり、中盤以降に問題の時代へと移行する、と考えてもよいわけだが、厳密には、純粋な流行語の言説も純粋な問題の言説も存在しない。常に両者は共存しており、言説の二重性こそが実態である。

たとえば、先に『失われた時を求めて』から引用したカンブルメール侯爵夫人の発言を思い起こすとよい。モネを「天才そのもの」と激賞し、プッサンを「平凡な老いぼれ画家」と酷評しているとき、侯爵夫人は、自分が流行の最先端にいると錯覚しており、特権化の身振りでもって語っている。彼女は、流行語の時代の言説を生きているのだ。しかし、すでに客観的には――この主題に関しては――問題の時代の言説が機能している。その落差のゆえに、侯爵夫人の発言は滑稽で恥ずかしいものになる。このように、常に、二種類の言説、二つの異なる説話論的な構造が共存しているのである。

したがって、厳密にはこう言うべきである。ある時期から――古典主義時代が終わってから――、「流行語の言説→問題の言説」という転換が不断に生じているのだ。ただ、歴史の動きを理念型的に単純化したとき、流行語の言説が優位に見える段階と問題の言説が優位に見える段階を抽出することができる。その転換点をフランスにおいて見るならば、第二帝政が始まる頃ということになるわけだが、「流行語／問題」という偏差は常に存在し、作用しているということを見逃してはならない。

＊

以上は、『物語批判序説』の議論の要約と再構成である。この議論と、われわれが追究してきた、小説的な欲望、小説を生み出し、小説を書くこと・読むことへと人を駆り立ててきた衝動とは、どのように関係しているのか。これこそ、われわれの主題だが、この点については次章で論じよう。

本章でいささか詳しく見ておいたこと、つまり小説としての『ブヴァールとペキュシェ』の本体部分と『紋切型辞典』との関連に関する考察は、そのための伏線である。小説の本体部分は、まったくはちゃめちゃな展開には見えるが、二〇世紀の映画なども援用しつつ説明したように、最初の一九世紀小説『トム・ジョウンズ』の基軸にもなっていた感受性、つまり「虚構性の勃興」を促した生の偶有性への感受性を、極端に誇張したかたちで表現している。それに対して、『紋切型辞典』は、「問題の言説」を体現した虚構の産物である。両者を結びつけるのは、いかなる論理、いかなるメカニズムなのか。

---

1 フローベール『紋切型辞典』岩波文庫、二〇〇〇年、二七七頁。工藤庸子による訳。
2 同、二七八頁。
3 同、八四頁。小倉孝誠による訳。
4 蓮實重彥『物語批判序説』中公文庫、一九九〇年。
5 フローベール、前掲書、二七六頁。小倉孝誠による解説。
6 Jean Bruneau, *Les Débuts littéraires de Gustave Flaubert 1831-1845*, Paris, Armand Colin, 1962. さらに、マクシム・デュ・カンの『文学的回想』では、一八四三年にはフローベールにこの辞典の着想があった、とされている。
7 Michel Foucault, "Theatrum philosophicum," *Critique* no.282, novembre 1970.
8 蓮實、前掲書、四七―四八頁。
9 『失われた時を求めて　第四篇　ソドムとゴモラ』の中の会話。鈴木道彦の訳。集英社版邦訳の第七巻、三八〇―三八三頁。
10 「印象派」という語が発明されたのは、一八七四年である。モネの『印象・日の出』に対するルイ・ルロワの口汚ない批判の中で、この語が初めて使われた。ルロワの批判もまた、『紋切型辞典』に採用されそうな言い回しになっている。

11　以下、本節で導入するのは、『物語批判序説』の前半「I」にある議論である。細かく典拠の頁数を記さない。

12　ジョナサン・クレーリー『観察者の系譜――視覚空間の変容とモダニティ』遠藤知巳訳、以文社、二〇〇五年（原著一九九〇年）。大澤真幸『美はなぜ乱調にあるのか――社会学的考察』青土社、二〇〇五年、第I章。

13　ダゲールは、当時の有力な政治家アラゴー（アカデミーの終身書記長）によって年金と勲章を授与された。タルボットには、いかなる国家的な援助も与えられなかった。

14　蓮實、前掲書、一二三頁。

第23章　小説的衝動の帰趨

1　「他者」が何を知っているのかを知っている

フローベールが構想し、結局は未完に終わった——その意味では遺稿のひとつと見なしうる——、奇妙な役に立たない辞書『紋切型辞典』、誰もが知っている（と想定されている）ことだけが書かれた辞典を題材にして、小説なる言説の範疇を生み出した衝動の最終的な結果について考えている。この衝動はどこに向かっているのか。現に起きたことを超えて、この衝動の行く末を誇張し、その極限をとったらどこに到達するのか。そのことの暗示を、『紋切型辞典』に見ることができるのではないか。これがわれわれの見通しであった。

『紋切型辞典』は、フランス第二帝政の始まる頃に、つまりフローベールが二十代のときには、すでに着想されていた。が、この辞典は最終的には、長篇小説『ブヴァールとペキュシェ』の第二巻の中に組み込まれることとなった。しかし、その『ブヴァールとペキュシェ』も第一巻を（おおむね）書き終えたところで、フローベールの命が尽きたので、『紋切型辞典』は結局、完成した作品としては現れることはなかった。

前章で述べたように、『ブヴァールとペキュシェ』は、一八世紀小説と一九世紀小説の橋渡しになった小説――つまりフィールディングの『トム・ジョウンズ』――の特徴となっていたあの性質、描かれた主人公の生の偶然性を、極端に強調したときに得られるような物語となっている。生が偶然であるということは、その生の過程が「他でもありえた」ということである。もし実際に生が、その「他でもありえた」可能性の方へと次々と転換していったとしたらどうなるか。それこそ、ブヴァールとペキュシェという二人の写字生の偏心と逸脱の生、一つの学問分野の書物を取り寄せて読み漁ったと思ったら、突然、別の学問分野の書物へと切り替える……ということを繰り返す生である。二人の写字生は、どの学問分野に基づく実践においても常軌を逸した失敗を、フーコーが「非カテゴリー的」と呼んだ法則性なき失敗を犯す。この失敗こそ、生のひとつの物語から、他の可能な生の物語へと切り替える転轍機の役割を果たしている。実際には書かれなかった第二巻では、二人の写字生は、彼らのもともとの仕事にふさわしく、書物を読むのではなく、片端から書き写すことになっていた。『紋切型辞典』は、書き写されるべく予定されている文書のひとつである。

われわれは、『紋切型辞典』を、「流行語の時代」から「問題の時代」への転換という文脈に位置づける、蓮實重彥の『物語批判序説』の議論を概観した。[*1] 蓮實が「流行語の時代」と名付ける時代においては、物語は知に従属していた。つまり知っている者にまずは語る権利があり、物語は、その「知っている者」という中心から外へと拡散するように波及していく。「問題の時代」は、物語の知への従属が失われ、しかるべき仕方で語りうるならば、「知っている」という確信をもつことができる段階である。『紋切型辞典』は、問題の時代に突入したときに現れてきた兆候を極端化したときに得られる、理念的な書物である。それぞれの語彙について、この辞典にある通りに語ることができれば、「知っている」と見なされ、自分自身もそのような自己認知のもとに安心することもできるだろう。

蓮實の見立てでは、フランスの近代史においては、流行語の時代は七月王政期に、問題の時代は第二帝政の時期に、おおむね対応している。が、厳密には、「表象の時代」（フーコー）以降の言説は、ずっと「流行語／問題」の二重性を孕んでいると見なすべきである。流行語の時代は、すでに問題の時代への予感を秘めている（流行の伝播の速度を無限大にとれば、そのまま問題の時代になる）。問題の時代は、未だに流行語の時代でもある（流行への感受性がなくては、問題の時代の紋切型は成立しない）。

＊

ここまでは、前章の議論の復習である。さて、問題の時代の「問題」とは、他者の問題、他者の観点に現れる問題であった。この時代、人は他者の言葉を語る。その「他者」に具体的なイメージを与えれば、それは国民である。だが「他者」が国民であることに、論理的な必然性があるわけではない。経験的な事実に妥協せず、論理にだけ忠実に説明するならば、他者とは第三者の審級である。だが、そうだとすると、言葉はすべて他者（第三者の審級）の言葉だという言明は、自明なことに思えてくる。ヴィトゲンシュタインが厳密に証明してみせたように、純粋な私的言語など存在しない――言語が純粋に私的であるということ自体が矛盾である――からである。だが、問題の時代についてのこの言明は、そんな一般的なことを主張しているわけではない。

　ここまでのわれわれの探究を振り返れば、小説という文学のスタイルへと人を駆り立てた契機は、二種類の不安だったことがわかる。あらためて確認しておこう。われわれは、小説の前史、小説的な文章の直前に、ピューリタンにその典型が見られるような、告白的な日記を見た（第17章）。この日記を書く者にはある不安がある。何が不安なのか。神（第三者の審級）にとって私は何者なのか、それが私にはわからないのだ。神は私を救いへと定めているのか、それとも呪っているのか。神の観点から捉えたとき、私は救済に値する者なのだろうか。これは解消しえない本源的な不安として現れる。だからこそ、私は、告白を、日記による告白をせざるをえない。私は、私を精査しているのだ。神にとって私が何であるかを、神の視点を媒介にしたときの私のアイデンティティを、結局、不可知のままに終わるにもかかわらず、なお追究せざるをえない。これが、第一の不安である。

　しかし、この不安は、小説成立のための必要条件ではあっても、十分条件ではない。小説を書かざるをえなくする要因、小説を読まずにはいられなくする要因は、さらに深い不安だ。第一の不安は、今述べたように、神（第三者の審級）は私について何かを確実に知っているのだが、私にはそれがわからない、という不安であった。第二の不安は、第一の不安においては前提になっている部分に差し向けられる。第三者の審級は、そもそも私について知っているのか。私が何者かわかっているのか。第三者の審級も知らないのではないか。このような不安だ。もし私についての知を所有していることが第三者の審級の条件であるとするならば、この不安は、そもそも第三者の審級が存在しているのか定かではない、という不信と懐疑でもある。これと同じ不信・懐疑は、十字架の上のキリストが最も強く感じていたものでもある。小説は、この第二の不安に抗するようにして書かれている。

小説という営みは、このような二種類の不安に由来している。逆に言えば、一篇の小説が書かれ得たとすれば、その小説に記された生、そこで「固有名」で呼ばれているような主人公の生に関して言えば、これら二種類の不安は払拭され、乗り越えられたことになる。その人物の生が何であるかを知っている第三者の審級は確かに存在しているのだ。その小説こそが、まさにその「何であるか」の記録だ。第三者の審級に対応するのが、ときに「全知の」などと形容されることもある作者であり、読者は、その作者の視点に自らを同一化させて小説を読むだろう。

小説の成立をめぐるこの仮説、小説への衝動の源泉には二種類の不安があるとする仮説を背景にして、問題の言説――『紋切型辞典』が属している説話論的磁場――を捉えると、次のように言うことができるはずだ。この言説の編成のもとでは、二種類の不安が一般に――個別の人生ごとにではなく一般に――解消されていることになる、と。なぜならば、問題の言説が支配的である状況のもとでは、「私」は――任意の「私」は――、「他者」(第三者の審級)が、「私」や「私」が内属している現実について知っているということを、さらにその「他者」が何を知っているかについて「私」が完全に知っているということを前提にできるからである。

『紋切型辞典』は、その「他者」の知のリストである。この辞典を読むことで、私は、「他者」が何を知っているかを知ることができる。『ブヴァールとペキュシェ』の(実際には書かれなかった)第二巻において、写字生の二人は、『紋切型辞典』を含むあらゆる文書をひたすら書き写すのだった。彼らは、書物を含む公的な文書をそっくりそのまま書写することで、「他者」すなわち第三者の審級が何を知っているのかを確認しているのだ。二人が小説の結末で書き写すことが予定されていた文書が、まさに彼らが何者であるかを記した文書、彼らが医者の視点に対して何であるかをしたためた書簡だった点は、とりわけ興味深い（前章第2節参照）。ブヴァールとペキュシェは、第三者の審級にとっては「無害な愚者」である。二人は、そのことを完全に知っている。

ほんとうは、純粋な「問題の言説」など存在しない。それは常に、「流行語の言説」と混合しているからだ。『紋切型辞典』は、本来はありえない純粋な「問題の言説」に、戯画的なイメージを与えている。

小説というスタイルの文学を生み出し、刺激した二つの不安は、問題の言説のもとでは消え去っている。この事実を踏まえて、次のような仮説を提起してみよう。すなわち、小説は、二つの不安が一般に克服された極点を指向しており、そこに到達することを欲望しているのだ、と。この仮説で言わんとしていることを解説しておく必要がある。今しがた述べたように、ひとつの小説が、まさにその実現において、そこに記された主人公の生に関して、二つの不安を克服したことになるのは、自明である。だが、ここに提起している仮説が含意していることは、それ以上のことだ。個々の小説は、そこに単一の（虚構の）個人の生やその個人が経験した出来事しか記されていない場合でも、なお、潜在的には、任意の個人の生に関して、二つの不安が克服された状態を指向しているのではないか。もっと端的に言ってしまえば、こうなる。小説が無意識の指向を、極限にまで延長させれば、そこには理想的な『紋切型辞典』がある、と。しかし、どうして、このように言うことができるのか。それにはさらなる説明が必要だろう。

2　小説の（到達しない）極限

小説にとって死活的に重要なことは、そこに記述されている出来事の具体性である。細部まで描かれた具体的な出来事は、偶有性（偶然性）の様相を帯びることになる。抽象的に一般化されて捉えられた事象ならば、法則的な連関の中に位置づけることができるが、具体的な出来事に関してはそうはいかない。まったく偶有的なものとして経験されているこの出来事に関して、それが何であるのか、その意味を知る第三者の審級はほんとうに存在するのか？　たとえば、浜辺に忽然と現れた一つだけの足跡は何なのか、その意味を知る神は存在するのか？　この問いに（肯定的に）答えられるかに、小説は賭けている。となれば、出来事の偶有性を際立たせる具体性が、小説にはどうしても必要になる。

第21章に述べたように、出来事の偶有性は、「抑圧されたものの回帰」の形式で、その出来事の「他でありえた可能性」を呼び寄せる。現実の出来事に潜在的に随伴する、この「他でありえた」こそが、その出来事を偶有的なものとして構成するのだから。実際に過去に可能性の抑圧があったわけではないが、「他なる可能性」があたかもどこからか回帰してきたかのように現実の出来事に随伴することによって、原初の抑圧が遡及的に措定されているのである。

ここにさらに、「否定の否定」の論理（ヘーゲル）が働けば、現実に経験された出来事よりも、その「他なる可能性」、つまり潜在性の方に、より一層の真実が宿っているように感じられるようになる。私は何者なのか、第三者の審級の視点に対して私は何者として現れているのか、ということが、現実性においてよりも、その現実性によって排除され抑圧されている潜在性の方に的確に示されている……そのように私に感じられるときがあるのだ。たとえば私は、今、大病院の医師として、堅実に昇進しつつあるが、もしかすると、反体制の活動家だったかもしれず、こちらの方にこそ私のあるべき姿が——第三者の審級が私に求めていたことが——あったように思える。こうした感覚が、小説における「虚構性の勃興」（ギャラガー）をもたらす。小説の虚構としての自己充足性とそのリアリズムが、完全に両立し、むしろ互いに互いを強化しあうような関係にあるのはこのためである。

潜在性——現実の出来事に随伴する他なる可能性たち——の優位を導くこうした論理が全面的に展開したらどうなるだろうか。つまり、現実よりも現実的な潜在性を、それにふさわしく、端的に現実の領域へと移したらどうなるだろうか。現実化された「他なる可能性」に、さらなる他なる可能性が接続され、これが、さらに他なる可能性に接木される……、といった物語が、つまりどこまでも逸脱と偏心を続ける物語が得られるはずである。それこそ、たとえば『ブヴァールとペキュシェ』ではあるまいか。二人の写字生は、農業を手がけ、化学の勉強に没頭し、医学や健康法に関心を移し、……政治家になろうとしたときもあれば、恋愛に夢中になり、……神学に凝って神父と論争したり、孤児の教育に挑戦したりする。そしてそれらはすべて失敗する。この「失敗」が、一つの可能性から別の可能性への転換を促す機能を果たしている、ということは、先ほど述べた通りである。

すぐにわかるだろう。ブヴァールとペキュシェのふたりは、生の可能な筋をすべて歩もうとしているのだ。それぞれの筋を言語に刻めば、それぞれみなひとつの物語となる。『ブヴァールとペキュシェ』（の第一巻）は、可能な生の展開を記した物語の集合である（そして、ただ彼らの「非カテゴリー的」失敗だけが、物語の共存を許す繋ぎ目になっている）[*2]。この小説で目指されているのは、物語として記述される生の内容の普遍性である。あらゆる人生の内容がそこに見出されるような小説――いや「メタ小説」と呼ぶべきか――が指向されているのだ。

　われわれの探究を根拠にして述べておきたいことは、およそ小説なるものは、その成立の当初から、この（生の内容に関する）普遍性の極点への衝動を、それと自覚することなく胚胎させていたということ、これである。今、これまでの理路を振り返り整理しつつ述べたように、小説なるものを生み出した衝動のうちに孕まれていた契機の論理的な可能性を全面的に展開すれば、『ブヴァールとペキュシェ』のような小説が導かれるからだ。

　だが、『ブヴァールとペキュシェ』でさえも、小説の原初的な欲望を完全に満足させるものではない。どんなに逸脱と偏心を重ねても、ひとつの小説の中に可能なすべての人生の筋を含めることはできないからだ。それではどうしたらよいのか。可能な物語のすべてを、そして物語の構成要素となる可能なアイデアや語彙のすべてを、それらの間の有機的なつながりを無視してただ機械的に――たとえばアルファベット順に――並べること、これが答えである。そう、これこそ『紋切型辞典』[*3]だ。小説が無意識のうちに欲していたものを、あからさまに提示するならば、この辞典になる。『紋切型辞典』は、小説が指向しつつも実際には絶対に到達することがない極限値である。

*

小説に記された物語の内容の面でのこうした普遍化と相関して、その小説をそれとして認識する主体の社会的な普遍化が生じている。それこそ、『物語批判序説』で言うところの「流行語の時代」から「問題の時代」への転換の意味することである。

流行語という現象は、「知っている主体」の限定と包括化の葛藤の中で生ずる。語る権利が、出来事を知っている主体に完全に限定されているときには、流行語なるものは生まれない。しかし、逆に、語る権利が完全に拡散し、誰にでも帰属しているのであれば、このときにもやはり流行語という現象はありえない。流行語は、まずは知と結びついた特権によって、語る権利が限定されている状態から始まる。特権意識と相即する限定化への力が働く中、それに抵抗するようなかたちで、物語を語る主体の範囲が拡大し、次第に包括的なものになっていく運動の中で、その物語が「流行語」と見なされる。

語る主体の範囲が完全に包括的なものになり、「出来事を知っていること」を根拠にした限定化の枷から自由になったとき、つまり語る主体の範囲が社会的に十分に普遍化されたとき、問題の言説の時代になる。「とは何か?」という問題に対して、誰もがどう答えればよいのかを知っている——と想定される——段階である。実際には、誰もが知っている（かのように語ることができる）わけではない。「芸術 art」という新奇な語を使って、誰もが気の利いた——かのように見せながらほんとうは陳腐な——コメントができるわけではない。ただ、「そんなことは誰でも知っている」という言い方が有意味になっている段階、これが「問題の時代」だ。つまり、現実にすべての人が知っている（かのように語ることができる）かどうかとは独立に、すべての人が知っていることを知っている主体の存在を想定できるとき、「問題の時代」なるものが到来していると見なすことが許される。

その想定された主体は、どの特定の個人とも同一視できない。誰にとっても「他者」である。その「他者」は、誰もが知っていることを代表している。その意味で、社会的に普遍化された主体である。『紋切型辞典』に相関した主体、つまり、そこに記されている物語の語りの主体は、このような意味での「他者」だ。

3　美人投票ゲームのような

さて、「流行語／問題」という言説の二重の様態を表現する、最も単純な社会モデルは、ケインズの名高い「美人投票ゲーム」ではないだろうか。ケインズは、株式市場における投資家の行動は、独特の美人投票に比せられる、と述べた。[*4] そのゲームの参加者は、百枚の写真から六人の最も美しい人を選ぶ。このゲームでは、参加者たちの平均的な嗜好に最も近い選択をした参加者に賞が与えられることになっている。たとえば、自分が選んだ一位から六位までの美人が、全体得票の一位から六位までと合致していれば、最も高額な賞がもらえるはずだ。

このゲームに勝つためには、参加者は、自分が美しいと思うかどうかを基準にして投票してもダメである。参加者は、「他者」が誰を美しいと判断するかを基準に投票しなくてはならない。厳密には、「他者」が誰を美しいと判断するだろうか、ということについての推論は無限背進する。つまり、「他者」が「『他者』が誰を美しいと判断するか」について推論し、判断しなくてはならない、といった具合にである。それゆえ結局、人は、「他者」を一般的に代表すると想定されているような、影響力ある者が誰に投票するかを推測し、投票することになるだろう。いずれにせよ、今はうるさいことは言わないことにしよう。ここでの要点は、ケインズの美人投票で、参加者はみな、「他者」の判断を基準にし、言わば「他者」の言葉を語っている、ということである。この状況は、「問題の時代」と同じだ。

この美人投票ゲームが、株式市場の投資家の行動の適切なモデルになっていることはすぐにわかるだろう。本来、株を売り買いする者は、自らが優良と判断する会社――経営状態が健全で需要の大きな商品を供給できる会社――の株を求める……とされている。が、株で儲けるためには、そのような判断で行動してはいけない。投資家は、自分自身ではなく、他者が、皆が、どの会社を優良と判断するか、ということを基準にして株を買わなくてはならない。これは、ケインズの美人投票で、美についての自分の嗜好ではなく、美に関する他者たちの一般的な嗜好に基づいて行動しなくてはならなかったのと同様である。

だが、この美人投票は、株式市場の記述としてはまだ不完全で、第一次近似でしかない。株式市場の記述にするには、もう一歩の繊細化を要する。厳密には、すでに今「他者」が優良と見なしている会社の株を買っても、利益を得ることはできない。株式市場で勝利するためには、これから「他者」が優良と見なすことになるはずの会社の株を買わなくてはならない。つまり、（直近の）未来において流行するはずの株を、現在買うことができれば、その投資家は成功するだろう。その株がすでに流行してしまっているときには――あるいは「問題の時代」のごとく誰もがその株を求めるような段階に達してしまっているときには――、むしろ、その株を売った方がよい。そうすれば、この投資家は、安く買って高く売ることができるのだ。

ここで指摘しておきたいことは、株式市場は、問題の時代だけではなく、流行語の時代を記述するモデルとも見なしうる、ということだ。なぜ、こんなことを指摘したのかというと、小説という現象を、資本主義と結びつけるためである。出版物としての小説が、資本主義的な市場で売られ、作家や出版社や印刷屋などに利益をもたらした、などという当たり前のこととはまったく別に、今指摘した事実は、つまり言説の二重の構成（流行語／問題）と株式市場（あるいは美人投票ゲーム）との間に類比が成り立つという事実は、次のことを示唆している。すなわち、小説なるもの
へと人々を駆り立てている衝動は、資本主義的なものである、と。資本主義なるものを成り立たせている同じ社会的なダイナミズムが、言説の領域では、近代小説を生み出し、またその繁栄をもたらしているのではないか。狭義の資本主義、経済的な意味での資本主義と、言説的な現象としての小説は、どちらも「全体的社会的事実」（マルセル・モース）としての資本主義というダイナミズムに属しているのではないか。

＊

広義の資本主義とのつながりについてのこうした発見は、近代を特徴づけるもうひとつの言説と小説との関係についての考察へとわれわれを導くことになる。近代を代表する言説はふたつある。そのうちのひとつは、今まで見てきた（近代的な）小説である。もうひとつは、科学革命以降の科学、近代科学だ。近代科学に関しても、われわれはかつて、資本主義との結びつき、資本主義的なダイナミズムへの内属について論じてある（第13章）。とするならば、われわれが見定めなくてはならないのは、この二種類の言説の関係である。資本主義と連動しているように見え

る二種類の言説は、どのように関係しあっているのか。

類似は確かにある。たとえば、われわれは、小説を書いたり読んだりする認識主体に関して、蓮實重彥の議論をもとに、社会的な普遍化が生じた（流行語の言説から問題の言説へ）、ということを確認した。同じ意味をもつ変化は、科学の領域でも生じている。

そのことがとりわけわかりやすい形で現れているのは、科学革命を経由したことで、英語の“common”という語に生じた明確な地位変化である。[*5] “common sense”等の“common”である。科学革命以前は、この語は、「卑俗な」「平凡な」といった否定的な含みを主としていた。しかし、科学革命の後には、この語は、文化や政治の領域で、はっきりと肯定的な意味で使われるようになる。たとえば、“common science”、“common wealth”といった語彙において。語の地位の逆転は、common であるということが「科学的真理」との間でとりもつ関係が変化したことを反映している。中世までは、common であるということは、真理から隔てられていることの証拠であった。それに対して、科学革命以降は逆に、common であることは、真理の必要条件、あるいは真理であることの有力な状況証拠である。

この“common”は、「問題の時代」の「問題（と回答）」が属している「他者」を形容する語としても成り立つだろう。この語は、「紋切型」のもつ凡庸性にも通ずる。科学の言説においても、小説の言説と類似の変化が起きていることが、ひとつの語のコノテーションの変化をめぐるちょっとした観察の中からも直感できる。

が、しかし、近代科学と近代小説では違いの方が圧倒的に目立つ。むしろ、対照的である、と言える。そのことを顕著に見てとることができるのは、「経験」に対する態度の違いである。小説が関心を寄せるのは、経験の（個人間にある）多様性や具体的細部である。科学は、逆に、経験の多様性に対しては敵対的だ。誰が経験しても同じであることが、科学的な意味で真理であることの必須の要件である。多様性を完全に削ぎ落とし、経験に統一性をもたらす方法を、科学は「実験」と呼ぶ。

近代を代表する二つの言説の間にはどのような関係があるのだろうか。

4　科学の言説と小説の言説――集合論的類比

この関係を、ここでは、数学的な隠喩によって説明してみよう。どんな数学、数学のどのジャンルか。集合論である。ゲオルク・カントールによって創出された集合論だ。カントールの功績は、「無限」を数学的に扱いうる対象としたこと、つまり「無限集合」を正確に定式化したことにある。[*6] この無限集合に対してとるポジションの違いとの類比で、小説の言説と科学の言説の相違を説明することができる。このことは、無限集合を媒介にすることで、両者の間のつながりを見出すことができる、ということでもある。

最も基本的な無限集合、つまり自然数の集合で考えてみよう。0、1、2、3、……という自然数の列には、終わりがない。0から始まって、任意の自然数に対して、後続が、つまり〝+1〟が存在する。3に対しては4、4に対しては5、……7386に対しては7387……と。このことこそ、自然数の定義そのものである。どの自然数も、「もうこれ以上は後続はない」という限界にはなっていないのだ。あたかも、任意の自然数が、剰余を、「ここでは尽きない」という剰余を生み出しているかのようだ。このような数列の最終的な要素に到達することの不可能性が、素朴な意味での無限、カントール以前の無限である。

ここで、この「後続に対していつまでも開かれている要素の集合」を、それ自体、閉じられた全体、閉じられた集合として扱ったらどうだろうか。これこそ、カントールが導入した無限集合である。無限集合を独自の対象として措定し、たとえば上位の集合の要素ともなりうる数と見なしたとたんに、無限というもののふしぎな性質、有限集合とは決定的に異なる性質を発見することができる。たとえば、無限集合は、要素の追加（加法）や要素の削除（減法）に対して反応しない。有限集合の場合には、一個の要素を減らせば、その分、集合が小さくなる（集合の濃度が低下する）。無限集合でも同じではないか、と思うかもしれないが、そんなことはない。たとえば「自然数の集合」の中から、最初の要素0を抜き取ってしまい「1以上の自然数の集合」を作ったとしよう。後者は前者よりわずかだけ小さいのではないか、と思いたくなるが、そんなことはない。両者の大きさ（集合の濃度）は厳密に等しい。そのことは、二つの集合の要素の間に、一対一の対応を付けられるという事実によって示される。[*7]

今活用した事例にもすでに含意されていることだが、無限集合の最も興味深い性質は、部分と全体が合致するということである。有限集合の場合には部分（真部分集合）は必ず全体よりも小さい。しかし、無限集合ではそうはならない。たとえば、「偶数である自然数の集合」は「自然数の集合」の部分である。前者は後者の半分の大きさだと思うかもしれないが、この場合も、両集合の大きさは等しい。「自然数の集合」の任意の要素nに対して、「偶数の集合」の要素2nを対応させれば、やはり一対一の対応が成り立つからである。[*8]

集合についての教科書的な解説は、これくらいにしておこう。このことと、われわれの主題とはどう関係しているのか。今、個々の自然数をこの世界で生起する出来事や現象だとしよう。そうすると、科学的な言説は、言わば、無限集合を対象としていることになる。念のために言っておけば、これはあくまで比喩である。科学が対象とする事物の数が無限だと言っているのではない。科学は、現象のもつ、論理的には際限のない変異や多様性に対して、あたかも自然数のすべてを無限集合として一括して扱うのと似て、一般化して対象化する。こう考えれば、科学的な言説が記述する対象は、一般に無限集合である。

それに対して、小説はどうなのか。科学的言説が、自然数の全体を単一の集合として対象化しているのだとすれば、小説の言説は、その集合の中の個々の要素、0とか、1とか、23とかという要素にこだわっている。科学という言説は集合レベルの一般性に関心をもつのだとすれば、小説の言説は個別の要素の特殊性をこそ記述する。……というのが、あきるほど繰り返されてきた説明だが、ここまでわれわれが展開してきた論理は、こうした類比にはあたらない。

実は、小説の言説もまた、集合論的な隠喩を使うならば、「無限」に関心を寄せているのだ。ただし、科学とは異った仕方で、である。先にこう説明した。任意の個々の自然数に対して、剰余（後続）が自律的に発生しているように見える、と。小説が執着しているのは、この剰余、個々の自然数をその単一性において把握したときに必ずそれに対応して現れてしまう剰余である。この剰余（後続）こそ、偶有的な出来事に幽霊のように随伴する「他でもありえた可能性」に見立てることができる。出来事の具体性・特異性に注目すればするほど、その偶有性が、したがって「他でありえた」という潜在性が際立って見えてくる。同じように、個別の、それぞれに特異な自然数に注目しなければ、それが剰余（後続）に開かれているという事実が認識できない。自然数の全体を閉じられた無限集合として把握したときには、この開放性は見失われるだろう。『紋切型辞典』なるものが仮にあるとすれば、その辞典を制作する作業は、自然数の列を際限なく作る操作、どこまでも後続を付加していく操作に似ている。

＊

このように、科学の言説も小説の言説も、集合論の比喩を用いるならば、「無限」に関心を寄せている。ただ、二つの言説は、無限の異なるアスペクトにフォーカスしているのである。無限のこの二つのアスペクトは、ヘーゲルの「悪無限」と「真無限」の区別を連想させるだろう。

だが、このような対応では、次のような印象をもつに違いない。少なくとも論理の上では、小説が注目するような生や経験の多様性は、科学の言説によって記述される真理の中に包摂されることになる、と。どの自然数も後続をもつという条件から導かれる「無限」の性質は、自然数の全体を単一の無限集合として捉えることによって、数学的に有意味な命題として記述され、証明可能なものにもなる。同じように、実際にはどうであれ、単純に論理的な可能性ということであれば、小説の言説において注目されている「剰余」は、科学の言説の中に回収されるのではないか。

そうではない。実は、（二つの）言説と集合論との間の隠喩的な類比は、まだ終わっていない。その先があるのだ。そこまで考慮に入れたときには、小説の言説の対象が科学の言説の中に包摂されてしまう、とは言えないことがわかる。説明しよう。

各自然数に1を加えていくという操作は、自然数の集合を考えたとたんに、もうその先はない。もはや、いくら1を加えていっても、自然数の集合の外には出られないのだ。とするならば、自然数の集合に対しては、剰余は存在しないのか。自然数の集合が無限集合である以上は、もうそこから逸脱する剰余など本来的にありえないように思える。無限集合は、その本性上、もはやその外をもたない集合、それより大きい集合がないような集合ではないのか。

ところが、無限集合に対しても、剰余があるのだ。言わば、無限にも大きさの違いがあるのだ。このことを証明したことこそ、カントールの最も偉大な業績である。集合に対して、その集合の部分集合の集合——これを「冪《べき》集合」と呼ぶ——をとる。有限集合に関しては、冪集合が必ずもとの集合よりも大きくなる、ということは簡単に証明できる。カントールは、冪集合の濃度がもとの集合の濃度よりも大きいという定理が、無限集合に関しても成り立つことを証明した。たとえば自然数の集合の部分集合の集合を作る。この冪集合は、実は実数の集合と同じ濃度なのだが、いずれにせよ、重要なのは、自然数の集合の中に収まらない、ということである。カントールは、「対角線論法」として知られる、きわめて巧みな——いささか詐欺的にさえ見える——やり方で、これを証明して見せた。

ここでの要点は、無限集合に対しても、必ずその中に回収されない剰余が発生する、ということだ。無限集合を明確に限界づけられた閉じた対象と見なすことができる限りにおいて、科学の言説はそれを対象として認識することができる。そこから逸脱する剰余は、科学の言説にとっては存在しないに等しい。それは、科学の言説の記述の守備範囲を超えている。この剰余は、極大の偶有性、過剰な偶有性に対応する。宇宙の基本法則、確率の計算において前提になっているような法則さえも否定するような、「他なる可能性」を含意する、極端な偶有性だ。

科学の言説の視野から外れるこの偶有性は、しかし、小説の言説にとっては、なお基本的な主題そのものである。われわれは、それぞれの自然数が、不可避的に剰余（後続）を呼び寄せるという数学的事実を、偶有的な出来事には常に「他でもありえた可能性」が潜在的に随伴するという構成に、つまり小説のすべての関心が差し向けられている事実に、対応させたのだった。この類比的な対応を維持し、そのまま延長させていけば、対角線論法から導かれる「無限集合に対する剰余」もまた、小説にとっては目を離すことができない対象と解釈しなくてはならない。というのも、ここでは詳しく解説はしないが、対角線論法は、結局「どの自然数にも後続がある」という性質の特殊な応用に基づいているからである。どの自然数も「他」（後続）を発生させるのと同じように、無限集合もまた、言わば自らの胎内から、自らの中に収めることができない差異（剰余）を生み出してしまう。その差異も、いやこの差異こそとりわけ小説的な対象である。

1 蓮實重彥『物語批判序説』中公文庫、一九九〇年。
2 「失敗」があるおかげで、共時的に並存するしかない物語を、通時的な過程に転換することができる。
3 『ブヴァールとペキュシェ』の「非カテゴリー的」失敗の機能的な等価物が、「アルファベット順」である。
4 ジョン・メイナード・ケインズ『雇用、利子、お金の一般理論』山形浩生訳、講談社学術文庫、二〇一二年（原著一九三六年）、二二五—二二六頁。
5 村上陽一郎『近代科学と聖俗革命』新曜社、一九七六年。大澤真幸『量子の社会哲学』講談社、二〇一〇年、第五章。

6　Joseph Warren Dauben, *Georg Cantor: His Mathematics and Philosophy of the Infinite*, Princeton: Princeton University Press, 1979. カントル『超限集合論』功力金二郎・村田全訳、共立出版、一九七九年。

7　次のように要素を対応させればよい。どこまでいっても対応が付けられる。

自然数の集合	1以上の自然数の集合
0	1
1	2
2	3
…	…
n	n＋1

8　ジョージ・ガモフが無限集合のこの性質について、ダーフィト・ヒルベルトによるとされるまことに印象的な説明を紹介している。私は子供の頃に、友人から借りたガモフ全集の一冊で、その部分を読んでいたく感動したのでここに紹介しておこう。自然数個の部屋がある巨大なホテルがある。今、満室である。そこに、超大型の団体客がやってきて、宿泊を求めた。団体の人数は、やはり無限（自然数人）である。すでに満室のホテルは、もう一人として客を受け入れられないのではないか、と思いたくなるが、ホテルの支配人は、巧みに対応して、団体客の全員にひとつずつ部屋を割り当てることに成功した。支配人はまず、それまでの客の全員を、偶数番の部屋に移した。滞在客に、それまで使っていた自分の部屋の番号を確認し、それを2倍にした数字がついている部屋に移ってもらうのだ。そうすると、奇数番の部屋がすべて空く。奇数の集合ももちろん無限集合なので、無限人の団体客は全員、部屋に入ることができる。

あとがき

探究への衝動は、どうしても止まらない。探究は苦しいが、それ以上に楽しい。というより、苦しさと楽しさは一体で、分けることはできない。そして楽しいということは、何より、伝えたくなるということでもある。私が味わっているその楽しさを、読者にも感じて欲しい、と思わずにはいられない。

楽しさは伝わっただろうか。それは、読者が判断することだ。もし伝わらなかったのだとすれば、それはまだ、私の筆力が足りないということであろう。何しろ私は、楽しくてしかたがないのだから。

＊

本書には、「〈世界史〉の哲学」と名付けたプロジェクトの、『群像』二〇一六年一一月号から二〇一八年一〇月号にかけての連載分が収められている。二〇〇九年から始めたこのプロジェクトの、第八六回から第一〇八回に対応する。

第1章から第8章までにあたる分を、連載時に担当してくださったのは、『群像』編集部の原田博志さん、そして、第9章以降の担当は、同編集部の森川晃輔さんだった。

原田さんには、『イスラーム篇』『近世篇』の連載時からずっと担当していただいてきた。私は執筆しながら、「信頼からくる安心感」というのはこういうことだな、と感じていた。締切を大幅に遅れて送った私の原稿に目を通した上で、原田さんが直ちに返してくださるコメントが、いつもポイントを実に巧みについたもので、次回の執筆への私の活力源になっていた。

講談社内の人事異動で担当が変わるとき、原田さんから、「若くてやる気のあるやつ」として紹介されたのが森川晃輔さん。原田さんの言う通りの人だった。森川さんはとても勉強家で、理解力が抜群。森川さんが私の原稿をどう読解したかを通じて、私は自分の原稿のどの部分が成功していて、どこを改善すべきかを適確に知ることができた。

単行本、つまり本書の担当は、横山建城さんである。『近代篇』は単行本にするにあたって検討すべきことがとりわけ多かったのだが、横山さんの提案やアドバイスは、私の意図への（私自身以上に）正確な理解に裏打ちされたものだったので、私としては、とても安心してすなおに受け入れることができた。

原田さん、森川さん、横山さんに心よりのお礼を申し上げたい。

二〇二一年四月六日

大澤真幸

初出「群像」二〇一六年一一月号～二〇一八年一〇月号
（二〇一七年六月号をのぞく）

大澤真幸（おおさわ・まさち）
1958年、長野県生まれ。東京大学大学院社会学研究科博士課程修了。社会学博士。思想誌『THINKING「O」』主宰。2007年『ナショナリズムの由来』で毎日出版文化賞、2015年『自由という牢獄』で河合隼雄学芸賞をそれぞれ受賞。ほかの著書に『不可能性の時代』『〈自由〉の条件』『社会は絶えず夢を見ている』『夢よりも深い覚醒へ』『可能なる革命』『日本史のなぞ』など多数。共著に『ふしぎなキリスト教』『おどろきの中国』『げんきな日本論』などがある。

〈世界史《せかいし》〉の哲学《てつがく》 近代篇《きんだいへん》1 〈主体《しゅたい》〉の誕生《たんじょう》

二〇二一年五月一〇日 第一刷発行

著者 大澤真幸《おおさわまさち》
発行者 鈴木章一
発行所 株式会社講談社
〒一一二―八〇〇一 東京都文京区音羽二―一二―二一
出版 〇三―五三九五―三五〇四
販売 〇三―五三九五―五八一七
業務 〇三―五三九五―三六一五
印刷所 凸版印刷株式会社
製本所 大口製本印刷株式会社

ISBN978-4-06-522708-4 Printed in Japan

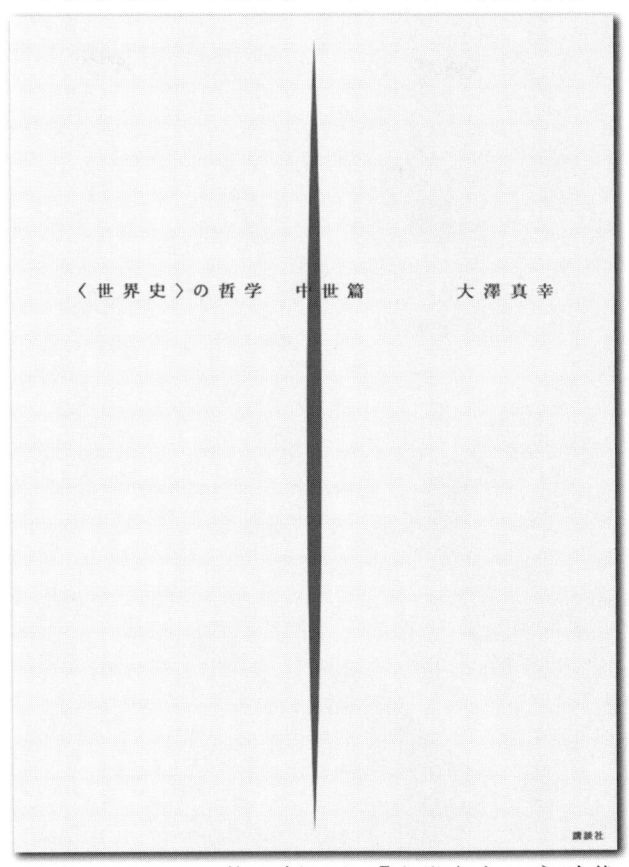

「〈世界史〉の哲学」シリーズ・好評既刊

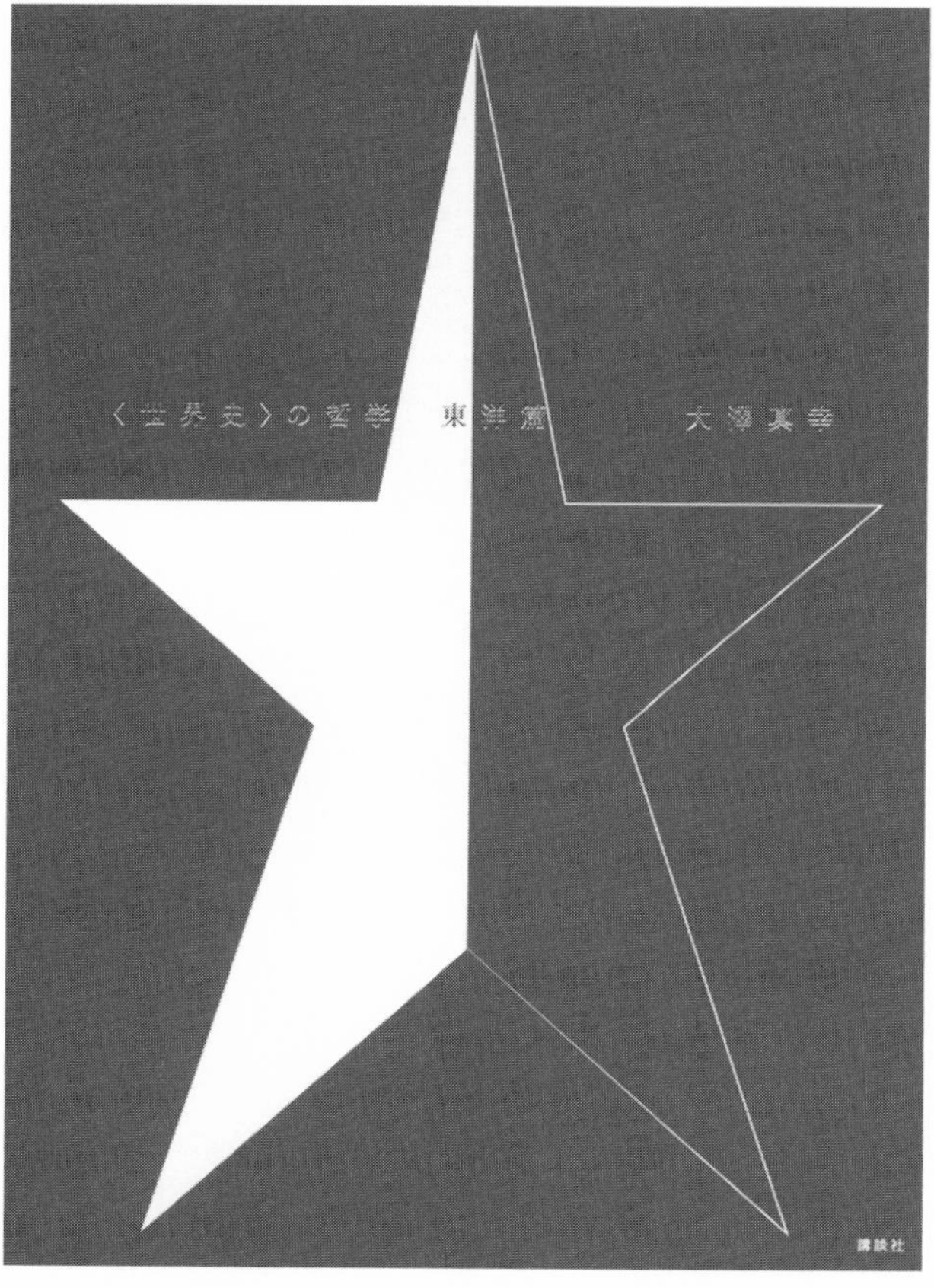

世界最高峰の中国文明が西洋に後れをとった世界史の不思議

人類の未来が託されるべきだった東洋が、西洋の後塵を拝した理由を探る。

『〈世界史〉の哲学 東洋篇』

定価：3520円（税込）　ISBN 978-4-06-218756-5

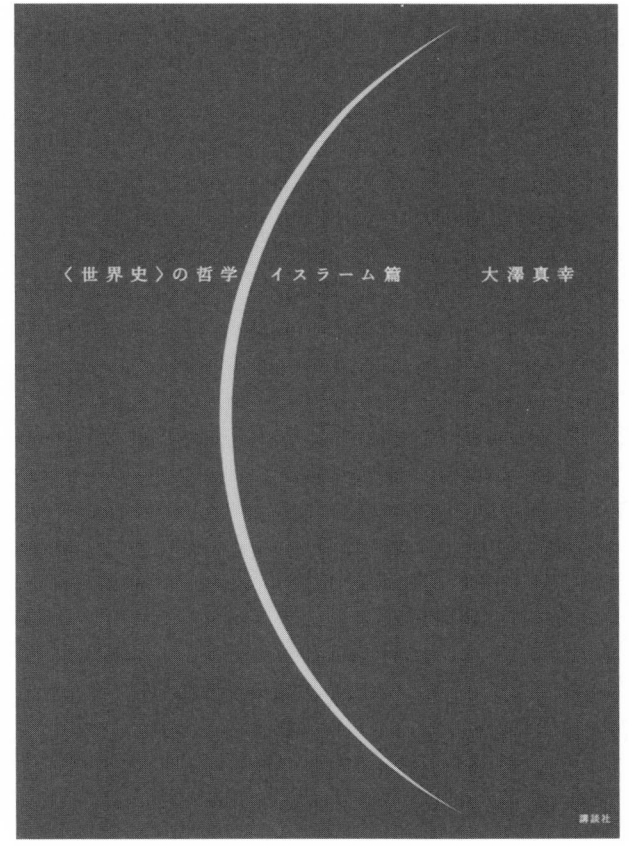

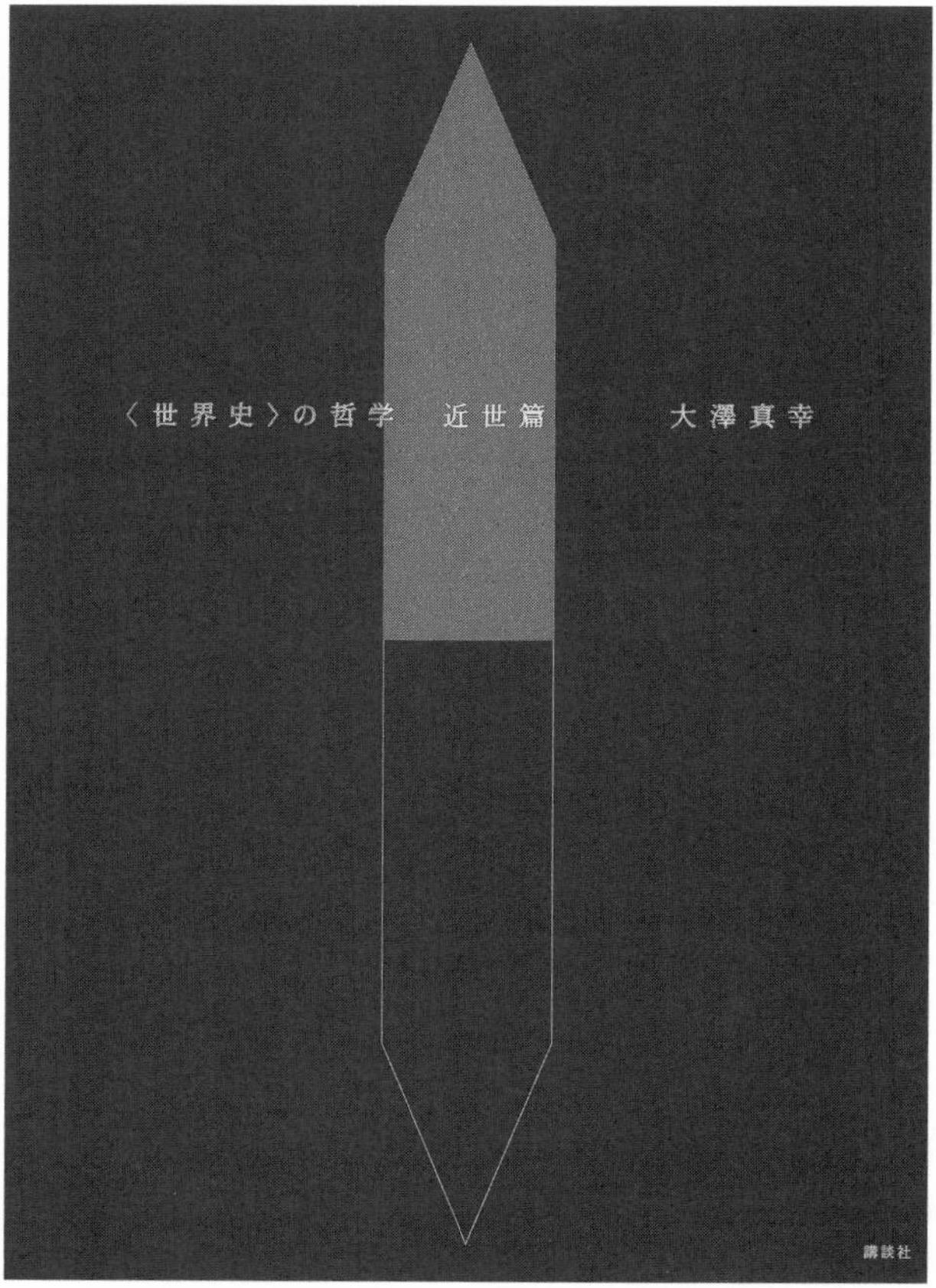
〈世界史〉の哲学　近世篇
大澤真幸
講談社